W9-DBN-158

UNE TÉNÉBREUSE AFFAIRE
LE DÉPUTÉ D'ARCIS

Paru dans Le Livre de Poche :

La Rabouilleuse
Les Chouans
Le Père Goriot
Illusions perdues
Le Cousin Pons
La Cousine Bette
Eugénie Grandet
Le Lys dans la vallée
César Birotteau
La Peau de chagrin
La Femme de trente ans
Le Colonel Chabert
La Duchesse de Langeais
Adieu
Le Chef-d'œuvre inconnu
Le Médecin de campagne
La Maison du chat-qui-pelote
La Recherche de l'absolu
Splendeurs et misères des courtisanes

Histoire des Treize :
La Duchesse de Langeais
précédé de Ferragus *et suivi de*
La Fille aux yeux d'or

Collection dirigée par Michel Zink et Michel Jarrety

HONORÉ DE BALZAC

Une ténébreuse affaire
Le Député d'Arcis

PRÉSENTATION, NOTES ET COMMENTAIRES
PAR ROSE FORTASSIER

LE LIVRE DE POCHE
classique

Rose Fortassier est spécialiste de Balzac : *Les Mondains de la Comédie humaine*, Klincksieck, 1974 ; très nombreux articles et édition critique de plusieurs romans, notamment dans *La Comédie humaine*, Gallimard, Bibliothèque de la Pléiade (aux tomes III, V, IX, et XII). Elle a travaillé sur la littérature des XIXe et XXe siècles : *Le Roman français au* XIXe *s.* P.U.F. coll. « Que sais-je », 1982, rééd. 1993 ; *Les écrivains français et la mode, de Balzac à nos jours*, 1988, et a en particulier édité Aloysius Bertrand, *Gaspard de la Nuit* pour les bibliophiles de la Compagnie typographique, 1979, et *Huysmans, A rebours*, à l'Imprimerie Nationale, coll. « Lettres françaises », Prix de l'Édition critique, 1981.

UNE TÉNÉBREUSE AFFAIRE

INTRODUCTION

On trouvera réunis ici, comme ils le sont dans le Catalogue de *La Comédie humaine* (section *Scènes de la vie politique*), les deux romans intitulés *Une ténébreuse affaire* et *Le Député d'Arcis*. La première de ces œuvres raconte une affaire qui trouve dans la seconde un lointain prolongement, l'action d'*Une ténébreuse affaire* se situant en effet quelque quarante ans avant celle du *Député d'Arcis*.

Cette chronologie s'inverse dans la genèse des deux œuvres, fort intéressante car elle offre un exemple de la manière polyphonique de créer qui est propre à Balzac. Comme son héros Napoléon, dont la légende veut qu'il ait dicté sept lettres en même temps, le romancier, on le sait, travaille toujours à plusieurs romans en même temps. L'étude des manuscrits a montré que le projet du *Député d'Arcis* précède de quelques mois celui d'*Une ténébreuse affaire* : c'est en commençant son *Élection en province* (un des premiers titres du *Député d'Arcis*) entre avril 1839 et juin 1840 que Balzac conçoit l'idée d'un roman historique où se liraient les débuts de personnages qu'il vient de créer pour sa comédie électorale. La machine à remonter le temps fonctionne si bien qu'après avoir travaillé simultanément aux deux œuvres, Balzac abandonne son *Élection* pour se consacrer à *Une affaire secrète* (premier titre d'*Une ténébreuse affaire*) qui, divisée en vingt chapitres, paraît en feuilleton du 14 janvier au 4 mars 1841, dans un obscur journal politique et littéraire, *Le Commerce, journal des progrès moraux et matériels*, avant d'être publiée en volume chez Souverain en 1843.

Une longue préface à cette édition jette, sous une forme polémique, quelques clartés sur l'événement qui a inspiré *Une ténébreuse affaire*, l'enlèvement du sénateur Clément de Ris, sur lequel le romancier aurait eu des renseignements de première main. Ce que confirment les exégètes de l'œuvre.

Le premier de ses informateurs est sans doute son propre père, Bernard-François Balzac, administrateur de l'Hospice de Tours à l'époque de l'enlèvement (1800) ; il avait alors connu le sénateur auquel le lia plus tard une dette de reconnaissance. Le romancier aurait même accompagné son père chez Clément de Ris et aurait vu certain coin de gazon où l'on avait brûlé des papiers (ce qui est beaucoup moins sûr et n'aurait pu se produire que bien des années après l'enlèvement). Deux autres Tourangeaux — le premier, par personne interposée — peuvent avoir raconté quelque chose à Balzac : M. de Pommereul, fils de préfet de Tours ami de B.-F. Balzac, chez qui l'auteur des *Chouans* avait fait un séjour en 1829, et M. de Margonne, le dédicataire d'*Une ténébreuse affaire*.

Aussi riches, sans doute, les renseignements qu'aurait fournis au romancier Mme de Berny qui, en 1800, logeait au ministère de l'Intérieur avec son mari qui y était bibliothécaire ; elle avait été pendant de nombreuses années la maîtresse d'André Campi, ami et bras droit de Lucien Bonaparte, ministre de l'Intérieur en 1800 et très au courant des complots que fomentèrent, en l'absence du Premier consul, Talleyrand, Fouché et quelques autres. L'affaire Clément de Ris, qui avait fait grand bruit mais dont le public ignora les dessous, Balzac l'avait dite à la duchesse d'Abrantès qui l'avait racontée, avec des infidélités selon le préfacier d'*Une ténébreuse affaire*, dans le tome VII de ses *Mémoires* paru en 1832. Voici les faits :

Le 1er vendémiaire an IX (23 septembre 1800), Dominique-Clément de Ris, sénateur de fraîche date, qui résidait alors dans son château de Beauvais, à quatre lieues de Tours, était resté près de sa femme malade avec seulement quelques domestiques ; les autres étaient partis commémorer à Tours l'avènement de la République, prétexte à réjouissances. Il est enlevé en plein après-midi par six cavaliers vêtus en hussards qui se saisissent aussi de l'argenterie et des bijoux. Ils jettent le sénateur dans une calèche qui prend le chemin de la forêt de Loches et l'enferment dans la cave d'une ferme nommée le Portail. Quelques jours plus tard, ils exigent une rançon.

L'événement, « aussi affligeant qu'extraordinaire », comme dit le rapport de police, émut et la Touraine et Paris et la France entière. Le Premier consul se sentit atteint et bafoué en la personne d'un membre de son Sénat. Il se fâcha et exigea des recherches poussées. Le 10 octobre, en pleine nuit, par le plus beau clair de lune, le sénateur, très mystérieusement, est extrait de son cachot ; on lui bande les yeux, on le fait monter à cheval et ses ravisseurs l'entraînent dans une folle équipée à travers la forêt. Tout à coup détonations, bruit de lutte ; le sénateur entend ces mots : « Arrête, foutu gueux. » Et le voici soudain délivré, on lui ôte son bandeau ; les ravisseurs ont disparu et ses libérateurs le ramènent sain et sauf dans ses foyers. Les personnages qui avaient apparemment joué le double rôle de ravisseurs et de libérateurs auraient été d'anciens officiers chouans chargés par Fouché d'enlever le sénateur et qui ne firent guère mystère de leur identité. Clément de Ris fut convoqué à Paris et reçut du ministre de la Police l'ordre de déclarer par écrit qu'il n'avait pas reconnu ses ravisseurs, ce qui n'est guère probable, car ils n'étaient pas masqués.

Survint l'attentat de la rue Saint-Nicaise (le 24 décembre 1800) qui faillit coûter la vie au Premier consul. Il crut reconnaître la main des Jacobins. Fouché, ancien jacobin lui-même, avait intérêt, pour se dédouaner, à attirer l'attention sur les royalistes (qui étaient d'ailleurs les instigateurs de l'attentat). Dans la foulée, on arrêta en janvier 1801 deux gentilshommes normands de Nogent-le-Rotrou, anciens Chouans, Auguste-Marie du Montier de Cauchy et son beau-frère, Jean-David-Charles de Maubuisson, et, quatre mois plus tard, un certain Étienne Gaudin, dit Montauciel, du Calvados, précédemment condamné comme voleur de grands chemins. On arrêta aussi les fermiers du Portail, et, la loi du 18 pluviôse venant de créer des tribunaux spéciaux qui connaissaient des voies de fait commises sur les grandes routes, les accusés comparurent devant le tribunal spécial de Tours :

condamnation, cassation du jugement, nouveau procès qui se tint à Angers, et toujours en l'absence du principal témoin, la victime de l'enlèvement. Malgré leurs dénégations et la touchante intervention de leurs épouses, les deux gentilshommes furent condamnés à mort et exécutés. Étaient-ils complices du chef des ravisseurs, un certain Gondé de la Chapelle ? C'était un ancien Chouan, qui livra leurs noms et qui, loin d'être lui-même inquiété, eut droit aux faveurs de Fouché. Le ministre de la Police paraît bien avoir été l'instigateur de l'enlèvement et de la condamnation des pseudo-coupables. Il aurait agi par le truchement d'un subordonné du royaliste Bourmont (le futur maréchal vainqueur d'Alger). Le jugement n'emporta pas la conviction du public ni des contemporains en général. Balzac ne fut pas le seul à penser que Fouché avait voulu, à la faveur d'un enlèvement, détruire les preuves d'un complot fomenté contre le Premier consul, à la veille de Marengo. Telle est l'affaire dont s'inspira le romancier, en la délocalisant de sa Touraine à la Champagne du député d'Arcis.

L'idée géniale du romancier fut d'inventer un premier épisode qui crée déjà entre son sénateur, Malin, et ses futurs pseudo-ravisseurs une opposition, et de déplacer l'intérêt, de ce sénateur dont le sort nous soucie peu, à quatre beaux et braves jeunes gens. Les Simeuse, dont les parents sont morts sur l'échafaud et qui ont été spoliés de leurs biens par Malin, ont émigré avec leurs cousins d'Hauteserre. Après douze années, ils rentrent en France pour participer à la conspiration dirigée par Cadoudal, Rivière et les frères Polignac. Ils arrivent d'Allemagne (en fait il n'y eut jamais de « parti » venant de l'Est) pour rejoindre les conjurés à Paris. Ils sont aidés par la jeune cousine des Simeuse, Laurence de Cinq-Cygne, et par le tout dévoué garde-chasse, Michu. Toutefois, il s'en faut de peu qu'ils ne soient pris, grâce à la sagacité du policier Corentin, l'âme damnée de Fouché. Cruellement humilié par Mlle de Cinq-Cygne, Corentin jure de se venger. C'est lui qui, trois ans plus tard, mettra à profit tout un concours de circonstances pour faire accuser les quatre jeunes gens d'un enlèvement dont son maître est l'instiga-

L'arrestation de Pichegru,
impliqué dans la conspiration de Cadoudal (1804).

teur. Le filet se trouve si parfaitement serré que tout accuse les Simeuse, à qui profiterait plus qu'à tout autre la disparition de leur ennemi Malin.

Une telle contamination obligeait évidemment le romancier à modifier la chronologie et à étirer le temps. Puisque l'enlèvement de Malin et la condamnation des Simeuse qui s'ensuit ont à voir avec l'affaire Cadoudal et le rôle que les Simeuse ont failli y jouer à l'automne 1803, il faudra reculer de cinq ans et demi l'enlèvement du sénateur (printemps 1806 au lieu d'automne 1800). Nous voici un peu loin de Marengo. Qu'à cela ne tienne. D'ailleurs ce ne sont plus simplement les proclamations de juin 1800 que, par deux fois, Fouché fait chercher chez Malin, mais la correspondance qu'il entretient avec le futur Louis XVIII.

Ainsi le tableau devient fresque. L'intrigue commence aux premières années de la Révolution pour se clore, grâce à un épilogue, trois ans après la révolution de 1830. L'historien embrasse quarante ans de l'histoire de France, mais le romancier, maître du temps, invente une chronologie dramatique : tantôt racontant par le menu une journée dramatique de la vie privée, tantôt « gazant » plusieurs années riches en événements historiques ; tantôt transportant le lecteur dans le cabinet d'un ministre, ou sur le champ de bataille où se joue le sort d'un pays, tantôt restituant le lointain écho des grands événements, tel qu'il parvient au fond d'une forêt et d'un château du Moyen Âge. La première partie — *Les Chagrins de la police* — nous mène de la mi-novembre 1803 à l'assassinat du duc d'Enghien (20 mars 1804), mais en fait elle ne conte qu'une journée et une nuit, celle de la perquisition au château de Cinq-Cygne. La deuxième — *La Revanche de Corentin* — s'ouvre sur deux années d'entracte heureux où le bruit des victoires et des fastes, visite du pape, couronnement de l'Empereur, Austerlitz, s'entend comme en coulisse. Puis c'est le *Procès politique sous l'Empire*, l'horreur d'un jugement, le tumulte d'une bataille et, retour au calme, six années, résumées en une page, de solitude et de silence, suivies de dix-sept ans de tranquille et mélancolique bonheur domestique. Enfin l'épilogue — grâce à une seconde idée géniale, qui ne vint pas tout de suite à l'esprit du romancier — nous transporte dans un salon parisien et en même temps, par la vertu d'un récit qui renverse la chronologie, nous ramène au 13 juin 1800, veille de Marengo, afin de nous livrer le fin mot d'une affaire restée jusqu'alors ténébreuse pour le lecteur comme pour les victimes. Au dire d'Alain, Valéry, qui n'aimait pourtant guère les romans, admirait fort cet épilogue. Il fit aussi une forte impression sur Proust, qui y reconnut une technique proprement balzacienne, puisque, pastichant l'auteur de *La Comédie humaine* dans *Pastiches et Mélanges*, il confie à de Marsay le soin de révéler aux familiers du salon d'Espard les dessous de *l'Affaire Lemoine.*

« Si l'art et la nature se rencontrent exactement dans une œuvre », écrit Balzac à l'époque où il conçoit sa *Ténébreuse Affaire*, « c'est que la nature dont les hasards sont innombrables est alors arrivée aux conditions de l'Art ». Le romancier rend vrai le réel « en transposant », selon sa formule, « dans un milieu vrai le fait le plus invraisemblable », et en lui donnant une explication psychologique. Et, là où le réel ne lui fournissait que de simples individus et de pauvres vies qui n'arrivaient pas à faire des destinées, il crée des types et des héros, « car la grandeur des caractères augmente la grandeur des situations ». Rien à voir en effet entre Clément de Ris et Malin, « rien que l'enlèvement et la qualité de sénateur », écrit l'auteur. Le premier semble avoir été un personnage assez effacé ; jacobin mais suspect de modérantisme, il n'avait pas siégé à la Convention et sa carrière sans éclat sous les divers gouvernements qu'il avait servis avait été interrompue en 1829 par la mort. Malin vit assez longtemps pour servir Louis-Philippe, et il apparaît aussi fort que les Talleyrand et les Fouché. Balzac a fait de lui le type de l'opportuniste politique que favorisèrent les nombreux changements de pouvoir entre 1789 et 1830. Mais l'excellent est de l'avoir fait acquéreur de biens nationaux, ce que n'était pas Clément de Ris. Ainsi s'explique sa force, la complicité qu'il trouve dans toute une population, et plus tard auprès d'un roi dont la devise était *Union et Oubli*, Louis XVIII.

Corentin, lui aussi, est plus qu'un individu. Sa passion exclusive pour l'espionnage policier fait de ce sosie de Fouché, de son fils naturel peut-être, l'incarnation de la Police. Du côté de ses victimes, les Simeuse n'ont rien à voir avec les deux gentilshommes chouans de l'affaire Clément de Ris ; ils représentent l'Émigré. Et leur parfaite ressemblance fait d'eux des sortes de Castor et Pollux mythologiques, cependant que leur amour fatal pour leur cousine rend plus monstrueuse encore, à leurs propres yeux, cette gémellité. L'auteur de *La Fille aux yeux d'or* a projeté sur eux l'horreur superstitieuse, vieille comme l'humanité, pour les jumeaux voués au crime et parfois à la gloire. Enfin, il n'est pas jusqu'aux personnages secondaires, les d'Hauteserre, l'abbé Goujet ou le marquis de Chargebœuf, qui n'incarnent une des attitudes possibles à l'époque en face des événements politiques.

Les héros maintenant, ou plutôt l'héroïne, Laurence de Cinq-Cygne, création du romancier, sur qui tombe toute la lumière du tableau, parce qu'elle est l'âme de toute une maison, et seule, dans ce roman qui compte tant de couples, époux, frères, frère et sœur, amis, collègues, confrères ou domestiques. Évidemment cette héroïne champenoise rappelle bien des héroïnes bretonnes et normandes, la Fougéroise Thérèse Mollien, impliquée dans l'affaire La Rouërie, ou Mme de Marigny dont Balzac avait dû lire le *Journal*, d'autres encore. Mais Laurence de Cinq-Cygne les dépasse de cent coudées. Balzac nous invite à chercher ses modèles parmi les grands noms du roman comme de l'histoire ou de la légende : Diana Vernon, Flor Mac Ivor, Mathilde de La Mole, et il propose lui-même ceux de Judith et Charlotte Corday, sans oublier leurs homologues masculins, Harmodius, Jacques Clément, Ankastroëm et Limoëlan. Enfin elle incarne la Féodalité. Pour qu'elle s'humanisât et gardât quelque chose d'émouvant, Balzac a donné à cette guerrière une frêle apparence, et la peau la plus fine ! Mais il n'était tout de même pas facile de conduire jusqu'à la maturité cette héroïne absolue dans son idée de l'honneur et de la fidélité. La transformation si profondément vraie de la vive Natacha en une matrone un peu jalouse désenchante les dernières pages de *Guerre et Paix*. Combien difficile de mener au-delà de la cinquantaine une Jeanne d'Arc doublée d'une Charlotte Corday ! Balzac réussit cette gageure. L'indomptable chasseresse se meut en tendre épouse, en mère attentive, en femme du monde bonne et spirituelle, sans rien perdre de son aigu, sans rien oublier.

Le pendant de Laurence, c'est ce Michu dont elle accroche le portrait à la place d'honneur dans son salon, Michu, comme elle animé du désir de tuer et qui reste jusqu'au bout fidèle à ses croyances. Semblables, la suzeraine et son vassal, égaux dans leur commune reconnaissance d'un contrat qui ne doit rien aux lois du jour, aux lois écrites. Dans le cas de Michu, l'histoire de la Chouannerie fournit aussi des modèles possibles, mais qu'il distance tous en acceptant le masque hideux de Judas pour sauver ce qu'il aime et en se faisant le martyr de la vassalité, de la Féodalité.

Une ténébreuse affaire est riche de significations diverses, parce que le roman renvoie à des genres romanesques différents, et parce que Balzac s'y montre, comme toujours, selon le mot de Claudel, un « grand entrepreneur de points de vue ».

Le premier, Gaschon de Molènes, marqua le roman d'un mot alors presque infamant : *roman policier* ; et depuis on va répétant que la *Ténébreuse* est le premier en date des romans policiers. Mais c'est maintenant pour faire honneur à Balzac de cette invention. Et l'on a raison en un sens. Affaire policière sans doute que cet enlèvement, si parfaitement arrangé par des inconnus que des innocents se trouveront réunir contre eux toutes les charges, qu'ils ne pourront fournir aucun alibi. Les vrais coupables ne seront révélés que tout à la fin du livre — au lecteur seulement — et avec tout un luxe de mise en scène. Toutefois un moderne lecteur d'Agatha Christie ou de James Hadley Chase — pour prendre des manières différentes ! — reconnaîtrait-il dans *Une ténébreuse affaire* ce qu'il cherche sous la couverture jaune ou noire ? Le mot de G. de Molènes ne doit pas faire illusion. Roman policier veut dire pour lui roman sur la police, et sur une police très spéciale ; car le policier, espion plus que détective ou justicier, n'est pas ici celui qui recherche le criminel, mais celui qui perpètre le crime. La création de la police politique parut aux contemporains une monstruosité, une abomination, et ils ne lui accordèrent que mépris. Elle utilise en effet des limiers qui voient dans la chasse à l'homme une distraction « supérieure à l'autre chasse de toute la distance qui existe entre les hommes et les animaux », des brigands salariés et sans pitié, à l'affût comme des sauvages de Fenimore Cooper. Mais cette monstruosité représente aux yeux de Balzac ce que n'avait jamais été la défunte Lieutenance générale qu'elle avait remplacée : un Pouvoir, le Pouvoir, et secret comme tous les vrais pouvoirs. Elle survivra à la Révolution et à l'Empire, et l'on retrouvera Corentin, après la mort de son maître, toujours en activité en 1829 dans *Splendeurs et Misères des courtisanes*. Balzac s'est-il exagéré la puissance de cette police politique et de son chef, Fouché ? C'est ce que pense l'historien Jean Tulard qui imagine mal un Fouché risquant de se compromettre dans une affaire Clément de Ris, et qui voit dans le mythe Fouché une invention de Balzac. Il est vrai que le romancier s'est gardé de compromettre absolument ce personnage historique, en laissant Corentin mener son propre jeu. Quant à son idée de la toute-puissance de la police, il trouve dans son roman même quelqu'un pour la corroborer : le pendant de Fouché, Talleyrand, dont l'action, ici bénéfique, s'oppose à celle, meurtrière, de celui qui fut souvent son complice.

Ce que le lecteur du *Château d'Otrante*, d'*Udolpho* ou des *Mystères de Londres* reconnut et aima dans la *Ténébreuse* c'est — pour parler le langage du temps — un excellent *roman noir*. Tout y est : décors, heures, actions et personnages, vieux château à douve et à poterne, sombre forêt, in-pace d'abbaye détruite, prison, mystérieuses cachettes, trésor enterré, complots, enlèvements, exécutions, chevaux que l'on bâillonne et dont on enveloppe les pieds pour étouffer le bruit de leur galop, prisonnier à qui une femme masquée apporte de quoi subsister, bandits inconnus, personnages sauvages, instinctifs, en proie à de constantes prémonitions. Roman noir aussi parce que tout s'y fait ténèbres. Dans le titre qui a remplacé celui d'*affaire secrète*, l'adjectif *ténébreuse* qui le précède étouffe en quelque sorte le mot d'*affaire*. Ténébreux les complots, naturellement ; il y en a trois dans le roman qui est proprement le roman de la conspiration, au point qu'Alain y reconnaît à l'auteur « un style de conspirateur ». Ténébreuses les manœuvres de Corentin ; ténébreux aussi les cœurs et les consciences qui sont des abîmes : Malin est quasi incompréhensible, jouant non pas un double mais un triple jeu ; Fouché garde pour lui ses secrets, Rivière et Polignac s'enferment dans un « secret impénétrable ». Il n'est pas jusqu'aux purs, Laurence, Michu, Catherine, le petit Gothard, qui ne soient forcés, pour se défendre, de s'avancer sous le masque. Enfin le romancier a prodigué les ombres et les teintes mystérieuses, et, malgré le titre donné primitivement au dernier chapitre, *Les Ténèbres dissipées*, le brouillard, un instant déchiré par la révélation de De Marsay, se reforme et se referme vite, recouvrant, vague après vague, engloutissant les événements qui firent le plus de bruit, car l'histoire « vieillit » vite.

Scène de la vie politique, le roman illustre la politique de fusion poursuivie par Napoléon, « l'homme qui lui assurait [au peuple] la possession des biens nationaux », selon le mot de l'abbé Brossette dans *Mademoiselle du Vissard*. Le marquis de Chargebœuf et l'abbé Goujet ont déjà compris le bien-fondé de cette politique de ralliement qui fait horreur à Laurence de Cinq-Cygne et à ses cousins. Quant à l'auteur, si passionnément intéressé qu'il soit par les Chouans et les Vendéens, de son premier roman jusqu'à l'un des derniers, *L'Envers de l'histoire contemporaine*, et à l'une de ses dernières ébauches, *Mademoiselle du Vissard*, il condamne les émigrés, ces opposants de l'extérieur, comme les condamne, dans *Mademoiselle du Vissard*, Cadoudal lui-même, qui refuse d'être considéré comme l'un d'eux. Chez Balzac le goût de l'action, comme son pragmatisme, lui font rejeter l'idée d'un retour en arrière. Même lorsqu'il se fit légitimiste en 1832, ce fut pour prêcher à l'aristocratie la nécessité de participer aux affaires du règne bourgeois au lieu de bouder dans leurs châteaux ou leurs hôtels du faubourg Saint-Germain. À coup sûr son admiration et sa sympathie vont aux natures intransigeantes et fidèles, mais il est aussi d'accord avec ceux qui, obéissant aux circonstances plus qu'aux principes, s'élèvent « à la hauteur d'où les hommes profonds voient l'avenir et jugent le passé ». Or la grande affaire qui s'oppose au retour en arrière est ici celle des biens nationaux. Les Simeuse sont d'avance condamnés par leurs acquéreurs dont se composent les deux jurys, de la cour d'accusation et de la cour criminelle. Présenté sous sa forme ironique et mondaine, le pragmatisme de Balzac triomphe dans le salon parisien où se retrouvent une princesse légitimiste, un ministre du roi-citoyen et un sénateur d'Empire ancien Conventionnel.

Une ténébreuse affaire propose aussi une courte *Scène de la vie militaire*. On sait que Balzac rêvait depuis 1833 de mettre en scène le vainqueur de Wagram ou d'Essling dans un grand roman qui s'intitulerait *La Bataille*. De cette œuvre qui ne vit jamais le jour, il a ici écrit une page, *Le Bivouac* — c'était là, avant l'édition Furne, le titre du chapitre où l'on voit Laurence de Cinq-Cygne venir demander à l'Empereur la grâce de ses cousins et de Michu. L'admiration, et presque la flatteuse jalousie, que venait d'inspirer au romancier le récit de Waterloo dans *La Chartreuse de Parme* a réveillé ce vieux projet. Mais il ne peut être question pour lui de se tenir aux marges d'une bataille qui serait une défaite. Napoléon — qui apparaît trente-deux fois dans *La Comédie humaine*, mais qui n'est souvent que celui qui destitue ou protège, casse ou décore, rétablit ou éconduit, gracie, marie, baronnifie — apparaît ici en pied, à la veille de la victoire d'Iéna, étudiant le champ de bataille à la lorgnette, puis sur une carte, « gigantesque et réel », dit Balzac. Et, malgré quelques concessions à l'imagerie pieuse d'Épinal, rien ici de la fameuse *Clémence de l'Empereur*. Balzac s'intéresse d'ailleurs moins au stratège qu'à l'homme d'État, « le vrai », tel qu'il le définissait dans *Le Médecin de campagne* (1833), le chef-né qui, sentant sa force et devinant son destin, prend le pouvoir par une voie peu légale mais acquiert la légitimité du souverain au-dessus des partis. Alain juge les propos qu'il tient à Mlle de Cinq-Cygne « dignes d'orner toutes les anthologies ». Et encore : « Cette scène si courte est écrasante. Quel traité de politique il y a là. » Et de suggérer : « Peut-être Napoléon est-il le vrai héros d'*Une ténébreuse affaire*. » Tant il est vrai que, dans ce roman, heurs et malheurs de la vie privée sont commandés, de Marengo à Iéna, par l'irrésistible ascension de Napoléon.

Balzac connaît les lois du roman historique, et que les grandes figures de l'Histoire y tiennent leur existence de l'intérêt que veulent bien leur porter les personnages fictifs. C'est Mlle de Cinq-Cygne, vaincue par la grandeur de celui qu'elle haïssait, qui confère à l'Empereur sa grandeur et sa réalité. Finalement vie privée et vie politique s'imbriquent si parfaitement, personnages fictifs et personnages historiques partagent si équitablement le privilège de la *présence*, comme on dit au théâtre, que nous acceptons comme également vrai et important que le même jour voie le dernier des Condé assassiné et Michu installé dans la ferme de Cinq-Cygne.

Tout roman de Balzac est un drame. Mais dans *Une ténébreuse affaire* la présence récurrente des mots *Fatalité* et *Destin*, à côté de ceux de *Hasard* et de *Providence*, donne à ce roman policier, politique, militaire, historique l'accent du drame antique ou de la tragédie classique. « Je me tais, je souffre et j'attends », dit l'héroïne, vaincue par des instances supérieures et mystérieuses. Avant qu'elle n'en arrive là, il semble que le ciel ait prodigué, sous forme de rêves prémonitoires, pressentiments et présages, de pies envolées, de conseils donnés sans espoir par un vieillard et par un prêtre, de phrases anodines que l'avenir alourdira de sens, tous les avertissements que les héros aveuglés refusent toujours d'écouter.

Quant au duel qui oppose Malin aux Simeuse, Corentin à Michu, il n'est que la mise en scène d'un duel abstrait et religieux et tragique entre l'ancienne et la nouvelle loi, entre le Droit et le Fait. Claudel trouvera là toute la matière de l'*agôn* qui oppose à l'acte II de *L'Otage* Sygne de Coûfontaine et Turelure. L'influence est frappante et Claudel l'avoue dans ses *Mémoires improvisés* : « J'ai beaucoup lu Balzac quand j'étais jeune homme [...] Balzac était pour moi ce qu'était Homère pour les anciens Grecs, et Balzac a influé plus ou moins consciemment sur certains de mes drames, par exemple sur *L'Otage*. On a remarqué que le nom de mon héroïne, Sygne, est emprunté à un des héros du roman *Une ténébreuse affaire*, qui s'appelle Mme ou Mlle de Saint-Cygne [*sic*]. Et même l'intrigue d'*Une ténébreuse affaire* n'est pas sans ressemblance. Je dois dire que, quand j'ai écrit *L'Otage*, je ne pensais pas du tout à Balzac, et c'est absolument inconsciemment que ces ressemblances se sont produites. Néanmoins Toussaint Turelure est un personnage balzacien, et la dramaturgie des Coûfontaine est certainement imprégnée d'une atmosphère balzacienne. »

La reconnaissance de dette est un peu courte. La foisonnante *Ténébreuse* inspire presque chaque page de *L'Otage*. Turelure — puisque c'est de lui qu'il s'agit dans le texte cité — ne tient pas seulement de Malin, mais de l'obscur maire Goulard que Mlle de Cinq-Cygne a humilié ; l'entreprise de chantage à laquelle se livre Turelure rappelle les menaces de Corentin et le terrible affrontement lors de la visite domiciliaire. Il n'est pas de détails — si l'on peut parler de détails dans une œuvre d'art — qui n'aient inspiré l'auteur de *L'Otage* : la devise des Chargebœuf, *Adsit fortior*, et le « Debout, Michu » annoncent le fier *Coûfontaine, adsum* ; le miraculeux été de la Saint-Martin de 1803 prélude à l'évocation par

Turelure du merveilleux été de 1793 où les reines-claudes furent particulièrement succulentes ! Inconsciemment ou non, Claudel reproduit aussi, dans le dernier volet de sa trilogie, *Le Père humilié*, la tragique situation d'*Une ténébreuse affaire* : deux frères exactement semblables (Orso et Orian), amoureux de la même femme, Pensée. Enfin l'idée même de prolonger le sacrifice de Sygne dans sa descendance et de suivre l'histoire d'une famille à travers la Restauration et la monarchie de Juillet vient sans doute de Balzac.

Selon son habitude, Balzac, une fois sa *Ténébreuse* écrite, l'a en quelque sorte *greffée* sur le reste de *La Comédie humaine*. Malin a fourni un passé au comte de Gondreville né avec *La Paix du ménage* ; François Michu, jeune protégé de Mlle de Cinq-Cygne, remplace au tribunal d'Alençon M. de Grandville (*Le Cabinet des Antiques*) ; d'autres personnages, dont Corentin, né dans *Les Chouans*, achèveront leur carrière dans des romans encore à naître.

Ces prolongements, ces greffes assurent à *Une ténébreuse affaire* une position forte, une sorte de pouvoir rayonnant dans *La Comédie humaine*. Mais, à la considérer seule, on admire déjà sa richesse. L'immense espace de temps que couvre l'intrigue, le mouvement incessant du calme à l'action, du silence des forêts au vacarme des batailles, tant de manières de supporter le choc des événements, de les tourner, de s'y adapter, font de ce roman une véritable somme. La réflexion qu'il suscite sur le Pouvoir et le Destin, le tragique d'un vieux monde qui craque, tant de morts, un héroïsme jeune qui retombe en indulgente mélancolie, en voilà plus qu'il ne faut pour faire de cette œuvre, longtemps considérée comme secondaire dans le vaste ensemble de *La Comédie humaine*, une de ces vastes fresques balzaciennes qui, unissant avec un rare bonheur le souffle épique et le sentiment intime, ne peuvent se comparer qu'aux plus belles réussites dans le genre qu'elle annonce, celle par exemple de *Guerre et Paix*.

Rose Fortassier

PRÉFACE DE LA PREMIÈRE ÉDITION, 1843

La plupart des *Scènes* que l'auteur a publiées jusqu'à ce jour ont eu pour point de départ un fait vrai, soit enfoui dans les mers orageuses de la vie privée, soit connu dans quelques cercles du monde parisien, où tout s'oublie si promptement ; mais quant à cette seconde *Scène de la vie politique,* il n'a pas songé que, quoique vieille de quarante ans, l'horrible aventure où il a pris son sujet pouvait encore agiter le cœur de plusieurs personnes vivantes. Néanmoins il ne pouvait s'attendre à l'attaque irréfléchie que voici :

« M. Balzac a donné naguère, dans le journal *Le Commerce,* une série de feuilletons sous le titre de : *Une ténébreuse affaire.* Nous le disons dans notre conviction intime, son travail, remarquable sous le rapport dramatique et au point de vue du roman, est une méchante et mauvaise action au point de vue de l'histoire, car il y flétrit, *dans sa vie privée,* un citoyen qui fut constamment entouré de l'estime et de l'affection de tous les hommes honnêtes de la contrée, le bon et honorable Clément de Ris, qu'il représente comme l'un des spoliateurs et des égorgeurs de 1793. M. Balzac appartient cependant à ce parti qui s'arroge fort orgueilleusement le titre de *conservateur.* »

Il suffit de textuellement copier cette note pour que chacun la puisse qualifier. Cette singulière *réclame* se trouve dans la biographie d'un des juges dans l'affaire relative à l'enlèvement du sénateur Clément de Ris. À propos de ce procès, les rédacteurs de cette biographie trouvent le mot de l'affreuse énigme de l'arrêt criminel dans les *Mémoires de la duchesse d'Abrantès*, et ils en citent tout le passage suivant, en l'opposant par leur note accusatrice à *Une ténébreuse affaire* :

« On connaît le fameux enlèvement de M. Clément de Ris. C'était un homme d'honneur, d'âme, et possédant de rares qualités dans des temps révolutionnaires. Fouché et un autre homme d'État, encore vivant aujourd'hui comme homme privé et comme homme public, ce qui m'empêche de le nommer, non que j'en aie peur (je ne suis pas craintive de ma nature), mais parce que la chose est inutile pour ceux qui ne le connaissent pas, et que ceux qui le connaissent n'ont que faire même d'une initiale ; ce personnage donc, qui avait coopéré comme beaucoup d'autres à la besogne du 18 brumaire, besogne qui, selon leurs appétits gloutons, devait être grandement récompensée, ce personnage vit avec humeur que l'on mît d'autres que lui dans un fauteuil où il aurait voulu s'asseoir. "Quel fauteuil, me dira-t-on ? Celui de sénateur ? — Quelle idée ! non vraiment. — Celui de président de la Chambre des députés ? — Eh non ! — Celui de l'archevêque de Paris ? — Ma foi ! Mais non. D'abord il n'y en avait pas encore de remis en place. — De fauteuil ? — Non, d'archevêque." Enfin ce n'était pas celui-là non plus. Mais ce qui est certain, c'est que le personnage en voulait *un* qu'il n'eut pas, ce qui le fâcha. Fouché, qui avait eu bonne envie de s'asseoir dans le beau fauteuil de velours rouge, s'unit non pas de cœur, mais de colère avec le personnage dont je vous ai parlé ; il paraît (selon la chronique du temps) qu'ils commencèrent par plaindre la patrie (c'est l'usage).

« "Pauvre patrie ! pauvre république ! moi qui l'ai si bien servie ! disait Fouché.

« — Moi qui l'ai si bien desservie ! pensait l'autre.

« — Je ne parle pas pour moi, disait Fouché, un vrai républicain s'oublie toujours. Mais vous !

« — Je n'ai pas un moment pensé à moi, répondait l'autre, mais c'est une affreuse injustice que de vous avoir préféré Calotin."

« Et de politesse en politesse, ils en vinrent à trouver qu'il y avait deux fauteuils, et que leur fatigue politique pouvait souffler, en attendant mieux, dans les deux fauteuils tant désirés.

Joseph Fouché, duc d'Otrante (1759-1820), par Robert Lefèvre.

« “Mais, dit Fouché, il y a même trois fauteuils.”

« Vous allez voir quel fut le résultat de cette conversation, toujours d’après la chronique, et elle n’a guère eu le temps de s’altérer, car elle est de l’an de grâce 1800. Cette histoire que je vous raconte, j’aurais pu vous la dire dans les volumes précédents, mais elle est mieux dans son jour maintenant. C’est par les contrastes qu’eux-mêmes apportent dans leur conduite qu’on peut juger et apprécier les hommes, et Dieu sait si l’un de ceux dont je parle en ce moment en a fourni matière ! Le premier exemple qu’il donna, exemple qui pourrait être mis en tête de son catéchisme (car il en a fait un), fut celui d’une entière soumission aux volontés de l’*Empereur,* après avoir voulu jouer au Premier consul le tour que voici : c’est toujours, comme je l’ai dit, la chronique qui parle.

« Tout en devisant ensemble sur le sort de la France, ils en vinrent tous deux à rappeler que Moreau, ce républicain si vanté, que Joubert, Bernadotte, et quelques autres, avaient ouvert l’oreille à des paroles de l’Espagne, portées par M. d’Azara à l’effet de culbuter le Directoire, lequel, certes, était bien digne de faire la culbute, même dans la rivière ; il y avait donc abus à rappeler le fait et à comparer les temps. Mais les passions ne raisonnent guère, ou plutôt ne raisonnent pas du tout. Les deux hommes d’État se dirent donc :

« “Pourquoi ne ferions-nous pas faire la culbute aux trois consuls ?” car puisque vous voulez le savoir, je vous dirai donc enfin que c’était le fauteuil de consul adjoint que convoitaient ces messieurs ; mais, comme la faim vient en mangeant, tout en grondant de n’avoir ni le second ni le troisième, ils jetèrent leur dévolu sur le premier, ils se l’abandonnèrent sur le tapis avec une politesse toute charmante, se promettant bien, comme je n’ai pas besoin de vous le dire, de le prendre et de le garder le plus longtemps qu’ils pourraient, chacun pour soi. Mais là ou jamais, c’était le cas de dire qu’*il ne faut pas vendre la peau de l’ours, avant de l’avoir jeté par terre.*

« Clément de Ris était, comme je vous l’ai rapporté, un honnête homme, un consciencieux républicain, et l’un de ceux qui de bonne foi s’étaient attachés à Napoléon, parce qu’il voyait enfin que LUI SEUL pouvait faire aller la machine. Les gens qui ne pensaient pas de même probablement, puisqu'ils avaient le projet de tout changer, lui retournèrent si bien l'esprit en lui montrant en perspective le troisième fauteuil, qu'il en vint au point de connaître une partie de leur plan et même de l'approuver. C'est en ce moment qu'eut lieu le départ pour Marengo. L'occasion était belle, il ne fallait pas la manquer ; si le Premier consul était battu, il ne devait pas rentrer en France, ou n'y rentrer que pour y vivre sous de bons verrous. De quoi s'avisait-il aussi d'aller faire la guerre à plus fort que lui ? (C'est toujours la chronique.)

« Clément de Ris étant donc chez lui un matin, déjà coiffé de sa perruque de sénateur, quoiqu'il eût encore sa robe de chambre, reçut cette communication dont je viens de parler, et comme il faut toujours penser à tout (observe la chronique), on lui demanda de se charger de proclamations déjà imprimées, de discours et autres choses nécessaires aux gens qui ne travaillent qu'à coups de paroles. Tout allait assez bien, ou plutôt assez mal, lorsque tout à coup arrive, comme vous savez, cette nouvelle qui ne fut accablante que pour quelques méchants, mais qui rendit la France entière ivre de joie et folle d'adoration pour son libérateur, pour celui qui lui donnait un vêtement de gloire immortelle. En la recevant, les deux postulants aux fauteuils changèrent de visage (c'est ce que l'un d'eux pouvait faire de mieux), et Clément de Ris aurait voulu ne s'être jamais mêlé de cette affaire. Il le dit peut-être trop haut, et l'un des *candidats* lui parla d'une manière qui ne lui convint pas. Il s'aperçut assez à temps qu'il devait prendre des mesures défensives, s'il voulait prévenir une offense dont le résultat n'eût été rien moins que la perte de sa tête ; il mit à l'abri une grande portion des papiers qui devenaient terriblement accusateurs. Il le fit, et fit bien, dit la chronique, et je répète comme elle qu'il fit *très bien*.

« Quand les joies, les triomphes, les illuminations, les fêtes, toute cette première manifestation d'une ivresse générale fut apaisée, mais en laissant pour preuves irréfragables que le Premier consul était l'idole du peuple entier, alors ces hommes aux pâles visages, dont je vous ai parlé, ne laissèrent même pas errer sur leurs lèvres le sourire sardonique qui les desserrait quelquefois. La trahison frémissait devant le front radieux de Napoléon, et ces hommes, qui trouvaient tant d'échasses loin de lui, redevenaient pygmées en sa présence. Clément de Ris demeura comme il était, parce qu'il se repentit, et que d'ailleurs il n'en savait pas assez pour avoir le remords tout entier. Néanmoins il se tint en garde contre les hommes pâles, mais il avait affaire à plus forte partie que celle qu'il pouvait jouer.

« Ce fut alors que la France apprit, avec une surprise que des paroles ne peuvent pas exprimer, qu'un sénateur, un des hommes considérables du gouvernement, avait été *enlevé* à trois heures de l'après-midi, dans son château de Beauvais, près de Tours, tandis qu'une partie de ses gens et de sa famille était à Tours pour voir célébrer une fête nationale (je crois le 1er vendémiaire de l'an IX). Il y avait bien eu de ces enlèvements lorsque le Directoire nous tenait sous son agréable sceptre, mais depuis que le Premier consul avait fait prendre, dans toutes les communes de l'Ouest qui vomissaient les chauffeurs, brûlante écume de la chouannerie, des mesures aussi sages que vigoureuses, cette sorte de danger s'était tellement éloignée, surtout des habitations comme celles du château de Beauvais, qu'on n'en parlait presque plus. Les bandes qui furent quelque temps inquiétantes, en 1800 et 1801, étaient sur les bords du Rhin et sur les frontières de la Suisse. Ce fut donc une stupéfaction générale. Le ministre de la Police d'alors, Fouché, dit *de Nantes,* comme l'appelle une autre chronique, se conduisit fort bien dans cette circonstance ; il n'avait pas à redouter la surveillance de Dubois, notre préfet de police, qui n'aurait pas laissé échapper vingt-cinq hommes enlevant en plein jour une poulette de la taille et de l'encolure de Clément de Ris, sans qu'il en restât des traces après lesquelles ses limiers, du moins, auraient couru. L'affaire s'était passée à soixante lieues de Paris ; Fouché avait donc beau jeu, et pouvait tenir les cartes ou bien écarter à son aise : ce fut ce qu'il fit. Pendant dix-sept à dix-huit jours on eut quelques éclairs d'indices sur la marche des fugitifs qui entraînaient Clément de Ris, sous prétexte de lui faire donner une somme d'argent considérable. Tout à coup

Fouché reçoit une lettre, qui lui était adressée par Clément de Ris lui-même, qui ne voyant que le ministre de la Police qui pût le sauver, lui demandait secours et assistance. Ceux qui ont connu l'âme pure et vertueuse de Clément de Ris ne seront pas étonnés de cette candeur et de cette confiance. Il avait bien pu avoir quelques craintes, mais je sais (du moins la chronique me l'a-t-elle dit) que c'était plutôt un sentiment vague de méfiance pour l'autre visage pâle que pour Fouché, qui lui avait fait prendre quelques précautions. Enfin cette lettre, mise avec grande emphase dans *Le Moniteur*, fut apparemment un guide plus certain que tous les indices que la police avait pu recueillir jusque-là, chose cependant fort étonnante, car Clément de Ris n'y voyait pas clair, et ne savait pas où il était. Toujours est-il que peu de jours après l'avoir reçue, Fouché annonce que Clément de Ris est retrouvé. Mais où l'a-t-il été ?... Comment ?... Dans une forêt, les yeux bandés, marchant au milieu de quatre coquins qui se promenaient aussi tranquillement qu'à une partie de colin-maillard ou de quatre coins. On tire des coups de pistolet, on crie, et voilà la victime délivrée, absolument comme dans *Ma tante Aurore* ; excepté cependant que l'honnête et bon Clément de Ris fut pendant trois semaines au pouvoir d'infâmes scélérats, qui le promenaient au clair de lune pendant qu'ils faisaient les clercs de Saint-Nicolas.

« Dès la première effusion de sa reconnaissance, il appela Fouché son sauveur, et lui écrivit une lettre que l'autre fit aussitôt insérer dans *Le Moniteur* avec un beau rapport. Mais cette lettre n'eût pas été écrite peut-être quelque temps après, lorsque Clément de Ris, voulant revoir ses papiers, n'y trouva plus ceux qu'il avait déposés dans un lieu qu'il croyait sûr. Cette perte lui expliqua toute son aventure ; il était sage et prudent, il se tut, et fit encore bien ; car avec les gens qui sont méchants *parce qu'ils le veulent,* il faut bien se garder de leur *faire vouloir,* et surtout par vengeance. Mais le cœur de l'homme de bien fut profondément ulcéré.

« Quelques jours après son retour chez lui (je ne sais pas précisément l'époque), une personne que je connais fut voir Clément de Ris à Beauvais... Elle le trouva triste, et d'une tristesse tout autre que celle qu'eût produite l'accablement, suite naturelle d'une aussi dure et longue captivité. Ils se promenèrent ; en rentrant dans la maison, ils passèrent près d'une vaste place de gazon, dont les feuilles jaunes et noircies contrastaient avec la verdure chatoyante et veloutée des belles prairies de la Touraine à cette époque de l'année. La personne qui était venue le visiter en fit la remarque, et lui demanda pourquoi il permettait à ses domestiques de faire du feu sur une pelouse qui était en face de ses fenêtres, et Clément de Ris regarda cette place, qui pouvait avoir quatre pieds de diamètre, mais sans surprise. Il était évident qu'il la connaissait déjà. Néanmoins son front devint plus soucieux ; une expression de peine profonde se peignit sur son visage toujours bienveillant. Il prit le bras de son ami, et s'éloignant d'un pas rapide :

« "Je sais ce que c'est, dit-il... Ce sont *ces misérables*... Je sais ce que c'est... je ne le sais que trop." Et il porta la main à son front avec un sourire amer.

« Clément de Ris revint à Paris. Il n'avait pas assez de preuves pour attaquer celui qui avait voulu le sacrifier à sa sûreté... Mais un monument s'éleva dans son cœur, et quoique inaperçu alors, il n'en fut pas moins durable. »

Maintenant, il faut dire que les rédacteurs de ces biographies qui se piquent d'écrire l'histoire avec *impartialité, vérité, justice,* ont fait la biographie du maréchal Bourmont, et lui ont attribué la part la plus étrange dans cette affaire, d'après ce passage relatif à Clément de Ris, *fourni par Fouché :*

« Vers cette époque arriva l'étrange événement que nous allons raconter, et sur les véritables causes duquel le gouvernement n'a jamais voulu s'expliquer. Le 1er vendémiaire an IX (23 septembre 1800), M. Clément se trouvant presque seul à sa maison de Beauvais, près de Tours, six brigands armés entrèrent chez lui, s'emparèrent de l'argent monnayé et de l'argenterie, le forcèrent à monter avec eux dans sa propre voiture, le conduisirent dans un lieu inconnu, et le jetèrent dans un souterrain, où il resta dix-neuf jours sans qu'on pût avoir de ses nouvelles. Cet événement fit grand bruit. À peine la police en eut-elle été informée, que le ministre Fouché, qui dirigeait ce département, manda quelques chefs de chouans, qui se trouvaient à Paris ; on eut par eux la confirmation de ce qu'on croyait déjà savoir, c'est que M. de Bourmont n'était pas étranger à cette affaire (*Voy.* BOURMONT). Appelé lui-même chez le ministre, on ne lui laissa pas ignorer qu'on ne se tiendrait satisfait d'aucune dénégation ; qu'il ne s'agissait pas d'éluder les questions, mais d'y répondre ; qu'on n'ignorait pas qu'il était instruit du lieu où avait été déposé M. Clément ; qu'il répondait de sa vie sur la sienne, et qu'on lui donnait trois jours pour le faire retrouver. M. de Bourmont, qui jugea bien qu'il n'avait pas le choix du parti qu'il avait à prendre, en demanda huit, et donna, dans cet espace de temps, toutes les indications nécessaires ; en effet, quelques personnes, beaucoup moins étrangères à la police qu'on ne serait porté à le croire d'après le parti politique auquel elles appartenaient, furent envoyées sur la trace des brigands. Ayant rencontré M. Clément de Ris lorsqu'on le transférait dans un autre lieu, elles mirent en fuite son escorte, et le ramenèrent au sein de sa famille. Ce guet-apens, exécuté en plein jour, passa alors pour être l'ouvrage des bandes de chouans dont M. de Bourmont, qui trahissait, au gré de ses intérêts personnels, le Premier consul pour son parti et son parti pour le Premier consul, n'avait pas cessé d'être secrètement le chef. Pour ennoblir un attentat qui, sans l'activité de la police, eût pu avoir un dénouement tragique, on a prétendu qu'il avait été dirigé par des royalistes qui voulaient avoir dans la personne de Clément de Ris un otage important pour garantir la vie menacée de quelques-uns de leurs chefs ; mais rien n'a indiqué que cette conjecture eût quelque vraisemblance. »

Personne ne doit être étonné d'apprendre que le conquérant d'Alger qui, pour prix des infamies qu'on lui prête, a donné un empire à la France, ait traité ceci de calomnie. Aussi les biographes sont-ils forcés d'annoter cette autre citation par cette note où ils font au maréchal de singulières excuses :

« C'est, disent-ils, cette *version* que nous avons accueillie dans notre article consacré au général Bourmont ; nous croyons devoir le rappeler comme *atténuation des accusations* que nous avons portées contre ce personnage qui, dans son intimité, a qualifié *notre assertion* de calomnie. N'eût-il pas mieux fait de nous adresser à nous-mêmes ses propres réclamations, ou rectifications, que nous avions offert d'insérer dans notre ouvrage, et que l'un de ses fils avait pris l'engagement de nous faire parvenir ? »

Admirez ce conseil anodin donné par les rédacteurs de biographies faites sans le consentement de ceux sur lesquels on écrit de leur vivant, d'aller trouver leurs biographes pour s'entendre avec eux. On vous maltraite et l'on exige les plus grands égards de la part du *maltraité*. Telles sont les mœurs de la presse actuelle, la voilà prise en flagrant délit, et l'auteur est assez satisfait de prouver qu'il n'y a rien de romanesque dans le plus léger détail d'un ouvrage intitulé : *Un grand homme de province à Paris.*

L'existence de ces trois ou quatre entreprises de biographies où, pour ce qui le concerne, l'auteur a déjà été l'objet des plus grossiers mensonges, est un de ces faits qui accusent l'impuissance des lois sur la presse. Dût-on croire que l'auteur s'arroge fort orgueilleusement le titre de *conservateur,* il trouve que, sous l'ancienne monarchie, l'honneur des citoyens était un peu plus fortement protégé quand, pour des chansons *non publiées,* qui portaient atteinte à la considération de quelques écrivains, J.-B. Rousseau, condamné aux galères, a été forcé de s'expatrier pour le reste de sa vie. Il y a dans ce rapprochement entre les mœurs littéraires du temps présent et celles d'autrefois la différence qui existe entre une société de cannibales et une société civilisée.

Maintenant, venons au fait. Vous avez pu comprendre que le prétendu romancier, quoiqu'il ait fait un travail remarquable sous le rapport dramatique, ne vaut pas Mme d'Abrantès sous le rapport historique. Sans cette note (et quelle note !), l'auteur n'eût jamais révélé le petit fait que voici :

En 1823, dix ans avant que Mme la duchesse d'Abrantès n'eût la pensée d'écrire ses Mémoires, dans une soirée passée au coin du feu, à Versailles, l'auteur, causant avec Mme d'Abrantès du fait de l'enlèvement de Clément de Ris, lui raconta le secret de cette affaire que possédait une personne de sa famille à qui Clément de Ris montra l'endroit où les proclamations et tous les papiers nécessaires à la formation d'un gouvernement révolutionnaire avaient été brûlés.

Plus tard, quand Mme la duchesse d'Abrantès mit dans ses Mémoires le passage cité, l'auteur lui reprocha moins de l'avoir privé d'un sujet, que d'avoir tronqué l'histoire dans sa partie la plus essentielle. En effet, malgré sa surprenante mémoire, elle a commis une bien grande erreur. Feu Clément de Ris avait brûlé, lui-même, les imprimés qui furent la cause de son enlèvement, et là est l'odieux de la conception de Fouché qui, s'il avait fait espionner l'intérieur de Clément avant d'exécuter un pareil tour, se le serait épargné. Mais la grande animadversion de Mme la duchesse d'Abrantès envers le prince de Talleyrand lui a fait aussi tronquer la scène que l'auteur lui raconta de nouveau et qui sert de conclusion à *Une ténébreuse affaire*.

Ainsi, la note des biographes devient une de ces choses plaisantes, que des écrivains qui tiennent à paraître sérieux devraient éviter.

Maintenant arrivons à cette terrible et formidable accusation d'avoir commis *une méchante et mauvaise* action, en flétrissant la vie privée de feu M. le comte Clément de Ris, sénateur.

Il est presque ridicule d'avoir à se défendre de cette inculpation gratuite. D'abord, il n'y a entre le comte de Gondreville, censé encore vivant, et feu Clément de Ris d'autre similitude que l'enlèvement et la qualité de sénateur. L'auteur a cru d'autant mieux pouvoir, après quarante ans, prendre le fait sans prendre le personnage, qu'il mettait en scène un type bien éloigné de ressembler à feu Clément de Ris. Qu'a voulu l'auteur ? Peindre la police politique aux prises avec la vie privée et son horrible action. Il a donc conservé toute la partie politique en ôtant à cette affaire tout ce qu'elle avait de vrai par rapport aux personnes. Depuis longtemps d'ailleurs, l'auteur essaie de créer dans le comte de Gondreville le type de ces républicains, hommes d'État secondaires, qui se sont rattachés à tous les gouvernements. Il aurait suffi de connaître les œuvres où il a déjà mis en scène ce comparse du grand drame de la Révolution pour s'éviter une pareille balourdise ; mais l'auteur n'a pas plus la prétention d'imposer la lecture de ses œuvres aux biographes que la peine de connaître sa vie. Peut-être est-ce dans la peinture vraie du caractère de Gondreville que gît *la méchante et mauvaise action* aux yeux des radicaux. Certes, il n'y a rien de commun entre le personnage de la scène intitulée : *La Paix du ménage,* qui reparaît dans celle intitulée : *Une élection en Champagne,* et le comte Clément de Ris : l'un est un type, l'autre est un des personnages de la Révolution et de l'Empire. Un type, dans le sens qu'on doit attacher à ce mot, est un personnage qui résume en lui-même les traits caractéristiques de tous ceux qui lui ressemblent plus ou moins, il est le modèle du genre. Aussi trouvera-t-on des points de contact entre ce type et beaucoup de personnages du temps présent ; mais qu'il soit un de ces personnages, ce serait alors la condamnation de l'auteur, car son acteur ne serait plus une invention. Voyez à quelles misères sont exposés aujourd'hui les écrivains, par ce temps où tout se traite si légèrement ! L'auteur s'applaudissait du bonheur avec lequel il avait *transposé,* dans un milieu vrai, le fait le plus invraisemblable.

Si quelque romancier s'avisait d'écrire comme il s'est passé le procès des gentilshommes mis à mort malgré leur innocence proclamée par trois départements, ce serait le livre le plus impossible du monde. Aucun lecteur ne voudrait croire qu'il se soit trouvé, dans un pays comme la France, des tribunaux pour accepter de pareilles fables. L'auteur a donc été forcé de créer des circonstances analogues qui ne fussent pas les mêmes, puisque le vrai n'était pas probable. De cette nécessité, procédait la création du comte de Gondreville que l'auteur devait faire sénateur comme feu Clément de Ris et faire enlever comme il l'a été. L'auteur a le droit de le dire : ces difficultés eussent été peut-être insurmontables, il fallait pour les vaincre un homme habitué, comme l'auteur est (hélas !) forcé de l'être, aux obstacles de ce genre. Aussi, peut-être ceux à qui l'histoire est connue et qui liront *Une ténébreuse affaire* remarqueront-ils ce prodigieux travail. Il a changé les lieux, changé les intérêts, tout en conservant le point de départ politique ; il a enfin rendu, littérairement parlant, l'impossible, vrai. Mais il a dû atténuer l'horreur du dénouement. Il a pu rattacher l'origine du procès politique à un autre fait vrai, une participation inconnue à la conspiration de MM. de Polignac et de Rivière. Aussi en résulte-t-il un drame attachant, puisque les biographes le pensent, eux qui se connaissent en romans. L'obligation d'un peintre exact des mœurs se trouve alors accomplie : en copiant son temps, il doit ne choquer personne et ne jamais faire grâce aux choses : les choses ici, c'est l'action de la Police, c'est la scène dans le cabinet du ministre des Affaires étrangères dont l'authenticité ne saurait être révoquée en doute ; car elle fut racontée, à propos de l'horrible procès d'Angers, par un des triumvirs oculaires et auriculaires. L'opinion de la personne à qui elle fut dite a toujours été que, parmi les papiers brûlés par feu Clément de Ris, il pouvait s'en trouver de relatifs aux princes de la maison de Bourbon. Ce soupçon, entièrement personnel à cette personne et que rien de certain ne justifie, a permis à l'auteur de compléter ce type appelé par lui le comte de Gondreville. De l'accusation portée par les biographes contre l'auteur d'avoir commis moins un livre qu'une mauvaise action, il ne reste donc plus que la propension mauvaise de prêter aux gens des actions peu honorables, si elles étaient vraies, tendance qui, chez des biographes, ne prévient pas en faveur de l'impartialité, de la justice et de la vérité de leurs écrits.

L'auteur a d'ailleurs trouvé d'amples compensations dans le plaisir qu'a fait *Une ténébreuse affaire* à un personnage encore vivant, pour qui son livre a été la révélation d'un mystère qui avait plané sur toute sa vie : il s'agit du juge même de qui les biographes ont écrit la vie. Pour ce qui est des victimes de l'affaire, l'auteur croit leur avoir fait quelque bien, et consolé le malheur de certaines personnes qui, pour s'être trouvées sur le passage de la police, ont perdu leur fortune et le repos.

Un mois environ après sa publication dans *Le Commerce,* l'auteur reçut une lettre signée d'un nom allemand, Frantz de Sarrelouis, avocat, par laquelle on lui demandait un rendez-vous au nom du colonel Viriot, à propos de *Une ténébreuse affaire*. Au jour dit, vinrent deux personnes, M. Frantz et le colonel.

De 1819 à 1821, l'auteur, encore bien jeune, habitait le village de Villeparisis, et y entendait parler d'un certain colonel avec un enthousiasme d'autant plus communicatif, qu'en ce temps il y avait du péril à parler des héros napoléoniens. Ce colonel, aux proportions héroïques, avait fait la guerre aux alliés avec le général de Vaudoncourt, ils manœuvraient avec son armée en Lorraine, sur les derrières des alliés, et allaient, malheureusement à l'insu de l'Empereur, dégager la France et Paris au moment où Paris capitulait, et où l'Empereur éprouvait trahison sur trahison[1]. Ce colonel n'avait pas seulement payé de sa personne, il avait employé sa fortune, une fortune considérable ; et comme il était difficile d'admettre de pareilles réclamations en 1817, ce soldat plantait ses choux, selon l'expression de Biron.

En 1815, le colonel avait recommencé son dévouement de 1814, en Lorraine et toujours sur les derrières de l'armée ennemie avec le général de Vaudoncourt, et même après l'embarquement de Napoléon. À cause de ce sublime entêtement, le général de Vaudoncourt, qui avait failli prendre en flagrant délit les alliés, fut condamné à mort conjointement avec Frantz, et par le même arrêt rendu par la cour prévôtale de Metz.

Pour un jeune homme, ces détails révélaient ces audacieux partisans d'une poésie merveilleuse ; il se figurait ce colonel comme un demi-dieu, et s'indignait de ce que les Bourbons n'employaient point, après la chute de l'Empereur, des dévouements si français.

L'opinion personnelle de celui qui appartient moins au *parti conservateur* qu'au *principe monarchique* est que la défense du pays est un principe aussi sacré que celui de la défense de la royauté. À ses yeux, ceux qui ont émigré pour défendre le principe royal sont tout aussi nobles, tout aussi grands et courageux que ceux qui sont restés en France pour défendre la patrie. Selon lui, les obligations

---

1. Voir *Le Moniteur* (21 juin 1839) : Rapport de la pétition de M. Frantz, et le discours de M. le baron de Ladoucette, ancien préfet de la Moselle.

du trône, en 1816, étaient les mêmes envers les compagnons de l'exil et les défenseurs de la France : leurs services étaient également respectables. On devait autant au maréchal Soult qu'au maréchal Bourmont. En révolution, un homme peut hésiter, il peut flotter entre le pays et le Roi ; mais quel que soit le parti qu'il prenne, il fait également bien : la France est au Roi comme le Roi est à la France. Il est si certain que le Roi est tout dans un État que, le chef du gouvernement abattu, nous avons vu depuis cinquante ans autant de *pays* que de *chefs*. Une pareille opinion paraîtra bien conservatrice et ne plaira point aux Radicaux, parce que c'est tout bonnement la raison.

L'auteur entendit l'avocat Frantz qui passa le premier lui annoncer le colonel Viriot, l'un de ses amis qui, dit-il, habitait Livry. Et le colonel parut, un grand et gros homme, qui avait dû avoir une superbe prestance, mais les cheveux blanchis, vêtu d'une redingote bleue armée du ruban rouge, une figure débonnaire et où l'on ne découvrait la fermeté, la résolution, qu'après l'examen le plus sérieux.

Nous voilà tous trois assis, dans une petite mansarde, au cœur de Paris, devant un maigre feu.

« Nous avons fait la guerre à nos dépens, monsieur », me dit le bon petit avocat Frantz, qui ne marche qu'à l'aide de béquilles et paraissait avoir servi de modèle à Hoffmann pour une de ses figures fantastiques.

L'auteur regarda l'avocat qui, malgré sa tournure bizarre, était simple, naïf, digne comme le père de Jeanie Deans dans *La Prison d'Édimbourg,* et l'auteur, trouvant si peu dans ce visage la guerre et ses épouvantables scènes, crut à quelque hallucination. Les paysans et les fermiers de Livry, Villeparisis, Claye, Vauxjours et autres lieux auront fait de la poésie, pensa-t-il.

« Oui, me dit le colonel, Frantz est un vigoureux partisan, un chaud patriote, et en bon Sarrelouisien qu'il est, il fut un de nos meilleurs capitaines. »

En ce moment, l'auteur éprouvait une joie profonde, la joie du romancier voyant des personnages fantastiques réels, en voyant se métamorphoser l'avocat Frantz en un capitaine de partisans ; mais tout à coup il réprima la jovialité naturelle du Parisien qui commence par se moquer de tout, en songeant que l'avocat devait peut-être ses béquilles à des blessures reçues en défendant la France. Et sur une demande à ce sujet, commencèrent des récits sur les opérations faites en 1814 et en 1815, dans la Lorraine et l'Alsace, que l'auteur se gardera bien de reproduire ici, car ces messieurs lui ont promis de lui donner tous les renseignements nécessaires pour les mettre dans les *Scènes de la vie militaire*, mais qui sont à désespérer en pensant que tant d'héroïsme et de patriotisme fut inutile, et que la France ignore de si grandes choses.

Le petit avocat avait deux cent mille francs de fortune pour tout bien : en voyant la France attaquée au cœur, il les réalise et les réunit aux restes de la fortune de Viriot pour lever un corps franc avec lequel il se joint au corps levé par le colonel Viriot, ils prennent Vaudoncourt pour général, et les voilà faisant lever le siège de Longwy assiégé par quinze mille hommes et bombardé par le prince de Hesse-Hambourg, un fait d'armes surprenant d'audace ; enfin battant les Alliés et défendant le pays ! Les Bourbons revenus, ces hommes sublimes passent chenapans ou gibier de conseil de guerre, et sont obligés de fuir le pays qu'ils ont voulu défendre. Revenus, à grand-peine, l'un en 1818, le capitaine Frantz seulement en 1832, il a fallu vivre dans l'obscurité, par le seul sentiment des devoirs accomplis. Le colonel avait dépensé en deux fois une fortune de quatre à cinq cent mille francs, et l'avocat plus de deux cent mille, eux qui avaient gagné sur l'ennemi des valeurs estimées plus de deux cent mille francs, et qu'ils avaient remises à l'État en espérant la victoire. Où trouverions-nous aujourd'hui, par les mœurs que nous a faites l'individualisme de l'industrie, entre deux hommes, près d'un million pour défendre la France ?

L'auteur n'est pas d'un naturel pleureur ; mais une demi-heure après l'entrée de ces deux vieux héroïques partisans, il se sentit les yeux humides.

« Eh bien, leur dit-il, si les Bourbons de la branche aînée n'ont pas su récompenser ce dévouement qu'on leur a caché, qu'a fait 1830 ? »

Frantz de Sarrelouis, un peu mis en défiance par la qualification d'auteur, avait eu soin de dire que ces campagnes et ces sacrifices étaient appuyés de pièces probantes, que la Lorraine et l'Alsace avaient retenti de leurs faits et gestes. L'auteur s'était contenté de penser qu'on ne promène pas clandestinement plusieurs milliers d'hommes en infanterie, cavalerie et artillerie, qu'on ne fait pas lever le siège à un prince de Hesse-Hambourg, au moment où il attend la reddition d'une place comme Longwy, sans quelques dégâts.

Ces deux Décius presque inconnus étaient en réclamation !

1830 qui a payé la honteuse dette des États-Unis, espèce de vol à l'américaine, a opposé la déchéance *à des condamnés à mort !* 1830 qui a soldé le patriotisme de tant de faux patriotes, qui a inventé des honneurs pour les héros de Juillet, qui a dépensé des sommes folles à ériger un tuyau de poêle sur la place de la Bastille, 1830 en est à examiner les réclamations de ces deux braves, et à jeter des secours temporaires à Frantz à qui l'on n'a même pas donné la croix de la Légion d'honneur, que Napoléon aurait détachée de sa poitrine pour la mettre sur celle d'un si audacieux partisan.

Faisons un roman au profit de ces deux braves !

Paris a tenu trois jours, Napoléon est apparu sur les derrières des Alliés, les a pris, les a fouaillés de sa mitraille, les Empereurs et les Rois se sauvent en déroute, ils se sauvent tous à la frontière : la peur va plus vite que la victoire, ils échappent !... L'Empereur, qui a peu de cavalerie, est au désespoir de ne pas leur barrer le chemin, mais à quarante lieues de Paris, un intrépide émissaire le rencontre.

« Sire, dit-il, trois partisans, le général Vaudoncourt, le colonel Viriot, le capitaine Frantz ont réuni quarante mille Lorrains et Alsaciens, les Alliés sont entre deux feux, vous pouvez marcher, les partisans leur barreront le passage. Maintenez l'intégrité de votre Empire ! »

Qu'aurait fait Napoléon ?

Vaudoncourt, le proscrit de 1815, eût été maréchal, duc, sénateur. Viriot serait devenu général de division, grand officier de la Légion d'honneur, comte et son aide de camp ! et il l'eût doté richement ! Frantz aurait été préfet ou procureur général à Colmar ! Enfin deux millions seraient sortis des caves des Tuileries pour les indemniser, car l'Empereur savait d'autant mieux récompenser que l'argent ne lui coûtait rien. Hélas ! ceci est bien un roman ! Le pauvre colonel plante ses choux à Livry, Frantz raconte les campagnes de 1814 et 1815, va se chauffer sur la place Royale, au Café des Ganaches ; enfin le livre de Vaudoncourt est sur les quais ! Les députés qui parlent d'abandonner Alger sont comblés des faveurs ministérielles ! Richard-Lenoir est mort dans un état voisin de l'indigence, en voyant avorter la souscription faite pour lui, pour lui qui, en 1814, imitait dans le monde commercial l'héroïsme des partisans de la Lorraine. La France ressemble parfois à une courtisane distraite : elle donne un million à la mémoire d'un parleur éloquent appelé Foy, dont le nom sera, peut-être, un problème dans deux cents ans ; elle fête le 17e Léger comme s'il avait conquis Alger, et par de telles inconséquences, le pays le plus spirituel du monde écrit en lettres infâmes cette infâme sentence : *Il faut se dévouer à temps !* la maxime des hommes du lendemain. Salut au gouvernement de la majorité !

L'auteur et les deux partisans se trouvaient alors bien loin de *Une ténébreuse affaire,* et néanmoins bien près, car ils furent au cœur du sujet par cette simple interrogation que l'auteur fit au colonel :

« Comment n'êtes-vous que colonel et sans aucune retraite* ?

— Je suis colonel depuis 1800, et je dois ma longue disgrâce à l'affaire qui fait le fonds de votre ouvrage. La lecture du journal *Le Commerce* m'a seule appris le secret du mystère qui, pendant quinze ans, a pesé sur mon existence. »

Le colonel Viriot commandait à Tours, quand s'est passée aux environs de cette ville l'affaire Clément de Ris, et après la cassation du premier arrêt, car les accusés ont été soumis à deux juridictions, le colonel fut nommé

* Le colonel Viriot n'a plus que quatre cents francs de rente. Et il a une femme et un fils.

membre de la Cour militaire spéciale instituée pour rejuger l'affaire. Or, le colonel, comme commandant la place de Tours, avait *visé* le passeport de l'agent de la police, l'acteur de ce drame, et, quand il devint juge, il protesta contre l'arrêt, se rendit auprès du Premier consul afin de l'éclairer ; mais il apprit à ses dépens combien il est difficile d'éclairer le chef d'un État : c'est tout aussi difficile que de vouloir éclairer l'opinion publique ; il n'est pas de rôle plus ingrat que celui de Don Quichotte. L'on ne s'aperçoit de la grandeur de Cervantes qu'en exécutant une scène de donquichottisme. Le Premier consul vit, dans la conduite du colonel Viriot, *une affaire de discipline militaire !* La main sur la conscience, vous tous qui lirez cela, demandez-vous si Tibère et Omar exigeaient davantage ? Laubardemont, Jeffreys et Fouquier-Tinville sont une pensée identique avec celle qu'a eue alors et qu'a professée celui qui fut Napoléon. Toute domination a soif de cet axiome : *Il ne doit pas y avoir de conscience en fait de justice politique.* La Royauté commet alors le même crime que le Peuple : elle ne juge plus, elle assassine.

Le colonel Viriot, qui ne savait pas Fouché en tête, resta colonel sans emploi pendant quatorze ans de guerre, et pour un homme qui devait faire la guerre aux alliés, comme le prince de Radziwill la fit à Catherine II, à son compte, chacun concevra combien dure était la disgrâce !

Le dénouement, entièrement historique, de *Une ténébreuse affaire* l'avait éclairé.

Depuis le jour où l'auteur a eu l'honneur de recevoir cet homme, aussi grand par sa fermeté de conscience, comme juge, qu'il l'a été, comme volontaire, en 1814 et 1815, sa biographie, où sont consignés ses différents titres de gloire, a été publiée, et il faut croire que la note concernant *Une ténébreuse affaire* y fut insérée à son insu ; car les témoignages d'admiration de l'auteur pour un si noble caractère n'étaient pas équivoques : il comptait toujours rendre compte de la visite de ces deux braves partisans, dont l'un est le témoignage vivant des ténèbres, aujourd'hui dissipées, du plus infâme procès politique fait à d'innocents gentilshommes, et dont l'autre, après avoir sacrifié tout ce qu'il possédait, corps et biens, à la France, a, malgré tant d'ingratitude, écrit, en tête d'un remarquable document sur l'organisation militaire de la Prusse, ces paroles :

La vertu, c'est le dévouement à la patrie !

Pour ce qui concerne l'auteur, il pardonne bien l'accusation facétieuse dont il est l'objet en lisant les biographies du capitaine Frantz et du colonel Viriot où sont inscrits les témoignages de dévouement à la France donnés par des hommes dignes de Plutarque. Y a-t-il un roman qui vaille la vie du capitaine Frantz, condamné à mort en France, recondamné à mort en Prusse, et toujours pour des actions sublimes ? (Voyez leurs biographies.)

UNE TÉNÉBREUSE AFFAIRE

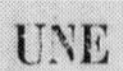

UNE TÉNÉBREUSE AFFAIRE

...., où il présida le tribunal révolutionnaire.—PAGE 3.

À MONSIEUR DE MARGONNE,

Son hôte du château de Saché reconnaissant,

DE BALZAC.

CHAPITRE PREMIER

LES CHAGRINS DE LA POLICE [1]

L'automne de l'année 1803 fut un des plus beaux de la première période de ce siècle que nous nommons l'Empire. En octobre, quelques pluies avaient rafraîchi les prés, les arbres étaient encore verts et feuillés [2] au milieu du mois de novembre. Aussi le peuple commençait-il à établir entre le ciel et Bonaparte, alors déclaré consul à vie, une entente à laquelle cet homme a dû l'un de ses prestiges ; et, chose étrange ! le jour où, en 1812, le soleil lui manqua, ses prospérités cessèrent [3]. Le quinze novembre de cette année, vers quatre heures du soir, le soleil jetait comme une poussière rouge sur les cimes centenaires de quatre rangées d'ormes d'une longue avenue seigneuriale ; il faisait briller le sable et les touffes d'herbes d'un de ces immenses ronds-points qui se trouvent dans les campagnes où la terre fut jadis assez peu coûteuse pour être sacrifiée à l'ornement. L'air était si pur, l'atmosphère était si douce, qu'une famille prenait alors le frais comme en été. Un homme vêtu d'une veste de chasse en coutil vert, à boutons verts et d'une culotte

---

1. Ce chapitre s'est successivement intitulé *Michu, Les Émigrés, Le Judas.* **2.** *Qui ont encore des feuilles*, et non *qui en ont beaucoup*, ce que signifierait *feuillus.* **3.** Le terrible hiver de la campagne de Russie.

de même étoffe, chaussé de souliers à semelles minces, et qui avait des guêtres de coutil montant jusqu'au genou, nettoyait une carabine avec le soin que mettent à cette occupation les chasseurs adroits, dans leurs moments de loisir. Cet homme n'avait ni carnier, ni gibier, enfin aucun des agrès[1] qui annoncent ou le départ ou le retour de la chasse, et deux femmes, assises auprès de lui, le regardaient et paraissaient en proie à une terreur mal déguisée. Quiconque eût pu contempler cette scène, caché dans un buisson, aurait sans doute frémi comme frémissaient la vieille belle-mère et la femme de cet homme. Évidemment un chasseur ne prend pas de si minutieuses précautions pour tuer le gibier, et n'emploie pas, dans le département de l'Aube, une lourde carabine rayée.

« Tu veux tuer des chevreuils, Michu ? » lui dit sa belle jeune femme en tâchant de prendre un air riant.

Avant de répondre, Michu examina son chien qui, couché au soleil, les pattes en avant, le museau sur les pattes, dans la charmante attitude des chiens de chasse, venait de lever la tête et flairait alternativement en avant de lui dans l'avenue d'un quart de lieue de longueur et vers un chemin de traverse qui débouchait à gauche dans le rond-point.

« Non, répondit Michu, mais un monstre que je ne veux pas manquer, un loup-cervier. » Le chien, un magnifique épagneul, à robe blanche tachetée de brun, grogna. « Bon, dit Michu en se parlant à lui-même, des espions ! le pays en fourmille. »

Mme Michu leva douloureusement les yeux au ciel. Belle blonde aux yeux bleus, faite comme une statue antique, pensive et recueillie, elle paraissait être dévorée par un chagrin noir et amer. L'aspect du mari pouvait expliquer jusqu'à un certain point la terreur des deux femmes. Les lois de la physionomie sont exactes, non seulement dans leur application au caractère, mais encore relativement à la fatalité de l'existence. Il y a des physionomies prophétiques. S'il était possible, et cette statistique vivante importe à la Société, d'avoir un dessin exact

1. Amusante extension du mot, réservé alors au gréement, au matériel du terrien chasseur.

de ceux qui périssent sur l'échafaud, la science de Lavater et celle de Gall prouveraient invinciblement qu'il y avait dans la tête de tous ces gens, même chez les innocents, des signes étranges. Oui, la Fatalité met sa marque au visage de ceux qui doivent mourir d'une mort violente quelconque ! Or, ce sceau, visible aux yeux de l'observateur, était empreint sur la figure expressive de l'homme à la carabine. Petit et gros, brusque et leste comme un singe quoique d'un caractère calme, Michu avait une face blanche, injectée de sang, ramassée comme celle d'un Calmouque et à laquelle des cheveux rouges, crépus donnaient une expression sinistre. Ses yeux jaunâtres et clairs offraient, comme ceux des tigres, une profondeur intérieure où le regard de qui l'examinait allait se perdre, sans y rencontrer de mouvement ni de chaleur. Fixes, lumineux et rigides, ces yeux finissaient par épouvanter. L'opposition constante de l'immobilité des yeux avec la vivacité du corps ajoutait encore à l'impression glaciale que Michu causait au premier abord. Prompte chez cet homme, l'action devait desservir une pensée unique ; de même que, chez les animaux, la vie est sans réflexion au service de l'instinct. Depuis 1793, il avait aménagé sa barbe rousse en éventail. Quand même il n'aurait pas été, pendant la Terreur, président d'un club de Jacobins, cette particularité de sa figure l'eût, à elle seule, rendu terrible à voir. Cette figure socratique à nez camus était couronnée par un très beau front, mais si bombé qu'il paraissait être en surplomb sur le visage. Les oreilles bien détachées possédaient une sorte de mobilité comme celles des bêtes sauvages, toujours sur le qui-vive. La bouche, entrouverte par une habitude assez ordinaire chez les campagnards, laissait voir des dents fortes et blanches comme des amandes, mais mal rangées. Des favoris épais et luisants encadraient cette face blanche et violacée par places. Les cheveux coupés ras sur le devant, longs sur les joues et derrière la tête, faisaient, par leur rougeur fauve, parfaitement ressortir tout ce que cette physionomie avait d'étrange et de fatal. Le cou, court et gros, tentait le couperet de la Loi. En ce moment, le soleil, prenant ce groupe en écharpe, illuminait en plein ces trois têtes que le chien regardait par moments. Cette scène se passait d'ailleurs sur un magnifique théâtre. Ce rond-point est à l'extrémité du parc de Gondreville, une des plus riches terres de France, et, sans contredit, la plus belle du département de l'Aube : magnifiques avenues d'ormes, château construit sur les dessins de Mansard, parc de quinze cents arpents enclos de murs, neuf grandes fermes, une forêt, des moulins et des prairies. Cette terre quasi royale appartenait avant la Révolution à la famille de Simeuse. Ximeuse est un fief situé en Lorraine. Le nom se prononçait Simeuse, et l'on avait fini par l'écrire comme il se prononçait.

La grande fortune des Simeuse, gentilshommes attachés à la maison de Bourgogne, remonte au temps où les Guise menacèrent les Valois. Richelieu d'abord, puis Louis XIV se souvinrent du dévouement des Simeuse à la factieuse maison de Lorraine, et les rebutèrent[1]. Le marquis de Simeuse d'alors, vieux Bourguignon, vieux guisard, vieux ligueur, vieux frondeur (il avait hérité des quatre grandes rancunes de la noblesse contre la royauté), vint vivre à Cinq-Cygne. Ce courtisan, repoussé du Louvre, avait épousé la veuve du comte de Cinq-Cygne, la branche cadette de la fameuse maison de Chargebœuf, une des plus illustres de la vieille comté[2] de Champagne, mais qui devint aussi célèbre et plus opulente que l'aînée. Le marquis, un des hommes les plus riches de ce temps, au lieu de se ruiner à la cour, bâtit Gondreville, en composa les domaines, et y joignit des terres, uniquement pour se faire une belle chasse. Il construisit également à Troyes l'hôtel de Simeuse, à peu de distance de l'hôtel de Cinq-Cygne. Ces deux vieilles maisons et l'Évêché furent pendant longtemps à Troyes les seules maisons en pierre. Le marquis vendit Simeuse au duc de Lorraine. Son fils dissipa les économies et quelque peu de cette grande fortune, sous le règne de Louis XV ; mais ce fils devint d'abord chef d'escadre, puis vice-amiral, et répara les folies de sa jeunesse par d'éclatants services. Le marquis de Simeuse, fils de ce

---

1. Premier sens du mot encore dans le dictionnaire de Boiste (1839), avec, pour sujet, un nom de personne : Rejetèrent avec dureté.
2. Le mot est féminin jusqu'au XIVe siècle et le masculin n'a pas totalement prévalu par la suite.

marin, avait péri sur l'échafaud, à Troyes, laissant deux enfants jumeaux qui émigrèrent, et qui se trouvaient en ce moment à l'étranger, suivant le sort de la maison de Condé.

Ce rond-point était jadis le rendez-vous de chasse du Grand Marquis. On nommait ainsi dans la famille le Simeuse qui érigea Gondreville. Depuis 1789, Michu habitait ce rendez-vous, sis à l'intérieur du parc, bâti du temps de Louis XIV, et appelé le pavillon de Cinq-Cygne. Le village de Cinq-Cygne est au bout de la forêt de Nodesme (corruption de Notre-Dame), à laquelle mène l'avenue à quatre rangs d'ormes où Couraut flairait des espions. Depuis la mort du Grand Marquis, ce pavillon avait été tout à fait négligé. Le vice-amiral hanta beaucoup plus la mer et la cour que la Champagne, et son fils donna ce pavillon délabré pour demeure à Michu.

Ce noble bâtiment est en briques, orné de pierre vermiculée aux angles, aux portes et aux fenêtres. De chaque côté s'ouvre une grille d'une belle serrurerie, mais rongée de rouille. Après la grille s'étend un large, un profond saut-de-loup d'où s'élancent des arbres vigoureux, dont les parapets sont hérissés d'arabesques en fer qui présentent leurs innombrables piquants aux malfaiteurs.

Les murs du parc ne commencent qu'au-delà de la circonférence produite par le rond-point. En dehors, la magnifique demi-lune est dessinée par des talus plantés d'ormes, de même que celle qui lui correspond dans le parc est formée par des massifs d'arbres exotiques. Ainsi le pavillon occupe le centre du rond-point tracé par ces deux fers-à-cheval. Michu avait fait des anciennes salles du rez-de-chaussée une écurie, une étable, une cuisine et un bûcher. De l'antique splendeur, la seule trace est une antichambre dallée en marbre noir et blanc, où l'on entre, du côté du parc, par une de ces portes-fenêtres vitrées en petits carreaux, comme il y en avait encore à Versailles avant que Louis-Philippe n'en fît l'hôpital des gloires de la France[1]. À l'intérieur, ce pavillon est partagé par un

---

1. En y créant un musée, inauguré en grande pompe en juin 1837, pour lequel il avait commandé des tableaux de batailles. Très vite les bons esprits virent dans ces œuvres trop peu mûries et inégales une piètre création.

vieil escalier en bois vermoulu, mais plein de caractère, qui mène au premier étage, où se trouvent cinq chambres, un peu basses d'étage. Au-dessus s'étend un immense grenier. Ce vénérable édifice est coiffé d'un de ces grands combles à quatre pans dont l'arête est ornée de deux bouquets en plomb, et percé de quatre de ces œils-de-bœuf que Mansard affectionnait avec raison ; car en France, l'attique et les toits plats à l'italienne sont un non-sens contre lequel le climat proteste. Michu mettait là ses fourrages. Toute la partie du parc qui environne ce vieux pavillon est à l'anglaise. À cent pas, un ex-lac, devenu simplement un étang bien empoissonné, atteste sa présence autant par un léger brouillard au-dessus des arbres que par le cri de mille grenouilles, crapauds et autres amphibies bavards au coucher du soleil. La vétusté des choses, le profond silence des bois, la perspective de l'avenue, la forêt au loin, mille détails, les fers rongés de rouille, les masses de pierres veloutées par les mousses, tout poétise cette construction qui existe encore.

Au moment où commence cette histoire, Michu était appuyé à l'un des parapets moussus sur lequel se voyaient sa poire à poudre, sa casquette, son mouchoir, un tournevis, des chiffons, enfin tous les ustensiles nécessaires à sa suspecte opération. La chaise de sa femme se trouvait adossée à côté de la porte extérieure du pavillon, au-dessus de laquelle existaient encore les armes de Simeuse richement sculptées avec leur belle devise : *Si meurs !* La mère, vêtue en paysanne, avait mis sa chaise devant Mme Michu pour qu'elle eût les pieds à l'abri de l'humidité, sur un des bâtons.

« Le petit est là ? demanda Michu à sa femme.

— Il rôde autour de l'étang, il est fou des grenouilles et des insectes », dit la mère.

Michu siffla de façon à faire trembler. La prestesse avec laquelle son fils accourut démontrait le despotisme exercé par le régisseur de Gondreville. Michu, depuis 1789, mais surtout depuis 1793, était à peu près le maître de cette terre. La terreur qu'il inspirait à sa femme, à sa belle-mère, à un petit domestique nommé Gaucher, et à une servante nommée Marianne, était partagée à dix lieues à la ronde. Peut-être ne faut-il pas tarder plus longtemps de donner les raisons de ce sentiment, qui, d'ailleurs, achèveront au moral le portrait de Michu.

Le vieux marquis de Simeuse s'était défait de ses biens en 1790 ; mais, devancé par les événements, il n'avait pu mettre en des mains fidèles sa belle terre de Gondreville. Accusé de correspondance avec le duc de Brunswick et le prince de Cobourg, le marquis de Simeuse et sa femme furent mis en prison et condamnés à mort par le tribunal révolutionnaire de Troyes, que présidait le père de Marthe. Ce beau domaine fut donc vendu nationalement. Lors de l'exécution du marquis et de la marquise, on y remarqua, non sans une sorte d'horreur, le garde général de la terre de Gondreville, qui, devenu président du club des Jacobins d'Arcis, vint à Troyes pour y assister. Fils d'un simple paysan et orphelin, Michu, comblé des bienfaits de la marquise qui lui avait donné la place de garde général, après l'avoir fait élever au château, fut regardé comme un Brutus par les exaltés ; mais dans le pays tout le monde cessa de le voir après ce trait d'ingratitude. L'acquéreur fut un homme d'Arcis nommé Marion, petit-fils d'un intendant de la maison de Simeuse. Cet homme, avocat avant et après la Révolution, eut peur du garde, il en fit son régisseur en lui donnant trois mille livres de gages et un intérêt dans les ventes. Michu, qui passait déjà pour avoir une dizaine de mille francs, épousa, protégé par sa renommée de patriote, la fille d'un tanneur de Troyes, l'apôtre de la Révolution dans cette ville où il présida le tribunal révolutionnaire. Ce tanneur, homme de conviction, qui, pour le caractère, ressemblait à Saint-Just, se trouva mêlé plus tard à la conspiration de Babeuf, et il se tua pour échapper à une condamnation. Marthe était la plus belle fille de Troyes. Aussi, malgré sa touchante modestie, avait-elle été forcée par son redoutable père de faire la déesse de la Liberté dans une cérémonie républicaine. L'acquéreur ne vint pas trois fois en sept ans à Gondreville. Son grand-père avait été l'intendant des Simeuse, tout Arcis crut alors que le citoyen Marion représentait MM. de Simeuse. Tant que dura la Terreur, le régisseur de Gondreville, patriote dévoué, gendre du président du tribunal révolutionnaire de Troyes, caressé par Malin (de l'Aube), l'un des Représentants du Département, se vit l'objet d'une sorte de respect. Mais quand la Montagne fut vaincue, lorsque son beau-père se fut tué, Michu devint un bouc émissaire ; tout le monde s'empressa de lui attribuer, ainsi qu'à son beau-père, des actes auxquels il était, pour son compte, parfaitement étranger. Le régisseur se banda contre l'injustice de la foule ; il se roidit et prit une attitude hostile. Sa parole se fit audacieuse. Cependant, depuis le 18 brumaire, il gardait ce profond silence qui est la philosophie des gens forts ; il ne luttait plus contre l'opinion générale, il se contentait d'agir ; cette sage conduite le fit regarder comme un sournois, car il possédait en terres une fortune d'environ cent mille francs. D'abord il ne dépensait rien ; puis cette fortune lui venait légitimement, tant de la succession de son beau-père que des six mille francs par an que lui donnait sa place en profits et en appointements. Quoiqu'il fût régisseur depuis douze ans, quoique chacun pût faire le compte de ses économies, quand, au début du Consulat, il acheta une ferme de cinquante mille francs, il s'éleva des accusations contre l'ancien Montagnard, les gens d'Arcis lui prêtaient l'intention de recouvrer la considération en faisant une grande fortune. Malheureusement, au moment où chacun l'oubliait, une sotte affaire, envenimée par le caquet des campagnes, raviva la croyance générale sur la férocité de son caractère.

Un soir, à la sortie de Troyes, en compagnie de quelques paysans parmi lesquels se trouvait le fermier de Cinq-Cygne, il laissa tomber un papier sur la grande route ; ce fermier, qui marchait le dernier, se baisse et le ramasse ; Michu se retourne, voit le papier dans les mains de cet homme, il tire aussitôt un pistolet de sa ceinture, l'arme et menace le fermier, qui savait lire, de lui brûler la cervelle s'il ouvrait le papier. L'action de Michu fut si rapide, si violente, le son de sa voix si effrayant, ses yeux si flamboyants, que tout le monde eut froid de peur. Le fermier de Cinq-Cygne était naturellement un ennemi de Michu. Mlle de Cinq-Cygne, cousine des Simeuse, n'avait plus qu'une ferme pour toute fortune et habitait son château de Cinq-Cygne. Elle ne vivait que pour ses cousins les jumeaux, avec lesquels elle avait joué dans son enfance à Troyes et à Gondreville. Son frère unique,

Jules de Cinq-Cygne, émigré avant les Simeuse, était mort devant Mayence[1] ; mais par un privilège assez rare et dont il sera parlé, le nom de Cinq-Cygne ne périssait point faute de mâles. Cette affaire entre Michu et le fermier de Cinq-Cygne fit un tapage épouvantable dans l'Arrondissement, et rembrunit les teintes mystérieuses qui voilaient Michu ; mais cette circonstance ne fut pas la seule qui le rendit redoutable. Quelques mois après cette scène, le citoyen Marion vint avec le citoyen Malin à Gondreville. Le bruit courut que Marion allait vendre la terre à cet homme que les événements politiques avaient bien servi, et que le Premier consul venait de placer au Conseil d'État pour le récompenser de ses services au 18 brumaire. Les politiques de la petite ville d'Arcis devinèrent alors que Marion avait été le prête-nom du citoyen Malin au lieu d'être celui de MM. de Simeuse. Le tout-puissant conseiller d'État était le plus grand personnage d'Arcis. Il avait envoyé l'un de ses amis politiques à la Préfecture de Troyes, il avait fait exempter du service le fils d'un des fermiers de Gondreville, appelé Beauvisage, il rendait service à tout le monde. Cette affaire ne devait donc point rencontrer de contradicteurs dans le pays, où Malin régnait et où il règne encore. On était à l'aurore de l'Empire. Ceux qui lisent aujourd'hui des histoires de la Révolution française ne sauront jamais quels immenses intervalles la pensée publique mettait entre les événements si rapprochés de ce temps. Le besoin général de paix et de tranquillité que chacun éprouvait après de violentes commotions engendrait un complet oubli des faits antérieurs les plus graves. L'Histoire vieillissait promptement, constamment mûrie par des intérêts nouveaux et ardents. Ainsi personne, excepté Michu, ne rechercha le passé de cette affaire, qui fut trouvée toute simple. Marion qui, dans le temps, avait acheté Gondreville six cent mille francs en assignats, le vendit un million en écus ; mais la seule somme déboursée par Malin fut le droit de l'Enregistrement. Grévin, un camarade de cléricature de Malin, favorisait naturellement ce tripotage, et

---

1. En 1795, dans l'armée des Princes, lorsque Mayence, occupée par les soldats de la République, fut assiégée par le roi de Prusse.

le conseiller d'État le récompensa en le faisant nommer notaire à Arcis. Quand cette nouvelle parvint au pavillon, apportée par le fermier d'une ferme sise entre la forêt et le parc, à gauche de la belle avenue, et nommée Grouage, Michu devint pâle et sortit ; il alla épier Marion, et finit par le rencontrer seul dans une allée du parc. « Monsieur vend Gondreville ? — Oui, Michu, oui. Vous aurez un homme puissant pour maître. Le conseiller d'État est l'ami du Premier consul, il est lié très intimement avec tous les ministres, il vous protégera. — Vous gardiez donc la terre pour lui ? — Je ne dis pas cela, reprit Marion. Je ne savais dans le temps comment placer mon argent, et pour ma sécurité, je l'ai mis dans les biens nationaux ; mais il ne me convient pas de garder la terre qui appartenait à la maison où mon père... — A été domestique, intendant, dit violemment Michu. Mais vous ne la vendrez pas ! je la veux, et je puis vous la payer, moi. — Toi ? — Oui, moi, sérieusement et en bon or, huit cent mille francs... — Huit cent mille francs ? où les as-tu pris ? dit Marion. — Cela ne vous regarde pas », répondit Michu. Puis, en se radoucissant, il ajouta tout bas : « Mon beau-père a sauvé bien des gens ! — Tu viens trop tard, Michu, l'affaire est faite. — Vous la déferez, monsieur ! s'écria le régisseur en prenant son maître par la main et la lui serrant comme dans un étau. Je suis haï, je veux être riche et puissant ; il me faut Gondreville ! Sachez-le, je ne tiens pas à la vie, et vous allez me vendre la terre, ou je vous ferai sauter la cervelle... — Mais au moins faut-il le temps de me retourner avec Malin, qui n'est pas commode... — Je vous donne vingt-quatre heures. Si vous dites un mot de ceci, je me soucie de vous couper la tête comme de couper une rave... » Marion et Malin quittèrent le château pendant la nuit. Marion eut peur, et instruisit le conseiller d'État de cette rencontre en lui disant d'avoir l'œil sur le régisseur. Il était impossible à Marion de se soustraire à l'obligation de rendre cette terre à celui qui l'avait réellement payée, et Michu ne paraissait homme ni à comprendre ni à admettre une pareille raison. D'ailleurs, ce service rendu par Marion à Malin devait être et fut l'origine de sa fortune politique et de celle de son frère. Malin fit nommer, en 1806, l'avocat

Marion premier président d'une Cour impériale, et dès la création des receveurs généraux, il procura la Recette générale de l'Aube au frère de l'avocat. Le conseiller d'État dit à Marion de demeurer à Paris, et prévint le ministre de la Police qui mit le garde en surveillance. Néanmoins, pour ne pas le pousser à des extrémités, et pour le mieux surveiller peut-être, Malin laissa Michu régisseur, sous la férule du notaire d'Arcis. Depuis ce moment, Michu, qui devint de plus en plus taciturne et songeur, eut la réputation d'un homme capable de faire un mauvais coup. Malin, conseiller d'État, fonction que le Premier consul rendit alors égale à celle de ministre, et l'un des rédacteurs du Code, jouait un grand rôle à Paris, où il avait acheté l'un des plus beaux hôtels du faubourg Saint-Germain, après avoir épousé la fille unique de Sibuelle, un riche fournisseur assez déconsidéré, qu'il associa pour la Recette générale de l'Aube à Marion. Aussi n'était-il pas venu plus d'une fois à Gondreville, il s'en reposait d'ailleurs sur Grévin de tout ce qui concernait ses intérêts. Enfin, qu'avait-il à craindre, lui, ancien Représentant de l'Aube, d'un ancien président du club des Jacobins d'Arcis ? Cependant, l'opinion, déjà si défavorable à Michu dans les basses classes, fut naturellement partagée par la bourgeoisie ; et Marion, Grévin, Malin, sans s'expliquer ni se compromettre, le signalèrent comme un homme excessivement dangereux. Obligées de veiller sur le garde par le ministre de la Police générale, les autorités ne détruisirent pas cette croyance. On avait fini, dans le pays, par s'étonner de ce que Michu gardait sa place ; mais on prit cette concession pour un effet de la terreur qu'il inspirait. Qui maintenant ne comprendrait pas la profonde mélancolie exprimée par la femme de Michu ?

D'abord, Marthe avait été pieusement élevée par sa mère. Toutes deux, bonnes catholiques, avaient souffert des opinions et de la conduite du tanneur. Marthe ne se souvenait jamais sans rougir d'avoir été promenée dans la ville de Troyes en costume de déesse. Son père l'avait contrainte d'épouser Michu, dont la mauvaise réputation allait croissant, et qu'elle redoutait trop pour pouvoir jamais le juger. Néanmoins, cette femme se sentait aimée ; et, au fond de son cœur, il s'agitait pour cet homme effrayant la plus vraie des affections ; elle ne lui avait jamais vu rien faire que de juste, jamais ses paroles n'étaient brutales, pour elle du moins ; enfin il s'efforçait de deviner tous ses désirs. Ce pauvre paria, croyant être désagréable à sa femme, restait presque toujours dehors. Marthe et Michu, en défiance l'un de l'autre, vivaient dans ce qu'on appelle aujourd'hui *une paix armée*. Marthe, qui ne voyait personne, souffrait vivement de la réprobation qui, depuis sept ans, la frappait comme fille d'un coupe-tête, et de celle qui frappait son mari comme traître. Plus d'une fois, elle avait entendu les gens de la ferme qui se trouvait dans la plaine à droite de l'avenue, appelée Bellache et tenue par Beauvisage, un homme attaché aux Simeuse, dire en passant devant le pavillon : « Voilà la maison des Judas ! » La singulière ressemblance de la tête du régisseur avec celle du treizième apôtre, et qu'il semblait avoir voulu compléter, lui valait en effet cet odieux surnom dans tout le pays. Aussi ce malheur et de vagues, de constantes appréhensions de l'avenir, rendaient-ils Marthe pensive et recueillie. Rien n'attriste plus profondément qu'une dégradation imméritée et de laquelle il est impossible de se relever. Un peintre n'eût-il pas fait un beau tableau de cette famille de parias au sein d'un des plus jolis sites de la Champagne, où le paysage est généralement triste.

« François ! » cria le régisseur pour faire encore hâter son fils.

François Michu, enfant âgé de dix ans, jouissait du parc, de la forêt, et levait ses menus suffrages en maître ; il mangeait les fruits, il chassait, il n'avait ni soins ni peines ; il était le seul être heureux de cette famille, isolée dans le pays par sa situation entre le parc et la forêt, comme elle l'était moralement par la répulsion générale.

« Ramasse-moi tout ce qui est là, dit le père à son fils en lui montrant le parapet, et serre-moi cela. Regarde-moi ! tu dois aimer ton père et ta mère ? » L'enfant se jeta sur son père pour l'embrasser ; mais Michu fit un mouvement pour déplacer la carabine et le repoussa. « Bien ! Tu as quelquefois jasé sur ce qui se fait ici, dit-il en fixant sur lui ses deux yeux redoutables comme ceux d'un chat sauvage. Retiens bien ceci : révéler la plus indifférente des choses qui se font ici, à Gaucher, aux gens de Grouage ou de Bellache, et même à Marianne qui nous aime, ce serait tuer ton père. Que cela ne t'arrive plus, et je te pardonne tes indiscrétions d'hier. » L'enfant se mit à pleurer. « Ne pleure pas, mais à quelque question qu'on te fasse, réponds comme les paysans : Je ne sais pas ! Il y a des gens qui rôdent dans le pays, et qui ne me reviennent pas. Va ! Vous avez entendu, vous deux ? dit Michu aux femmes, ayez aussi la gueule morte.

— Mon ami, que vas-tu faire ? »

Michu, qui mesurait avec attention une charge de poudre et la versait dans le canon de sa carabine, posa l'arme contre le parapet et dit à Marthe : « Personne ne me connaît cette carabine, mets-toi devant ! »

Couraut, dressé sur ses quatre pattes, aboyait avec fureur.

« Belle et intelligente bête ! s'écria Michu, je suis sûr que c'est des espions... »

On se sait espionné. Couraut et Michu, qui semblaient avoir une seule et même âme, vivaient ensemble comme l'Arabe et son cheval vivent dans le désert. Le régisseur connaissait toutes les modulations de la voix de Couraut et les idées qu'elles exprimaient, de même que le chien lisait la pensée de son maître dans ses yeux et la sentait exhalée dans l'aire de son corps.

« Qu'en dis-tu ? s'écria tout bas Michu en montrant à sa femme deux sinistres personnages qui apparurent dans une contre-allée en se dirigeant vers le rond-point.

— Que se passe-t-il dans le pays ? C'est des Parisiens ? dit la vieille.

— Ah ! voilà ! s'écria Michu. Cache donc ma carabine, dit-il à l'oreille de sa femme, ils viennent à nous. »

Les deux Parisiens qui traversèrent le rond-point offraient des figures qui, certes, eussent été typiques pour un peintre. L'un, celui qui paraissait être le subalterne, avait des bottes à revers, tombant un peu bas, qui laissaient voir de mièvres mollets et des bas de soie chinés d'une propreté douteuse. La culotte, en drap côtelé couleur abricot et à boutons de métal, était un peu trop large ; le corps s'y trouvait à l'aise, et les plis usés indiquaient par leur disposition un homme de cabinet. Le gilet de piqué, surchargé de broderies saillantes, ouvert, boutonné par un seul bouton sur le haut du ventre, donnait à ce personnage un air d'autant plus débraillé que ses cheveux noirs, frisés en tire-bouchons, lui cachaient le front et descendaient le long des joues. Deux chaînes de montre en acier pendaient sur la culotte. La chemise était ornée d'une épingle à camée blanc et bleu. L'habit, couleur cannelle, se recommandait au caricaturiste par une longue queue qui, vue par-derrière, avait une si parfaite ressemblance avec une morue que le nom lui en fut appliqué. La mode des habits en queue de morue a duré dix ans, presque autant que l'empire de Napoléon. La cravate, lâche et à grands plis nombreux, permettait à cet individu de s'y enterrer le visage jusqu'au nez. Sa figure bourgeonnée, son gros nez long couleur de brique, ses pommettes animées, sa bouche démeublée, mais menaçante et gourmande, ses oreilles ornées de grosses boucles en or, son front bas, tous ces détails qui semblent grotesques étaient rendus terribles par deux petits yeux placés et percés comme ceux des cochons et d'une implacable avidité, d'une cruauté goguenarde et quasi joyeuse. Ces deux yeux fureteurs et perspicaces, d'un bleu glacial et glacé, pouvaient être pris pour le modèle de ce fameux œil, le redoutable emblème de la police, inventé pendant la Révolution [1]. Il avait des gants de soie noire et une badine à la main. Il devait être quelque personnage officiel, car il avait, dans son maintien, dans sa manière de prendre son tabac et de le fourrer dans le nez, l'importance bureaucratique d'un homme secondaire, mais qui émarge ostensiblement, et que des ordres partis de haut rendent momentanément souverain.

L'autre, dont le costume était dans le même goût, mais élégant et très élégamment porté, soigné dans les moindres détails, qui faisait, en marchant, crier des bottes à la Suwaroff [2], mises par-dessus un pantalon collant, avait sur son habit un spencer, mode aristocratique adop-

---

1. L'œil, symbole de surveillance, figurait depuis 1795 sur la plaque des juges de paix, au frontispice du *Bulletin des lois* et sur les passeports. **2.** Bottes courtes et à revers.

tée par les Clichiens[1], par la jeunesse dorée, et qui survivait aux Clichiens et à la jeunesse dorée. Dans ce temps, il y eut des modes qui durèrent plus longtemps que des partis, symptôme d'anarchie que 1830 nous a présenté déjà. Ce parfait *muscadin* paraissait âgé de trente ans. Ses manières sentaient la bonne compagnie, il portait des bijoux de prix. Le col de sa chemise venait à la hauteur de ses oreilles. Son air fat et presque impertinent accusait une sorte de supériorité cachée. Sa figure blafarde semblait ne pas avoir une goutte de sang, son nez camus et fin avait la tournure sardonique du nez d'une tête de mort, et ses yeux verts étaient impénétrables ; leur regard était aussi discret que devait l'être sa bouche mince et serrée. Le premier semblait être un bon enfant comparé à ce jeune homme sec et maigre qui fouettait l'air avec un jonc dont la pomme d'or brillait au soleil. Le premier pouvait couper lui-même une tête, mais le second était capable d'entortiller, dans les filets de la calomnie et de l'intrigue, l'innocence, la beauté, la vertu, de les noyer, ou de les empoisonner froidement. L'homme rubicond aurait consolé sa victime par des lazzis, l'autre n'aurait pas même souri. Le premier avait quarante-cinq ans, il devait aimer la bonne chère et les femmes. Ces sortes d'hommes ont tous des passions qui les rendent esclaves de leur métier. Mais le jeune homme était sans passions et sans vices. S'il était espion, il appartenait à la diplomatie, et travaillait pour l'art pur. Il concevait, l'autre exécutait ; il était l'idée, l'autre était la forme.

« Nous devons être à Gondreville, ma bonne femme ? dit le jeune homme.

— On ne dit pas ici *ma bonne femme*, répondit Michu. Nous avons encore la simplicité de nous appeler *citoyenne* et *citoyen*, nous autres !

— Ah ! » fit le jeune homme de l'air le plus naturel et sans paraître choqué.

Les joueurs ont souvent, dans le monde, au jeu de l'écarté surtout, éprouvé comme une déroute intérieure en

---

1. Le Club de Clichy, né de la réaction thermidorienne, rassemblait des partisans modérés d'une restauration royaliste. Il fut supprimé le 18 fructidor an V (4 septembre 1797).

voyant s'attabler devant eux, au milieu de leur veine, un joueur, dont les manières, le regard, la voix, la façon de mêler les cartes leur prédisent une défaite. À l'aspect du jeune homme, Michu sentit une prostration prophétique de ce genre. Il fut atteint par un pressentiment mortel, il entrevit confusément l'échafaud ; une voix lui cria que ce muscadin lui serait fatal, quoiqu'ils n'eussent encore rien de commun. Aussi sa parole avait-elle été rude, il voulait être et fut grossier.

« N'appartenez-vous pas au conseiller d'État Malin ? demanda le second Parisien.

— Je suis mon maître, répondit Michu.

— Enfin, mesdames, dit le jeune homme en prenant les façons les plus polies, sommes-nous à Gondreville ? nous y sommes attendus par M. Malin.

— Voici le parc, dit Michu en montrant la grille ouverte.

— Et pourquoi cachez-vous cette carabine, ma belle enfant ? dit le jovial compagnon du jeune homme qui en passant par la grille aperçut le canon.

— Tu *travailles* toujours, même à la campagne », s'écria le jeune homme en souriant.

Tous deux revinrent, saisis par une pensée de défiance que le régisseur comprit malgré l'impassibilité de leurs visages ; Marthe les laissa regarder la carabine, au milieu des abois de Couraut, car elle avait la conviction que Michu méditait quelque mauvais coup et fut presque heureuse de la perspicacité des inconnus. Michu jeta sur sa femme un regard qui la fit frémir, il prit alors la carabine et se mit en devoir d'y chasser une balle[1], en acceptant les fatales chances de cette découverte et de cette rencontre ; il parut ne plus tenir à la vie, et sa femme comprit bien alors sa funeste résolution.

« Vous avez donc des loups par ici ? dit le jeune homme à Michu.

— Il y a toujours des loups là où il y a des moutons. Vous êtes en Champagne et voilà une forêt ; mais nous avons aussi du sanglier, nous avons de grosses et de

---

1. Littré ignore l'expression qui, dans le contexte, ne peut signifier qu'*introduire une balle dans l'arme*.

petites bêtes, nous avons un peu de tout, dit Michu d'un air goguenard.

— Je parie, Corentin, dit le plus vieux des deux après avoir échangé un regard avec l'autre, que cet homme est mon Michu...

— Nous n'avons pas gardé les cochons ensemble, dit le régisseur.

— Non, mais nous avons présidé les Jacobins, citoyen, répliqua le vieux cynique, vous à Arcis, moi ailleurs. Tu as conservé la politesse de la Carmagnole ; mais elle n'est plus à la mode, mon petit.

— Le parc me paraît bien grand, nous pourrions nous y perdre, si vous êtes le régisseur, faites-nous conduire au château », dit Corentin d'un ton péremptoire.

Michu siffla son fils et continua de chasser sa balle. Corentin contemplait Marthe d'un œil indifférent, tandis que son compagnon semblait charmé ; mais il remarquait en elle les traces d'une angoisse qui échappait au vieux libertin, lui que la carabine avait effarouché. Ces deux natures se peignaient tout entières dans cette petite chose si grande.

« J'ai rendez-vous au-delà de la forêt, disait le régisseur, je ne puis pas vous rendre ce service moi-même ; mais mon fils vous mènera jusqu'au château. Par où venez-vous donc à Gondreville ? Auriez-vous pris par Cinq-Cygne ?

— Nous avions, comme vous, des affaires dans la forêt, dit Corentin sans aucune ironie apparente.

— François, s'écria Michu, conduis ces messieurs au château par les sentiers, afin qu'on ne les voie pas, ils ne prennent point les routes battues. Viens ici d'abord ! », dit-il en voyant les deux étrangers qui leur avaient tourné le dos et marchaient en se parlant à voix basse. Michu saisit son enfant, l'embrassa presque saintement et avec une expression qui confirma les appréhensions de sa femme, elle eut froid dans le dos, et regarda sa mère d'un œil sec, car elle ne pouvait pas pleurer. « Va », dit-il. Et il le regarda jusqu'à ce qu'il l'eût entièrement perdu de vue. Couraut aboya du côté de la ferme de Grouage. « Oh ! c'est Violette, reprit-il. Voilà la troisième fois qu'il passe depuis ce matin ! Qu'y a-t-il donc dans l'air ? Assez, Couraut ! »

Quelques instants après, on entendit le petit trot d'un cheval.

Violette, monté sur un de ces bidets dont se servent les fermiers aux environs de Paris, montra, sous un chapeau de forme ronde et à grands bords, sa figure couleur de bois et fortement plissée, laquelle paraissait encore plus sombre. Ses yeux gris, malicieux et brillants, dissimulaient la traîtrise de son caractère. Ses jambes sèches, habillées de guêtres en toile blanche montant jusqu'au genou, pendaient sans être appuyées sur des étriers, et semblaient maintenues par le poids de ses gros souliers ferrés. Il portait par-dessus sa veste de drap bleu une limousine à raies blanches et noires. Ses cheveux gris retombaient en boucles derrière sa tête. Ce costume, le cheval gris à petites jambes basses, la façon dont s'y tenait Violette, le ventre en avant, le haut du corps en arrière, la grosse main crevassée et couleur de terre qui soutenait une méchante bride rongée et déchiquetée, tout peignait en lui un paysan avare, ambitieux, qui veut posséder de la terre et qui l'achète à tout prix. Sa bouche aux lèvres bleuâtres, fendue comme si quelque chirurgien l'eût ouverte avec un bistouri, les innombrables rides de son visage et de son front empêchaient le jeu de la physionomie dont les contours seulement parlaient. Ces lignes dures, arrêtées, paraissaient exprimer la menace, malgré l'air humble que se donnent presque tous les gens de la campagne, et sous lequel ils cachent leurs émotions et leurs calculs, comme les Orientaux et les Sauvages enveloppent les leurs sous une imperturbable gravité. De simple paysan faisant des journées, devenu fermier de Grouage par un système de méchanceté croissante, il le continuait encore après avoir conquis une position qui surpassait ses premiers désirs. Il voulait le mal du prochain et le lui souhaitait ardemment. Quand il y pouvait contribuer, il y aidait avec amour. Violette était franchement envieux ; mais, dans toutes ses malices, il restait dans les limites de la légalité, ni plus ni moins qu'une Opposition parlementaire. Il croyait que sa fortune dépendait de la ruine des autres, et tout ce qui se trouvait au-dessus de lui était pour lui un ennemi envers lequel tous les moyens devaient être bons. Ce caractère est très commun chez les paysans. Sa grande affaire du moment était d'obtenir de Malin une prorogation du bail de sa ferme qui n'avait plus que six ans à courir. Jaloux de la fortune du régisseur, il le surveillait de près ; les gens du pays lui faisaient la guerre sur ses liaisons avec les Michu ; mais, dans l'espoir de faire continuer son bail pendant douze autres années, le rusé fermier épiait une occasion de rendre service au gouvernement ou à Malin qui se défiait de Michu. Violette, aidé par le garde particulier de Gondreville, par le garde champêtre et par quelques faiseurs de fagots, tenait le commissaire de police d'Arcis au courant des moindres actions de Michu. Ce fonctionnaire avait tenté, mais inutilement, de mettre Marianne, la servante de Michu, dans les intérêts du gouvernement ; mais Violette et ses affidés savaient tout par Gaucher, le petit domestique sur la fidélité duquel Michu comptait, et qui le trahissait pour des vétilles, pour des gilets, des boucles, des bas de coton, des friandises. Ce garçon ne soupçonnait pas d'ailleurs l'importance de ses bavardages. Violette noircissait toutes les actions de Michu, il les rendait criminelles par les plus absurdes suppositions à l'insu du régisseur, qui savait néanmoins le rôle ignoble joué chez lui par le fermier, et qui se plaisait à le mystifier.

« Vous avez donc bien des affaires à Bellache, que vous voilà encore ! dit Michu.

— Encore ! c'est un mot de reproche, monsieur Michu. Vous ne comptez pas siffler aux moineaux avec une pareille clarinette[1] ! Je ne vous connaissais point cette carabine-là...

— Elle a poussé dans un de mes champs où il vient des carabines, répondit Michu. Tenez, voilà comme je les sème. »

Le régisseur mit en joue une vipérine à trente pas de lui et la coupa net.

1. On dit plutôt *siffler un oiseau*, pour : lui apprendre à chanter avec une serinette.

« Est-ce pour garder votre maître que vous avez cette arme de bandit ? il vous en aura peut-être fait cadeau.

— Il est venu de Paris exprès pour me l'apporter, répondit Michu.

— Le fait est qu'on jase bien, dans tout le pays, de son voyage ; les uns le disent en disgrâce, et qu'il se retire des affaires, les autres qu'il veut voir clair ici ; au fait, pourquoi qu'il arrive sans dire gare, absolument comme le Premier consul ? saviez-vous qu'il venait ?

— Je ne suis pas assez bien avec lui pour être dans sa confidence.

— Vous ne l'avez donc pas encore vu ?

— Je n'ai su son arrivée qu'à mon retour de ma ronde dans la forêt, répliqua Michu qui rechargeait sa carabine.

— Il a envoyé chercher M. Grévin à Arcis, ils vont *tribuner* quelque chose ? »

Malin avait été tribun.

« Si vous allez du côté de Cinq-Cygne, dit le régisseur à Violette, prenez-moi, j'y vais. »

Violette était trop peureux pour garder en croupe un homme de la force de Michu, il piqua des deux. Le Judas mit sa carabine sur l'épaule et s'élança dans l'avenue.

« À qui donc Michu en veut-il ? dit Marthe à sa mère.

— Depuis qu'il a su l'arrivée de M. Malin, il est devenu bien sombre, répondit-elle. Mais il fait humide, rentrons. »

Quand les deux femmes furent assises sous le manteau de la cheminée, elles entendirent Couraut.

« Voilà mon mari ! » s'écria Marthe.

En effet, Michu montait l'escalier ; sa femme inquiète le rejoignit dans leur chambre.

« Vois s'il n'y a personne, dit-il à Marthe d'une voix émue.

— Personne, répondit-elle, Marianne est aux champs avec la vache, et Gaucher...

— Où est Gaucher ? reprit-il.

— Je ne sais pas.

— Je me défie de ce petit drôle ; monte au grenier, fouille le grenier, et cherche-le dans les moindres coins de ce pavillon. »

Marthe sortit et alla ; quand elle revint, elle trouva Michu les genoux en terre, et priant.

« Qu'as-tu donc ? » dit-elle effrayée.

Le régisseur prit sa femme par la taille, l'attira sur lui, la baisa au front et lui répondit d'une voix émue : « Si nous ne nous revoyons plus, sache, ma pauvre femme, que je t'aimais bien. Suis de point en point les instructions qui sont écrites dans une lettre enterrée au pied du mélèze de ce massif, dit-il après une pause en lui désignant un arbre, elle est dans un rouleau de fer-blanc. N'y touche qu'après ma mort. Enfin, quoi qu'il m'arrive, pense, malgré l'injustice des hommes, que mon bras a servi la justice de Dieu. »

Marthe, qui pâlit par degrés, devint blanche comme son linge, elle regarda son mari d'un œil fixe et agrandi par l'effroi, elle voulut parler, elle se trouva le gosier sec. Michu s'évada comme une ombre, il avait attaché au pied de son lit Couraut, qui se mit à hurler comme hurlent les chiens au désespoir.

La colère de Michu contre M. Marion avait eu de sérieux motifs, mais elle s'était reportée sur un homme beaucoup plus criminel à ses yeux, sur Malin dont les secrets s'étaient dévoilés aux yeux du régisseur, plus en position que personne d'apprécier la conduite du conseiller d'État. Le beau-père de Michu avait eu, politiquement parlant, la confiance de Malin, nommé Représentant de l'Aube à la Convention par les soins de Grévin.

Peut-être n'est-il pas inutile de raconter les circonstances qui mirent les Simeuse et les Cinq-Cygne en présence avec Malin, et qui pesèrent sur la destinée des deux jumeaux et de Mlle de Cinq-Cygne, mais plus encore sur celle de Marthe et de Michu. À Troyes, l'hôtel de Cinq-Cygne faisait face à celui de Simeuse. Quand la populace, déchaînée par des mains aussi savantes que prudentes, eut pillé l'hôtel de Simeuse, découvert le marquis et la marquise accusés de correspondre avec les ennemis, et les eut livrés à des gardes nationaux qui les menèrent en prison, la foule conséquente cria : « Aux Cinq-Cygne ! » Elle ne concevait pas que les Cinq-Cygne fussent innocents du crime des Simeuse. Le digne et courageux marquis de Simeuse, pour sauver ses deux fils, âgés de dix-huit ans, que leur courage pouvait compromettre, les avait confiés, quelques instants avant l'orage, à leur tante, la comtesse de Cinq-Cygne. Deux domestiques attachés à la maison de Simeuse tenaient les jeunes gens renfermés. Le vieillard, qui ne voulait pas voir finir son nom, avait recommandé de tout cacher à ses fils, en cas de malheurs extrêmes. Laurence, alors âgée de douze ans, était également aimée par les deux frères, et les aimait également aussi. Comme beaucoup de jumeaux, les deux Simeuse se ressemblaient tant, que pendant longtemps leur mère leur donna des vêtements de couleurs différentes pour ne pas se tromper. Le premier venu, l'aîné, s'appelait Paul-Marie, l'autre Marie-Paul. Laurence de Cinq-Cygne, à qui l'on avait confié le secret de la situation, joua très bien son rôle de femme ; elle supplia ses cousins, les amadoua, les garda jusqu'au moment où la populace entoura l'hôtel de Cinq-Cygne. Les deux frères comprirent alors le danger au même moment, et se le dirent par un même regard. Leur résolution fut aussitôt prise, ils armèrent leurs deux domestiques, ceux de la comtesse de Cinq-Cygne, barricadèrent la porte, se mirent aux fenêtres, après en avoir fermé les persiennes, avec cinq domestiques et l'abbé de Hauteserre, un parent des Cinq-Cygne. Les huit courageux champions firent un feu terrible sur cette masse. Chaque coup tuait ou blessait un assaillant. Laurence, au lieu de se désoler, chargeait les fusils avec un sang-froid extraordinaire, passait des balles et de la poudre à ceux qui en manquaient. La comtesse de Cinq-Cygne était tombée sur ses genoux. « Que faites-vous, ma mère ? lui dit Laurence. — Je prie, répondit-elle, et pour eux et pour vous ! » Mot sublime, que dit aussi la mère du prince de la Paix[1] en Espagne, dans une circonstance semblable. En un instant onze personnes furent tuées et mêlées à terre aux blessés. Ces sortes d'événements refroidissent ou exaltent la populace, elle s'irrite à son œuvre ou la discontinue. Les plus avancés, épouvantés, reculèrent ; mais la masse entière, qui venait tuer, voler, assassiner, en voyant les morts, se mit à crier : « À l'assassinat ! au meurtre ! » Les gens prudents allèrent chercher le Repré-

1. Manuel Godoy.

« La populace entoura l'hôtel de Cinq-Cygne. »

sentant du peuple. Les deux frères, alors instruits des funestes événements de la journée, soupçonnèrent le Conventionnel de vouloir la ruine de leur maison, et leur soupçon fut bientôt une conviction. Animés par la vengeance, ils se postèrent sous la porte cochère et armèrent leurs fusils pour tuer Malin au moment où il se présenterait. La comtesse avait perdu la tête, elle voyait sa maison en cendres et sa fille assassinée, elle blâmait ses parents de l'héroïque défense qui occupa la France pendant huit jours. Laurence entrouvrit la porte à la sommation faite par Malin ; en la voyant, le Représentant se fia sur son caractère redouté, sur la faiblesse de cette enfant, et il entra. « Comment, monsieur, répondit-elle au premier mot qu'il dit en demandant raison de cette résistance, vous voulez donner la liberté à la France, et vous ne protégez pas les gens chez eux ! On veut démolir notre hôtel, nous assassiner, et nous n'aurions pas le droit de repousser la force par la force ! » Malin resta cloué sur ses pieds. « Vous, le petit-fils d'un maçon employé par le Grand Marquis aux constructions de son château, lui dit Marie-Paul, vous venez de laisser traîner notre père en prison, en accueillant une calomnie ! — Il sera mis en liberté, dit Malin qui se crut perdu en voyant chaque jeune homme remuer convulsivement son fusil. — Vous devez la vie à cette promesse, dit solennellement Marie-Paul. Mais si elle n'est pas exécutée ce soir, nous saurons vous retrouver ! — Quant à cette population qui hurle, dit Laurence, si vous ne la renvoyez pas, le premier coup sera pour vous. Maintenant, monsieur Malin, sortez ! » Le Conventionnel sortit et harangua la multitude, en parlant des droits sacrés du foyer, de l'*habeas corpus* et du domicile anglais. Il dit que la Loi et le Peuple étaient souverains, que la Loi était le Peuple, que le peuple ne devait agir que par la Loi, et que force resterait à la Loi. La loi de la nécessité le rendit éloquent, il dissipa le rassemblement. Mais il n'oublia jamais, ni l'expression du mépris des deux frères, ni le : Sortez ! de Mlle de Cinq-Cygne. Aussi, quand il fut question de vendre nationalement les biens du comte de Cinq-Cygne, frère de Laurence, le partage fut-il strictement fait. Les agents du District ne laissèrent à Laurence que le château, le parc, les jardins et la ferme dite de Cinq-Cygne. D'après les instructions de Malin, Laurence n'avait droit qu'à sa légitime[1], la Nation étant au lieu et place de l'émigré, surtout quand il portait les armes contre la République. Le soir de cette furieuse tempête, Laurence supplia tellement ses deux cousins de partir, en craignant pour eux quelque trahison et les embûches du Représentant, qu'ils montèrent à cheval et gagnèrent les avant-postes de l'armée prussienne. Au moment où les deux frères atteignirent la forêt de Gondreville, l'hôtel de Cinq-Cygne fut cerné ; le Représentant venait, lui-même et en force, arrêter les héritiers de la maison de Simeuse. Il n'osa pas s'emparer de la comtesse de Cinq-Cygne alors au lit et en proie à une horrible fièvre nerveuse, ni de Laurence, un enfant de douze ans. Les domestiques, craignant la sévérité de la République, avaient disparu. Le lendemain matin, la nouvelle de la résistance des deux frères et de leur fuite en Prusse, disait-on, se répandit dans les environs ; il se fit un rassemblement de trois mille personnes devant l'hôtel de Cinq-Cygne, qui fut démoli avec une inexplicable rapidité. Mme de Cinq-Cygne, transportée à l'hôtel de Simeuse, y mourut dans un redoublement de fièvre. Michu n'avait paru sur la scène politique qu'après ces événements, car le marquis et la marquise restèrent environ cinq mois en prison. Pendant ce temps, le Représentant de l'Aube eut une mission. Mais quand M. Marion vendit Gondreville à Malin, quand tout le pays eut oublié les effets de l'effervescence populaire, Michu comprit alors Malin tout entier, Michu crut le comprendre, du moins ; car Malin est, comme Fouché, l'un de ces personnages qui ont tant de faces et tant de profondeur sous chaque face, qu'ils sont impénétrables au moment où ils jouent et qu'ils ne peuvent être expliqués que longtemps après la partie.

Dans les circonstances majeures de sa vie, Malin ne manquait jamais de consulter son fidèle ami Grévin, le notaire d'Arcis, dont le jugement sur les choses et sur les hommes était, à distance, net, clair et précis. Cette habi-

---

1. Portion assurée par la loi à certains héritiers sur la part héréditaire qu'ils auraient eue en entier si le défunt n'avait pas disposé autrement de cette part. Terme d'ancien droit ; dans le nouveau on dit *réserve*.

tude est la sagesse, et fait la force des hommes secondaires. Or, en novembre 1803, les conjonctures furent si graves pour le conseiller d'État, qu'une lettre eût compromis les deux amis. Malin, qui devait être nommé sénateur, craignit de s'expliquer dans Paris ; il quitta son hôtel et vint à Gondreville, en donnant au Premier consul une seule des raisons qui lui faisaient désirer d'y être, et qui lui donnait un air de zèle aux yeux de Bonaparte, tandis qu'au lieu de s'agir de l'État, il ne s'agissait que de lui-même. Or, pendant que Michu guettait et suivait dans le parc, à la manière des Sauvages, un moment propice à sa vengeance, le politique Malin, habitué à pressurer les événements pour son compte, emmenait son ami vers une petite prairie du jardin anglais, endroit désert et favorable à une conférence mystérieuse. Ainsi, en s'y tenant au milieu et parlant à voix basse, les deux amis étaient à une trop grande distance pour être entendus, si quelqu'un se cachait pour les écouter, et pouvaient changer de conversation s'il venait des indiscrets.

« Pourquoi n'être pas resté dans une chambre au château, dit Grévin.

— N'as-tu pas vu les deux hommes que m'envoie le préfet de police ? »

Quoique Fouché ait été, dans l'affaire de la conspiration de Pichegru, Georges, Moreau et Polignac, l'âme du cabinet consulaire, il ne dirigeait pas le ministère de la Police et se trouvait alors simplement conseiller d'État comme Malin.

« Ces deux hommes sont les deux bras de Fouché. L'un, ce jeune muscadin dont la figure ressemble à une carafe de limonade, qui a du vinaigre sur les lèvres et du verjus dans les yeux, a mis fin à l'insurrection de l'Ouest en l'an Sept[1], dans l'espace de quinze jours. L'autre est un enfant de Lenoir[2], il est le seul qui ait les grandes traditions de la police. J'avais demandé un agent sans conséquence, appuyé d'un personnage officiel, et l'on m'envoie ces deux compères-là. Ah ! Grévin, Fouché veut sans doute lire dans mon jeu. Voilà pourquoi j'ai

---

1. En 1799. Cf. *Les Chouans*. **2.** Administrateur de la Police de 1776 à 1785.

laissé ces messieurs dînant au château ; qu'ils examinent tout, ils n'y trouveront ni Louis XVIII, ni le moindre indice.

— Ah ! çà, mais, dit Grévin, quel jeu joues-tu donc ?

— Eh ! mon ami, un jeu double est bien dangereux ; mais par rapport à Fouché, il est triple, et il a peut-être flairé que je suis dans les secrets de la maison de Bourbon.

— Toi !

— Moi, reprit Malin.

— Tu ne te souviens donc pas de Favras[1] ? »

Ce mot fit impression sur le conseiller.

« Et depuis quand ? demanda Grévin après une pause.

— Depuis le Consulat à vie[2].

— Mais, pas de preuves ?

— Pas ça ! » dit Malin en faisant claquer l'ongle de son pouce sous une de ses palettes.

En peu de mots, Malin dessina nettement la position critique où Bonaparte mettait l'Angleterre menacée de mort par le camp de Boulogne, en expliquant à Grévin la portée inconnue à la France et à l'Europe, mais que Pitt soupçonnait, de ce projet de descente ; puis la position critique où l'Angleterre allait mettre Bonaparte. Une coalition imposante, la Prusse, l'Autriche et la Russie soldées par l'or anglais, devait armer sept cent mille hommes. En même temps une conspiration formidable étendait à l'intérieur son réseau et réunissait les Montagnards, les Chouans, les Royalistes et leurs princes.

« Tant que Louis XVIII a vu trois consuls, il a cru que l'anarchie continuait et qu'à la faveur d'un mouvement quelconque il prendrait sa revanche du 13 vendémiaire et du 18 fructidor[3], dit Malin ; mais le Consulat à vie a démasqué les desseins de Bonaparte, il sera bientôt Empereur. Cet ancien sous-lieutenant veut créer une dynastie ! or, cette fois, on en veut à sa vie, et le coup est monté plus habilement encore que celui de la rue Saint-

---

1. Le marquis Mahy de Favras, convaincu d'avoir organisé un complot royaliste, avait été pendu le 18 février 1790. **2.** Soit juin 1802. **3.** Deux journées où les royalistes avaient un moment mis en péril le Directoire.

Nicaise[1]. Pichegru, Georges, Moreau, le duc d'Enghien, Polignac et Rivière, les deux amis du comte d'Artois, en sont.

— Quel amalgame ! s'écria Grévin.

— La France est envahie sourdement, on veut donner un assaut général, on y emploie le vert et le sec[2] ! Cent hommes d'exécution, commandés par Georges, doivent attaquer la garde consulaire et le consul corps à corps.

— Eh bien, dénonce-les.

— Voilà deux mois que le Consul, son ministre de la Police, le préfet et Fouché tiennent une partie des fils de cette trame immense ; mais ils n'en connaissent pas toute l'étendue, et dans le moment actuel, ils laissent libres presque tous les conjurés pour savoir tout.

— Quant au droit, dit le notaire, les Bourbons ont bien plus le droit de concevoir, de conduire, d'exécuter une entreprise contre Bonaparte, que Bonaparte n'en avait de conspirer au 18 brumaire contre la République, de laquelle il était l'enfant ; il assassinait sa mère, et ceux-ci veulent rentrer dans leur maison. Je conçois qu'en voyant fermer la liste des émigrés, multiplier les radiations, rétablir le culte catholique, et accumuler des arrêtés contre-révolutionnaires, les princes aient compris que leur retour se faisait difficile, pour ne pas dire impossible. Bonaparte devient le seul obstacle à leur rentrée, et ils veulent enlever l'obstacle, rien de plus simple. Les conspirateurs vaincus seront des brigands ; victorieux, ils seront des héros, et ta perplexité me semble alors assez naturelle.

— Il s'agit, dit Malin, de faire jeter aux Bourbons, par Bonaparte, la tête du duc d'Enghien, comme la Convention a jeté aux rois la tête de Louis XVI, afin de le tremper aussi avant que nous dans le cours de la Révolution ; ou de renverser l'idole actuelle du peuple français et son futur Empereur, pour asseoir le vrai trône sur ses débris. Je suis à la merci d'un événement, d'un heureux coup de pistolet, d'une machine de la rue Saint-Nicaise qui

---

1. Qui, le 24 décembre 1800, avait failli coûter la vie au Premier consul. **2.** C'est-à-dire : toute espèce de moyen. L'expression figurée vient de *vert* pour dire l'*herbe* et de *sec* qui désigne le foin, la paille ou l'avoine, les deux manières de nourrir le cheval.

réussirait. On ne m'a pas tout dit. On m'a proposé de rallier le Conseil d'État au moment critique, de diriger l'action légale de la restauration des Bourbons.

— Attends, répondit le notaire.

— Impossible ! Je n'ai plus que le moment actuel pour prendre une décision.

— Et pourquoi ?

— Les deux Simeuse conspirent, ils sont dans le pays ; je dois, ou les faire suivre, les laisser se compromettre et m'en faire débarrasser, ou les protéger sourdement. J'avais demandé des subalternes, et l'on m'envoie des lynx de choix qui ont passé par Troyes pour avoir à eux la gendarmerie.

— Gondreville est le *Tiens* et la Conspiration le *Tu auras*, dit Grévin. Ni Fouché, ni Talleyrand, tes deux partenaires, n'en sont : joue franc jeu avec eux. Comment ! tous ceux qui ont coupé le cou à Louis XVI sont dans le gouvernement, la France est pleine d'acquéreurs de biens nationaux, et tu voudrais ramener ceux qui te redemanderont Gondreville ? S'ils ne sont pas imbéciles, les Bourbons devront passer l'éponge sur tout ce que nous avons fait. Avertis Bonaparte.

— Un homme de mon rang ne dénonce pas, dit Malin vivement.

— De ton rang ? s'écria Grévin en souriant.

— On m'offre les Sceaux.

— Je comprends ton éblouissement, et c'est à moi d'y voir clair dans ces ténèbres politiques, d'y flairer la porte de sortie. Or, il est impossible de prévoir les événements qui peuvent ramener les Bourbons, quand un général Bonaparte a quatre-vingts vaisseaux et quatre cent mille hommes. Ce qu'il y a de plus difficile, dans la politique expectante, c'est de savoir quand un pouvoir qui penche tombera ; mais, mon vieux, celui de Bonaparte est dans sa période ascendante. Ne serait-ce pas Fouché qui t'a fait sonder pour connaître le fond de ta pensée et se débarrasser de toi ?

— Non, je suis sûr de l'ambassadeur. D'ailleurs Fouché ne m'enverrait pas deux singes pareils, que je connais trop pour ne pas concevoir des soupçons.

— Ils me font peur, dit Grévin. Si Fouché ne se défie

pas de toi, ne veut pas t'éprouver, pourquoi te les a-t-il envoyés ? Fouché ne joue pas un tour pareil sans une raison quelconque...

— Ceci me décide, s'écria Malin, je ne serai jamais tranquille avec ces deux Simeuse ; peut-être Fouché, qui connaît ma position, ne veut-il pas les manquer, et arriver par eux jusqu'aux Condé.

— Hé ! mon vieux, ce n'est pas sous Bonaparte qu'on inquiétera le possesseur de Gondreville. »

En levant les yeux, Malin aperçut dans le feuillage d'un gros tilleul touffu le canon d'un fusil.

« Je ne m'étais pas trompé, j'avais entendu le bruit sec d'un fusil qu'on arme, dit-il à Grévin après s'être mis derrière un gros tronc d'arbre où le suivit le notaire inquiet du brusque mouvement de son ami.

— C'est Michu, dit Grévin, je vois sa barbe rousse.

— N'ayons pas l'air d'avoir peur, reprit Malin qui s'en alla lentement en disant à plusieurs reprises : Que veut cet homme aux acquéreurs de cette terre ? Ce n'est certes pas toi qu'il visait. S'il nous a entendus, je dois le recommander au prône ! Nous aurions mieux fait d'aller en plaine. Qui diable eût pensé à se défier des airs !

— On apprend toujours ! dit le notaire ; mais il était bien loin et nous causions de bouche à oreille.

— Je vais en dire deux mots à Corentin », répondit Malin.

Quelques instants après, Michu rentra chez lui pâle et le visage contracté.

« Qu'as-tu ? lui dit sa femme épouvantée.

— Rien », répondit-il en voyant Violette dont la présence fut pour lui un coup de foudre.

Michu prit une chaise, se mit devant le feu tranquillement, et y jeta une lettre en la tirant d'un de ces tubes en fer-blanc que l'on donne aux soldats pour serrer leurs papiers. Cette action, qui permit à Marthe de respirer comme une personne déchargée d'un poids énorme, intrigua beaucoup Violette. Le régisseur posa sa carabine sur le manteau de la cheminée avec un admirable sang-froid. Marianne et la mère de Marthe filaient à la lueur d'une lampe.

« Allons, François, dit le père, couchons-nous. Veux-tu te coucher ? »

Il prit brutalement son fils par le milieu du corps et l'emporta. « Descends à la cave, lui dit-il à l'oreille quand il fut dans l'escalier, remplis deux bouteilles de vin de Mâcon, après en avoir vidé le tiers, avec de cette eau-de-vie de Cognac qui est sur la planche à bouteilles ; puis, mêle dans une bouteille de vin blanc moitié d'eau-de-vie. Fais cela bien adroitement, et mets les trois bouteilles sur le tonneau vide qui est à l'entrée de la cave. Quand j'ouvrirai la fenêtre, sors de la cave, selle mon cheval, monte dessus, et va m'attendre au Poteau-des-Gueux. »

« Le petit drôle ne veut jamais se coucher, dit le régisseur en rentrant, il veut faire comme les grandes personnes, tout voir, tout entendre, tout savoir. Vous me gâtez mon monde, père Violette.

— Bon Dieu ! bon Dieu ! s'écria Violette, qui vous a délié la langue ? vous n'en avez jamais tant dit.

— Croyez-vous que je me laisse espionner sans m'en apercevoir ? Vous n'êtes pas du bon côté, mon père Violette. Si, au lieu de servir ceux qui m'en veulent, vous étiez pour moi, je ferais mieux pour vous que de vous renouveler votre bail...

— Quoi encore ? dit le paysan avide en ouvrant de grands yeux.

— Je vous vendrais mon bien à bon marché.

— Il n'y a point de bon marché quand faut payer, dit sentencieusement Violette.

— Je veux quitter le pays, et je vous donnerai ma ferme du Mousseau, les bâtiments, les semailles, les bestiaux, pour cinquante mille francs.

— Vrai !

— Ça vous va ?

— Dame, faut voir.

— Causons de ça... Mais je veux des arrhes.

— J'ai rien.

— Une parole.

— Encore !

— Dites-moi qui vient de vous envoyer ici.

— Je suis revenu d'où j'allais tantôt, et j'ai voulu vous dire un petit bonsoir.

— Revenu sans ton cheval ? Pour quel imbécile me prends-tu ? Tu mens, tu n'auras pas ma ferme.

— Eh bien, c'est M. Grévin, quoi ! Il m'a dit : Violette, nous avons besoin de Michu, va le quérir. S'il n'y est pas, attends-le... J'ai compris qu'il me fallait rester, ce soir, ici...

— Les escogriffes de Paris étaient-ils encore au château ?

— Ah ! je ne sais pas trop ; mais il y avait du monde dans le salon.

— Tu auras ma ferme, convenons des faits ! Ma femme, va chercher le vin du contrat. Prends du meilleur vin de Roussillon, le vin de l'ex-marquis... Nous ne sommes pas des enfants. Tu en trouveras deux bouteilles sur le tonneau vide à l'entrée, et une bouteille de blanc.

— Ça va ! dit Violette qui ne se grisait jamais. Buvons !

— Vous avez cinquante mille francs sous les carreaux de votre chambre, dans toute l'étendue du lit, vous me les donnerez quinze jours après le contrat passé chez Grévin... » Violette regarda fixement Michu, et devint blême. « Ah ? tu viens moucharder un jacobin fini qui a eu l'honneur de présider le club d'Arcis, et tu crois qu'il ne te pincera pas ? J'ai des yeux, j'ai vu tes carreaux fraîchement replâtrés, et j'ai conclu que tu ne les avais pas levés pour semer du blé. Buvons. »

Violette troublé but un grand verre de vin sans faire attention à la qualité, la terreur lui avait mis comme un fer chaud dans le ventre, l'eau-de-vie y fut brûlée par l'avarice ; il aurait donné bien des choses pour être rentré chez lui, pour y changer de place son trésor. Les trois femmes souriaient.

« Ça vous va-t-il ? dit Michu à Violette en lui remplissant encore son verre.

— Mais oui.

— Tu seras chez toi, vieux coquin ! »

Après une demi-heure de discussions animées sur l'époque de l'entrée en jouissance, sur les mille pointilleries que se font les paysans en concluant un marché, au milieu des assertions, des verres de vin vidés, des paroles pleines de promesses, des dénégations, des : — pas vrai ?

— bien vrai ! — ma fine parole ! — comme je le dis ! — que j'aie le cou coupé si... — que ce verre de vin me soit du poison si ce que je dis n'est pas la pure *varté*... Violette tomba, la tête sur la table, non pas gris, mais ivre-mort ; et, dès qu'il lui avait vu les yeux troublés, Michu s'était empressé d'ouvrir la fenêtre.

« Où est ce drôle de Gaucher ? demanda-t-il à sa femme.

— Il est couché.

— Toi, Marianne, dit le régisseur à sa fidèle servante, va te mettre en travers de sa porte, et veille-le. Vous, ma mère, dit-il, restez en bas, gardez-moi cet espion-là, soyez aux aguets, et n'ouvrez qu'à la voix de François. Il s'agit de vie et de mort ! ajouta-t-il d'une voix profonde. Pour toutes les créatures qui sont sous mon toit, je ne l'ai pas quitté de cette nuit, et, la tête sur le billot, vous soutiendrez cela. — Allons, dit-il à sa femme, allons, la mère, mets tes souliers, prends ta coiffe[1], et détalons ! Pas de questions, je t'accompagne. »

Depuis trois quarts d'heure, cet homme avait dans le geste et dans le regard une autorité despotique, irrésistible, puisée à la source commune et inconnue où puisent leurs pouvoirs extraordinaires et les grands généraux sur le champ de bataille où ils enflamment les masses, et les grands orateurs qui entraînent les assemblées, et, disons-le aussi, les grands criminels dans leurs coups audacieux ! Il semble alors qu'il s'exhale de la tête et que la parole porte une influence invincible, que le geste injecte le vouloir de l'homme chez autrui. Les trois femmes se savaient au milieu d'une horrible crise ; sans en être averties, elles la pressentaient à la rapidité des actes de cet homme dont le visage étincelait, dont le front était parlant, dont les yeux brillaient alors comme des étoiles ; elles lui avaient vu de la sueur à la racine des cheveux, plus d'une fois sa parole avait vibré d'impatience et de rage. Aussi Marthe obéit-elle passivement. Armé jusqu'aux dents, le fusil sur l'épaule, Michu sauta dans l'avenue, suivi de sa femme ; et ils atteignirent promptement le carrefour où François s'était caché dans des broussailles.

---

1. Le mot désignait en Champagne une cape.

« Le petit a de la compréhension », dit Michu en le voyant.

Ce fut sa première parole. Sa femme et lui avaient couru jusque-là sans pouvoir prononcer un mot.

« Retourne au pavillon, cache-toi dans l'arbre le plus touffu, observe la campagne, le parc, dit-il à son fils. Nous sommes tous couchés, nous n'ouvrons à personne. Ta grand-mère veille, et ne remuera qu'en t'entendant parler ! Retiens mes moindres paroles. Il s'agit de la vie de ton père et de celle de ta mère. Que la justice ne sache jamais que nous avons découché. » Après ces phrases dites à l'oreille de son fils, qui fila, comme une anguille dans la vase, à travers les bois, Michu dit à sa femme : « À cheval ! et prie Dieu d'être pour nous. Tiens-toi bien ! La bête peut en crever. »

À peine ces mots furent-ils dits que le cheval, dans le ventre duquel Michu donna deux coups de pied, et qu'il pressa de ses genoux puissants, partit avec la célérité d'un cheval de course, l'animal sembla comprendre son maître, en un quart d'heure la forêt fut traversée. Michu, sans avoir dévié de la route la plus courte, se trouva sur un point de la lisière d'où les cimes du château de Cinq-Cygne apparaissaient éclairées par la lune. Il lia son cheval à un arbre et gagna lestement le monticule d'où l'on dominait la vallée de Cinq-Cygne.

Le château, que Marthe et Michu regardèrent ensemble pendant un moment, fait un effet charmant dans le paysage. Quoiqu'il n'ait aucune importance comme étendue ni comme architecture, il ne manque point d'un certain mérite archéologique. Ce vieil édifice du quinzième siècle, assis sur une éminence, environné de douves profondes, larges et encore pleines d'eau, est bâti en cailloux et en mortier, mais les murs ont sept pieds de largeur. Sa simplicité rappelle admirablement la vie rude et guerrière aux temps féodaux. Ce château, vraiment naïf, consiste dans deux grosses tours rougeâtres, séparées par un long corps de logis percé de véritables croisées en pierre, dont les croix grossièrement sculptées ressemblent à des sarments de vigne. L'escalier est en dehors, au milieu, et placé dans une tour pentagone à petite porte en ogive. Le rez-de-chaussée, intérieurement modernisé sous

Louis XIV, ainsi que le premier étage est surmonté de toits immenses, percés de croisées à tympans sculptés. Devant le château se trouve une immense pelouse dont les arbres avaient été récemment abattus. De chaque côté du pont d'entrée sont deux bicoques où habitent les jardiniers, et séparées par une grille maigre, sans caractère, évidemment moderne. À droite et à gauche de la pelouse, divisée en deux parties par une chaussée pavée, s'étendent les écuries, les étables, les granges, le bûcher, la boulangerie, les poulaillers, les communs, pratiqués sans doute dans les restes de deux ailes semblables au château actuel. Autrefois, ce castel devait être carré, fortifié aux quatre angles, défendu par une énorme tour à porche cintré, au bas de laquelle était, à la place de la grille, un pont-levis. Les deux grosses tours dont les toits en poivrière n'avaient pas été rasés, le clocheton de la tour du milieu donnaient de la physionomie au village. L'église, vieille aussi, montrait à quelques pas son clocher pointu, qui s'harmoniait aux masses de ce castel. La lune faisait resplendir toutes les cimes et les cônes autour desquels se jouait et pétillait la lumière. Michu regarda cette habitation seigneuriale de façon à renverser les idées de sa femme, car son visage plus calme offrait une expression d'espérance et une sorte d'orgueil. Ses yeux embrassèrent l'horizon avec une certaine défiance ; il écouta la campagne, il devait être alors neuf heures, la lune jetait sa lueur sur la marge de la forêt, et le monticule était surtout fortement éclairé. Cette position parut dangereuse au garde général, il descendit en paraissant craindre d'être vu. Cependant aucun bruit suspect ne troublait la paix de cette belle vallée enceinte de ce côté par la forêt de Nodesme. Marthe, épuisée, tremblante, s'attendait à un dénouement quelconque après une pareille course. À quoi devait-elle servir ? à une bonne action ou à un crime ? En ce moment, Michu s'approcha de l'oreille de sa femme.

« Tu vas aller chez la comtesse de Cinq-Cygne, tu demanderas à lui parler ; quand tu la verras, tu la prieras de venir à l'écart. Si personne ne peut vous écouter, tu lui diras : “Mademoiselle, la vie de vos deux cousins est en danger, et celui qui vous expliquera le pourquoi, le comment, vous attend.” Si elle a peur, si elle se défie, ajoute : “Ils sont de la conspiration contre le Premier consul, et la conspiration est découverte.” Ne te nomme pas, on se défie trop de nous. »

Marthe Michu leva la tête vers son mari, et lui dit : « Tu les sers donc ?

— Eh bien, après ? dit-il en fronçant les sourcils et croyant à un reproche.

— Tu ne me comprends pas, s’écria Marthe en prenant la large main de Michu aux genoux duquel elle tomba en baisant cette main qui fut tout à coup couverte de larmes.

— Cours, tu pleureras après », dit-il en l’embrassant avec une force brusque.

Quand il n’entendit plus le pas de sa femme, cet homme de fer eut des larmes aux yeux. Il s’était défié de Marthe à cause des opinions du père, il lui avait caché les secrets de sa vie ; mais la beauté du caractère simple de sa femme lui avait apparu soudain, comme la grandeur du sien venait d’éclater pour elle. Marthe passait de la profonde humiliation que cause la dégradation d’un homme dont on porte le nom au ravissement que donne sa gloire ; elle y passait sans transition, n’y avait-il pas de quoi défaillir ? En proie aux plus vives inquiétudes, elle avait, comme elle le lui dit plus tard, marché dans le sang depuis le pavillon jusqu’à Cinq-Cygne, et s’était en un moment sentie enlevée au ciel parmi les anges. Lui qui ne se sentait pas apprécié, qui prenait l’attitude chagrine et mélancolique de sa femme pour un manque d’affection, qui la laissait à elle-même en vivant au-dehors, en rejetant toute sa tendresse sur son fils, avait compris en un moment tout ce que signifiaient les larmes de cette femme ; elle maudissait le rôle que sa beauté, que la volonté paternelle l’avaient forcée à jouer. Le bonheur avait brillé de sa plus belle flamme pour eux, au milieu de l’orage, comme un éclair. Et ce devait être un éclair ! Chacun d’eux pensait à dix ans de mésintelligence et s’en accusait tout seul. Michu resta debout, immobile, le coude sur sa carabine et le menton sur son coude, perdu dans une profonde rêverie. Un semblable moment fait accepter toutes les douleurs du passé le plus douloureux.

Agitée de mille pensées semblables à celles de son mari, Marthe eut alors le cœur oppressé par le danger des

Simeuse, car elle comprit tout, même les figures des deux Parisiens, mais elle ne pouvait s'expliquer la carabine. Elle s'élança comme une biche et atteignit le chemin du château, elle fut surprise d'entendre derrière elle les pas d'un homme, elle jeta un cri, la large main de Michu lui ferma la bouche.

« Du haut de la butte, j'ai vu reluire au loin l'argent des chapeaux bordés ! Entre par une brèche de la douve qui est entre la tour de Mademoiselle et les écuries ; les chiens n'aboieront pas après toi. Passe dans le jardin, appelle la jeune comtesse par la fenêtre, fais seller son cheval, dis-lui de le conduire par la douve, j'y serai, après avoir étudié le plan des Parisiens et trouvé les moyens de leur échapper. »

Ce danger, qui roulait comme une avalanche, et qu'il fallait prévenir, donna des ailes à Marthe.

Le nom Franc, commun aux Cinq-Cygne et aux Chargebœuf, est Duineff. Cinq-Cygne devint le nom de la branche cadette des Chargebœuf après la défense d'un castel faite, en l'absence de leur père, par cinq filles de cette maison, toutes remarquablement blanches, et de qui personne n'eût attendu pareille conduite. Un des premiers comtes de Champagne voulut, par ce joli nom, perpétuer ce souvenir aussi longtemps que vivrait cette famille. Depuis ce fait d'armes singulier, les filles de cette famille furent fières, mais elles ne furent peut-être pas toujours blanches. La dernière, Laurence, était, contrairement à la loi salique, héritière du nom, des armes et des fiefs. Le roi de France avait approuvé la charte du comte de Champagne en vertu de laquelle, dans cette famille, le ventre anoblissait et succédait. Laurence était donc comtesse de Cinq-Cygne, son mari devait prendre et son nom et son blason où se lisait pour devise la sublime réponse faite par l'aînée des cinq sœurs à la sommation de rendre le château : *Mourir en chantant !* Digne de ces belles héroïnes, Laurence possédait une blancheur qui semblait être une gageure du hasard. Les moindres linéaments de ses veines bleues se voyaient sous la trame fine et serrée de son épiderme. Sa chevelure, du plus joli blond, seyait merveilleusement à ses yeux du bleu le plus foncé. Tout chez elle appartenait au genre mignon. Dans son corps frêle, malgré sa taille déliée, en dépit de son teint de lait, vivait une âme trempée comme celle d'un homme du plus beau caractère ; mais que personne, pas même un observateur, n'aurait devinée à l'aspect d'une physionomie douce et d'une figure busquée dont le profil offrait une vague ressemblance avec une tête de brebis. Cette excessive douceur, quoique noble, paraissait aller jusqu'à la stupidité de l'agneau. « J'ai l'air d'un mouton qui rêve ! » disait-elle quelquefois en souriant. Laurence, qui parlait peu, semblait non pas songeuse, mais engourdie. Surgissait-il une circonstance sérieuse, la Judith cachée se révélait aussitôt et devenait sublime, et les circonstances ne lui avaient malheureusement pas manqué. À treize ans, Laurence, après les événements que vous savez, se vit orpheline, devant la place où la veille s'élevait à Troyes une des maisons les plus curieuses de l'architecture du seizième siècle, l'hôtel de Cinq-Cygne. M. d'Hauteserre, un de ses parents, devenu son tuteur, emmena sur-le-champ l'héritière à la campagne. Ce brave gentilhomme de province, effrayé de la mort de l'abbé d'Hauteserre, son frère, atteint d'une balle sur la place, au moment où il se sauvait en paysan, n'était pas en position de pouvoir défendre les intérêts de sa pupille : il avait deux fils à l'armée des princes, et tous les jours, au moindre bruit, il croyait que les municipaux d'Arcis venaient l'arrêter. Fière d'avoir soutenu un siège et de posséder la blancheur historique de ses ancêtres, Laurence méprisait cette sage lâcheté du vieillard courbé sous le vent de la tempête, elle ne songeait qu'à s'illustrer. Aussi mit-elle audacieusement dans son pauvre salon de Cinq-Cygne le portrait de Charlotte Corday, couronné de petites branches de chêne tressées. Elle correspondait par un exprès avec les jumeaux au mépris de la loi qui l'eût punie de mort. Le messager, qui risquait aussi sa vie, rapportait les réponses. Laurence ne vécut, depuis les catastrophes de Troyes, que pour le triomphe de la cause royale. Après avoir sainement jugé M. et Mme d'Hauteserre, et reconnu chez eux une honnête nature, mais sans énergie, elle les mit en dehors des lois de sa sphère ; Laurence avait trop d'esprit et de véritable indulgence pour leur en vouloir de leur caractère ; bonne, aimable, affectueuse avec eux, elle ne leur livra pas un seul de ses secrets. Rien ne forme l'âme comme une dissimulation constante au sein de la famille. À sa majorité, Laurence laissa gérer ses affaires au bonhomme d'Hauteserre, comme par le passé. Que sa jument favorite fût bien pansée, que sa servante Catherine fût mise à son goût et son petit domestique Gothard vêtu convenablement, elle se souciait peu du reste. Elle dirigeait sa pensée vers un but trop élevé pour descendre aux occupations qui, dans d'autres temps, lui eussent sans doute plu. La toilette fut peu de chose pour elle, et d'ailleurs ses cousins n'étaient pas là. Laurence avait une amazone vert-bouteille pour se promener à cheval, une robe en étoffe commune à canezou orné de brandebourgs pour aller à pied, et chez elle une robe de chambre en soie. Gothard, son petit écuyer, un adroit et courageux garçon de quinze ans, l'escortait, car elle était presque toujours dehors, et elle chassait sur toutes les terres de Gondreville, sans que les fermiers ni Michu s'y opposassent. Elle montait admirablement bien à cheval, et son adresse à la chasse tenait du miracle. Dans la contrée, on ne l'appelait en tout temps que Mademoiselle, même pendant la Révolution.

Quiconque a lu le beau roman de *Rob-Roy* doit se souvenir d'un des rares caractères de femme pour la conception duquel Walter Scott soit sorti de ses habitudes de froideur, de Diana Vernon[1]. Ce souvenir peut servir à faire comprendre Laurence, si vous ajoutez aux qualités de la chasseresse écossaise l'exaltation contenue de Charlotte Corday, mais en supprimant l'aimable vivacité qui rend Diana si attrayante. La jeune comtesse avait vu mourir sa mère, tomber l'abbé d'Hauteserre, le marquis et la marquise de Simeuse périr sur l'échafaud ; son frère unique était mort de ses blessures, ses deux cousins qui servaient à l'armée de Condé pouvaient être tués à tout moment, enfin la fortune des Simeuse et des Cinq-Cygne venait d'être dévorée par la République, sans profit pour la République. Sa gravité, dégénérée en stupeur apparente, doit se concevoir.

M. d'Hauteserre se montra d'ailleurs le tuteur le plus

1. Cette héroïne du roman *Rob-Roy* conspire elle aussi.

probe et le mieux entendu. Sous son administration, Cinq-Cygne prit l'air d'une ferme. Le bonhomme, qui ressemblait beaucoup moins à un preux qu'à un propriétaire faisant valoir, avait tiré parti du parc et des jardins, dont l'étendue était d'environ deux cents arpents, et où il trouva la nourriture des chevaux, celle des gens et le bois de chauffage. Grâce à la plus sévère économie, à sa majorité la comtesse avait déjà recouvré, par suite du placement des revenus sur l'État, une fortune suffisante. En 1798, l'héritière possédait vingt mille francs de rentes sur l'État dont, à la vérité, les arrérages étaient dus, et douze mille francs à Cinq-Cygne dont les baux avaient été renouvelés avec de notables augmentations. M. et Mme d'Hauteserre s'étaient retirés aux champs avec trois mille livres de rentes viagères dans les tontines Lafarge [1], ce débris de leur fortune ne leur permettait pas d'habiter ailleurs qu'à Cinq-Cygne ; aussi le premier acte de Laurence fut-il de leur donner la jouissance pour toute la vie du pavillon qu'ils y occupaient. Les d'Hauteserre, devenus avares pour leur pupille comme pour eux-mêmes, et qui, tous les ans, entassaient leurs mille écus en songeant à leurs deux fils, faisaient faire une misérable chère à l'héritière. La dépense totale de Cinq-Cygne ne dépassait pas cinq mille francs par an. Mais Laurence, qui ne descendait dans aucun détail, trouvait tout bon. Le tuteur et sa femme, insensiblement dominés par l'influence imperceptible de ce caractère qui s'exerçait dans les plus petites choses, avaient fini par admirer celle qu'ils avaient connue enfant, sentiment assez rare. Mais Laurence avait dans les manières, dans sa voix gutturale, dans son regard impérieux, ce je ne sais quoi, ce pouvoir inexplicable qui impose toujours, même quand il n'est qu'apparent, car chez les sots le vide ressemble à la profondeur. Pour le vulgaire, la profondeur est incompréhensible. De là vient peut-être l'admiration du peuple pour tout ce qu'il ne comprend pas. M. et Mme d'Hauteserre, saisis par le silence habituel et impressionnés par la sauvagerie de la jeune comtesse, étaient toujours dans l'attente de quelque

---

1. Sorte de loterie dans laquelle le père de Balzac avait placé ses espoirs et dont il était souvent question dans la famille.

chose de grand. En faisant le bien avec discernement et en ne se laissant pas tromper, Laurence obtenait de la part des paysans un grand respect, quoiqu'elle fût aristocrate. Son sexe, son nom, ses malheurs, l'originalité de sa vie, tout contribuait à lui donner de l'autorité sur les habitants de la vallée de Cinq-Cygne. Elle partait quelquefois pour un ou deux jours, accompagnée de Gothard ; et jamais au retour, ni M. ni Mme d'Hauteserre ne l'interrogeaient sur les motifs de son absence. Laurence, remarquez-le, n'avait rien de bizarre en elle. La virago se cachait sous la forme la plus féminine et la plus faible en apparence. Son cœur était d'une excessive sensibilité, mais elle portait dans sa tête une résolution virile et une fermeté stoïque. Ses yeux clairvoyants ne savaient pas pleurer. À voir son poignet blanc et délicat nuancé de veines bleues, personne n'eût imaginé qu'il pouvait défier celui du cavalier le plus endurci. Sa main, si molle, si fluide, maniait un pistolet, un fusil, avec la vigueur d'un chasseur exercé. Au-dehors, elle n'était jamais autrement coiffée que comme les femmes le sont pour monter à cheval, avec un coquet petit chapeau de castor et le voile vert rabattu. Aussi son visage si délicat, son cou blanc enveloppé d'une cravate noire, n'avaient-ils jamais souffert de ses courses en plein air. Sous le Directoire, et au commencement du Consulat, Laurence avait pu se conduire ainsi, sans que personne s'occupât d'elle ; mais depuis que le gouvernement se régularisait, les nouvelles autorités, le préfet de l'Aube, les amis de Malin, et Malin lui-même, essayaient de la déconsidérer. Laurence ne pensait qu'au renversement de Bonaparte, dont l'ambition et le triomphe avaient excité chez elle comme une rage, mais une rage froide et calculée. Ennemie obscure et inconnue de cet homme couvert de gloire, elle le visait, du fond de sa vallée et de ses forêts, avec une fixité terrible, elle voulait parfois aller le tuer aux environs de Saint-Cloud ou de la Malmaison. L'exécution de ce dessein eût expliqué déjà les exercices et les habitudes de sa vie ; mais, initiée, depuis la rupture de la paix d'Amiens, à la conspiration des hommes qui tentèrent de retourner le 18 brumaire contre le Premier consul, elle avait dès lors subordonné sa force et sa haine au plan très vaste et très bien conduit qui devait atteindre Bonaparte à l'extérieur par la vaste coalition de la Russie, de l'Autriche et de la Prusse qu'Empereur il vainquit à Austerlitz, et à l'intérieur par la coalition des hommes les plus opposés les uns aux autres, mais réunis par une haine commune, et dont plusieurs méditaient, comme Laurence, la mort de cet homme, sans s'effrayer du mot assassinat. Cette jeune fille, si frêle à voir, si forte pour qui la connaissait bien, était donc en ce moment le guide fidèle et sûr des gentilshommes qui vinrent d'Allemagne prendre part à cette attaque sérieuse. Fouché se fonda sur cette coopération des émigrés d'au-delà du Rhin pour envelopper le duc d'Enghien dans le complot. La présence de ce prince sur le territoire de Bade, à peu de distance de Strasbourg, donna plus tard du poids à ces suppositions. La grande question de savoir si le prince eut vraiment connaissance de l'entreprise, s'il devait entrer en France après la réussite, est un des secrets sur lesquels, comme sur quelques autres, les princes de la maison de Bourbon ont gardé le plus profond silence. À mesure que l'histoire de ce temps vieillira, les historiens impartiaux trouveront au moins de l'imprudence chez le prince à se rapprocher de la frontière au moment où devait éclater une immense conspiration, dans le secret de laquelle toute la famille royale a certainement été. La prudence que Malin venait de déployer en conférant avec Grévin en plein air, cette jeune fille l'appliquait à ses moindres relations. Elle recevait les émissaires, conférait avec eux, soit sur les diverses lisières de la forêt de Nodesme, soit au-delà de la vallée de Cinq-Cygne, entre Sézanne et Brienne. Elle faisait souvent quinze lieues d'une seule traite avec Gothard, et revenait à Cinq-Cygne sans qu'on pût apercevoir sur son frais visage la moindre trace de fatigue ni de préoccupation. Elle avait d'abord surpris dans les yeux de ce petit vacher, alors âgé de neuf ans, la naïve admiration qu'ont les enfants pour l'extraordinaire ; elle en fit son palefrenier et lui apprit à panser les chevaux avec le soin et l'attention qu'y mettent les Anglais. Elle reconnut en lui le désir de bien faire, de l'intelligence et l'absence de tout calcul ; elle essaya son dévouement, et lui en trouva non seulement l'esprit, mais la noblesse, il ne concevait pas de récompense ; elle cultiva cette âme encore si jeune, elle fut bonne pour lui, bonne avec grandeur, elle se l'attacha en s'attachant à lui, en polissant elle-même ce caractère à demi sauvage, sans lui enlever sa verdeur ni sa simplicité. Quand elle eut suffisamment éprouvé la fidélité quasi canine qu'elle avait nourrie, Gothard devint son ingénieux et ingénu complice. Le petit paysan, que personne ne pouvait soupçonner, allait de Cinq-Cygne jusqu'à Nancy, et revenait quelquefois sans que personne sût qu'il avait quitté le pays. Toutes les ruses employées par les espions, il les pratiquait. L'excessive défiance que lui avait donnée sa maîtresse n'altérait en rien son naturel. Gothard, qui possédait à la fois la ruse des femmes, la candeur de l'enfant et l'attention perpétuelle du conspirateur, cachait ces admirables qualités sous la profonde ignorance et la torpeur des gens de la campagne. Ce petit homme paraissait niais, faible et maladroit ; mais une fois à l'œuvre il était agile comme un poisson, il échappait comme une anguille, il comprenait, à la manière des chiens, sur un regard ; il flairait la pensée. Sa bonne grosse figure, ronde et rouge, ses yeux bruns endormis, ses cheveux coupés comme ceux des paysans, son costume, sa croissance très retardée, lui laissaient l'apparence d'un enfant de dix ans. Sous la protection de leur cousine qui, depuis Strasbourg jusqu'à Bar-sur-Aube, veilla sur eux, MM. d'Hauteserre et de Simeuse, accompagnés de plusieurs autres émigrés, vinrent par l'Alsace, la Lorraine et la Champagne, tandis que d'autres conspirateurs, non moins courageux, abordèrent la France par les falaises de la Normandie. Vêtus en ouvriers, les d'Hauteserre et les Simeuse avaient marché, de forêt en forêt, guidés de proche en proche par des personnes choisies depuis trois mois dans chaque département par Laurence parmi les gens les plus dévoués aux Bourbons et les moins soupçonnés. Les émigrés se couchaient le jour et voyageaient pendant la nuit. Chacun d'eux amenait deux soldats dévoués, dont l'un allait en avant à la découverte, et l'autre demeurait en arrière afin de protéger la retraite en cas de malheur. Grâce à ces précautions militaires, ce précieux détachement avait atteint sans malheur la forêt de Nodesme prise pour lieu de rendez-vous.

Vingt-sept autres gentilshommes entrèrent aussi par la Suisse et traversèrent la Bourgogne, guidés vers Paris avec des précautions pareilles. M. de Rivière comptait sur cinq cents hommes, dont cent jeunes gens nobles, les officiers de ce bataillon sacré. MM. de Polignac et de Rivière, dont la conduite fut, comme chefs, excessivement remarquable, gardèrent un secret impénétrable à tous ces complices qui ne furent pas découverts. Aussi peut-on dire aujourd'hui, d'accord avec les révélations faites pendant la Restauration, que Bonaparte ne connut pas plus l'étendue des dangers qu'il courut alors, que l'Angleterre ne connaissait le péril où la mettait le camp de Boulogne ; et, cependant, en aucun temps, la police ne fut plus spirituellement ni plus habilement dirigée. Au moment où cette histoire commence, un lâche, comme il s'en trouve toujours dans les conspirations qui ne sont pas restreintes à un petit nombre d'hommes également forts, un conjuré mis face à face avec la mort donnait des indications, heureusement insuffisantes quant à l'étendue, mais assez précises sur le but de l'entreprise. Aussi la police laissait-elle, comme l'avait dit Malin à Grévin, les conspirateurs surveillés agir en liberté, pour embrasser toutes les ramifications du complot. Néanmoins, le gouvernement eut en quelque sorte la main forcée par Georges Cadoudal, homme d'exécution, qui ne prenait conseil que de lui-même, et qui s'était caché dans Paris avec vingt-cinq Chouans pour attaquer le Premier consul. Laurence unissait dans sa pensée la haine et l'amour. Détruire Bonaparte et ramener les Bourbons, n'était-ce pas reprendre Gondreville et faire la fortune de ses cousins ? Ces deux sentiments, dont l'un est la contrepartie de l'autre, suffisent, à vingt-trois ans surtout, pour déployer toutes les facultés de l'âme et toutes les forces de la vie. Aussi, depuis deux mois, Laurence paraissait-elle plus belle aux habitants de Cinq-Cygne qu'elle ne fut en aucun moment. Ses joues étaient devenues roses, l'espérance donnait par instants de la fierté à son front ; mais quand on lisait la *Gazette* du soir, et que les actes conservateurs du Premier consul s'y déroulaient, elle baissait les yeux pour n'y pas laisser lire la menaçante certitude de la chute prochaine de cet ennemi des Bourbons. Personne au château ne se doutait donc que la jeune comtesse eût revu ses cousins la nuit dernière. Les deux fils de M. et Mme d'Hauteserre avaient passé la nuit dans la propre chambre de la comtesse, sous le même toit que leurs père et mère ; car Laurence, pour ne donner aucun soupçon, après avoir couché les deux d'Hauteserre, entre une heure et deux du matin, alla rejoindre ses cousins au rendez-vous et les emmena au milieu de la forêt où elle les avait cachés dans la cabane abandonnée d'un garde-vente [1]. Sûre de les revoir, elle ne montra pas le moindre air de joie, rien ne trahit en elle les émotions de l'attente ; enfin elle avait su effacer les traces du plaisir de les avoir revus, elle fut impassible. La jolie Catherine, la fille de sa nourrice, et Gothard, tous deux dans le secret, modelèrent leur conduite sur celle de leur maîtresse. Catherine avait dix-neuf ans. À cet âge, comme à celui de Gothard, une jeune fille est fanatique et se laisse couper le cou sans dire un mot. Quant à Gothard, sentir le parfum que la comtesse mettait dans ses cheveux et dans ses habits, lui eût fait endurer la question extraordinaire sans dire une parole.

Au moment où Marthe, avertie de l'imminence du péril, glissait avec la rapidité d'une ombre vers la brèche indiquée par Michu, le salon du château de Cinq-Cygne offrait le plus paisible spectacle. Ses habitants étaient si loin de soupçonner l'orage près de fondre sur eux, que leur attitude eût excité la compassion de la première personne qui aurait connu leur situation. Dans la haute cheminée, ornée d'un trumeau où dansaient au-dessus de la glace des bergères en paniers, brillait un de ces feux comme il ne s'en fait que dans les châteaux situés au bord des bois. Au coin de cette cheminée, sur une grande bergère carrée en bois doré, garnie en magnifique lampas vert, la jeune comtesse était en quelque sorte étalée dans l'attitude que donne un accablement complet. Revenue à six heures seulement des confins de la Brie, après avoir battu l'estrade en avant de la troupe afin de faire arriver à bon port les quatre gentilshommes au gîte où ils devaient faire leur dernière étape avant d'entrer à Paris, elle avait surpris M. et Mme d'Hauteserre à la fin de leur

1. Le commis qui surveille l'exploitation d'une coupe de bois.

dîner. Pressée par la faim, elle s'était mise à table sans quitter ni son amazone crottée ni ses brodequins. Au lieu de se déshabiller après le dîner, elle s'était sentie accablée par toutes ses fatigues, et avait laissé aller sa belle tête nue, couverte de ses mille boucles blondes, sur le dossier de l'immense bergère, en gardant ses pieds en avant sur un tabouret. Le feu séchait les éclaboussures de son amazone et de ses brodequins. Ses gants de peau de daim, son petit chapeau de castor, son voile vert et sa cravache étaient sur la console où elle les avait jetés. Elle regardait tantôt la vieille horloge de Boulle qui se trouvait sur le chambranle de la cheminée entre deux candélabres à fleurs, pour voir si, d'après l'heure, les quatre conspirateurs étaient couchés ; tantôt la table de boston placée devant la cheminée et occupée par M. d'Hauteserre et par sa femme, par le curé de Cinq-Cygne et sa sœur.

Quand même ces personnages ne seraient pas incrustés dans ce drame, leurs têtes auraient encore le mérite de représenter une des faces que prit l'aristocratie après sa défaite de 1793. Sous ce rapport, la peinture du salon de Cinq-Cygne a la saveur de l'histoire vue en déshabillé.

Le gentilhomme, alors âgé de cinquante-deux ans, grand, sec, sanguin, et d'une santé robuste, eût paru capable de vigueur sans de gros yeux d'un bleu faïence dont le regard annonçait une extrême simplicité. Il existait dans sa figure terminée par un menton de galoche, entre son nez et sa bouche, un espace démesuré par rapport aux lois du dessin, qui lui donnait un air de soumission en parfaite harmonie avec son caractère, auquel concordaient les moindres détails de sa physionomie. Ainsi sa chevelure grise, feutrée par son chapeau qu'il gardait presque toute la journée, formait comme une calotte sur sa tête, en en dessinant le contour piriforme. Son front, très ridé par sa vie campagnarde et par de continuelles inquiétudes, était plat et sans expression. Son nez aquilin relevait un peu sa figure ; le seul indice de force se trouvait dans ses sourcils touffus qui conservaient leur couleur noire, et dans la vive coloration de son teint ; mais cet indice ne mentait point, le gentilhomme quoique simple et doux avait la foi monarchique et catholique, aucune considération ne l'eût fait changer de parti. Ce bonhomme se serait laissé arrêter, il n'eût pas tiré sur les municipaux, et serait allé tout doucettement à l'échafaud. Ses trois mille livres de rentes viagères, sa seule ressource, l'avaient empêché d'émigrer. Il obéissait donc au gouvernement de fait, sans cesser d'aimer la famille royale et d'en souhaiter le rétablissement ; mais il eût refusé de se compromettre en participant à une tentative en faveur des Bourbons. Il appartenait à cette portion de royalistes qui se sont éternellement souvenus d'avoir été battus et volés ; qui, dès lors, sont restés muets, économes, rancuniers, sans énergie, mais incapables d'aucune abjuration, ni d'aucun sacrifice ; tout prêts à saluer la royauté triomphante, amis de la religion et des prêtres, mais résolus à supporter toutes les avanies du malheur. Ce n'est plus alors avoir une opinion, mais de l'entêtement. L'action est l'essence des partis. Sans esprit, mais loyal, avare comme un paysan, et néanmoins noble de manières, hardi dans ses vœux mais discret en paroles et en actions, tirant parti de tout, et prêt à se laisser nommer maire de Cinq-Cygne, M. d'Hauteserre représentait admirablement ces honorables gentilshommes auxquels Dieu a écrit sur le front le mot *mites*, qui laissèrent passer au-dessus de leurs gentilhommières et de leurs têtes les orages de la Révolution, qui se redressèrent sous la Restauration riches de leurs économies cachées, fiers de leur attachement discret et qui rentrèrent dans leurs campagnes après 1830. Son costume, expressive enveloppe de ce caractère, peignait l'homme et le temps. M. d'Hauteserre portait une de ces houppelandes, couleur noisette, à petit collet, que le dernier duc d'Orléans avait mises à la mode à son retour d'Angleterre, et qui furent, pendant la Révolution, comme une transaction entre les hideux costumes populaires et les élégantes redingotes de l'aristocratie. Son gilet de velours, à raies fleuretées, dont la façon rappelait ceux de Robespierre et de Saint-Just, laissait voir le haut d'un jabot à petits plis dormant[1] sur la chemise. Il conservait la culotte, mais la sienne était de gros drap bleu, à boucles d'acier bruni. Ses bas en filoselle noire moulaient des

1. Qui ne fait qu'un avec la chemise, au contraire de la cravate qu'on enroule et noue soi-même.

jambes de cerf, chaussées de gros souliers maintenus par des guêtres en drap noir. Il avait gardé le col en mousseline à mille plis, serré par une boucle en or sur le cou. Le bonhomme n'avait point entendu faire de l'éclectisme politique en adoptant ce costume à la fois paysan, révolutionnaire et aristocrate, il avait obéi très innocemment aux circonstances.

Mme d'Hauteserre, âgée de quarante ans, et usée par les émotions, avait une figure passée qui semblait toujours poser pour un portrait ; et son bonnet de dentelle, orné de coques en satin blanc, contribuait singulièrement à lui donner cet air solennel. Elle mettait encore de la poudre malgré le fichu blanc, la robe en soie puce à manches plates, à jupon très ample, triste et dernier costume de la reine Marie-Antoinette. Elle avait le nez pincé, le menton pointu, le visage presque triangulaire, des yeux qui avaient pleuré ; mais elle mettait un *soupçon* de rouge qui ravivait ses yeux gris. Elle prenait du tabac, et à chaque fois elle pratiquait ces jolies précautions dont abusaient autrefois les petites-maîtresses ; tous les détails de sa prise constituaient une cérémonie qui s'explique par ce mot : elle avait de jolies mains.

Depuis deux ans, l'ancien précepteur des deux Simeuse, ami de l'abbé d'Hauteserre, nommé Goujet, abbé des Minimes, avait pris pour retraite la cure de Cinq-Cygne par amitié pour les d'Hauteserre et pour la jeune comtesse. Sa sœur, Mlle Goujet, riche de sept cents francs de rente, les réunissait aux faibles appointements de la cure, et tenait le ménage de son frère. Ni l'église, ni le presbytère n'avaient été vendus par suite de leur peu de valeur. L'abbé Goujet logeait donc à deux pas du château, car le mur du jardin de la cure et celui du parc étaient mitoyens en quelques endroits. Aussi, deux fois par semaine, l'abbé Goujet et sa sœur dînaient-ils à Cinq-Cygne, où tous les soirs ils venaient faire la partie des d'Hauteserre. Laurence ne savait pas tenir une carte. L'abbé Goujet, vieillard en cheveux blancs et à la figure blanche comme celle d'une vieille femme, doué d'un sourire aimable, d'une voix douce et insinuante, relevait la fadeur de sa face assez poupine par un front où respirait l'intelligence et par des yeux très fins. De moyenne taille et bien fait, il gardait l'habit noir à la française, portait des boucles d'argent à sa culotte et à ses souliers, des bas de soie noire, un gilet noir sur lequel tombait son rabat, ce qui lui donnait un grand air, sans rien ôter à sa dignité. Cet abbé, qui devint évêque de Troyes à la Restauration, habitué par son ancienne vie à juger les jeunes gens, avait deviné le grand caractère de Laurence, il l'appréciait à toute sa valeur, et il avait de prime abord témoigné une respectueuse déférence à cette jeune fille qui contribua beaucoup à la rendre indépendante à Cinq-Cygne et à faire plier sous elle l'austère vieille dame et le bon gentilhomme, auxquels, selon l'usage, elle aurait dû certainement obéir. Depuis six mois, l'abbé Goujet observait Laurence avec le génie particulier aux prêtres, qui sont les gens les plus perspicaces ; et, sans savoir que cette jeune fille de vingt-trois ans pensait à renverser Bonaparte au moment où ses faibles mains détortillaient un brandebourg défait de son amazone, il la supposait cependant agitée d'un grand dessein.

Mlle Goujet était une de ces filles dont le portrait est fait en deux mots qui permettent aux moins imaginatifs de se les représenter : elle appartenait au genre des grandes haquenées. Elle se savait laide, elle riait la première de sa laideur en montrant ses longues dents jaunes comme son teint et ses mains ossues. Elle était entièrement bonne et gaie. Elle portait le fameux casaquin du vieux temps, une jupe très ample à poches toujours pleines de clefs, un bonnet à rubans et un tour de cheveux. Elle avait eu quarante ans de très bonne heure ; mais elle se rattrapait, disait-elle, en s'y tenant depuis vingt ans. Elle vénérait la noblesse, et savait garder sa propre dignité, en rendant aux personnes nobles tout ce qui leur était dû de respects et d'hommages.

Cette compagnie était venue fort à propos à Cinq-Cygne pour Mme d'Hauteserre, qui n'avait pas, comme son mari, des occupations rurales, ni, comme Laurence, le tonique d'une haine pour soutenir le poids d'une vie solitaire. Aussi tout s'était-il en quelque sorte amélioré depuis six ans. Le culte catholique rétabli permettait de remplir les devoirs religieux, qui ont plus de retentissement dans la vie de campagne que partout ailleurs. M. et

Mme d'Hauteserre, rassurés par les actes conservateurs du Premier consul, avaient pu correspondre avec leurs fils, avoir de leurs nouvelles, ne plus trembler pour eux, les prier de solliciter leur radiation et de rentrer en France. Le Trésor avait liquidé les arrérages des rentes, et payait régulièrement les semestres. Les d'Hauteserre possédaient alors de plus que leur viager huit mille francs de rentes. Le vieillard s'applaudissait de la sagesse de ses prévisions, il avait placé toutes ses économies, vingt mille francs, en même temps que sa pupille, avant le dix-huit brumaire, qui fit, comme on le sait, monter les fonds de douze à dix-huit francs.

Longtemps Cinq-Cygne était resté nu, vide et dévasté. Par calcul, le prudent tuteur n'avait pas voulu, durant les commotions révolutionnaires, en changer l'aspect ; mais, à la paix d'Amiens, il avait fait un voyage à Troyes, pour en rapporter quelques débris des deux hôtels pillés, rachetés chez des fripiers. Le salon avait alors été meublé par ses soins. De beaux rideaux de lampas blanc à fleurs vertes provenant de l'hôtel Simeuse ornaient les six croisées du salon où se trouvaient alors ces personnages. Cette immense pièce était entièrement revêtue de boiseries divisées en panneaux, encadrés de baguettes perlées, décorés de mascarons aux angles, et peints en deux tons de gris. Les dessus des quatre portes offraient de ces sujets en grisaille qui furent à la mode sous Louis XV. Le bonhomme avait trouvé à Troyes des consoles dorées, un meuble en lampas vert, un lustre de cristal, une table à jouer en marqueterie, et tout ce qui pouvait servir à la restauration de Cinq-Cygne. En 1792, tout le mobilier du château avait été pris, car le pillage des hôtels eut son contrecoup dans la vallée. Chaque fois que le vieillard allait à Troyes, il en revenait avec quelques reliques de l'ancienne splendeur, tantôt un beau tapis comme celui qui était tendu sur le parquet du salon, tantôt une partie de vaisselle ou de vieilles porcelaines de Saxe et de Sèvres. Depuis six mois, il avait osé déterrer l'argenterie de Cinq-Cygne, que le cuisinier avait enterrée dans une petite maison à lui appartenant et située au bout d'un des longs faubourgs de Troyes.

Ce fidèle serviteur, nommé Durieu, et sa femme,

avaient toujours suivi la fortune de leur jeune maîtresse. Durieu était le factotum du château, comme sa femme en était la femme de charge. Durieu avait pour se faire aider à la cuisine la sœur de Catherine, à laquelle il enseignait son art, et qui devenait une excellente cuisinière. Un vieux jardinier, sa femme, son fils payé à la journée, et leur fille qui servait de vachère, complétaient le personnel du château. Depuis six mois, la Durieu avait fait faire en secret une livrée aux couleurs des Cinq-Cygne pour le fils du jardinier et pour Gothard. Quoique bien grondée pour cette imprudence par le gentilhomme, elle s'était donné le plaisir de voir le dîner servi, le jour de Saint-Laurent, pour la fête de Laurence, presque comme autrefois. Cette pénible et lente restauration des choses faisait la joie de M. et de Mme d'Hauteserre et des Durieu. Laurence souriait de ce qu'elle appelait des enfantillages. Mais le bonhomme d'Hauteserre pensait également au solide, il réparait les bâtiments, rebâtissait les murs, plantait partout où il y avait chance de faire venir un arbre, et ne laissait pas un pouce de terrain sans le mettre en valeur. Aussi la vallée de Cinq-Cygne le regardait-elle comme un oracle en fait d'agriculture. Il avait su reprendre cent arpents de terrain contesté, non vendu, et confondu par la Commune dans ses communaux ; il les avait convertis en prairies artificielles qui nourrissaient les bestiaux du château, et les avait encadrés de peupliers qui, depuis six ans, poussaient à ravir. Il avait l'intention de racheter quelques terres, et d'utiliser tous les bâtiments du château en y faisant une seconde ferme qu'il se promettait de conduire lui-même.

La vie était donc, depuis deux ans, devenue presque heureuse au château. M. d'Hauteserre décampait au lever du soleil, il allait surveiller ses ouvriers, car il employait du monde en tout temps ; il revenait déjeuner, montait après sur un bidet de fermier, et faisait sa tournée comme un garde ; puis, de retour pour le dîner, il finissait sa journée par le boston. Tous les habitants du château avaient leurs occupations, la vie y était aussi réglée que dans un monastère. Laurence seule y jetait le trouble par ses voyages subits, par ses absences, par ce que Mme d'Hauteserre nommait ses fugues. Cependant il existait à Cinq-

Cygne deux politiques, et des causes de dissension. D'abord, Durieu et sa femme étaient jaloux de Gothard et de Catherine qui vivaient plus avant qu'eux dans l'intimité de leur jeune maîtresse, l'idole de la maison. Puis les deux d'Hauteserre, appuyés par Mlle Goujet et par le curé, voulaient que leurs fils, ainsi que les jumeaux de Simeuse, rentrassent et prissent part au bonheur de cette vie paisible, au lieu de vivre péniblement à l'étranger. Laurence flétrissait cette odieuse transaction, et représentait le royalisme pur, militant et implacable. Les quatre vieilles gens, qui ne voulaient plus voir compromettre une existence heureuse, ni ce coin de terre conquis sur les eaux furieuses du torrent révolutionnaire, essayaient de convertir Laurence à leurs doctrines vraiment sages, en prévoyant qu'elle était pour beaucoup dans la résistance que leurs fils et les deux Simeuse opposaient à leur rentrée en France. Le superbe dédain de leur pupille épouvantait ces pauvres gens qui ne se trompaient point en appréhendant ce qu'ils appelaient *un coup de tête*. Cette dissension avait éclaté lors de l'explosion de la machine infernale de la rue Saint-Nicaise, la première tentative royaliste dirigée contre le vainqueur de Marengo, après son refus de traiter avec la maison de Bourbon. Les d'Hauteserre regardèrent comme un bonheur que Bonaparte eût échappé à ce danger, en croyant que les Républicains étaient les auteurs de cet attentat. Laurence pleura de rage de voir le Premier consul sauvé. Son désespoir l'emporta sur sa dissimulation habituelle, elle accusa Dieu de trahir les fils de saint Louis ! « Moi, s'écria-t-elle, j'aurais réussi. N'a-t-on pas, dit-elle à l'abbé Goujet en remarquant la profonde stupéfaction produite par son mot sur toutes les figures, le droit d'attaquer l'usurpation par tous les moyens possibles ? — Mon enfant, répondit l'abbé Goujet, l'Église a été bien attaquée et blâmée par les philosophes pour avoir jadis soutenu qu'on pouvait employer contre les usurpateurs les armes que les usurpateurs avaient employées pour réussir ; mais aujourd'hui l'Église doit trop à monsieur le Premier consul pour ne pas le protéger et le garantir contre cette maxime due d'ailleurs aux Jésuites. — Ainsi l'Église nous abandonne ! » avait-elle répondu d'un air sombre.

« Cette dissension avait éclaté lors de l'explosion de la machine infernale de la rue Saint-Nicaise... »

Dès ce jour, toutes les fois que ces quatre vieillards parlaient de se soumettre à la Providence, la jeune comtesse quittait le salon. Depuis quelque temps, le curé, plus adroit que le tuteur, au lieu de discuter les principes, faisait ressortir les avantages matériels du gouvernement consulaire, moins pour convertir la comtesse que pour surprendre dans ses yeux des expressions qui pussent l'éclairer sur ses projets. Les absences de Gothard, les courses multipliées de Laurence et sa préoccupation qui, dans ces derniers jours, parut à la surface de sa figure, enfin une foule de petites choses qui ne pouvaient échapper dans le silence et la tranquillité de la vie à Cinq-Cygne, surtout aux yeux inquiets des d'Hauteserre, de l'abbé Goujet et des Durieu, tout avait réveillé les craintes de ces royalistes soumis. Mais comme aucun événement ne se produisait, et que le calme le plus parfait régnait dans la sphère politique depuis quelques jours, la vie de ce petit château était redevenue paisible. Chacun avait attribué les courses de la comtesse à sa passion pour la chasse.

On peut imaginer le profond silence qui régnait dans le parc, dans les cours, au-dehors, à neuf heures, au château de Cinq-Cygne, où dans ce moment les choses et les personnes étaient si harmonieusement colorées, où régnait la paix la plus profonde, où l'abondance revenait, où le bon et sage gentilhomme espérait convertir sa pupille à son système d'obéissance par la continuité des heureux résultats. Ces royalistes continuaient à jouer le jeu de *boston* qui répandit par toute la France les idées d'indépendance sous une forme frivole, qui fut inventé en l'honneur des insurgés d'Amérique, et dont tous les termes rappellent la lutte encouragée par Louis XVI. Tout en faisant des *indépendances* ou des *misères*, ils observaient Laurence, qui, bientôt vaincue par le sommeil, s'endormit avec un sourire d'ironie sur les lèvres : sa dernière pensée avait embrassé le tableau paisible de cette table où deux mots, qui eussent appris aux d'Hauteserre que leurs fils avaient couché la nuit dernière sous leur toit, pouvaient jeter la plus vive terreur. Quelle jeune fille de vingt-trois ans n'eût été, comme Laurence, orgueilleuse de se faire le Destin, et n'aurait eu, comme elle, un léger mouvement de compassion pour ceux qu'elle voyait si fort au-dessous d'elle ?

« Elle dort, dit l'abbé, jamais je ne l'ai vue si fatiguée.

— Durieu m'a dit que sa jument est comme fourbue, reprit Mme d'Hauteserre, son fusil n'a pas servi, le bassinet était clair, elle n'a donc pas chassé.

— Ah ! sac à papier ! reprit le curé, voilà qui ne vaut rien.

— Bah ! s'écria Mlle Goujet, quand j'ai eu mes vingt-trois ans et que je me voyais condamnée à rester fille, je courais, je me fatiguais bien autrement. Je comprends que la comtesse se promène à travers le pays sans penser à tuer le gibier. Voilà bientôt douze ans qu'elle n'a vu ses cousins, elle les aime ; eh bien ! à sa place, moi, si j'étais comme elle jeune et jolie, j'irais d'une seule traite en Allemagne ! Aussi la pauvre mignonne, peut-être est-elle attirée vers la frontière.

— Vous êtes leste, Mlle Goujet, dit le curé en souriant.

— Mais, reprit-elle, je vous vois inquiet des allées et

venues d'une jeune fille de vingt-trois ans, je vous les explique.

— Ses cousins rentreront, elle se trouvera riche, elle finira par se calmer, dit le bonhomme d'Hauteserre.

— Dieu le veuille ! s'écria la vieille dame en prenant sa tabatière d'or qui depuis le Consulat à vie avait revu le jour.

— Il y a du nouveau dans le pays, dit le bonhomme d'Hauteserre au curé, Malin est depuis hier soir à Gondreville.

— Malin ! s'écria Laurence réveillée par ce nom malgré son profond sommeil.

— Oui, reprit le curé ; mais il repart cette nuit, et l'on se perd en conjectures au sujet de ce voyage précipité.

— Cet homme, dit Laurence, est le mauvais génie de nos deux maisons. »

La jeune comtesse venait de rêver à ses cousins et aux Hauteserre, elle les avait vus menacés. Ses beaux yeux devinrent fixes et ternes en pensant aux dangers qu'ils couraient dans Paris ; elle se leva brusquement, et remonta chez elle sans rien dire. Elle habitait dans la chambre d'honneur, auprès de laquelle se trouvaient un cabinet et un oratoire, situés dans la tourelle qui regardait la forêt. Quand elle eut quitté le salon, les chiens aboyèrent, on entendit sonner à la petite grille, et Durieu vint, la figure effarée, dire au salon : « Voici le maire ! il y a quelque chose de nouveau. »

Ce maire, ancien piqueur de la maison de Simeuse, venait quelquefois au château, où, par politique, les d'Hauteserre lui témoignaient une déférence à laquelle il attachait le plus haut prix. Cet homme, nommé Goulard, avait épousé une riche marchande de Troyes dont le bien se trouvait sur la commune de Cinq-Cygne, et qu'il avait augmenté de toutes les terres d'une riche abbaye à l'acquisition de laquelle il mit toutes ses économies. La vaste abbaye du Val-des-Preux, située à un quart de lieue du château, lui faisait une habitation presque aussi splendide que Gondreville, et où ils figuraient, sa femme et lui, comme deux rats dans une cathédrale. « Goulard, tu as été goulu ! » lui dit en riant Mademoiselle la première fois qu'elle le vit à Cinq-Cygne. Quoique très attaché à la Révolution et froidement accueilli par la comtesse, le maire se sentait toujours tenu par les liens du respect envers les Cinq-Cygne et les Simeuse. Aussi fermait-il les yeux sur tout ce qui se passait au château. Il appelait fermer les yeux, ne pas voir les portraits de Louis XVI, de Marie-Antoinette, des enfants de France, de Monsieur, du comte d'Artois, de Cazalès[1], de Charlotte Corday qui ornaient les panneaux du salon ; ne pas trouver mauvais qu'on souhaitât, en sa présence, la ruine de la République, qu'on se moquât des cinq directeurs, et de toutes les combinaisons d'alors. La position de cet homme qui, semblable à beaucoup de parvenus, une fois sa fortune faite, recroyait aux vieilles familles et voulait s'y rattacher, venait d'être mise à profit par les deux personnages dont la profession avait été si promptement devinée par Michu, et qui, avant d'aller à Gondreville, avaient exploré le pays.

L'homme aux belles traditions de l'ancienne police et Corentin, ce phénix des espions, avaient une mission secrète. Malin ne se trompait pas en prêtant un double rôle à ces deux artistes en farces tragiques ; aussi, peut-être, avant de les voir à l'œuvre, est-il nécessaire de montrer la tête à laquelle ils servaient de bras. Bonaparte, en devenant Premier consul, trouva Fouché dirigeant la Police générale. La Révolution avait fait franchement et avec raison un ministère spécial de la Police. Mais, à son retour de Marengo, Bonaparte créa la Préfecture de Police, y plaça Dubois, et appela Fouché au Conseil d'État en lui donnant pour successeur au ministère de la Police le Conventionnel Cochon, devenu depuis comte de Lapparent. Fouché, qui regardait le ministère de la Police comme le plus important dans un gouvernement à grandes vues, à politique arrêtée, vit une disgrâce, ou tout au moins une méfiance, dans ce changement. Après avoir reconnu, dans les affaires de la machine infernale et de la conspiration dont il s'agit ici, l'excessive supériorité de ce grand homme d'État, Napoléon lui rendit le ministère

1. Député royaliste à la Constituante.

de la Police[1]. Puis, plus tard, effrayé des talents que Fouché déploya pendant son absence, lors de l'affaire de Walcheren[2], l'Empereur donna ce ministère au duc de Rovigo, et envoya le duc d'Otrante gouverner les provinces illyriennes, un véritable exil.

Ce singulier génie qui frappa Napoléon d'une sorte de terreur ne se déclara pas tout à coup chez Fouché. Cet obscur Conventionnel, l'un des hommes les plus extraordinaires et les plus mal jugés de ce temps, se forma dans les tempêtes. Il s'éleva, sous le Directoire, à la hauteur d'où les hommes profonds savent voir l'avenir en jugeant le passé, puis tout à coup, comme certains acteurs médiocres qui deviennent excellents éclairés par une lueur soudaine, il donna des preuves de dextérité pendant la rapide révolution du dix-huit brumaire. Cet homme au pâle visage, élevé dans les dissimulations monastiques, qui possédait les secrets des Montagnards auxquels il appartint, et ceux des royalistes auxquels il finit par appartenir, avait lentement et silencieusement étudié les hommes, les choses, les intérêts de la scène politique ; il pénétra les secrets de Bonaparte, lui donna d'utiles conseils et des renseignements précieux. Satisfait d'avoir démontré son savoir-faire et son utilité, Fouché s'était bien gardé de se dévoiler tout entier, il voulait rester à la tête des affaires ; mais les incertitudes de Napoléon à son égard lui rendirent sa liberté politique. L'ingratitude ou plutôt la méfiance de l'Empereur après l'affaire de Walcheren explique cet homme qui, malheureusement pour lui, n'était pas un grand seigneur, et dont la conduite fut calquée sur celle du prince de Talleyrand. En ce moment, ni ses anciens ni ses nouveaux collègues ne soupçonnaient l'ampleur de son génie purement ministériel, essentiellement gouvernemental, juste dans toutes ses prévisions, et d'une incroyable sagacité. Certes, aujourd'hui,

---

1. C'est le 12 juin 1804 que le ministère de la Police fut rétabli et confié de nouveau à Fouché qui s'y maintint jusqu'au 2 juin 1810.
2. Les Anglais occupèrent l'île hollandaise de Walcheren alors que Napoléon était à Wagram. Fouché, pour les en chasser, réorganisa sur un grand pied la garde nationale. Cette initiative, qui rappelait la levée de 1793 et montrait la puissance de Fouché, rendit Napoléon méfiant et précipita sa disgrâce.

pour tout historien impérial, l'amour-propre excessif de Napoléon est une des mille raisons de sa chute qui, d'ailleurs, a cruellement expié ses torts. Il se rencontrait chez ce défiant souverain une jalousie de son jeune pouvoir qui influa sur ses actes autant que sa haine secrète contre les hommes habiles, legs précieux de la Révolution, avec lesquels il aurait pu se composer un cabinet dépositaire de ses pensées. Talleyrand et Fouché ne furent pas les seuls qui lui donnèrent de l'ombrage. Or, le malheur des usurpateurs est d'avoir pour ennemis et ceux qui leur ont donné la couronne, et ceux auxquels ils l'ont ôtée. Napoléon ne convainquit jamais entièrement de sa souveraineté ceux qu'il avait eus pour supérieurs et pour égaux, ni ceux qui tenaient pour le droit : personne ne se croyait donc obligé par le serment envers lui. Malin, homme médiocre, incapable d'apprécier le ténébreux génie de Fouché ni de se défier de son prompt coup d'œil, se brûla, comme un papillon à la chandelle, en allant le prier confidentiellement de lui envoyer des agents à Gondreville où, dit-il, il espérait obtenir des lumières sur la conspiration. Fouché, sans effaroucher son ami par une interrogation, se demanda pourquoi Malin allait à Gondreville, comment il ne donnait pas à Paris et immédiatement les renseignements qu'il pouvait avoir. L'ex-oratorien, nourri de fourberies et au fait du double rôle joué par bien des Conventionnels, se dit : « Par qui Malin peut-il savoir quelque chose, quand nous ne savons pas encore grand-chose ? » Fouché conclut donc à quelque complicité latente ou expectante, et se garda bien de rien dire au Premier consul. Il aimait mieux se faire un instrument de Malin que de le perdre. Fouché se réservait ainsi une grande partie des secrets qu'il surprenait, et se ménageait sur les personnes un pouvoir supérieur à celui de Bonaparte. Cette duplicité fut un des griefs de Napoléon contre son ministre. Fouché connaissait les roueries auxquelles Malin devait sa terre de Gondreville, et qui l'obligeaient à surveiller MM. de Simeuse. Les Simeuse servaient à l'armée de Condé, Mlle de Cinq-Cygne était leur cousine, ils pouvaient donc se trouver aux environs et participer à l'entreprise, leur participation impliquait dans le complot la maison de Condé à laquelle ils s'étaient dévoués. M. de Talleyrand et Fouché tenaient à éclaircir ce coin très obscur de la conspiration de 1803. Ces considérations furent embrassées par Fouché rapidement et avec lucidité. Mais il existait entre Malin, Talleyrand et lui des liens qui le forçaient à employer la plus grande circonspection, et lui faisaient désirer de connaître parfaitement l'intérieur du château de Gondreville. Corentin était attaché sans réserve à Fouché, comme M. de La Besnardière au prince de Talleyrand, comme Gentz à M. de Metternich, comme Dundas à Pitt, comme Duroc à Napoléon, comme Chavigny au cardinal de Richelieu. Corentin fut, non pas le conseil de ce ministre, mais son âme damnée, le Tristan secret de ce Louis XI au petit pied ; aussi Fouché l'avait-il laissé naturellement au ministère de la Police, afin d'y conserver un œil et un bras. Ce garçon devait, disait-on, appartenir à Fouché par une de ces parentés qui ne s'avouent point, car il le récompensait avec profusion toutes les fois qu'il le mettait en activité. Corentin s'était fait un ami de Peyrade, le vieil élève du dernier lieutenant de police ; néanmoins, il eut des secrets pour Peyrade. Corentin reçut de Fouché l'ordre d'explorer le château de Gondreville, d'en inscrire le plan dans sa mémoire, et d'y reconnaître les moindres cachettes. « Nous serons peut-être obligés d'y revenir », lui dit l'ex-ministre absolument comme Napoléon dit à ses lieutenants de bien examiner le champ de bataille d'Austerlitz, jusqu'où il comptait reculer. Corentin devait encore étudier la conduite de Malin, se rendre compte de son influence dans le pays, observer les hommes qu'il y employait. Fouché regardait comme certaine la présence des Simeuse dans la contrée. En espionnant avec adresse ces deux officiers aimés du prince de Condé, Peyrade et Corentin pouvaient acquérir de précieuses lumières sur les ramifications du complot au-delà du Rhin. Dans tous les cas, Corentin eut les fonds, les ordres et les agents nécessaires pour cerner Cinq-Cygne et moucharder le pays depuis la forêt de Nodesme jusqu'à Paris. Fouché recommanda la plus grande circonspection et ne permit la visite domiciliaire à Cinq-Cygne qu'en cas de renseignements positifs donnés par Malin. Enfin, comme renseignement, il mit Corentin au fait du personnage inexplicable de Michu, surveillé depuis trois ans. La pensée de Corentin fut celle de son chef : « Malin connaît la conspiration ! » « Mais qui sait, se dit-il, si Fouché n'en est pas aussi ! »

Corentin, parti pour Troyes avant Malin, s'était entendu avec le commandant de la gendarmerie, et avait choisi les hommes les plus intelligents en leur donnant pour chef un capitaine habile. Corentin indiqua pour lieu de rendez-vous le château de Gondreville à ce capitaine, en lui disant d'envoyer à la nuit, sur quatre points différents de la vallée de Cinq-Cygne et à d'assez grandes distances pour ne pas donner l'alarme, un piquet de douze hommes. Ces quatre piquets devaient décrire un carré et le resserrer autour du château de Cinq-Cygne. En le laissant maître au château pendant sa consultation avec Grévin, Malin avait permis à Corentin de remplir une partie de sa mission. À son retour du parc, le conseiller d'État avait si positivement dit à Corentin que les Simeuse et les d'Hauteserre étaient dans le pays, que les deux agents expédièrent le capitaine qui, fort heureusement pour les gentilshommes, traversa la forêt par l'avenue pendant que Michu grisait son espion Violette. Le conseiller d'État avait commencé par expliquer à Peyrade et à Corentin le guet-apens auquel il venait d'échapper. Les deux Parisiens lui racontèrent alors l'épisode de la carabine, et Grévin envoya Violette pour obtenir quelques renseignements sur ce qui se passait au pavillon. Corentin dit au notaire d'emmener, pour plus de sûreté, son ami le conseiller d'État coucher à la petite ville d'Arcis, chez lui. Au moment où Michu se lançait dans la forêt et courait à Cinq-Cygne, Peyrade et Corentin partirent donc de Gondreville dans un méchant cabriolet d'osier, attelé d'un cheval de poste, et conduit par le brigadier d'Arcis, un des hommes les plus rusés de la légion, et que le commandant de Troyes leur avait recommandé de prendre.

« Le meilleur moyen de tout saisir, est de les prévenir, dit Peyrade à Corentin. Au moment où ils seront effarouchés, où ils voudront sauver leurs papiers ou s'enfuir, nous tomberons chez eux comme la foudre. Le cordon de gendarmes en se resserrant autour du château fera l'effet d'un coup de filet. Ainsi, nous ne manquerons personne.

— Vous pouvez leur envoyer le maire, dit le brigadier, il est complaisant, il ne leur veut pas de mal, ils ne se défieront pas de lui. »

Au moment où Goulard allait se coucher, Corentin, qui fit arrêter le cabriolet dans un petit bois, était donc venu lui dire confidentiellement que dans quelques instants un agent du gouvernement allait le requérir de cerner le château de Cinq-Cygne afin d'y empoigner MM. d'Hauteserre et de Simeuse ; que, dans le cas où ils auraient disparu, l'on voulait s'assurer s'ils y avaient couché la nuit dernière, fouiller les papiers de Mlle de Cinq-Cygne, et peut-être arrêter les gens et les maîtres du château.

« Mlle de Cinq-Cygne, dit Corentin, est, sans doute, protégée par de grands personnages, car j'ai la mission secrète de la prévenir de cette visite, et de tout faire pour la sauver, sans me compromettre. Une fois sur le terrain, je ne serai plus le maître, je ne suis pas seul, ainsi courez au château. »

Cette visite du maire au milieu de la soirée étonna d'autant plus les joueurs, que Goulard leur montrait une figure bouleversée.

« Où se trouve la comtesse ? demanda-t-il.

— Elle se couche », dit Mme d'Hauteserre.

Le maire incrédule se mit à écouter les bruits qui se faisaient au premier étage.

« Qu'avez-vous aujourd'hui, Goulard ? » lui dit Mme d'Hauteserre.

Goulard roulait dans les profondeurs de l'étonnement, en examinant ces figures pleines de la candeur qu'on peut avoir à tout âge. À l'aspect de ce calme et de cette innocente partie de boston interrompue, il ne concevait rien aux soupçons de la police de Paris. En ce moment, Laurence, agenouillée dans son oratoire, priait avec ferveur pour le succès de la conspiration ! Elle priait Dieu de prêter aide et secours aux meurtriers de Bonaparte ! Elle implorait Dieu avec amour de briser cet homme fatal ! Le fanatisme des Harmodius, des Judith, des Jacques Clément, des Ankastroëm, des Charlotte Corday, des Limoëlan[1] animait cette belle âme, vierge et pure, Catherine préparait le lit, Gothard fermait les volets, en sorte que Marthe Michu, arrivée sous les fenêtres de Laurence, et qui y jetait des cailloux, put être remarquée.

« Mademoiselle, il y a du nouveau, dit Gothard en voyant une inconnue.

— Silence ! dit Marthe à voix basse, venez me parler. »

Gothard fut dans le jardin en moins de temps qu'un oiseau n'en aurait mis à descendre d'un arbre à terre.

« Dans un instant le château sera cerné par la gendarmerie. Toi, dit-elle à Gothard, selle sans bruit le cheval de Mademoiselle, et fais-le descendre par la brèche de la douve, entre cette tour et les écuries. »

Marthe tressaillit en voyant à deux pas d'elle Laurence qui suivit Gothard.

« Qu'y a-t-il ? dit Laurence simplement et sans paraître émue.

— La conspiration contre le Premier consul est découverte, répondit Marthe dans l'oreille de la jeune comtesse, mon mari, qui songe à sauver vos deux cousins, m'envoie vous dire de venir vous entendre avec lui. »

Laurence recula de trois pas, et regarda Marthe. « Qui êtes-vous ? dit-elle.

— Marthe Michu.

— Je ne sais pas ce que vous me voulez, répliqua froidement Mlle de Cinq-Cygne.

— Allons, vous les tuez. Venez, au nom des Simeuse ! dit Marthe en tombant à genoux et tendant ses mains à Laurence. N'y a-t-il aucun papier ici, rien qui puisse vous compromettre ? Du haut de la forêt, mon mari vient de voir briller les chapeaux bordés et les fusils des gendarmes. »

Gothard avait commencé par grimper au grenier, il aperçut de loin les broderies des gendarmes, il entendit par le profond silence de la campagne le bruit de leurs

1. Parmi ces six personnages deux seulement sont peu connus. Ankastroëm avait assassiné le roi de Suède Gustave III en 1792 ; Picot de Limoëlan était, avec Saint-Réjan, responsable de l'attentat de la rue Saint-Nicaise.

chevaux ; il dégringola dans l'écurie, sella le cheval de sa maîtresse, aux pieds duquel, sur un seul mot de lui, Catherine attacha des linges.

« Où dois-je aller ? dit Laurence à Marthe dont le regard et la parole la frappèrent par l'inimitable accent de la sincérité.

— Par la brèche ! dit-elle en entraînant Laurence, mon noble homme y est, vous allez apprendre ce que vaut un Judas ! »

Catherine entra vivement au salon, y prit la cravache, les gants, le chapeau, le voile de sa maîtresse, et sortit. Cette brusque apparition et l'action de Catherine étaient un si parlant commentaire des paroles du maire, que Mme d'Hauteserre et l'abbé Goujet échangèrent un regard par lequel ils se communiquèrent cette horrible pensée : « Adieu tout notre bonheur ! Laurence conspire, elle a perdu ses cousins et les deux d'Hauteserre ! »

« Que voulez-vous dire ? demanda M. d'Hauteserre à Goulard.

— Mais le château est cerné, vous allez avoir à subir une visite domiciliaire. Enfin, si vos fils sont ici, faites-les sauver ainsi que MM. de Simeuse.

— Mes fils ! s'écria Mme d'Hauteserre stupéfaite.

— Nous n'avons vu personne, dit M. d'Hauteserre.

— Tant mieux ! dit Goulard. Mais j'aime trop la famille de Cinq-Cygne et celle de Simeuse pour leur voir arriver malheur. Écoutez-moi bien. Si vous avez des papiers compromettants...

— Des papiers ?... répéta le gentilhomme.

— Oui, si vous en avez, brûlez-les, reprit le maire, je vais aller amuser les agents. »

Goulard, qui voulait ménager la chèvre royaliste et le chou républicain, sortit, et les chiens aboyèrent alors avec violence.

« Vous n'avez plus le temps, les voici, dit le curé. Mais qui préviendra la comtesse, où est-elle ?

— Catherine n'est pas venue prendre sa cravache, ses gants et son chapeau pour en faire des reliques », dit Mlle Goujet.

Goulard essaya de retarder pendant quelques minutes

les deux agents en leur annonçant la parfaite ignorance des habitants du château de Cinq-Cygne.

« Vous ne connaissez pas ces gens-là », dit Peyrade en riant au nez de Goulard.

Ces deux hommes si doucereusement sinistres entrèrent alors suivis du brigadier d'Arcis et d'un gendarme. Cet aspect glaça d'effroi les quatre paisibles joueurs de boston, qui restèrent à leurs places, épouvantés par un pareil déploiement de forces. Le bruit produit par une dizaine de gendarmes, dont les chevaux piaffaient, retentissait sur la pelouse.

« Il ne manque ici que Mlle de Cinq-Cygne, dit Corentin.

— Mais elle dort, sans doute, dans sa chambre, répondit M. d'Hauteserre.

— Venez avec moi, mesdames », dit Corentin en s'élançant dans l'antichambre et de là dans l'escalier où Mlle Goujet et Mme d'Hauteserre le suivirent. « Comptez sur moi, reprit Corentin en parlant à l'oreille de la vieille dame, je suis un des vôtres, je vous ai envoyé déjà le maire. Défiez-vous de mon collègue et confiez-vous à moi, je vous sauverai tous !

— De quoi s'agit-il donc ? demanda Mlle Goujet.

— De vie et de mort ! ne le savez-vous pas ? » répondit Corentin.

Mme d'Hauteserre s'évanouit. Au grand étonnement de Mlle Goujet et au grand désappointement de Corentin, l'appartement de Laurence était vide. Sûr que personne ne pouvait s'échapper ni du parc ni du château dans la vallée, dont toutes les issues étaient gardées, Corentin fit monter un gendarme dans chaque pièce, il ordonna de fouiller les bâtiments, les écuries, et redescendit au salon, où déjà Durieu, sa femme et tous les gens s'étaient précipités dans le plus violent émoi. Peyrade étudiait de son petit œil bleu toutes les physionomies, il restait froid et calme au milieu de ce désordre. Quand Corentin reparut seul, car Mlle Goujet donnait des soins à Mme d'Hauteserre, on entendit un bruit de chevaux, mêlé à celui des pleurs d'un enfant. Les chevaux entraient par la petite grille. Au milieu de l'anxiété générale, un brigadier se

« Ces deux hommes si doucereusement sinistres entrèrent alors suivis du brigadier d'Arcis... »

montra poussant Gothard les mains attachées et Catherine qu'il amena devant les agents.

« Voilà des prisonniers, dit-il. Ce petit drôle était à cheval et se sauvait.

— Imbécile ! dit Corentin à l'oreille du brigadier stupéfait, pourquoi ne l'avoir pas laissé aller ? nous aurions su quelque chose en le suivant. »

Gothard avait pris le parti de fondre en larmes à la façon des idiots. Catherine restait dans une attitude d'innocence et de naïveté qui fit profondément réfléchir le vieil agent. L'élève de Lenoir, après avoir comparé ces deux enfants l'un à l'autre, après avoir examiné l'air niais du vieux gentilhomme qu'il crut rusé, le spirituel curé qui jouait avec les fiches[1], la stupéfaction de tous les gens et des Durieu, vint à Corentin et lui dit à l'oreille : « Nous n'avons pas affaire à des *gnioles*[2] ! »

Corentin répondit d'abord par un regard en montrant la table de jeu, puis il ajouta : « Ils jouaient au boston ! On faisait le lit de la maîtresse du logis, elle s'est sauvée, ils sont surpris, nous allons les serrer. »

Une brèche a toujours sa cause et son utilité. Voici comment et pourquoi celle qui se trouve entre la tour aujourd'hui dite de Mademoiselle, et les écuries, avait été pratiquée. Dès son installation à Cinq-Cygne, le bonhomme d'Hauteserre fit d'une longue ravine par laquelle les eaux de la forêt tombaient dans la douve un chemin qui sépare deux grandes pièces de terre appartenant à la réserve du château, mais uniquement pour y planter une centaine de noyers qu'il trouva dans une pépinière. En onze ans, ces noyers étaient devenus assez touffus et couvraient presque ce chemin encaissé déjà par des berges de six pieds de hauteur, et par lequel on allait à un petit bois de trente arpents récemment acheté. Quand le château eut tous ses habitants, chacun d'eux aima mieux passer par la douve pour prendre le chemin communal qui longeait les murs du parc et conduisait à la ferme, que de faire le tour par la grille. En y passant, sans le vouloir, on élargissait la brèche des deux côtés, avec d'autant moins de scrupule qu'au dix-neuvième siècle les douves

---

1. Les fiches du jeu de boston. **2.** Familier : niais.

sont parfaitement inutiles et que le tuteur parlait souvent d'en tirer parti. Cette constante démolition produisait de la terre, du gravier, des pierres qui finirent par combler le fond de la douve. L'eau dominée par cette espèce de chaussée ne la couvrait que dans les temps de grandes pluies. Néanmoins, malgré ces dégradations, auxquelles tout le monde et la comtesse elle-même avait aidé, la brèche était assez abrupte pour qu'il fût difficile d'y faire descendre un cheval et surtout de le faire remonter sur le chemin communal ; mais il semble que, dans les périls, les chevaux épousent la pensée de leurs maîtres. Pendant que la jeune comtesse hésitait à suivre Marthe et lui demandait des explications, Michu, qui du haut de son monticule avait suivi les lignes décrites par les gendarmes et compris le plan des espions, désespérait du succès en ne voyant venir personne. Un piquet de gendarmes suivait le mur du parc en s'espaçant[1] comme des sentinelles, et ne laissant entre chaque homme que la distance à laquelle ils pouvaient se comprendre de la voix et du regard, écouter et surveiller les plus légers bruits et les moindres choses. Michu, couché à plat ventre, l'oreille collée à la terre, estimait, à la manière des Indiens, le temps qui lui restait par la force du son. « Je suis arrivé trop tard ! se disait-il à lui-même. Violette me le paiera ! A-t-il été longtemps avant de se griser ! Que faire ? » Il entendait le piquet qui descendait de la forêt par le chemin passer devant la grille, et qui, par une manœuvre semblable à celle du piquet venant du chemin communal, allaient se rencontrer. « Encore cinq à six minutes ! » se dit-il. En ce moment, la comtesse se montra, Michu la prit d'une main vigoureuse et la jeta dans le chemin couvert.

« Allez droit devant vous ! » « Mène-la, dit-il à sa femme, à l'endroit où est mon cheval, et songez que les gendarmes ont des oreilles. »

En voyant Catherine qui apportait la cravache, les gants et le chapeau, mais surtout en voyant la jument et Gothard, cet homme, de conception si vive dans le danger, résolut de jouer les gendarmes avec autant de succès

---

1. Terme militaire. Pour le sens, voir plus loin *s'étaler*.

qu'il venait de se jouer de Violette. Gothard avait, comme par magie, forcé la jument à escalader la douve.

« Du linge aux pieds du cheval ?... je t'embrasse ! » dit le régisseur en serrant Gothard dans ses bras.

Michu laissa la jument aller auprès de sa maîtresse et prit les gants, le chapeau, la cravache.

« Tu as de l'esprit, tu vas me comprendre, reprit-il. Force ton cheval à grimper aussi sur ce chemin, monte-le à poil, entraîne après toi les gendarmes en te sauvant à fond de train à travers champs vers la ferme, et ramasse-moi tout ce piquet qui s'étale », ajouta-t-il en achevant sa pensée par un geste qui indiquait la route à suivre. « Toi, ma fille, dit-il à Catherine, il nous vient d'autres gendarmes par le chemin de Cinq-Cygne à Gondreville, élance-toi dans une direction contraire à celle que va suivre Gothard, et ramasse-les du château vers la forêt. Enfin, faites en sorte que nous ne soyons point inquiétés dans le chemin creux. »

Catherine et l'admirable enfant qui devait donner dans cette affaire tant de preuves d'intelligence exécutèrent leur manœuvre de manière à faire croire à chacune des lignes de gendarmes que leur gibier se sauvait. La lueur trompeuse de la lune ne permettait de distinguer ni la taille, ni les vêtements, ni le sexe, ni le nombre de ceux qu'on poursuivait. L'on courut après eux en vertu de ce faux axiome : il faut arrêter ceux qui se sauvent ! dont la niaiserie en haute police venait d'être énergiquement démontrée par Corentin au brigadier. Michu, qui avait compté sur l'instinct des gendarmes, put atteindre la forêt quelque temps après la jeune comtesse que Marthe avait guidée à l'endroit indiqué.

« Cours au pavillon, dit-il à Marthe. La forêt doit être gardée par les Parisiens, il est dangereux de rester ici. Nous aurons sans doute besoin de toute notre liberté. »

Michu délia son cheval, et pria la comtesse de le suivre.

« Je n'irai pas plus loin, dit Laurence, sans que vous me donniez un gage de l'intérêt que vous me portez, car enfin, vous êtes Michu.

— Mademoiselle, répondit-il d'une voix douce, mon rôle va vous être expliqué en deux mots. Je suis, à l'insu de MM. de Simeuse, le gardien de leur fortune. J'ai reçu à cet égard des instructions de défunt leur père et de leur chère mère, ma protectrice. Aussi ai-je joué le rôle d'un Jacobin enragé, pour rendre service à mes jeunes maîtres ; malheureusement, j'ai commencé mon jeu trop tard, et n'ai pu sauver les anciens ! » Ici, la voix de Michu s'altéra. « Depuis la fuite des jeunes gens, je leur ai fait passer les sommes qui leur étaient nécessaires pour vivre honorablement.

— Par la maison Breintmayer de Strasbourg ? dit-elle.

— Oui, Mademoiselle, les correspondants de M. Girel de Troyes, un royaliste qui, pour sa fortune, a fait, comme moi, le jacobin. Le papier que votre fermier a ramassé un soir, à la sortie de Troyes, était relatif à cette affaire qui pouvait nous compromettre : ma vie n'était plus à moi, mais à eux, vous comprenez ? Je n'ai pu me rendre maître de Gondreville. Dans ma position, on m'aurait coupé le cou en me demandant où j'avais pris tant d'or. J'ai préféré racheter la terre un peu plus tard ; mais ce scélérat de Marion était l'homme d'un autre scélérat, de Malin. Gondreville reviendra tout de même à ses maîtres. Cela me regarde. Il y a quatre heures, je tenais Malin au bout de mon fusil, oh ! il était fumé ! Dame ! une fois mort, on licitera Gondreville, on le vendra, et vous pouvez l'acheter. En cas de ma mort, ma femme vous aurait remis une lettre qui vous en eût donné les moyens. Mais ce brigand disait à son compère Grévin, une autre canaille, que MM. de Simeuse conspiraient contre le Premier consul, qu'ils étaient dans le pays et qu'il valait mieux les livrer et s'en débarrasser, pour être tranquille à Gondreville. Or, comme j'avais vu venir deux maîtres espions, j'ai désarmé ma carabine, et je n'ai pas perdu de temps pour accourir ici, pensant que vous deviez savoir où et comment prévenir les jeunes gens. Voilà.

— Vous êtes digne d'être noble », dit Laurence en tendant sa main à Michu qui voulut se mettre à genoux pour baiser cette main. Laurence vit son mouvement, le prévint et lui dit : « Debout, Michu ! » d'un son de voix et avec un regard qui le rendirent en ce moment aussi heureux qu'il avait été malheureux depuis douze ans.

« Vous me récompensez comme si j'avais fait tout ce qui me reste à faire, dit-il. Les entendez-vous, les hussards de la guillotine ? Allons causer ailleurs. » Michu prit la bride de la jument en se mettant du côté par lequel la comtesse se présentait de dos, et lui dit : « Ne soyez occupée qu'à vous bien tenir, à frapper votre bête et à vous garantir la figure des branches d'arbre qui voudront vous la fouetter. »

Puis il dirigea la jeune fille pendant une demi-heure au grand galop, en faisant des détours, des retours, coupant son propre chemin à travers des clairières pour y perdre la trace, vers un endroit où il s'arrêta.

« Je ne sais plus où je suis, moi qui connais la forêt aussi bien que vous la connaissez, dit la comtesse en regardant autour d'elle.

— Nous sommes au centre même, répondit-il. Nous avons deux gendarmes après nous, mais nous sommes sauvés ! »

Le lieu pittoresque où le régisseur avait amené Laurence devait être si fatal aux principaux personnages de ce drame et à Michu lui-même, que le devoir d'un historien est de le décrire. Ce paysage est d'ailleurs, comme on le verra, devenu célèbre dans les fastes judiciaires de l'Empire.

La forêt de Nodesme appartenait à un monastère dit de Notre-Dame. Ce monastère, pris, saccagé, démoli, disparut entièrement, moines et biens. La forêt, objet de convoitise, entra dans le domaine des comtes de Champagne, qui plus tard l'engagèrent et la laissèrent vendre. En six siècles, la nature couvrit les ruines avec son riche et puissant manteau vert, et les effaça si bien, que l'existence d'un des plus beaux couvents n'était plus indiquée que par une assez faible éminence, ombragée de beaux arbres, et cerclée par d'épais buissons impénétrables que, depuis 1794, Michu s'était plu à épaissir en plantant de l'acacia épineux dans les intervalles dénués d'arbustes. Une mare se trouvait au pied de cette éminence, et attestait une source perdue, qui sans doute avait jadis déterminé l'assiette du monastère. Le possesseur des titres de la forêt de Nodesme avait pu seul reconnaître l'étymologie de ce mot âgé de huit siècles, et découvrir qu'il y avait eu jadis un couvent au centre de la forêt. En entendant les premiers coups de tonnerre de la Révolution, le marquis de Simeuse, qu'une contestation avait obligé de recourir à ses titres, instruit de cette particularité par le hasard, se mit, dans une arrière-pensée assez facile à concevoir, à rechercher la place du monastère. Le garde, à qui la forêt était si connue, avait naturellement aidé son maître dans ce travail, et sa sagacité de forestier lui fit reconnaître la situation du monastère. En observant la direction des cinq principaux chemins de la forêt, dont plusieurs étaient effacés, il vit que tous aboutissaient au monticule et à la mare, où jadis on devait venir de Troyes, de la vallée d'Arcis, de celle de Cinq-Cygne, et de Bar-sur-Aube. Le marquis voulut sonder le monticule, mais il ne pouvait prendre pour cette opération que des gens étrangers au pays. Pressé par les circonstances, il abandonna ses recherches, en laissant dans l'esprit de Michu l'idée que l'éminence cachait ou des trésors ou les fondations de l'abbaye. Michu continua cette œuvre archéologique ; il sentit le terrain sonner le creux, au niveau même de la mare, entre deux arbres, au pied du seul point escarpé de l'éminence. Par une belle nuit, il vint armé d'une pioche, et son travail mit à découvert une baie de cave où l'on descendait par des degrés en pierre. La mare, qui dans son endroit le plus creux a trois pieds de profondeur, forme une spatule dont le manche semble sortir de l'éminence, et ferait croire qu'il sort de ce rocher factice une fontaine perdue par infiltration dans cette vaste forêt. Ce marécage, entouré d'arbres aquatiques, d'aulnes, de saules, de frênes, est le rendez-vous de sentiers, reste des routes anciennes et d'allées forestières, aujourd'hui désertes. Cette eau, vive et qui paraît dormante, couverte de plantes à larges feuilles, de cresson, offre une nappe entièrement verte, à peine distinctible de ses bords où croît une herbe fine et fournie. Elle est trop loin de toute habitation pour qu'aucune bête, autre que le fauve, vienne en profiter. Bien convaincus qu'il ne pouvait rien exister au-dessous de ce marais, et rebutés par les bords inaccessibles du monticule, les gardes particuliers ou les chasseurs n'avaient jamais visité, fouillé ni sondé ce coin qui appartenait à la plus vieille coupe de la forêt, et que Michu réserva pour une futaie, quand arriva son tour d'être exploitée. Au bout de la cave se trouve un caveau voûté, propre et sain, tout en pierres de taille, du genre de ceux qu'on nommait l'*in-pace*, le cachot des couvents. La salubrité de ce caveau, la conservation de ce reste d'escalier et de ce berceau s'expliquaient par la source que les démolisseurs avaient respectée et par une muraille vraisemblablement d'une grande épaisseur, en brique et en ciment semblable à celui des Romains, qui contenait les eaux supérieures. Michu couvrit de grosses pierres l'entrée de cette retraite ; puis, pour s'en approprier le secret et le rendre impénétrable, il s'imposa la loi de remonter l'éminence boisée, et de descendre à la cave par l'escarpement, au lieu d'y aborder par la mare. Au moment où les deux fugitifs y arrivèrent, la lune jetait sa belle lueur d'argent aux cimes des arbres centenaires du monticule, elle se jouait dans les magnifiques touffes des langues de bois diversement découpées par les chemins qui débouchaient là, les unes arrondies, les autres pointues, celle-ci terminée par un seul arbre, celle-là par un bosquet.

De là, l'œil s'engageait irrésistiblement en de fuyantes perspectives où les regards suivaient soit la rondeur d'un sentier, soit la vue sublime d'une longue allée de forêt, soit une muraille de verdure presque noire. La lumière filtrée à travers les branchages de ce carrefour faisait briller, entre les clairs du cresson et les nénuphars, quelques diamants de cette eau tranquille et ignorée. Le cri des grenouilles troubla le profond silence de ce joli coin de forêt dont le parfum sauvage réveillait dans l'âme des idées de liberté.

« Sommes-nous bien sauvés ? dit la comtesse à Michu.

— Oui, Mademoiselle. Mais nous avons chacun notre besogne. Allez attacher nos chevaux à des arbres en haut de cette petite colline, et nouez-leur à chacun un mouchoir autour de la bouche, dit-il en lui tendant sa cravate ; le mien et le vôtre sont intelligents, ils sauront qu'ils doivent se taire. Quand vous aurez fini, descendez droit au-dessus de l'eau par cet escarpement, ne vous laissez pas accrocher par votre amazone, vous me trouverez en bas. »

Pendant que la comtesse cachait les chevaux, les attachait et les bâillonnait, Michu débarrassa ses pierres et découvrit l'entrée du caveau. La comtesse, qui croyait savoir sa forêt, fut surprise au dernier point en se voyant sous un berceau de cave. Michu remit les pierres en voûte au-dessus de l'entrée avec une adresse de maçon. Quand il eut achevé, le bruit des chevaux et de la voix des gendarmes retentit dans le silence de la nuit ; mais il n'en battit pas moins tranquillement le briquet, alluma une petite branche de sapin, et mena la comtesse dans l'*in-pace* où se trouvait encore un bout de la chandelle qui lui avait servi à reconnaître ce caveau. La porte en fer et de plusieurs lignes d'épaisseur, mais percée en quelques endroits par la rouille, avait été remise en état par le garde, et se fermait extérieurement avec des barres qui s'adaptaient de chaque côté dans des trous. La comtesse, morte de fatigue, s'assit sur un banc de pierre, au-dessus duquel il existait encore un anneau scellé dans le mur.

« Nous avons un salon pour causer, dit Michu. Maintenant les gendarmes peuvent tourner tant qu'ils voudront, le pis de ce qui nous arriverait serait qu'ils prissent nos chevaux.

— Nous enlever nos chevaux, dit Laurence, ce serait tuer mes cousins et MM. d'Hauteserre ! Voyons, que savez-vous ? »

Michu raconta le peu qu'il avait surpris de la conversation entre Malin et Grévin.

« Ils sont en route pour Paris, ils y entreront ce matin, dit la comtesse quand il eut fini.

— Perdus ! s'écria Michu. Vous comprenez que les entrants et les sortants seront surveillés aux Barrières. Malin a le plus grand intérêt à laisser mes maîtres se bien compromettre pour les tuer.

— Et moi qui ne sais rien du plan général de l'affaire ! s'écria Laurence. Comment prévenir Georges, Rivière et Moreau ? où sont-ils ? Enfin ne songeons qu'à mes cousins et aux d'Hauteserre, rejoignez-les à tout prix.

— Le télégraphe va plus vite que les meilleurs chevaux, dit Michu, et de tous les nobles fourrés dans cette conspiration, vos cousins seront les mieux traqués ; si je les retrouve, il faut les loger ici, nous les y garderons jusqu'à la fin de l'affaire ; leur pauvre père avait peut-être une vision en me mettant sur la piste de cette cachette, il a pressenti que ses fils s'y sauveraient !

— Ma jument vient des écuries du comte d'Artois, elle est née de son plus beau cheval anglais, mais elle a fait trente-six lieues, elle mourrait sans vous avoir porté au but, dit-elle.

— Le mien est bon, dit Michu, et si vous avez fait trente-six lieues, je ne dois en avoir que dix-huit à faire ?

— Vingt-trois, dit-elle, car depuis cinq heures ils marchent ! Vous les trouverez au-dessus de Lagny, à Coupvrai d'où ils doivent au petit jour sortir déguisés en mariniers, ils comptent entrer à Paris sur des bateaux. Voici, reprit-elle en ôtant de son doigt la moitié de l'alliance de sa mère [1], la seule chose à laquelle ils ajouteront foi, je leur ai donné l'autre moitié. Le garde de Coupvrai, le père d'un de leurs soldats, les cache cette nuit dans une baraque abandonnée par des charbonniers, au milieu des bois. Ils sont huit en tout. MM. d'Hauteserre et quatre hommes sont avec mes cousins.

— Mademoiselle, on ne courra pas après les soldats, ne nous occupons que de MM. de Simeuse, et laissons les autres se sauver comme il leur plaira. N'est-ce pas assez que de leur crier : Casse-cou ?

— Abandonner les d'Hauteserre ? jamais ! dit-elle. Ils doivent périr ou se sauver tous ensemble !

— De petits gentilshommes ? reprit Michu.

— Ils ne sont que chevaliers, répondit-elle, je le sais ; mais ils se sont alliés aux Cinq-Cygne et aux Simeuse. Ramenez donc mes cousins et les d'Hauteserre, en tenant conseil avec eux sur les meilleurs moyens de gagner cette forêt.

— Les gendarmes y sont ! les entendez-vous ? ils se consultent.

— Enfin vous avez eu déjà deux fois du bonheur ce soir, allez ! et ramenez-les, cachez-les dans cette cave, ils y seront à l'abri de toute recherche ! Je ne puis vous être bonne à rien, dit-elle avec rage, je serais un phare qui éclairerait l'ennemi. La police n'imaginera jamais que mes parents puissent revenir dans la forêt, en me voyant

1. Il ne peut s'agir que d'une alliance comportant deux anneaux dont les chatons représentant des mains s'enlaçaient l'un à l'autre sur le doigt (il existe de telles bagues, souvent de fiançailles, au XVIe siècle).

tranquille. Ainsi, toute la question consiste à trouver cinq bons chevaux pour venir, en six heures, de Lagny dans notre forêt, cinq chevaux à laisser morts dans un fourré.

— Et de l'argent ? répondit Michu qui réfléchissait profondément en écoutant la jeune comtesse.

— J'ai donné cent louis cette nuit à mes cousins.

— Je réponds d'eux, s'écria Michu. Une fois cachés, vous devrez vous priver de les voir ; ma femme ou mon petit leur porteront à manger deux fois la semaine. Mais, comme je ne réponds pas de moi, sachez, en cas de malheur, Mademoiselle, que la maîtresse-poutre du grenier de mon pavillon a été percée avec une tarière. Dans le trou qui est bouché par une grosse cheville, se trouve le plan d'un coin de la forêt. Les arbres auxquels vous verrez un point rouge sur le plan ont une marque noire au pied sur le terrain. Chacun de ces arbres est un indicateur. Le troisième chêne vieux qui se trouve à gauche de chaque indicateur recèle, à deux pieds en avant du tronc, des rouleaux de fer-blanc enterrés à sept pieds de profondeur qui contiennent chacun cent mille francs en or. Ces onze arbres, il n'y en a que onze, sont toute la fortune des Simeuse, maintenant que Gondreville leur a été pris.

— La noblesse sera cent ans à se remettre des coups qu'on lui a portés ! dit lentement Mlle de Cinq-Cygne.

— Y a-t-il un mot d'ordre ? demanda Michu.

— France et Charles ! pour les soldats. Laurence et Louis ! pour MM. d'Hauteserre et de Simeuse. Mon Dieu ! les avoir revus hier pour la première fois depuis onze ans et les savoir en danger de mort aujourd'hui, et quelle mort ! Michu, dit-elle avec une expression de mélancolie, soyez aussi prudent pendant ces quinze heures que vous avez été grand et dévoué pendant ces douze années. S'il arrivait malheur à mes cousins, je mourrais. Non, dit-elle, je vivrais assez pour tuer Bonaparte !

— Nous serons deux pour ça, le jour où tout sera perdu. »

Laurence prit la rude main de Michu et la lui serra vivement à l'anglaise. Michu tira sa montre, il était minuit.

« Sortons à tout prix, dit-il. Gare au gendarme qui me

barrera le passage. Et vous, sans vous commander, madame la comtesse, retournez à bride abattue à Cinq-Cygne, ils y sont, amusez-les. »

Le trou débarrassé, Michu n'entendit plus rien ; il se jeta l'oreille à terre, et se releva précipitamment : « Ils sont sur la lisière vers Troyes ! dit-il, je leur ferai la barbe ! »

Il aida la comtesse à sortir, et replaça le tas de pierres. Quand il eut fini, il s'entendit appeler par la douce voix de Laurence, qui voulut le voir à cheval avant de remonter sur le sien. L'homme rude avait les larmes aux yeux en échangeant un dernier regard avec sa jeune maîtresse qui, elle, avait les yeux secs.

« Amusons-les, il a raison ! » se dit-elle quand elle n'entendit plus rien. Et elle s'élança vers Cinq-Cygne, au grand galop.

En sachant ses fils menacés de mort, Mme d'Hauteserre, qui ne croyait pas la Révolution finie et qui connaissait la sommaire justice de ce temps, reprit ses sens et ses forces par la violence même de la douleur qui les lui avait fait perdre. Ramenée par une horrible curiosité, elle descendit au salon, dont l'aspect offrait alors un tableau vraiment digne du pinceau des peintres de genre. Toujours assis à la table de jeu, le curé jouait machinalement avec les fiches, en observant à la dérobée Peyrade et Corentin qui, debout à l'un des coins de la cheminée, se parlaient à voix basse. Plusieurs fois le fin regard de Corentin rencontra le regard non moins fin du curé ; mais, comme deux adversaires qui se trouvent également forts et qui reviennent en garde après avoir croisé le fer, l'un et l'autre jetaient promptement leurs regards ailleurs. Le bonhomme d'Hauteserre, planté sur ses deux jambes comme un héron, restait à côté du gros, gras, grand et avare Goulard, dans l'attitude que lui avait donnée la stupéfaction. Quoiqu'il fût vêtu en bourgeois, le maire avait toujours l'air d'un domestique. Tous deux ils regardaient d'un œil hébété les gendarmes entre lesquels pleurait toujours Gothard, dont les mains avaient été si vigoureusement attachées qu'elles étaient violettes et enflées. Catherine ne quittait pas sa position pleine de simplesse et de naïveté, mais impénétrable. Le brigadier qui, selon

Corentin, venait de faire la sottise d'arrêter ces petites bonnes gens, ne savait plus s'il devait partir ou rester. Il était tout pensif au milieu du salon, la main appuyée sur la poignée de son sabre, et l'œil sur les deux Parisiens. Les Durieu, stupéfaits, et tous les gens du château formaient un groupe admirable d'inquiétude. Sans les pleurs convulsifs de Gothard, on eût entendu les mouches voler.

Quand la mère, épouvantée et pâle, ouvrit la porte et se montra presque traînée par Mlle Goujet, dont les yeux rouges avaient pleuré, tous ces visages se tournèrent vers les deux femmes. Les deux agents espéraient autant que tremblaient les habitants du château de voir entrer Laurence. Le mouvement spontané des gens et des maîtres sembla produit comme par un de ces mécanismes qui font accomplir à des figures de bois un seul et unique geste ou un clignement d'yeux.

Mme d'Hauteserre s'avança par trois grands pas précipités vers Corentin, et lui dit d'une voix entrecoupée mais violente : « Par pitié, monsieur, de quoi mes fils sont-ils accusés ? Et croyez-vous donc qu'ils soient venus ici ? »

Le curé, qui semblait s'être dit en voyant la vieille dame : « Elle va faire quelque sottise ! » baissa les yeux.

« Mes devoirs et la mission que j'accomplis me défendent de vous le dire », répondit Corentin d'un air à la fois gracieux et railleur.

Ce refus, que la détestable courtoisie de ce mirliflor rendait encore plus implacable, pétrifia cette vieille mère, qui tomba sur un fauteuil auprès de l'abbé Goujet, joignit les mains et fit un vœu.

« Où avez-vous arrêté ce pleurard ? demanda Corentin au brigadier en désignant le petit écuyer de Laurence.

— Dans le chemin qui mène à la ferme, le long des murs du parc, le drôle allait gagner le bois des Closeaux.

— Et cette fille ?

— Elle ? c'est Olivier qui l'a pincée.

— Où allait-elle ?

— Vers Gondreville.

— Ils se tournaient le dos ? dit Corentin.

— Oui, répondit le gendarme.

— N'est-ce pas le petit domestique et la femme de

chambre de la citoyenne Cinq-Cygne ? dit Corentin au maire.

— Oui », répondit Goulard.

Après avoir échangé deux mots avec Corentin de bouche à oreille, Peyrade sortit aussitôt en emmenant le brigadier.

En ce moment le brigadier d'Arcis entra, vint à Corentin et lui dit tout bas : « Je connais bien les localités, j'ai tout fouillé dans les communs ; à moins que les gars ne soient enterrés, il n'y a personne. Nous en sommes à faire sonner les planchers et les murailles avec les crosses de nos fusils. »

Peyrade, qui rentra, fit signe à Corentin de venir, et l'emmena voir la brèche de la douve en lui signalant le chemin creux qui y correspondait.

« Nous avons deviné la manœuvre, dit Peyrade.

— Et moi ! je vais vous la dire, répliqua Corentin. Le petit drôle et la fille ont donné le change à ces imbéciles de gendarmes pour assurer une sortie au gibier.

— Nous ne saurons la vérité qu'au jour, reprit Peyrade. Ce chemin est humide, je viens de le faire barrer en haut et en bas par deux gendarmes ; quand nous pourrons y voir clair, nous reconnaîtrons, à l'empreinte des pieds, quels sont les êtres qui ont passé par là.

— Voici les traces d'un sabot de cheval, dit Corentin, allons aux écuries. »

« Combien y a-t-il de chevaux ici ? demanda Peyrade à M. d'Hauteserre et à Goulard en rentrant au salon avec Corentin.

— Allons, monsieur le maire, vous le savez, répondez ? lui cria Corentin en voyant ce fonctionnaire hésiter à répondre.

— Mais il y a la jument de la comtesse, le cheval de Gothard et celui de M. d'Hauteserre.

— Nous n'en avons vu qu'un à l'écurie, dit Peyrade.

— Mademoiselle se promène, dit Durieu.

— Se promène-t-elle ainsi souvent la nuit, votre pupille ? dit le libertin Peyrade à M. d'Hauteserre.

— Très souvent, répondit avec simplicité le bonhomme, monsieur le maire vous l'attestera.

— Tout le monde sait qu'elle a des lubies, répondit

Catherine. Elle regardait le ciel avant de se coucher, et je crois bien que vos baïonnettes qui brillaient au loin l'auront intriguée. Elle a voulu savoir, m'a-t-elle dit en sortant, s'il s'agissait encore d'une nouvelle révolution.

— Quand est-elle sortie ? demanda Peyrade.

— Quand elle a vu vos fusils.

— Et par où est-elle allée ?

— Je ne sais pas.

— Et l'autre cheval ? demanda Corentin.

— Les... es... geeen... daaarmes me me me... me l'on... ont priiiis, dit Gothard.

— Et où allais-tu donc ? lui dit un des gendarmes.

— Je suuiv... ai... ais... ma maî... aî... aîtresse à la fer... me. »

Le gendarme leva la tête vers Corentin en attendant un ordre ; mais ce langage était à la fois si faux et si vrai, si profondément innocent et si rusé, que les deux Parisiens s'entre-regardèrent comme pour se répéter le mot de Peyrade : « Ils ne sont pas gnioles ! »

Le gentilhomme paraissait ne pas avoir assez d'esprit pour comprendre une épigramme. Le maire était stupide. La mère, imbécile de maternité, faisait aux agents des questions d'une innocence bête. Tous les gens avaient été bien réellement surpris dans leur sommeil. En présence de ces petits faits, en jugeant ces divers caractères, Corentin comprit aussitôt que son seul adversaire était Mlle de Cinq-Cygne. Quelque adroite qu'elle soit, la Police a d'innombrables désavantages. Non seulement elle est forcée d'apprendre tout ce que sait le conspirateur, mais encore elle doit supposer mille choses avant d'arriver à une seule qui soit vraie. Le conspirateur pense sans cesse à sa sûreté, tandis que la Police n'est éveillée qu'à ses heures. Sans les trahisons, il n'y aurait rien de plus facile que de conspirer. Un conspirateur a plus d'esprit à lui seul que la Police avec ses immenses moyens d'action. En se sentant arrêtés moralement comme ils l'eussent été physiquement par une porte qu'ils auraient cru trouver ouverte, qu'ils auraient crochetée et derrière laquelle des hommes pèseraient sans rien dire, Corentin et Peyrade se voyaient devinés et joués sans savoir par qui.

« J'affirme, vint leur dire à l'oreille le brigadier d'Arcis, que si les deux MM. de Simeuse et d'Hauteserre ont passé la nuit ici, on les a couchés dans les lits du père, de la mère, de Mlle de Cinq-Cygne, de la servante, des domestiques, ou ils se sont promenés dans le parc, car il n'y a pas la moindre trace de leur passage.

— Qui donc a pu les prévenir ? dit Corentin à Peyrade. Il n'y a encore que le Premier consul, Fouché, les ministres, le préfet de police et Malin qui savent quelque chose.

— Nous laisserons des *moutons* dans le pays, dit Peyrade à l'oreille de Corentin.

— Vous ferez d'autant mieux qu'ils seront en Champagne », répliqua le curé qui ne put s'empêcher de sourire en entendant le mot mouton et qui devina tout d'après ce seul mot surpris.

« Mon Dieu ! pensa Corentin qui répondit au curé par un autre sourire, il n'y a qu'un homme d'esprit ici, je ne puis m'entendre qu'avec lui, je vais l'entamer. »

« Messieurs... dit le maire qui voulait cependant donner une preuve de dévouement au Premier consul et qui s'adressait aux deux agents.

— Dites citoyens, la République existe encore, lui répliqua Corentin en regardant le curé d'un air railleur.

— Citoyens, reprit le maire, au moment où je suis entré dans ce salon et avant que j'eusse ouvert la bouche, Catherine s'y est précipitée pour y prendre la cravache, les gants et le chapeau de sa maîtresse. »

Un sombre murmure d'horreur sortit du fond de toutes les poitrines, excepté de celle de Gothard. Tous les yeux, moins ceux des gendarmes et des agents, menacèrent Goulard, le dénonciateur, en lui jetant des flammes.

« Bien, citoyen maire, lui dit Peyrade. Nous y voyons clair. On a prévenu la citoyenne Cinq-Cygne bien à temps », ajouta-t-il en regardant Corentin avec une visible défiance.

« Brigadier, mettez les poucettes à ce petit gars, dit Corentin au gendarme, et emmenez-le dans une chambre à part. Renfermez aussi cette petite fille », ajouta-t-il en désignant Catherine. « Tu vas présider à la perquisition des papiers, reprit-il en s'adressant à Peyrade auquel il parla dans l'oreille. Fouille tout, n'épargne rien. » « Monsieur l'abbé, dit-il confidentiellement au curé, j'ai d'importantes communications à vous faire. » Et il l'emmena dans le jardin.

« Écoutez, monsieur l'abbé, vous me paraissez avoir tout l'esprit d'un évêque, et (personne ne peut nous entendre) vous me comprendrez ; je n'ai plus d'espoir qu'en vous pour sauver deux familles qui, par sottise, vont se laisser rouler dans un abîme d'où rien ne revient. MM. de Simeuse et d'Hauteserre ont été trahis par un de ces infâmes espions que les gouvernements glissent dans toutes les conspirations pour bien en connaître le but, les moyens et les personnes. Ne me confondez pas avec ce misérable qui m'accompagne, il est de la Police ; mais moi, je suis attaché très honorablement au cabinet consulaire [1] et j'en ai le dernier mot. On ne souhaite pas la perte de MM. de Simeuse ; si Malin les voudrait voir fusiller, le Premier consul, s'ils sont ici, s'ils n'ont pas de mauvaises intentions, veut les arrêter sur le bord du précipice, car il aime les bons militaires. L'agent qui m'accompagne a tous les pouvoirs, moi je ne suis rien en apparence, mais je sais où est le complot. L'agent a le mot de Malin, qui sans doute lui a promis sa protection, une place et peut-être de l'argent, s'il peut trouver les deux Simeuse et les livrer. Le Premier consul, qui est vraiment un grand homme, ne favorise point les pensées cupides. Je ne veux point savoir si les deux jeunes gens sont ici, fit-il en apercevant un geste chez le curé ; mais ils ne peuvent être sauvés que d'une seule manière. Vous connaissez la loi du 6 floréal an X, elle amnistie les émigrés qui sont encore à l'étranger, à la condition de rentrer avant le premier vendémiaire de l'an XI, c'est-à-dire en septembre de l'année dernière ; mais MM. de Simeuse ayant, ainsi que MM. d'Hauteserre, exercé des commandements dans l'armée de Condé, sont dans le cas de l'exception posée par cette loi ; leur présence en France est donc un crime, et suffit, dans les circonstances où nous sommes, pour les rendre complices d'un horrible complot. Le Premier consul a senti le vice de cette exception qui fait à son gouvernement des ennemis irréconciliables ; il voudrait

1. Tel Savary, chef de la Police personnelle du Premier consul.

faire savoir à MM. de Simeuse qu'aucune poursuite ne sera faite contre eux, s'ils lui adressent une pétition dans laquelle ils diront qu'ils rentrent en France dans l'intention de se soumettre aux lois, en promettant de prêter serment à la Constitution. Vous comprenez que cette pièce doit être entre ses mains avant leur arrestation et datée d'il y a quelques jours, je puis en être porteur. Je ne vous demande pas où sont les jeunes gens, dit-il en voyant le curé faire un nouveau geste de dénégation, nous sommes malheureusement sûrs de les trouver ; la forêt est gardée, les entrées de Paris sont surveillées et la frontière aussi. Écoutez-moi bien ! si ces messieurs sont entre cette forêt et Paris, ils seront pris ; s'ils sont à Paris, on les y trouvera ; s'ils rétrogradent, les malheureux seront arrêtés. Le Premier consul aime les ci-devant et ne peut souffrir les républicains, et cela est tout simple : s'il veut un trône, il doit égorger la Liberté. Que ce secret reste entre nous. Ainsi, voyez ! J'attendrai jusqu'à demain, je serai aveugle ; mais défiez-vous de l'agent ; ce maudit Provençal est le valet du diable, il a le mot de Fouché, comme j'ai celui du Premier consul.

— Si MM. de Simeuse sont ici, dit le curé, je donnerais dix pintes de mon sang et un bras pour les sauver ; mais si Mlle de Cinq-Cygne est leur confidente, elle n'a pas commis, je le jure par mon salut éternel, la moindre indiscrétion et ne m'a pas fait l'honneur de me consulter. Je suis maintenant très content de sa discrétion, si toutefois discrétion il y a. Nous avons joué hier soir, comme tous les jours, au boston, dans le plus profond silence jusqu'à dix heures et demie, et nous n'avons rien vu ni entendu. Il ne passe pas un enfant dans cette vallée solitaire sans que tout le monde le voie et le sache, et depuis quinze jours il n'y est venu personne d'étranger. Or, MM. d'Hauteserre et de Simeuse font une troupe à eux quatre. Le bonhomme et sa femme sont soumis au gouvernement, et ils ont fait tous les efforts imaginables pour ramener leurs fils auprès d'eux ; ils leur ont encore écrit avant-hier. Aussi, dans mon âme et conscience, a-t-il fallu votre descente ici pour ébranler la ferme croyance où je suis de leur séjour en Allemagne. Entre nous, il n'y a ici que la jeune comtesse qui ne rende pas justice aux éminentes qualités de M. le Premier consul. »

« Finaud ! » pensa Corentin. « Si ces jeunes gens sont fusillés, c'est qu'on l'aura bien voulu ! répondit-il à haute voix, maintenant je m'en lave les mains. »

Il avait amené l'abbé Goujet dans un endroit fortement éclairé par la lune, et il le regarda brusquement en disant ces fatales paroles. Le prêtre était fortement affligé, mais en homme surpris et complètement ignorant.

« Comprenez donc, monsieur l'abbé, reprit Corentin, que leurs droits sur la terre de Gondreville les rendent doublement criminels aux yeux des gens en sous-ordre ! Enfin, je veux leur faire avoir affaire à Dieu et non à ses saints.

— Il y a donc un complot ? demanda naïvement le curé.

— Ignoble, odieux, lâche, et si contraire à l'esprit généreux de la nation, reprit Corentin, qu'il sera couvert d'un opprobre général.

— Eh bien, Mlle de Cinq-Cygne est incapable de lâcheté, s'écria le curé.

— Monsieur l'abbé, reprit Corentin, tenez, il y a pour nous (toujours de vous à moi) des preuves évidentes de sa complicité ; mais il n'y en a point encore assez pour la justice. Elle a pris la fuite à notre approche... Et cependant je vous avais envoyé le maire.

— Oui, mais pour quelqu'un qui tient à les sauver, vous marchiez un peu trop sur les talons du maire », dit l'abbé.

Sur ce mot, ces deux hommes se regardèrent, et tout fut dit entre eux : ils appartenaient l'un et l'autre à ces profonds anatomistes de la pensée auxquels il suffit d'une simple inflexion de voix, d'un regard, d'un mot pour deviner une âme, de même que le Sauvage devine ses ennemis à des indices invisibles à l'œil d'un Européen.

« J'ai cru tirer quelque chose de lui, je me suis découvert », pensa Corentin.

« Ah ! le drôle ! » se dit en lui-même le curé.

Minuit sonnait à la vieille horloge de l'église au moment où Corentin et le curé rentrèrent au salon. On entendait ouvrir et fermer les portes des chambres et des armoires. Les gendarmes défaisaient les lits. Peyrade, avec la prompte intelligence de l'espion, fouillait et sondait tout. Ce pillage excitait à la fois la terreur et l'indignation chez les fidèles serviteurs, toujours immobiles et debout. M. d'Hauteserre échangeait avec sa femme et Mlle Goujet des regards de compassion. Une horrible curiosité tenait tout le monde éveillé. Peyrade descendit et vint au salon en tenant à la main une cassette en bois de sandal[1] sculpté, qui devait avoir été jadis rapportée de la Chine par l'amiral de Simeuse. Cette jolie boîte était plate et de la dimension d'un volume in-quarto.

Peyrade fit un signe à Corentin, et l'emmena dans l'embrasure de croisée : « J'y suis ! lui dit-il. Ce Michu, qui pouvait payer huit cent mille francs en or Gondreville à Marion, et qui voulait tuer tout à l'heure Malin, doit être l'homme des Simeuse ; l'intérêt qui lui a fait menacer Marion doit être le même qui lui a fait coucher Malin en joue. Il m'a paru capable d'avoir des idées, il n'en a eu qu'une, il est instruit de la chose, et sera venu les avertir ici.

— Malin aura causé de la conspiration avec son ami le notaire, dit Corentin en continuant les inductions de son collègue, et Michu, qui se trouvait embusqué, l'aura sans doute entendu parler des Simeuse. En effet, il n'a pu remettre son coup de carabine que pour prévenir un malheur qui lui a semblé plus grand que la perte de Gondreville.

— Il nous avait bien reconnus pour ce que nous sommes, dit Peyrade. Aussi, sur le moment, l'intelligence de ce paysan m'a-t-elle paru tenir du prodige.

— Oh ! cela prouve qu'il était sur ses gardes, répondit Corentin. Mais, après tout, mon vieux, ne nous abusons pas : la trahison pue énormément, et les gens primitifs la sentent de loin.

— Nous n'en sommes que plus forts », dit le Provençal.

« Faites venir le brigadier d'Arcis », cria Corentin à

---

1. Bien que les deux orthographes soient reconnues par Littré, on écrit en général *santal*. Mieux que *sandal*, dit Boiste.

un des gendarmes. « Envoyons à son pavillon, dit-il à Peyrade.

— Violette, notre oreille, y est, dit le Provençal.

— Nous sommes partis sans en avoir eu de nouvelles, dit Corentin. Nous aurions dû emmener avec nous Sabatier. Nous ne sommes pas assez de deux. » « Brigadier, dit-il en voyant entrer le gendarme et le serrant entre Peyrade et lui, n'allez pas vous laisser faire la barbe comme le brigadier de Troyes tout à l'heure. Michu nous paraît être dans l'affaire ; allez à son pavillon, ayez l'œil à tout, et rendez-nous-en compte.

— Un de mes hommes a entendu des chevaux dans la forêt au moment où l'on arrêtait les petits domestiques, et j'ai quatre fiers gaillards aux trousses de ceux qui voudraient s'y cacher », répondit le gendarme.

Il sortit, et le bruit du galop de son cheval, qui retentit sur le pavé de la pelouse, diminua rapidement.

« Allons ! ils vont sur Paris ou rétrogradent vers l'Allemagne », se dit Corentin. Il s'assit, tira de la poche de son spencer un carnet, écrivit deux ordres au crayon, les cacheta et fit signe à l'un des gendarmes de venir : « Au grand galop à Troyes, éveillez le préfet, et dites-lui de profiter du petit jour pour faire marcher le télégraphe. »

Le gendarme partit au grand galop. Le sens de ce mouvement et l'intention de Corentin étaient si clairs que tous les habitants du château eurent le cœur serré ; mais cette nouvelle inquiétude fut en quelque sorte un coup de plus dans leur martyre, car en ce moment ils avaient les yeux sur la précieuse cassette. Tout en causant, les deux agents épiaient le langage de ces regards flamboyants. Une sorte de rage froide remuait le cœur insensible de ces deux êtres qui savouraient la terreur générale. L'homme de police a toutes les émotions du chasseur ; mais en déployant les forces du corps et de l'intelligence, là où l'un cherche à tuer un lièvre, une perdrix ou un chevreuil, il s'agit pour l'autre de sauver l'État ou le prince, de gagner une large gratification. Ainsi la chasse à l'homme est supérieure à l'autre chasse de toute la distance qui existe entre les hommes et les animaux. D'ailleurs, l'espion a besoin d'élever son rôle à toute la grandeur et à l'importance des intérêts auxquels il se dévoue. Sans tremper dans ce métier, chacun peut donc concevoir que l'âme y dépense autant de passion que le chasseur en met à poursuivre le gibier. Ainsi, plus ils avançaient vers la lumière, plus ces deux hommes étaient ardents ; mais leur contenance, leurs yeux restaient calmes et froids, de même que leurs soupçons, leurs idées, leur plan restaient impénétrables. Mais, pour qui eût suivi les effets du flair moral de ces deux limiers à la piste des faits inconnus et cachés, pour qui eût compris les mouvements d'agilité canine qui les portait à trouver le vrai par le rapide examen des probabilités, il y avait de quoi frémir ! Comment et pourquoi ces hommes de génie étaient-ils si bas quand ils pouvaient être si haut ? Quelle imperfection, quel vice, quelle passion les ravalait ainsi ? Est-on homme de police comme on est penseur, écrivain, homme d'État, peintre, général, à la condition de ne savoir faire qu'espionner, comme ceux-là parlent, écrivent, administrent, peignent ou se battent ? Les gens du château n'avaient dans le cœur qu'un même souhait : le tonnerre ne tombera-t-il pas sur ces infâmes ? Ils avaient tous soif de vengeance. Aussi, sans la présence des gendarmes, y aurait-il eu révolte.

« Personne n'a la clef du coffret ? » demanda le cynique Peyrade en interrogeant l'assemblée autant par le mouvement de son gros nez rouge que par sa parole.

Le Provençal remarqua, non sans un mouvement de crainte, qu'il n'y avait plus de gendarmes. Corentin et lui se trouvaient seuls. Corentin tira de sa poche un petit poignard et se mit en devoir de l'enfoncer dans la fente de la boîte. En ce moment, on entendit d'abord sur le chemin, puis sur le petit pavé de la pelouse, le bruit horrible d'un galop désespéré ; mais ce qui causa bien plus d'effroi fut la chute et le soupir du cheval qui s'abattit des quatre jambes à la fois au pied de la tourelle du milieu. Une commotion pareille à celle que produit la foudre ébranla tous les spectateurs, quand on vit Laurence que le frôlement de son amazone avait annoncée ; ses gens s'étaient vivement mis en haie pour la laisser passer. Malgré la rapidité de sa course, elle avait ressenti la douleur que devait lui causer la découverte de la conspiration : toutes ses espérances écroulées ! elle avait galopé dans des ruines en pensant à la nécessité d'une soumission au gouvernement consulaire. Aussi, sans le danger que couraient les quatre gentilshommes et qui fut le topique à l'aide duquel elle dompta sa fatigue et son désespoir, fût-elle tombée endormie. Elle avait presque tué sa jument pour venir se mettre entre la mort et ses cousins. En apercevant cette héroïque fille, pâle et les traits tirés, son voile d'un côté, sa cravache à la main, sur le seuil d'où son regard brûlant embrassa toute la scène et la pénétra, chacun comprit, au mouvement imperceptible qui remua la face aigre et trouble de Corentin, que les deux véritables adversaires étaient en présence. Un terrible duel allait commencer. En voyant cette cassette aux mains de Corentin, la jeune comtesse leva sa cravache et sauta sur lui si vivement, elle lui appliqua sur les mains un si violent coup, que la cassette tomba par terre ; elle la saisit, la jeta dans le milieu de la braise et se plaça devant la cheminée dans une attitude menaçante, avant que les deux agents fussent revenus de leur surprise. Le mépris flamboyait dans les yeux de Laurence, son front pâle et ses lèvres dédaigneuses insultaient à ces hommes encore plus que le geste autocratique avec lequel elle avait traité Corentin en bête venimeuse. Le bonhomme d'Hauteserre se sentit chevalier, il eut la face rougie de tout son sang, et regretta de ne pas avoir une épée. Les serviteurs tressaillirent d'abord de joie. Cette vengeance tant appelée venait de foudroyer l'un de ces hommes. Mais leur bonheur fut refoulé dans le fond des âmes par une affreuse crainte : ils entendaient toujours les gendarmes allant et venant dans les greniers. L'*espion*, substantif énergique sous lequel se confondent toutes les nuances qui distinguent les gens de police, car le public n'a jamais voulu spécifier dans la langue les divers caractères de ceux qui se mêlent de cette apothicairerie nécessaire aux gouvernements, l'espion donc a ceci de magnifique et de curieux, qu'il ne se fâche jamais ; il a l'humilité chrétienne des prêtres, il a les yeux faits au mépris et l'oppose de son côté comme une barrière au peuple de niais qui ne le comprennent pas ; il a le front d'airain pour les injures, il marche à son but comme un animal dont la carapace solide ne peut être entamée que par le canon ; mais aussi, comme l'animal, il est d'autant plus furieux quand il est atteint, qu'il a cru sa cuirasse impénétrable. Le coup de cravache sur les doigts fut pour Corentin, douleur à part, le coup de canon qui troue la carapace ; de la part de cette sublime et noble fille, ce mouvement plein de dégoût l'humilia, non pas seulement aux regards de ce petit monde, mais encore à ses propres yeux. Peyrade, le Provençal, s'élança sur le foyer, il reçut un coup de pied de Laurence ; mais il lui prit le pied, le lui leva et la força, par pudeur, de se renverser sur la bergère où elle dormait naguère. Ce fut le burlesque au milieu de la terreur, contraste fréquent dans les choses humaines. Peyrade se roussit la main pour s'emparer de la cassette en feu ; mais il l'eut, il la posa par terre et s'assit dessus. Ces petits événements se passèrent avec rapidité, sans une parole. Corentin, remis de la douleur causée par le coup de cravache, maintint Mlle de Cinq-Cygne en lui prenant les mains.

« Ne m'obligez pas, *belle citoyenne*, à employer la force contre vous », dit-il avec sa flétrissante courtoisie.

L'action de Peyrade eut pour résultat d'éteindre le feu par une compression qui supprima l'air.

« Gendarmes, à nous ! » cria-t-il en gardant sa position bizarre.

« Promettez-vous d'être sage ? dit insolemment Corentin à Laurence en ramassant son poignard et sans commettre la faute de l'en menacer.

— Les secrets de cette cassette ne concernent pas le gouvernement, répondit-elle avec un mélange de mélancolie dans son air et dans son accent. Quand vous aurez lu les lettres qui y sont, vous aurez, malgré votre infamie, honte de les avoir lues ; mais avez-vous encore honte de quelque chose ? » demanda-t-elle après une pause.

Le curé jeta sur Laurence un regard comme pour lui dire : « Au nom de Dieu ! calmez-vous. »

Peyrade se leva. Le fond de la cassette, en contact avec les charbons et presque entièrement brûlé, laissa sur le tapis une empreinte roussie. Le dessus de la cassette était déjà charbonné, les côtés cédèrent. Ce grotesque Scævola, qui venait d'offrir au dieu de la Police, à la Peur, le fond de sa culotte abricot, ouvrit les deux côtés de la boîte comme s'il s'agissait d'un livre, et fit glisser sur le tapis

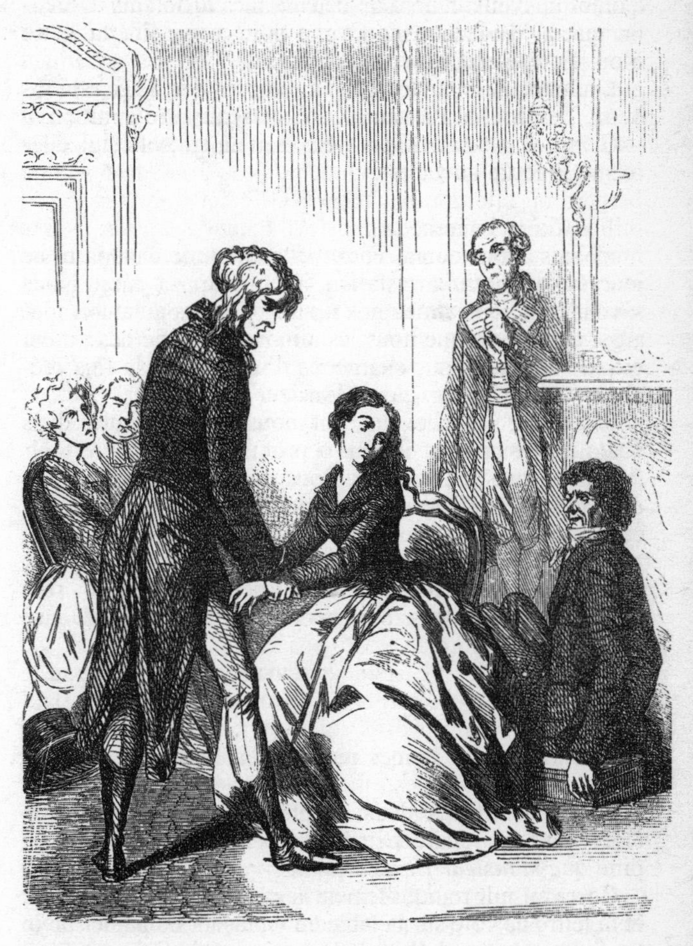

« Peyrade se roussit la main pour s'emparer de la cassette en feu... »

de la table à jouer trois lettres et deux mèches de cheveux. Il allait sourire en regardant Corentin, quand il s'aperçut que les cheveux étaient de deux blancs différents. Corentin quitta Mlle de Cinq-Cygne pour venir lire la lettre d'où les cheveux étaient tombés.

Laurence aussi se leva, se mit auprès des deux espions et dit : « Oh ! lisez à haute voix, ce sera votre punition. »

Comme ils lisaient des yeux seulement, elle lut elle-même la lettre suivante :

« Chère Laurence,

« Nous avons connu votre belle conduite dans la triste journée de notre arrestation, mon mari et moi. Nous savons que vous aimez nos jumeaux chéris autant et tout aussi également que nous les aimons nous-mêmes ; aussi est-ce vous que nous chargeons d'un dépôt à la fois précieux et triste pour eux. Monsieur l'exécuteur vient de nous couper les cheveux, car nous allons mourir dans quelques instants, et il nous a promis de vous faire tenir les deux seuls souvenirs de nous qu'il nous soit possible de donner à nos orphelins bien-aimés. Gardez-leur donc ces restes de nous, vous les leur donnerez en des temps meilleurs. Nous avons mis là un dernier baiser pour eux avec notre bénédiction. Notre dernière pensée sera d'abord pour nos fils, puis pour vous, enfin pour Dieu ! Aimez-les bien.

« BERTHE DE CINQ-CYGNE.

« JEAN DE SIMEUSE. »

Chacun eut les larmes aux yeux à la lecture de cette lettre.

Laurence dit aux deux agents, d'une voix ferme, en leur jetant un regard pétrifiant : « Vous avez moins de pitié que *monsieur l'exécuteur*. »

Corentin mit tranquillement les cheveux dans la lettre, et la lettre de côté sur la table en y plaçant un panier plein de fiches pour qu'elle ne s'envolât point. Ce sang-froid au milieu de l'émotion générale était affreux. Peyrade dépliait les deux autres lettres.

« Oh ! quant à celles-ci, reprit Laurence, elles sont à peu près pareilles. Vous avez entendu le testament, en voici l'accomplissement. Désormais mon cœur n'aura plus de secrets pour personne, voilà tout. »

1794, Andernach, avant le combat.

« Ma chère Laurence, je vous aime pour la vie et je veux que vous le sachiez bien ; mais, dans le cas où je viendrais à mourir, apprenez que mon frère Paul-Marie vous aime autant que je vous aime. Ma seule consolation en mourant sera d'être certain que vous pourrez un jour faire de mon cher frère votre mari, sans me voir dépérir de jalousie comme cela certes arriverait si, vivants tous deux, vous me le préfériez. Après tout, cette préférence me semblerait bien naturelle, car peut-être vaut-il mieux que moi, etc.

« MARIE-PAUL. »

« Voici l'autre », reprit-elle avec une charmante rougeur au front.

Andernach, avant le combat.

« Ma bonne Laurence, j'ai quelque tristesse dans l'âme ; mais Marie-Paul a trop de gaieté dans le caractère pour ne pas vous plaire beaucoup plus que je ne vous plais. Il vous faudra quelque jour choisir entre nous, eh bien, quoique je vous aime avec une passion... »

« Vous correspondiez avec des émigrés, dit Peyrade en interrompant Laurence et mettant par précaution les lettres entre lui et la lumière pour vérifier si elles ne contenaient pas dans l'entre-deux des lignes une écriture en encre sympathique.

— Oui, dit Laurence qui replia les précieuses lettres dont le papier avait jauni. Mais en vertu de quel droit violez-vous ainsi mon domicile, ma liberté personnelle et toutes les vertus domestiques ?

— Ah ! au fait, dit Peyrade. De quel droit ? il faut vous le dire, belle aristocrate, reprit-il en tirant de sa poche un ordre émané du ministre de la Justice et contresigné du ministre de l'Intérieur. Tenez, citoyenne, les ministres ont pris cela sous leur bonnet...

— Nous pourrions vous demander, lui dit Corentin à l'oreille, de quel droit vous logez chez vous les assassins du Premier consul ? Vous m'avez appliqué sur les doigts un coup de cravache qui m'autoriserait à donner quelque jour un coup de main pour expédier messieurs vos cousins, moi qui venais pour les sauver. »

Au seul mouvement des lèvres et au regard que Laurence jeta sur Corentin, le curé comprit ce que disait ce grand artiste inconnu, et fit à la comtesse un signe de défiance qui ne fut vu que par Goulard. Peyrade frappait sur le dessus de la boîte de petits coups pour savoir si elle ne serait pas composée de deux planches creuses.

« Oh ! mon Dieu, dit-elle à Peyrade en lui arrachant le dessus, ne la brisez pas, tenez. »

Elle prit une épingle, poussa la tête d'une figure, les deux planches chassées par un ressort se disjoignirent, et celle qui était creuse offrit les deux miniatures de MM. de Simeuse en uniforme de l'armée de Condé, deux portraits sur ivoire faits en Allemagne. Corentin, qui se trouvait face à face avec un adversaire digne de toute sa colère, attira par un geste Peyrade dans un coin et conféra secrètement avec lui.

« Vous jetiez cela au feu », dit l'abbé Goujet à Laurence en lui montrant par un regard la lettre de la marquise et les cheveux.

Pour toute réponse, la jeune fille haussa significativement les épaules. Le curé comprit qu'elle sacrifiait tout pour amuser les espions et gagner du temps, et il leva les yeux au ciel par un geste d'admiration.

« Où donc a-t-on arrêté Gothard que j'entends pleurer ? lui dit-elle assez haut pour être entendue.

— Je ne sais pas, répondit le curé.

— Était-il allé à la ferme ?

— La ferme ! dit Peyrade à Corentin. Envoyons-y du monde.

— Non, reprit Corentin, cette fille n'aurait pas confié le salut de ses cousins à un fermier. Elle nous amuse. Faites ce que je vous dis, afin qu'après avoir commis la faute de venir ici, nous en remportions au moins quelques éclaircissements. »

Corentin vint se mettre devant la cheminée, releva les longues basques pointues de son habit pour se chauffer, et prit l'air, le ton, les manières d'un homme qui se trouve en visite.

« Mesdames, vous pouvez vous coucher, et vos gens également. Monsieur le maire, vos services nous sont maintenant inutiles. La sévérité de nos ordres ne nous permet pas d'agir autrement que nous venons de le faire ; mais quand toutes les murailles, qui me semblent bien épaisses, seront examinées, nous partirons. »

Le maire salua la compagnie et sortit. Ni le curé, ni Mlle Goujet ne bougèrent. Les gens étaient trop inquiets pour ne pas suivre le sort de leur jeune maîtresse. Mme d'Hauteserre qui, depuis l'arrivée de Laurence, l'étudiait avec la curiosité d'une mère au désespoir, se leva, la prit par le bras, l'emmena dans un coin et lui dit à voix basse : « Les avez-vous vus ?

— Comment aurais-je laissé vos enfants venir sous notre toit sans que vous le sachiez ? » répondit Laurence. « Durieu, dit-elle, voyez s'il est possible de sauver ma pauvre Stella qui respire encore.

— Elle a fait beaucoup de chemin, dit Corentin.

— Quinze lieues en trois heures, répondit-elle au curé qui la contemplait avec stupéfaction. Je suis sortie à neuf heures et demie, et suis revenue à une heure bien passée. »

Elle regarda la pendule qui marquait deux heures et demie.

« Ainsi, reprit Corentin, vous ne niez pas d'avoir fait une course de quinze lieues ?

— Non, dit-elle. J'avoue que mes cousins et MM. de Simeuse, dans leur parfaite innocence, comptaient demander à ne pas être exceptés de l'amnistie, et revenaient à Cinq-Cygne. Aussi, quand j'ai pu croire que le sieur Malin voulait les envelopper dans quelque trahison, suis-je allée les prévenir de retourner en Allemagne où ils seront avant que le télégraphe de Troyes ne les ait signalés à la frontière. Si j'ai commis un crime, on m'en punira. »

Cette réponse, profondément méditée par Laurence, et si

probable dans toutes ses parties, ébranla les convictions de Corentin, que la jeune comtesse observait du coin de l'œil. Dans cet instant si décisif, et quand toutes les âmes étaient en quelque sorte suspendues à ces deux visages, que tous les regards allaient de Corentin à Laurence et de Laurence à Corentin, le bruit d'un cheval au galop venant de la forêt retentit sur le chemin, et de la grille sur le pavé de la pelouse. Une affreuse anxiété se peignit sur tous les visages.

Peyrade entra l'œil brillant de joie, il vint avec empressement à son collègue et lui dit assez haut pour que la comtesse l'entendît : « Nous tenons Michu. »

Laurence, à qui l'angoisse, la fatigue et la tension de toutes ses facultés intellectuelles donnaient une couleur rose aux joues, reprit sa pâleur et tomba presque évanouie, foudroyée, sur un fauteuil. La Durieu, Mlle Goujet et Mme d'Hauteserre s'élancèrent auprès d'elle, car elle étouffait ; elle indiqua par un geste de couper les brandebourgs de son amazone.

« Elle a donné dedans, *ils* vont sur Paris, dit Corentin à Peyrade, changeons les ordres. »

Ils sortirent en laissant un gendarme à la porte du salon. L'adresse infernale de ces deux hommes venait de remporter un terrible avantage dans ce duel en prenant Laurence au piège d'une de leurs ruses habituelles.

À six heures du matin, au petit jour, les deux agents revinrent. Après avoir exploré le chemin creux, ils s'étaient assurés que les chevaux y avaient passé pour aller dans la forêt. Ils attendaient les rapports du capitaine de gendarmerie chargé d'éclairer le pays. Tout en laissant le château cerné sous la surveillance d'un brigadier, ils allèrent pour déjeuner chez un cabaretier de Cinq-Cygne, mais toutefois après avoir donné l'ordre de mettre en liberté Gothard qui n'avait cessé de répondre à toutes les questions par des torrents de pleurs, et Catherine qui restait dans sa silencieuse immobilité. Catherine et Gothard vinrent au salon, et baisèrent les mains de Laurence qui gisait étendue dans la bergère. Durieu vint annoncer que Stella ne mourrait pas ; mais elle exigeait bien des soins.

Le maire, inquiet et curieux, rencontra Peyrade et Corentin dans le village. Il ne voulut pas souffrir que des employés supérieurs déjeunassent dans un méchant cabaret, il les emmena chez lui. L'abbaye était à un quart de lieue. Tout en cheminant, Peyrade remarqua que le brigadier d'Arcis n'avait fait parvenir aucune nouvelle de Michu, ni de Violette.

« Nous avons affaire à des gens de qualité, dit Corentin, ils sont plus forts que nous. Le prêtre y est sans doute pour quelque chose. »

Au moment où Mme Goulard faisait entrer les deux employés dans une vaste salle à manger, sans feu, le lieutenant de gendarmerie arriva, l'air assez effaré.

« Nous avons rencontré le cheval du brigadier d'Arcis dans la forêt, sans son maître, dit-il à Peyrade.

— Lieutenant, s'écria Corentin, courez au pavillon de Michu, sachez ce qui s'y passe ! On aura tué le brigadier. »

Cette nouvelle nuisit au déjeuner du maire. Les Parisiens avalèrent tout avec une rapidité de chasseurs mangeant à une halte, et revinrent au château dans leur cabriolet d'osier attelé du cheval de poste, pour pouvoir se porter rapidement sur tous les points où leur présence serait nécessaire. Quand ces deux hommes reparurent dans ce salon, où ils avaient jeté le trouble, l'effroi, la douleur et les plus cruelles anxiétés, ils y trouvèrent Laurence en robe de chambre, le gentilhomme et sa femme, l'abbé Goujet et sa sœur groupés autour du feu, tranquilles en apparence.

« Si l'on tenait Michu, s'était dit Laurence, on l'aurait amené. J'ai le chagrin de n'avoir pas été maîtresse de moi-même, d'avoir jeté quelque clarté dans les soupçons de ces infâmes ; mais tout peut se réparer. » « Serons-nous longtemps vos prisonniers ? » demanda-t-elle aux deux agents d'un air railleur et dégagé.

« Comment peut-elle savoir quelque chose de notre inquiétude sur Michu ? personne du dehors n'est entré dans le château, elle nous *gouaille* », se dirent les deux espions par un regard.

« Nous ne vous importunerons pas longtemps encore, répondit Corentin ; dans trois heures d'ici nous vous offrirons nos regrets d'avoir troublé votre solitude. »

Personne ne répondit. Ce silence du mépris redoubla la

rage intérieure de Corentin, sur le compte de qui Laurence et le curé, les deux intelligences de ce petit monde, s'étaient édifiés. Gothard et Catherine mirent le couvert auprès du feu pour le déjeuner, auquel prirent part le curé et sa sœur. Les maîtres ni les domestiques ne firent aucune attention aux deux espions qui se promenaient dans le jardin, dans la cour, sur le chemin, et qui revenaient de temps en temps au salon.

À deux heures et demie, le lieutenant revint.

« J'ai trouvé le brigadier, dit-il à Corentin, étendu dans le chemin qui mène du pavillon dit de Cinq-Cygne à la ferme de Bellache, sans aucune blessure autre qu'une horrible contusion à la tête, et vraisemblablement produite par sa chute. Il a été, dit-il, enlevé de dessus son cheval si rapidement, et jeté si violemment en arrière, qu'il ne peut expliquer de quelle manière cela s'est fait ; ses pieds ont quitté les étriers, sans cela il était mort, son cheval effrayé l'aurait traîné à travers champs ; nous l'avons confié à Michu et à Violette...

— Comment ! Michu se trouve à son pavillon ? » dit Corentin qui regarda Laurence.

La comtesse souriait d'un œil fin, en femme qui prenait sa revanche.

« Je viens de le voir en train d'achever avec Violette un marché qu'ils ont commencé hier au soir, reprit le lieutenant. Violette et Michu m'ont paru gris ; mais il n'y a pas de quoi s'en étonner, ils ont bu pendant toute la nuit, et ne sont pas encore d'accord.

— Violette vous l'a dit ? s'écria Corentin.

— Oui, dit le lieutenant.

— Ah ! il faudrait tout faire soi-même », s'écria Peyrade en regardant Corentin qui se défiait tout autant que Peyrade de l'intelligence du lieutenant.

Le jeune homme répondit au vieillard par un signe de tête.

« À quelle heure êtes-vous arrivé au pavillon de Michu ? dit Corentin en remarquant que Mlle de Cinq-Cygne avait regardé l'horloge sur la cheminée.

— À deux heures environ », dit le lieutenant.

Laurence couvrit d'un même regard M. et Mme d'Hauteserre, l'abbé Goujet et sa sœur qui se crurent sous un manteau d'azur ; la joie du triomphe pétillait dans ses yeux, elle rougit, et des larmes roulèrent entre ses paupières. Forte contre les plus grands malheurs, cette jeune fille ne pouvait pleurer que de plaisir. En ce moment elle fut sublime, surtout pour le curé qui, presque chagrin de la virilité du caractère de Laurence, y aperçut alors l'excessive tendresse de la femme ; mais cette sensibilité gisait, chez elle, comme un trésor caché à une profondeur infinie sous un bloc de granit. En ce moment un gendarme vint demander s'il fallait laisser entrer le fils de Michu qui venait de chez son père pour parler aux messieurs de Paris. Corentin répondit par un signe affirmatif. François Michu, ce rusé petit chien qui chassait de race, était dans la cour où Gothard, mis en liberté, put causer avec lui pendant un instant sous les yeux du gendarme. Le petit Michu s'acquitta d'une commission en glissant quelque chose dans la main de Gothard sans que le gendarme s'en aperçût. Gothard se coula derrière François et arriva jusqu'à Mlle de Cinq-Cygne pour lui remettre innocemment son alliance entière qu'elle baisa bien ardemment, car elle comprit que Michu lui disait, en la lui envoyant ainsi, que les quatre gentilshommes étaient en sûreté.

« *M'n p'a* (mon papa) fait demander où faut mettre *el brigadiais* qui ne va point *ben* du tout ?

— De quoi se plaint-il ? dit Peyrade.

— *Eu d'la tâte*, il *s'a fiché* par *tare ben* drûment tout de même. Pour un *gindarme*, qui savions *montar à chevâlle*, c'est du guignon, mais il aura buté ! Il a un trou, oh ! gros comme *eul'* poing *darrière la tâte*. Paraît qu'il a évu la chance *ed'timber* sur un méchant caillou, pauvre homme ! Il a beau *ette* gindarme, *i souffe* tout de même, *qué çâ fû* pitié. »

Le capitaine de gendarmerie de Troyes entra dans la cour, mit pied à terre, fit signe à Corentin qui, en le reconnaissant, se précipita vers la croisée et l'ouvrit pour ne pas perdre de temps.

« Qu'y a-t-il ?

— Nous avons été ramenés[1] comme des Hollandais !

---

1. Terme militaire : *contraindre une troupe à regagner sa base de départ.*

On a trouvé cinq chevaux morts de fatigue, le poil hérissé de sueur, au beau milieu de la grande avenue de la forêt, je les fais garder pour savoir d'où ils viennent et qui les a fournis. La forêt est cernée, ceux qui s'y trouvent n'en pourront pas sortir.

— À quelle heure croyez-vous que ces cavaliers-là soient entrés dans la forêt ?

— À midi et demi.

— Que pas un lièvre ne sorte de cette forêt sans qu'on le voie, lui dit Corentin à l'oreille. Je vous laisse ici Peyrade, et vais voir le pauvre brigadier. » « Reste chez le maire, je t'enverrai un homme adroit pour te relever, dit-il à l'oreille du Provençal. Il faudra nous servir des gens du pays, examines-y toutes les figures. » Il se tourna vers la compagnie et dit : « Au revoir ! » d'un ton effrayant.

Personne ne salua les agents qui sortirent.

« Que dira Fouché d'une visite domiciliaire sans résultat ? s'écria Peyrade quand il aida Corentin à monter dans le cabriolet d'osier.

— Oh ! tout n'est pas fini, répondit Corentin à l'oreille de Peyrade, les gentilshommes doivent être dans la forêt. » Il montra Laurence, qui les regardait à travers les petits carreaux des grandes fenêtres du salon : « J'en ai fait crever une qui la valait bien [1], et qui m'avait par trop échauffé la bile ! Si elle retombe sous ma coupe, je lui paierai son coup de cravache.

— L'autre était une fille, dit Peyrade, et celle-là se trouve dans une position...

— Est-ce que je distingue ? tout est poisson dans la mer ! » dit Corentin en faisant signe au gendarme qui le menait de fouetter le cheval de poste.

Dix minutes après, le château de Cinq-Cygne était entièrement et complètement évacué.

« Comment s'est-on défait du brigadier ? dit Laurence à François Michu qu'elle avait fait asseoir et à qui elle donnait à manger.

— Mon père et ma mère m'ont dit qu'il s'agissait de vie et de mort, que personne ne devait entrer chez nous. Donc, j'ai entendu, au mouvement des chevaux dans la

---

1. Mlle de Verneuil dans *Les Chouans*.

forêt, que j'avais affaire à des chiens de gendarmes, et j'ai voulu les empêcher d'entrer chez nous. J'ai pris de grosses cordes que nous avons dans notre grenier, je les ai attachées à l'un des arbres qui se trouvent au débouché de chaque chemin. Pour lors, j'ai tiré la corde à la hauteur de la poitrine d'un cavalier, et je l'ai serrée autour de l'arbre d'en face, dans le chemin où j'ai entendu le galop d'un cheval. Le chemin se trouvait barré. L'affaire n'a pas manqué. Il n'y avait plus de lune, mon brigadier s'est fiché par terre, mais il ne s'est pas tué. Que voulez-vous ? ça a la vie dure, les gendarmes ! Enfin, on fait ce qu'on peut.

— Tu nous as sauvés ! » dit Laurence en embrassant François Michu qu'elle reconduisit jusqu'à la grille. Là, ne voyant personne, elle lui dit dans l'oreille : « Ont-ils des vivres ?

— Je viens de leur porter un pain de douze livres et quatre bouteilles de vin. On se tiendra coi pendant six jours. »

En revenant au salon, la jeune fille se vit l'objet des muettes interrogations de M. et de Mme d'Hauteserre, de Mlle et de l'abbé Goujet, qui la regardaient avec autant d'admiration que d'anxiété.

« Mais vous les avez donc revus ? » s'écria Mme d'Hauteserre.

La comtesse se mit un doigt sur les lèvres en souriant, et monta chez elle pour se coucher ; car, une fois le triomphe obtenu, ses fatigues l'écrasèrent.

Le chemin le plus court pour aller de Cinq-Cygne au pavillon de Michu était celui qui menait de ce village à la ferme de Bellache, et qui aboutissait au rond-point où les espions avaient apparu la veille à Michu. Aussi le gendarme qui conduisait Corentin suivit-il cette route que le brigadier d'Arcis avait prise. Tout en allant, l'agent cherchait les moyens par lesquels un brigadier avait pu être désarçonné. Il se gourmandait de n'avoir envoyé qu'un seul homme sur un point si important, et il tirait de cette faute un axiome pour un Code de police qu'il faisait à son usage. « Si l'on s'est débarrassé du gendarme, pensait-il, on se sera défait aussi de Violette. Les cinq chevaux morts ont évidemment ramené des environs de Paris dans la forêt, les quatre conspirateurs et Michu. » « Michu a-t-il un cheval ? dit-il au gendarme qui était de la brigade d'Arcis.

— Ah ! et un fameux bidet, répondit le gendarme [1], un cheval de chasse qui vient des écuries du ci-devant marquis de Simeuse. Quoiqu'il ait bien quinze ans, il n'en est que meilleur, Michu lui fait faire vingt lieues, l'animal a le poil sec comme mon chapeau. Oh ! il en a bien soin, il en a refusé de l'argent.

— Comment est son cheval ?

— Une robe brune tirant sur le noir, des taches blanches au-dessus des sabots, maigre, tout nerfs, comme un cheval arabe.

— Tu as vu des chevaux arabes ?

— Je suis revenu d'Égypte il y a un an, et j'ai monté des chevaux de mameluck. On a onze ans de service dans la cavalerie, je suis allé sur le Rhin avec le général Steingel [2], de là en Italie, et j'ai suivi le Premier consul en Égypte. Aussi vais-je passer brigadier.

— Quand je serai au pavillon de Michu, va donc à l'écurie, et si tu vis depuis onze ans avec les chevaux, tu dois savoir reconnaître quand un cheval a couru.

— Tenez, c'est là que notre brigadier a été jeté par terre, dit le gendarme en montrant l'endroit où le chemin débouchait au rond-point.

— Tu diras au capitaine de venir me prendre à ce pavillon, nous nous en irons ensemble à Troyes. »

Corentin mit pied à terre et resta pendant quelques instants à observer le terrain. Il examina les deux ormes qui se trouvaient en face, l'un adossé au mur du parc, l'autre sur le talus du rond-point que coupait le chemin vicinal ; puis il vit, ce que personne n'avait su voir, un bouton d'uniforme dans la poussière du chemin, et il le ramassa. En entrant dans le pavillon, il aperçut Violette et Michu attablés dans la cuisine et disputant toujours. Violette se leva, salua Corentin, et lui offrit à boire.

« Merci, je voudrais voir le brigadier, dit le jeune

---

1. On apprendra plus loin que ce brigadier se nomme Welff.
2. Général français d'origine bavaroise tué à la bataille de Mondovi (17 avril 1796).

« Tenez, c'est là que notre brigadier a été jeté par terre... »

homme qui d'un regard devina que Violette était gris depuis plus de douze heures.

— Ma femme le garde en haut », dit Michu.

« Eh bien, brigadier, comment allez-vous ? » dit Corentin qui s'élança dans l'escalier et qui trouva le gendarme la tête enveloppée d'une compresse, et couché sur le lit de Mme Michu.

Le chapeau, le sabre et le fourniment étaient sur une chaise. Marthe, fidèle aux sentiments de la femme et ne sachant pas d'ailleurs la prouesse de son fils, gardait le brigadier en compagnie de sa mère.

« On attend M. Varlet, le médecin d'Arcis, dit Mme Michu, Gaucher est allé le chercher.

— Laissez-nous pendant un moment », dit Corentin assez surpris de ce spectacle où éclatait l'innocence des deux femmes. « Comment avez-vous été atteint ? demanda-t-il en regardant l'uniforme.

— À la poitrine, répondit le brigadier.

— Voyons votre buffleterie », demanda Corentin.

Sur la bande jaune bordée de lisérés blancs, qu'une loi récente avait donnée à la gendarmerie dite *nationale*, en stipulant les moindres détails de son uniforme, se trouvait une plaque assez semblable à la plaque actuelle des gardes champêtres, et où la loi avait enjoint de graver ces singuliers mots : *Respect aux personnes et aux propriétés !* La corde avait porté nécessairement sur la buffleterie et l'avait vigoureusement machurée. Corentin prit l'habit et regarda l'endroit où manquait le bouton trouvé sur le chemin.

« À quelle heure vous a-t-on ramassé ? demanda Corentin.

— Mais au petit jour.

— Vous a-t-on monté sur-le-champ ici ? dit Corentin en remarquant l'état du lit qui n'était pas défait.

— Oui.

— Qui vous y a monté ?

— Les femmes et le petit Michu qui m'a trouvé sans connaissance. »

« Bon ! ils ne se sont pas couchés, se dit Corentin. Le brigadier n'a été atteint ni par un coup de feu, ni par un coup de bâton, car son adversaire, pour le frapper, aurait dû se mettre à sa hauteur, et se fût trouvé à cheval ; il n'a donc pu être désarmé que par un obstacle opposé à son passage. Une pièce de bois ? pas possible. Une chaîne de fer ? elle aurait laissé des marques. » « Qu'avez-vous senti ? dit-il tout haut au brigadier en venant l'examiner.

— J'ai été renversé si brusquement...

— Vous avez la peau écorchée sous le menton.

— Il me semble, répondit le brigadier, que j'ai eu la figure labourée par une corde...

— J'y suis, dit Corentin. On a tendu d'un arbre à l'autre une corde pour vous barrer le passage...

— Ça se pourrait bien », dit le brigadier.

Corentin descendit et entra dans la salle.

« Eh bien, vieux coquin, finissons-en, disait Michu en parlant à Violette et regardant l'espion. Cent vingt mille francs du tout, et vous êtes le maître de mes terres. Je me ferai rentier.

— Je n'en ai, comme il n'y a qu'un Dieu, que soixante mille.

— Mais puisque je vous offre du terme pour le reste ! Nous voilà pourtant depuis hier sans pouvoir finir ce marché-là... Des terres de première qualité.

— Les terres sont bonnes, répondit Violette.

— Du vin ! ma femme, s'écria Michu.

— N'avez-vous donc pas assez bu ? s'écria la mère de Marthe. Voilà la quatorzième bouteille depuis hier neuf heures...

— Vous êtes là depuis neuf heures ce matin ? dit Corentin à Violette.

— Non, faites excuse. Depuis hier au soir, je n'ai pas quitté la place, et je n'ai rien gagné : plus il me fait boire, plus il me surfait ses biens.

— Dans les marchés, qui hausse le coude, fait hausser le prix », dit Corentin.

Une douzaine de bouteilles vides, rangées au bout de la table, attestaient le dire de la vieille. En ce moment, le gendarme fit signe du dehors à Corentin et lui dit à l'oreille, sur le pas de la porte : « Il n'y a point de cheval à l'écurie. »

« Vous avez envoyé votre petit sur votre cheval à la ville, dit Corentin en rentrant, il ne peut tarder à revenir.

— Non, monsieur, dit Marthe, il est à pied.

— Eh bien, qu'avez-vous fait de votre cheval ?

— Je l'ai prêté », répondit Michu d'un ton sec.

« Venez ici, bon apôtre, fit Corentin en parlant au régisseur, j'ai deux mots à vous glisser dans le tuyau de l'oreille. »

Corentin et Michu sortirent.

« La carabine que vous chargiez hier à quatre heures devait vous servir à tuer le conseiller d'État : Grévin, le notaire, vous a vu ; mais on ne peut pas vous pincer là-dessus : il y a eu beaucoup d'intention, et peu de témoins. Vous avez, je ne sais comment, endormi Violette, et vous, votre femme, votre petit gars, vous avez passé la nuit dehors pour avertir Mlle de Cinq-Cygne de notre arrivée et faire sauver ses cousins que vous avez amenés ici, je ne sais pas encore où. Votre fils ou votre femme ont jeté le brigadier par terre assez spirituellement. Enfin vous nous avez battus. Vous êtes un fameux luron. Mais tout n'est pas dit, nous n'aurons pas le dernier[1]. Voulez-vous transiger ? vos maîtres y gagneront.

— Venez par ici, nous causerons sans pouvoir être entendus », dit Michu en emmenant l'espion dans le parc jusqu'à l'étang.

Quand Corentin vit la pièce d'eau, il regarda fixement Michu, qui comptait sans doute sur sa force pour jeter cet homme dans sept pieds de vase sous trois pieds d'eau. Michu répondit par un regard non moins fixe. Ce fut absolument comme si un boa flasque et froid eût défié un de ces roux et fauves jaguars du Brésil.

« Je n'ai pas soif, répondit le muscadin qui resta sur le bord de la prairie et mit la main dans sa poche de côté pour y prendre son petit poignard.

— Nous ne pouvons pas nous comprendre, dit Michu froidement.

— Tenez-vous sage, mon cher, la Justice aura l'œil sur vous.

— Si elle n'y voit pas plus clair que vous, il y a du danger pour tout le monde, dit le régisseur.

— Vous refusez ? dit Corentin d'un ton expressif.

---

1. *Nous ne céderons pas.*

— J'aimerais mieux avoir cent fois le cou coupé, si l'on pouvait couper cent fois le cou à un homme, que de me trouver d'intelligence avec un drôle tel que toi. »

Corentin remonta vivement en voiture après avoir toisé Michu, le pavillon et Couraut qui aboyait après lui. Il donna quelques ordres en passant à Troyes, et revint à Paris. Toutes les brigades de gendarmerie eurent une consigne et des instructions secrètes.

Pendant les mois de décembre, janvier et février, les recherches furent actives et incessantes dans les moindres villages. On écouta dans tous les cabarets. Corentin apprit trois choses importantes : un cheval semblable à celui de Michu fut trouvé mort dans les environs de Lagny. Les cinq chevaux enterrés dans la forêt de Nodesme avaient été vendus cinq cents francs chaque, par des fermiers et des meuniers, à un homme qui, d'après le signalement, devait être Michu. Quand la loi sur les receleurs et les complices de Georges fut rendue [1], Corentin restreignit sa surveillance à la forêt de Nodesme. Puis quand Moreau, les royalistes et Pichegru furent arrêtés, on ne vit plus de figures étrangères dans le pays. Michu perdit alors sa place, le notaire d'Arcis lui apporta la lettre par laquelle le conseiller d'État, devenu sénateur, priait Grévin de recevoir les comptes du régisseur, et de le congédier. En trois jours, Michu se fit donner un quitus en bonne forme, et devint libre. Au grand étonnement du pays, il alla vivre à Cinq-Cygne où Laurence le prit pour fermier de toutes les réserves du château. Le jour de son installation coïncida fatalement avec l'exécution du duc d'Enghien. On apprit dans presque toute la France à la fois l'arrestation, le jugement, la condamnation et la mort du prince, terribles représailles qui précédèrent le procès de Polignac, Rivière et Moreau.

1. Du 29 février 1804.

CHAPITRE II

REVANCHE DE CORENTIN

En attendant que la ferme destinée à Michu fût construite, le faux Judas se logea dans les communs, au-dessus des écuries, du côté de la fameuse brèche. Michu se procura deux chevaux, un pour lui et un pour son fils, car tous deux se joignirent à Gothard pour accompagner Mlle de Cinq-Cygne dans toutes ses promenades qui avaient pour but, comme on le pense, de nourrir les quatre gentilshommes et de veiller à ce qu'ils ne manquassent de rien. François et Gothard, aidés par Couraut et par les chiens de la comtesse, éclairaient les alentours de la cachette, et s'assuraient qu'il n'y avait personne aux environs. Laurence et Michu apportaient les vivres que Marthe, sa mère et Catherine apprêtaient à l'insu des gens afin de concentrer le secret, car aucun d'eux ne mettait en doute qu'il y eût des espions dans le village. Aussi, par prudence, cette expédition n'eut-elle jamais lieu que deux fois par semaine et toujours à des heures différentes, tantôt le jour et tantôt la nuit. Ces précautions durèrent autant que le procès Rivière, Polignac et Moreau. Quand le sénatus-consulte qui appelait à l'Empire la famille Bonaparte et nommait Napoléon Empereur fut soumis à l'acceptation du peuple français [1], M. d'Hauteserre signa sur le registre que vint lui présenter Goulard. Enfin on apprit que le pape viendrait sacrer Napoléon. Mlle de Cinq-Cygne ne s'opposa plus dès lors à ce qu'une demande fût adressée par les deux jeunes d'Hauteserre et par ses cousins pour être rayés de la liste des émigrés et reprendre leurs droits de citoyen. Le bonhomme courut aussitôt à Paris et y alla voir le ci-devant marquis de Chargebœuf qui connaissait M. de Talleyrand. Ce ministre, alors en faveur, fit parvenir la pétition à Joséphine, et Joséphine la remit à son mari qu'on nommait Empereur, Majesté, Sire, avant de connaître le résultat du scrutin populaire. M. de Chargebœuf, M. d'Hauteserre et l'abbé Goujet, qui vint aussi à Paris, obtinrent une audience

1. Le résultat fut proclamé le 6 novembre 1804.

de Talleyrand, et ce ministre leur promit son appui. Déjà Napoléon avait fait grâce aux principaux acteurs de la grande conspiration royaliste dirigée contre lui[1] ; mais, quoique les quatre gentilshommes ne fussent que soupçonnés, au sortir d'une séance du Conseil d'État, l'Empereur appela dans son cabinet le sénateur Malin, Fouché, Talleyrand, Cambacérès, Lebrun, et Dubois le préfet de Police.

« Messieurs, dit le futur Empereur qui conservait encore son costume de Premier consul, nous avons reçu des sieurs de Simeuse et d'Hauteserre, officiers de l'armée du prince de Condé, une demande d'être autorisés à rentrer en France.

— Ils y sont, dit Fouché.

— Comme mille autres que je rencontre dans Paris, répondit Talleyrand.

— Je crois, répondit Malin, que vous n'avez point rencontré ceux-ci, car ils sont cachés dans la forêt de Nodesme, et s'y croient chez eux. »

Il se garda bien de dire au Premier consul et à Fouché les paroles auxquelles il avait dû la vie ; mais, en s'appuyant des rapports faits par Corentin, il convainquit le Conseil de la participation des quatre gentilshommes au complot de MM. de Rivière et de Polignac, en leur donnant Michu pour complice. Le préfet de Police confirma les assertions du sénateur.

« Mais comment ce régisseur aurait-il su que la conspiration était découverte, au moment où l'Empereur, son conseil et moi, nous étions les seuls qui eussent ce secret ? » demanda le préfet de Police.

Personne ne fit attention à la remarque de Dubois.

« S'ils sont cachés dans une forêt et que vous ne les ayez pas trouvés depuis sept mois, dit l'Empereur à Fouché, ils ont bien expié leurs torts.

— Il suffit, dit Malin effrayé de la perspicacité du préfet de Police, que ce soient mes ennemis pour que j'imite la conduite de Votre Majesté ; je demande donc leur radiation et me constitue leur avocat auprès d'elle.

— Ils seront moins dangereux pour vous réintégrés

1. Les Polignac, le marquis de Rivière et quelques autres.

qu'émigrés, car ils auront prêté serment aux constitutions de l'Empire et aux lois, dit Fouché qui regarda fixement Malin.

— En quoi menacent-ils monsieur le sénateur ? » dit Napoléon.

Talleyrand s'entretint pendant quelque temps à voix basse avec l'Empereur. La radiation et la réintégration de MM. de Simeuse et d'Hauteserre parut alors accordée.

« Sire, dit Fouché, vous pourrez encore entendre parler de ces gens-là. »

Talleyrand, sur les sollicitations du duc de Grandlieu, venait de donner, au nom de ces messieurs, leur foi de gentilhomme, mot qui exerçait des séductions sur Napoléon, qu'ils n'entreprendraient rien contre l'Empereur, et faisaient leur soumission sans arrière-pensée.

« MM. d'Hauteserre et de Simeuse ne veulent plus porter les armes contre la France après les derniers événements. Ils ont peu de sympathie pour le gouvernement impérial, et sont de ces gens que Votre Majesté devra conquérir ; mais ils se contenteront de vivre sur le sol français en obéissant aux lois », dit le ministre.

Puis il mit sous les yeux de l'Empereur une lettre qu'il avait reçue, et où ces sentiments étaient exprimés.

« Ce qui est si franc doit être sincère, dit l'Empereur en regardant Lebrun et Cambacérès. Avez-vous encore des objections ? demanda-t-il à Fouché.

— Dans l'intérêt de Votre Majesté, répondit le futur ministre de la Police générale, je demande à être chargé de transmettre à ces messieurs leur radiation *quand elle sera définitivement accordée*, dit-il à haute voix.

— Soit », dit Napoléon en trouvant une expression soucieuse dans le visage de Fouché.

Ce petit conseil fut levé sans que cette affaire parût terminée ; mais il eut pour résultat de mettre dans la mémoire de Napoléon une note douteuse sur les quatre gentilshommes. M. d'Hauteserre, qui croyait au succès, avait écrit une lettre où il annonçait cette bonne nouvelle. Les habitants de Cinq-Cygne ne furent donc pas étonnés de voir, quelques jours après, Goulard qui vint dire à Mme d'Hauteserre et à Laurence qu'elles eussent à envoyer les quatre gentilshommes à Troyes, où le préfet leur remettrait l'arrêté qui les réintégrait dans tous leurs droits après leur prestation de serment et leur adhésion aux lois de l'Empire. Laurence répondit au maire qu'elle ferait avertir ses cousins et MM. d'Hauteserre.

« Ils ne sont donc pas ici ? » dit Goulard.

Mme d'Hauteserre regardait avec anxiété la jeune fille, qui sortit en laissant le maire pour aller consulter Michu. Michu ne vit aucun inconvénient à délivrer immédiatement les émigrés. Laurence, Michu, son fils et Gothard partirent donc à cheval pour la forêt en emmenant un cheval de plus, car la comtesse devait accompagner les quatre gentilshommes à Troyes et revenir avec eux. Tous les gens qui apprirent cette bonne nouvelle s'attroupèrent sur la pelouse pour voir partir la joyeuse cavalcade. Les quatre jeunes gens sortirent de leur cachette, montèrent à cheval sans être vus et prirent la route de Troyes, accompagnés de Mlle de Cinq-Cygne. Michu, aidé par son fils et Gothard, referma l'entrée de la cave et tous trois revinrent à pied. En route, Michu se souvint d'avoir laissé dans le caveau les couverts et le gobelet d'argent qui servaient à ses maîtres, il y retourna seul. En arrivant sur le bord de la mare, il entendit des voix dans la cave, et alla directement vers l'entrée à travers les broussailles.

« Vous venez sans doute chercher votre argenterie ? » lui dit Peyrade en souriant et lui montrant son gros nez rouge dans le feuillage.

Sans savoir pourquoi, car enfin les jeunes gens étaient sauvés, Michu sentit à toutes ses articulations une douleur, tant fut vive chez lui cette espèce d'appréhension vague, indéfinissable, que cause un malheur à venir ; néanmoins il s'avança et trouva Corentin sur l'escalier, un rat de cave à la main.

« Nous ne sommes pas méchants, dit-il à Michu, nous aurions pu pincer vos ci-devant depuis une semaine, mais nous les savions radiés... Vous êtes un rude gaillard ! et vous nous avez donné trop de mal pour que nous ne satisfassions pas au moins notre curiosité.

— Je donnerais bien quelque chose, s'écria Michu, pour savoir comment et par qui nous avons été vendus...

— Si cela vous intrigue beaucoup, mon petit, dit en

souriant Peyrade, regardez les fers de vos chevaux, et vous verrez que vous vous êtes trahis vous-mêmes.

— Sans rancune, dit Corentin en faisant signe au capitaine de gendarmerie de venir avec les chevaux.

— Ce misérable ouvrier parisien qui ferrait si bien les chevaux à l'anglaise et qui a quitté Cinq-Cygne, était un des leurs ! s'écria Michu, il leur a suffi de faire reconnaître et suivre sur le terrain, quand il a fait humide, par un des leurs déguisé en fagoteur, en braconnier, les pas de nos chevaux ferrés avec quelques crampons. Nous sommes quittes. »

Michu se consola bientôt en pensant que la découverte de cette cachette était maintenant sans danger, puisque les gentilshommes redevenaient Français, et avaient recouvré leur liberté. Cependant, il avait raison dans tous ses pressentiments. La Police et les Jésuites ont la vertu de ne jamais abandonner ni leurs ennemis ni leurs amis.

Le bonhomme d'Hauteserre revint de Paris, et fut assez étonné de ne pas avoir été le premier à donner la bonne nouvelle. Durieu préparait le plus succulent des dîners. Les gens s'habillaient, et l'on attendait avec impatience les proscrits, qui, vers quatre heures, arrivèrent à la fois joyeux et humiliés, car ils étaient pour deux ans sous la surveillance de la haute police, obligés de se présenter tous les mois à la préfecture, et tenus de demeurer pendant ces deux années dans la commune de Cinq-Cygne. « Je vous enverrai à signer le registre, leur avait dit le préfet. Puis, dans quelques mois, vous demanderez la suppression de ces conditions, imposées d'ailleurs à tous les complices de Pichegru. J'appuierai votre demande. » Ces restrictions assez méritées attristèrent un peu les jeunes gens. Laurence se mit à rire.

« L'Empereur des Français, dit-elle, est un homme assez mal élevé, qui n'a pas encore l'habitude de faire grâce. »

Les gentilshommes trouvèrent à la grille tous les habitants du château, et sur le chemin une bonne partie des gens du village, venus pour voir ces jeunes gens que leurs aventures avaient rendus fameux dans le Département. Mme d'Hauteserre tint ses fils longtemps embrassés et montra un visage couvert de larmes ; elle ne put rien dire, et resta saisie mais heureuse pendant une partie de la soirée. Dès que les jumeaux de Simeuse se montrèrent et descendirent de cheval, il y eut un cri général de surprise, causé par leur étonnante ressemblance : même regard, même voix, mêmes façons. L'un et l'autre, ils firent exactement le même geste en se levant sur leur selle, en passant la jambe au-dessus de la croupe du cheval pour le quitter, et en jetant les guides par un mouvement pareil. Leur mise, absolument la même, aidait encore à les prendre pour de véritables Ménechmes. Ils portaient des bottes à la Suwaroff façonnées au cou-de-pied, des pantalons collants en peau blanche, des vestes de chasse vertes à boutons de métal, des cravates noires et des gants de daim. Ces deux jeunes gens, alors âgés de trente et un ans, étaient, selon une expression de ce temps, de charmants cavaliers. De taille moyenne mais bien prise, ils avaient les yeux vifs, ornés de longs cils et nageant dans un fluide comme ceux des enfants, des cheveux noirs, de beaux fronts et un teint d'une blancheur olivâtre. Leur parler, doux comme celui des femmes, tombait gracieusement de leurs belles lèvres rouges. Leurs manières, plus élégantes et plus polies que celles des gentilshommes de province, annonçaient que la connaissance des hommes et des choses leur avait donné cette seconde éducation, plus précieuse encore que la première, et qui rend les hommes accomplis. Grâce à Michu, l'argent ne leur ayant pas manqué durant leur émigration, ils avaient pu voyager et furent bien accueillis dans les cours étrangères. Le vieux gentilhomme et l'abbé leur trouvèrent un peu de hauteur ; mais, dans leur situation, peut-être était-ce l'effet d'un beau caractère. Ils possédaient les éminentes petites choses d'une éducation soignée, et déployaient une adresse supérieure à tous les exercices du corps. La seule dissemblance qui pût les faire remarquer existait dans les idées. Le cadet charmait autant par sa gaieté que l'aîné par sa mélancolie ; mais ce contraste, purement moral, ne pouvait s'apercevoir qu'après une longue intimité.

« Ah ! ma fille, dit Michu à l'oreille de Marthe, comment ne pas se dévouer à ces deux garçons-là ? »

Marthe, qui admirait et comme femme et comme mère les jumeaux, fit un joli signe de tête à son mari, en lui serrant la main. Les gens eurent la permission d'embrasser leurs nouveaux maîtres.

Pendant les sept mois de réclusion à laquelle les quatre jeunes gens s'étaient condamnés, ils commirent plusieurs fois l'imprudence assez nécessaire de quelques promenades, surveillées, d'ailleurs, par Michu, son fils et Gothard. Durant ces promenades, éclairées par de belles nuits, Laurence, en rejoignant au présent le passé de leur vie commune, avait senti l'impossibilité de choisir entre les deux frères. Un amour égal et pur pour les jumeaux lui partageait le cœur. Elle croyait avoir deux cœurs. De leur côté, les deux Paul n'avaient point osé se parler de leur imminente rivalité. Peut-être s'en étaient-ils déjà tous trois remis au hasard ? La situation d'esprit où elle était agit sans doute sur Laurence, car après un moment d'hésitation visible, elle donna le bras aux deux frères pour entrer au salon, et fut suivie de M. et Mme d'Hauteserre, qui tenaient et questionnaient leurs fils. En ce moment, tous les gens crièrent : Vive les Cinq-Cygne et les Simeuse ! Laurence se retourna, toujours entre les deux frères, et fit un charmant geste pour remercier.

Quand ces neuf personnes arrivèrent à s'observer, car, dans toute réunion, même au cœur de la famille, il arrive toujours un moment où l'on s'observe après de longues absences, au premier regard qu'Adrien d'Hauteserre jeta sur Laurence, et qui fut surpris par sa mère et par l'abbé Goujet, il leur sembla que ce jeune homme aimait la comtesse. Adrien, le cadet des d'Hauteserre, avait une âme tendre et douce. Chez lui, le cœur était resté adolescent, malgré les catastrophes qui venaient d'éprouver l'homme. Semblable en ceci à beaucoup de militaires chez qui la continuité des périls laisse l'âme vierge, il se sentait oppressé par les belles timidités de la jeunesse. Aussi différait-il entièrement de son frère, homme d'aspect brutal, grand chasseur, militaire intrépide, plein de résolution, mais matériel et sans agilité d'intelligence comme sans délicatesse dans les choses du cœur. L'un était tout âme, l'autre était tout action ; cependant ils possédaient l'un et l'autre au même degré l'honneur qui suffit à la vie des gentilshommes. Brun, petit, maigre et sec, Adrien d'Hauteserre avait néanmoins une grande apparence de force ; tandis que son frère, de haute taille, pâle et blond, paraissait faible. Adrien, d'un tempérament nerveux, était fort par l'âme ; Robert, quoique lymphatique, se plaisait à prouver sa force purement corporelle. Les familles offrent de ces bizarreries dont les causes pourraient avoir de l'intérêt ; mais il ne peut en être question ici que pour expliquer comment Adrien ne devait pas rencontrer un rival dans son frère. Robert eut pour Laurence l'affection d'un parent, et le respect d'un noble pour une jeune fille de sa caste. Sous le rapport des sentiments, l'aîné des d'Hauteserre appartenait à cette secte d'hommes qui considèrent la femme comme dépendante de l'homme, en restreignant au physique son droit de maternité, lui voulant beaucoup de perfections et ne lui en tenant aucun compte. Selon eux, admettre la femme dans la Société, dans la Politique, dans la Famille, est un bouleversement social. Nous sommes aujourd'hui si loin de cette vieille opinion des peuples primitifs, que presque toutes les femmes, même celles qui ne veulent pas de la liberté funeste offerte par les nouvelles sectes[1], pourront s'en choquer ; mais Robert d'Hauteserre avait le malheur de penser ainsi. Robert était l'homme du Moyen Âge, le cadet était un homme d'aujourd'hui. Ces différences, au lieu d'empêcher l'affection, l'avaient au contraire resserrée entre les deux frères. Dès la première soirée, ces nuances furent saisies et appréciées par le curé, par Mlle Goujet et Mme d'Hauteserre, qui, tout en faisant leur boston, aperçurent déjà des difficultés dans l'avenir.

À vingt-trois ans, après les réflexions de la solitude et les angoisses d'une vaste entreprise manquée, Laurence, redevenue femme, éprouvait un immense besoin d'affection ; elle déploya toutes les grâces de son esprit, et fut charmante. Elle révéla les charmes de sa tendresse avec la naïveté d'un enfant de quinze ans. Durant ces treize dernières années, Laurence n'avait été femme que par la souffrance, elle voulut se dédommager ; elle se montra donc aussi aimante et coquette, qu'elle avait été jusque-là grande et forte. Aussi, les quatre vieillards qui restèrent

---

1. Il ne peut s'agir que de l'Église saint-simonienne qui œuvrait alors pour la liberté de la femme dans tous les domaines.

les derniers au salon furent-ils assez inquiétés par la nouvelle attitude de cette charmante fille. Quelle force n'aurait pas la passion chez une jeune personne de ce caractère et de cette noblesse ? Les deux frères aimaient également la même femme et avec une aveugle tendresse ; qui des deux Laurence choisirait-elle ? en choisir un, n'était-ce pas tuer l'autre ? Comtesse de son chef, elle apportait à son mari un titre et de beaux privilèges, une longue illustration ; peut-être, en pensant à ces avantages, le marquis de Simeuse se sacrifierait-il pour faire épouser Laurence à son frère, qui, selon les vieilles lois, était pauvre et sans titre. Mais le cadet voudrait-il priver son frère d'un aussi grand bonheur que celui d'avoir Laurence pour femme ? De loin, ce combat d'amour avait eu peu d'inconvénients ; et d'ailleurs, tant que les deux frères coururent des dangers, le hasard des combats pouvait trancher cette difficulté ; mais qu'allait-il advenir de leur réunion ? Quand Marie-Paul et Paul-Marie, arrivés l'un et l'autre à l'âge où les passions sévissent de toute leur force, se partageraient les regards, les expressions, les attentions, les paroles de leur cousine, ne se déclarerait-il pas entre eux une jalousie dont les suites pouvaient être horribles ? Que deviendrait la belle existence égale et simultanée des jumeaux ? À ces suppositions, jetées une à une par chacun, pendant la dernière partie de boston, Mme d'Hauteserre répondit qu'elle ne croyait pas que Laurence épouserait un de ses cousins. La vieille dame avait éprouvé durant la soirée un de ces pressentiments inexplicables, qui sont un secret entre les mères et Dieu. Laurence, dans son for intérieur, n'était pas moins effrayée de se voir en tête à tête avec ses cousins. Au drame animé de la conspiration, aux dangers que coururent les deux frères, aux malheurs de leur émigration, succédait un drame auquel elle n'avait jamais songé. Cette noble fille ne pouvait pas recourir au moyen violent de n'épouser ni l'un ni l'autre des jumeaux, elle était trop honnête femme pour se marier en gardant une passion irrésistible au fond de son cœur. Rester fille, lasser ses deux cousins en ne se décidant pas, et prendre pour mari celui qui lui serait fidèle malgré ses caprices, fut une décision moins cherchée qu'entrevue. En s'endormant, elle se dit que le plus sage était de se laisser aller au hasard. Le hasard est, en amour, la providence des femmes.

Le lendemain matin, Michu partit pour Paris d'où il revint quelques jours après avec quatre beaux chevaux pour ses nouveaux maîtres. Dans six semaines, la chasse devait s'ouvrir, et la jeune comtesse avait sagement pensé que les violentes distractions de cet exercice seraient un secours contre les difficultés du tête-à-tête au château. Il arriva d'abord un effet imprévu qui surprit les témoins de ces étranges amours, en excitant leur admiration. Sans aucune convention méditée, les deux frères rivalisèrent auprès de leur cousine de soins et de tendresse, en y trouvant un plaisir d'âme qui sembla leur suffire. Entre eux et Laurence, la vie fut aussi fraternelle qu'entre eux deux. Rien de plus naturel. Après une si longue absence, ils sentaient la nécessité d'étudier leur cousine, de la bien connaître, et de se bien faire connaître à elle l'un et l'autre en lui laissant le droit de choisir, soutenus dans cette épreuve par cette mutuelle affection qui faisait de leur double vie une même vie. L'amour de même que la maternité ne savait pas distinguer entre les deux frères. Laurence fut obligée, pour les reconnaître et ne pas se tromper, de leur donner des cravates différentes, une blanche à l'aîné, une noire pour le cadet. Sans cette parfaite ressemblance, sans cette identité de vie à laquelle tout le monde se trompait, une pareille situation paraîtrait justement impossible. Elle n'est même explicable que par le fait, qui est un de ceux auxquels on ne croit qu'en les voyant ; et quand on les a vus, l'esprit est plus embarrassé de se les expliquer qu'il ne l'était d'avoir à les croire. Laurence parlait-elle ? sa voix retentissait de la même manière dans deux cœurs également aimants et fidèles. Exprimait-elle une idée ingénieuse, plaisante ou belle ? son regard rencontrait le plaisir exprimé par deux regards qui la suivaient dans tous ses mouvements, interprétaient ses moindres désirs et lui souriaient toujours avec de nouvelles expressions, gaies chez l'un, tendrement mélancoliques chez l'autre. Quand il s'agissait de leur maîtresse, les deux frères avaient de ces admirables prime-sauts [1] du cœur en harmo-

---

1. Apparemment néologisme formé sur l'adjectif *primesautier*. Littré ne connaît que l'expression adverbiale : *de prime saut*.

nie avec l'action, et qui, selon l'abbé Goujet, arrivaient au sublime. Ainsi, souvent, s'il fallait aller chercher quelque chose, s'il était question d'un de ces petits soins que les hommes aiment tant à rendre à une femme aimée, l'aîné laissait le plaisir de s'en acquitter à son cadet, en reportant sur sa cousine un regard à la fois touchant et fier. Le cadet mettait de l'orgueil à payer ces sortes de dettes. Ce combat de noblesse dans un sentiment où l'homme arrive jusqu'à la jalouse férocité de l'animal confondait toutes les idées des vieilles gens qui le contemplaient.

Ces menus détails attiraient souvent des larmes dans les yeux de la comtesse. Une seule sensation, mais qui peut-être est immense chez certaines organisations privilégiées, peut donner une idée des émotions de Laurence ; on la comprendra par le souvenir de l'accord parfait de deux belles voix comme celles de la Sontag et de la Malibran dans quelque harmonieux duo, par l'unisson complet de deux instruments que manient des exécutants de génie, et dont les sons mélodieux entrent dans l'âme comme les soupirs d'un seul être passionné. Quelquefois, en voyant le marquis de Simeuse plongé dans un fauteuil jeter un regard profond et mélancolique sur son frère qui causait et riait avec Laurence, le curé le croyait capable d'un immense sacrifice ; mais il surprenait bientôt dans ses yeux l'éclair de la passion invincible. Chaque fois qu'un des jumeaux se trouvait seul avec Laurence, il pouvait se croire exclusivement aimé. « Il me semble alors qu'ils ne sont plus qu'un », disait la comtesse à l'abbé Goujet qui la questionnait sur l'état de son cœur. Le prêtre reconnut alors en elle un manque total de coquetterie. Laurence ne se croyait réellement pas aimée par deux hommes.

« Mais, chère petite, lui dit un soir Mme d'Hauteserre dont le fils se mourait silencieusement d'amour pour Laurence, il faudra cependant bien choisir !

— Laissez-nous être heureux, répondit-elle. Dieu nous sauvera de nous-mêmes ! »

Adrien d'Hauteserre cachait au fond de son cœur une jalousie qui le dévorait, et gardait le secret sur ses tortures, en comprenant combien il avait peu d'espoir. Il se contentait du bonheur de voir cette charmante personne qui, pendant quelques mois que dura cette lutte, brilla de tout son éclat. En effet, Laurence, devenue coquette, eut alors tous les soins que les femmes aimées prennent d'elles-mêmes. Elle suivait les modes et courut plus d'une fois à Paris pour paraître plus belle avec des chiffons ou quelque nouveauté. Enfin, pour donner à ses cousins les moindres jouissances du chez soi, desquelles ils avaient été sevrés pendant si longtemps, elle fit de son château, malgré les hauts cris de son tuteur, l'habitation la plus complètement confortable qu'il y eût alors dans la Champagne.

Robert d'Hauteserre ne comprenait rien à ce drame sourd. Il ne s'apercevait pas de l'amour de son frère pour Laurence. Quant à la jeune fille, il aimait à la railler sur sa coquetterie, car il confondait ce détestable défaut avec le désir de plaire ; mais il se trompait ainsi sur toutes les choses de sentiment, de goût, ou de haute instruction. Aussi, quand l'homme du Moyen Âge se mettait en scène, Laurence en faisait-elle aussitôt, à son insu, le *niais* du drame ; elle égayait ses cousins en discutant avec Robert, en l'amenant à petits pas au beau milieu des marécages où s'enfoncent la bêtise et l'ignorance. Elle excellait à ces mystifications spirituelles qui, pour être parfaites, doivent laisser la victime heureuse. Cependant, quelque grossière que fût sa nature, Robert, durant cette belle époque, la seule heureuse que devaient connaître ces trois êtres charmants, n'intervint jamais entre les Simeuse et Laurence par une parole virile qui peut-être eût décidé la question. Il fut frappé de la sincérité des deux frères. Robert devina sans doute combien une femme pouvait trembler d'accorder à l'un des témoignages de tendresse que l'autre n'eût pas eus ou qui l'eussent chagriné ; combien l'un des frères était heureux de ce qui advenait de bien à l'autre, et combien il en pouvait souffrir au fond de son cœur. Ce respect de Robert explique admirablement cette situation qui, certes, aurait obtenu des privilèges dans les temps de foi où le souverain pontife avait le pouvoir d'intervenir pour trancher le nœud gordien de ces rares phénomènes, voisins des mystères les plus impénétrables. La Révolution avait retrempé ces cœurs dans la foi catholique ; ainsi la religion rendait cette crise plus terrible encore, car la grandeur des caractères augmente la grandeur des situations. Aussi M. et Mme d'Hauteserre, ni le curé, ni sa sœur, n'attendaient-ils rien de vulgaire des deux frères ou de Laurence.

Ce drame, qui resta mystérieusement enfermé dans les limites de la famille où chacun l'observait en silence, eut un cours si rapide et si lent à la fois ; il comportait tant de jouissances inespérées, de petits combats, de préférences déçues, d'espoirs renversés, d'attentes cruelles, de remises au lendemain pour s'expliquer, de déclarations muettes, que les habitants de Cinq-Cygne ne firent aucune attention au couronnement de l'empereur Napoléon. Ces passions faisaient d'ailleurs trêve en cherchant une distraction violente dans les plaisirs de la chasse, qui, en fatiguant excessivement le corps, ôtent à l'âme les occasions de voyager dans les steppes [1] si dangereux de la rêverie. Ni Laurence ni ses cousins ne songeaient aux affaires, car chaque jour avait un intérêt palpitant.

« En vérité, dit un soir Mlle Goujet, je ne sais pas qui de tous ces amants aime le plus ? »

Adrien se trouvait seul au salon avec les quatre joueurs de boston, il leva les yeux sur eux et devint pâle. Depuis quelques jours, il n'était plus retenu dans la vie que par le plaisir de voir Laurence et de l'entendre parler.

« Je crois, dit le curé, que la comtesse, en sa qualité de femme, aime avec beaucoup plus d'abandon. »

Laurence, les deux frères et Robert revinrent quelques instants après. Les journaux venaient d'arriver. En voyant l'inefficacité des conspirations tentées à l'intérieur, l'Angleterre armait l'Europe contre la France. Le désastre de Trafalgar avait renversé l'un des plans les plus extraordinaires que le génie humain ait inventés, et par lequel l'Empereur eût payé son élection à la France avec les ruines de la puissance anglaise. En ce moment, le camp de Boulogne était levé. Napoléon, dont les soldats étaient inférieurs en nombre comme toujours, allait livrer bataille à l'Europe sur des champs où il n'avait pas encore paru. Le monde entier se préoccupait du dénouement de cette campagne.

---

1. Le féminin est admis par Littré.

« Oh ! cette fois, il succombera, dit Robert en achevant la lecture du journal.

— Il a sur les bras toutes les forces de l'Autriche et de la Russie, dit Marie-Paul.

— Il n'a jamais manœuvré en Allemagne, ajouta Paul-Marie.

— De qui parlez-vous ? demanda Laurence.

— De l'Empereur », répondirent les trois gentilshommes.

Laurence jeta sur ses deux amants un regard de dédain qui les humilia, mais qui ravit Adrien. Le dédaigné fit un geste d'admiration, et il eut un regard d'orgueil où il disait assez qu'il ne pensait plus, lui ! qu'à Laurence.

« Vous le voyez ? l'amour lui a fait oublier sa haine », dit l'abbé Goujet à voix basse.

Ce fut le premier, le dernier, l'unique reproche que les deux frères encoururent ; mais, en ce moment, ils se trouvèrent inférieurs en amour à leur cousine qui, deux mois après, n'apprit l'étonnant triomphe d'Austerlitz que par la discussion que le bonhomme d'Hauteserre eut avec ses deux fils. Fidèle à son plan, le vieillard voulait que ses enfants demandassent à servir ; ils seraient sans doute employés dans leurs grades, et pourraient encore faire une belle fortune militaire. Le parti du royalisme pur était devenu le plus fort à Cinq-Cygne. Les quatre gentilshommes et Laurence se moquèrent du prudent vieillard, qui semblait flairer les malheurs dans l'avenir. La prudence est peut-être moins une vertu que l'exercice d'un *sens* de l'esprit, s'il est possible d'accoupler ces deux mots ; mais un jour viendra sans doute où les physiologistes et les philosophes admettront que les sens sont en quelque sorte la gaine d'une vive et pénétrante action qui procède de l'esprit.

Après la conclusion de la paix entre la France et l'Autriche, vers la fin du mois de février 1806, un parent, qui, lors de la demande en radiation, s'était employé pour MM. de Simeuse, et devait plus tard leur donner de grandes preuves d'attachement, le ci-devant marquis de Chargebœuf, dont les propriétés s'étendent de Seine-et-Marne dans l'Aube, arriva de sa terre à Cinq-Cygne, dans une espèce de calèche que, dans ce temps, on nommait par raillerie un berlingot. Quand cette pauvre voiture enfila le petit pavé, les habitants du château, qui déjeunaient, eurent un accès de rire ; mais, en reconnaissant la tête chauve du vieillard, qui sortit entre les deux rideaux de cuir du berlingot, M. d'Hauteserre le nomma, et tous levèrent le siège pour aller au-devant du chef de la maison de Chargebœuf.

« Nous avons le tort de nous laisser prévenir, dit le marquis de Simeuse à son frère et aux d'Hauteserre, nous devions aller le remercier. »

Un domestique, vêtu en paysan, qui conduisait de dessus un siège attenant à la caisse, planta dans un tuyau de cuir grossier un fouet de charretier, et vint aider le marquis à descendre ; mais Adrien et le cadet de Simeuse le prévinrent, défirent la portière qui s'accrochait à des boutons de cuivre, et sortirent le bonhomme malgré ses réclamations. Le marquis avait la prétention de donner son berlingot jaune, à portière en cuir, pour une voiture excellente et commode. Le domestique, aidé par Gothard, dételait déjà les deux bons gros chevaux à croupe luisante, et qui servaient sans doute autant à des travaux agricoles qu'à la voiture.

« Malgré le froid ? Mais vous êtes un preux des anciens jours, dit Laurence à son vieux parent en lui prenant le bras et l'emmenant au salon.

— Ce n'est pas à vous à venir voir un vieux bonhomme comme moi », dit-il avec finesse en adressant ainsi des reproches à ses jeunes parents.

« Pourquoi vient-il ? » se demandait le bonhomme d'Hauteserre.

M. de Chargebœuf, joli vieillard de soixante-sept ans, en culotte pâle, à petites jambes frêles et vêtues de bas chinés, portait un crapaud, de la poudre et des ailes de pigeon[1]. Son habit de chasse, en drap vert, à boutons d'or, était orné de brandebourgs en or. Son gilet blanc éblouissait par d'énormes broderies en or. Cet attirail, encore à la mode parmi les vieilles gens, seyait à sa figure, assez semblable à celle du grand Frédéric. Il ne

1. *Crapaud* : mèches enfermées dans une résille noire sur la nuque ; les ailes de pigeon sont les mèches de côté frisées en ailes de pigeon.

mettait jamais son tricorne pour ne pas détruire l'effet de la demi-lune dessinée sur son crâne par une couche de poudre. Il s'appuyait la main droite sur une canne à bec à corbin, en tenant à la fois et sa canne et son chapeau par un geste digne de Louis XIV. Ce digne vieillard se débarrassa d'une douillette en soie et se plongea dans un fauteuil, en gardant entre ses jambes son tricorne et sa canne, par une pose dont le secret n'a jamais appartenu qu'aux roués de la cour de Louis XV, et qui laissait les mains libres de jouer avec la tabatière, bijou toujours précieux. Aussi le marquis tira-t-il de la poche de son gilet qui se fermait par une garde brodée en arabesque d'or une riche tabatière. Tout en préparant sa prise et offrant du tabac à la ronde par un autre geste charmant, accompagné de regards affectueux, il remarqua le plaisir que causait sa visite. Il parut alors comprendre pourquoi les jeunes émigrés avaient manqué à leur devoir envers lui. Il eut l'air de se dire : « Quand on fait l'amour, on ne fait pas de visite. »

« Nous vous garderons pendant quelques jours, dit Laurence.

— C'est chose impossible, répondit-il. Si nous n'étions pas si séparés par les événements, car vous avez franchi de plus grandes distances que celles qui nous éloignent les uns des autres, vous sauriez, chère enfant, que j'ai des filles, des belles-filles, des petites-filles, des petits-enfants. Tout ce monde serait inquiet de ne pas me voir ce soir, et j'ai dix-huit lieues à faire.

— Vous avez de bien bons chevaux, dit le marquis de Simeuse.

— Oh ! je viens de Troyes où j'avais affaire hier. »

Après les demandes voulues sur la famille, sur la marquise de Chargebœuf et sur ces choses réellement indifférentes auxquelles la politesse veut qu'on s'intéresse vivement, il parut à M. d'Hauteserre que M. de Chargebœuf venait engager ses jeunes parents à ne commettre aucune imprudence. Selon le marquis, les temps étaient bien changés, et personne ne pouvait plus savoir ce que deviendrait l'Empereur.

« Oh ! dit Laurence, il deviendra Dieu. »

Le bon vieillard parla de concessions à faire. En entendant exprimer la nécessité de se soumettre, avec beaucoup plus d'assurance et d'autorité qu'il n'en mettait à toutes ses doctrines, M. d'Hauteserre regarda ses fils d'un air presque suppliant.

« Vous serviriez cet homme-là ? dit le marquis de Simeuse au marquis de Chargebœuf.

— Mais oui, s'il le fallait dans l'intérêt de ma famille. »

Enfin le vieillard fit entrevoir, mais vaguement, des dangers lointains ; quand Laurence le somma de s'expliquer, il engagea les quatre gentilshommes à ne plus chasser et à se tenir coi [1] chez eux.

« Vous regardez toujours les domaines de Gondreville comme à vous, dit-il à MM. de Simeuse, vous ravivez ainsi une haine terrible. Je vois, à votre étonnement, que vous ignorez qu'il existe contre vous de mauvais vouloirs à Troyes, où l'on se souvient de votre courage. Personne ne se gêne pour raconter comment vous avez échappé aux recherches de la Police générale de l'Empire, les uns en vous louant, les autres en vous regardant comme les ennemis de l'Empereur. Quelques séides s'étonnent de la clémence de Napoléon envers vous. Ceci n'est rien. Vous avez joué des gens qui se croyaient plus fins que vous, et les gens de bas étage ne pardonnent jamais. Tôt ou tard, la Justice, qui dans votre Département procède de votre ennemi le sénateur Malin, car il a placé partout ses créatures, même les officiers ministériels, sa justice donc sera très contente de vous trouver engagés dans une mauvaise affaire. Un paysan vous cherchera querelle sur son champ quand vous y serez, vous aurez des armes chargées, vous êtes vifs, un malheur est alors bientôt arrivé. Dans votre position, il faut avoir cent fois raison pour ne pas avoir tort. Je ne vous parle pas ainsi sans raison. La Police surveille toujours l'Arrondissement où vous êtes et maintient un commissaire dans ce petit trou d'Arcis, exprès pour protéger le sénateur de l'Empire contre vos entreprises. Il a peur de vous, et il le dit.

— Mais il nous calomnie ! s'écria le cadet des Simeuse.

---

1. Cet adjectif ne se rencontre guère au pluriel.

— Il vous calomnie ! je le crois, moi ! Mais que croit le public ? voilà l'important. Michu a mis en joue le sénateur, qui ne l'a pas oublié. Depuis votre retour, la comtesse a pris Michu chez elle. Pour bien des gens, et pour la majeure partie du public, Malin a donc raison. Vous ignorez combien la position des émigrés est délicate en face de ceux qui se trouvent posséder leurs biens. Le préfet, homme d'esprit, m'a touché deux mots de vous, hier, qui m'ont inquiété. Enfin, je ne voudrais pas vous voir ici... »

Cette réponse fut accueillie par une profonde stupéfaction. Marie-Paul sonna vivement.

« Gothard, dit-il au petit bonhomme qui vint, allez chercher Michu. »

L'ancien régisseur de Gondreville ne se fit pas attendre.

« Michu, mon ami, dit le marquis de Simeuse, est-il vrai que tu aies voulu tuer Malin ?

— Oui, monsieur le marquis ; et quand il reviendra, je le guetterai.

— Sais-tu que nous sommes soupçonnés de t'avoir aposté, que notre cousine, en te prenant pour fermier, est accusée d'avoir trempé dans ton dessein ?

— Bonté du ciel ! s'écria Michu, je suis donc maudit ? je ne pourrai donc jamais vous défaire tranquillement de Malin ?

— Non, mon garçon, non, reprit Paul-Marie, mais il va falloir quitter le pays et notre service, nous aurons soin de toi ; nous te mettrons en position d'augmenter ta fortune. Vends tout ce que tu possèdes ici, réalise tes fonds, nous t'enverrons à Trieste chez un de nos amis qui a de vastes relations, et qui t'emploiera très utilement jusqu'à ce qu'il fasse meilleur ici pour nous tous. »

Des larmes vinrent aux yeux de Michu qui resta cloué sur la feuille du parquet où il était.

« Y avait-il des témoins, quand tu t'es embusqué pour tirer sur Malin ? demanda le marquis de Chargebœuf.

— Grévin le notaire causait avec lui, c'est ce qui m'a empêché de le tuer, et bien heureusement ! Madame la comtesse sait le pourquoi, dit Michu en regardant sa maîtresse.

— Ce Grévin n'est pas le seul à le savoir ? dit M. de Chargebœuf qui parut contrarié de cet interrogatoire quoique fait en famille.

— Cet espion qui, dans le temps, est venu pour entortiller mes maîtres, le savait aussi », répondit Michu.

M. de Chargebœuf se leva comme pour regarder les jardins, et dit : « Mais vous avez bien tiré parti de Cinq-Cygne. » Puis il sortit suivi par les deux frères et par Laurence qui devinèrent le sens de cette interrogation.

« Vous êtes francs et généreux, mais toujours imprudents, leur dit le vieillard. Que je vous avertisse d'un bruit public *qui doit être une calomnie,* rien de plus naturel ; mais voilà que vous en faites une vérité pour des gens faibles comme M., Mme d'Hauteserre, et pour leurs fils. Oh ! jeunes gens, jeunes gens ! Vous devriez laisser Michu ici, et vous en aller, vous ! Mais, en tout cas, si vous restez dans ce pays, écrivez un mot au sénateur au sujet de Michu, dites-lui que vous venez d'apprendre par moi les bruits qui couraient sur votre fermier et que vous l'avez renvoyé.

— Nous ! s'écrièrent les deux frères, écrire à Malin, à l'assassin de notre père et de notre mère, au spoliateur effronté de notre fortune !

— Tout cela est vrai ; mais il est un des plus grands personnages de la cour impériale, et le roi de l'Aube.

— Lui qui a voté la mort de Louis XVI dans le cas où l'armée de Condé entrerait en France, sinon la réclusion perpétuelle, dit la comtesse de Cinq-Cygne.

— Lui qui peut-être a conseillé la mort du duc d'Enghien ! s'écria Paul-Marie.

— Eh ! mais, si vous voulez récapituler ses titres de noblesse, s'écria le marquis, lui qui a tiré Robespierre par le pan de sa redingote pour le faire tomber quand il a vu ceux qui se levaient pour le renverser les plus nombreux, lui qui aurait fait fusiller Bonaparte si le Dix-Huit Brumaire eût manqué, lui qui ramènerait les Bourbons si Napoléon chancelait, lui que le plus fort trouvera toujours à ses côtés pour lui donner l'épée ou le pistolet avec lequel on achève un adversaire qui inspire des craintes ! Mais... raison de plus.

— Nous tombons bien bas, dit Laurence.

— Enfants, dit le vieux marquis de Chargebœuf en les prenant tous trois par la main et les amenant à l'écart vers une des pelouses alors couverte d'une légère couche de neige, vous allez vous emporter en écoutant les avis d'un homme sage, mais je vous les dois, et voici ce que je ferais : je prendrais pour médiateur un vieux bonhomme, comme qui dirait moi, je le chargerais de demander un million à Malin, contre une ratification de la vente de Gondreville... Oh ! il y consentirait en tenant la chose secrète. Vous auriez, au taux actuel des fonds, cent mille livres de rente, et vous iriez acheter quelque belle terre dans un autre coin de la France, vous laisseriez régir Cinq-Cygne à M. d'Hauteserre, et vous tireriez à la courte paille à qui de vous deux serait le mari de cette belle héritière. Mais le parler d'un vieillard est dans l'oreille des jeunes gens ce qu'est le parler des jeunes gens dans l'oreille des vieillards, un bruit dont le sens échappe. »

Le vieux marquis fit signe à ses trois parents qu'il ne voulait pas de réponse, et regagna le salon où, pendant leur conversation, l'abbé Goujet et sa sœur étaient venus. La proposition de tirer à la courte paille la main de leur cousine avait révolté les deux Simeuse, et Laurence était comme dégoûtée par l'amertume du remède que son parent indiquait. Aussi furent-ils tous trois moins gracieux pour le vieillard, sans cesser d'être polis. L'affection était froissée. M. de Chargebœuf, qui sentit ce froid, jeta sur ces trois charmants êtres, à plusieurs reprises, des regards pleins de compassion. Quoique la conversation devînt générale, il revint sur la nécessité de se soumettre aux événements en louant M. d'Hauteserre de sa persistance à vouloir que ses fils prissent du service.

« Bonaparte, dit-il, fait des ducs. Il a créé des fiefs de l'Empire, il fera des comtes. Malin voudrait être comte de Gondreville. C'est une idée qui peut, ajouta-t-il en regardant MM. de Simeuse, vous être profitable.

— Ou funeste », dit Laurence.

Dès que ses chevaux furent mis, le marquis partit et fut reconduit par tout le monde. Quand il se trouva dans sa voiture, il fit signe à Laurence de venir, et elle se posa sur le marchepied avec une légèreté d'oiseau.

« Vous n'êtes pas une femme ordinaire, et vous devriez

me comprendre, lui dit-il à l'oreille. Malin a trop de remords pour vous laisser tranquilles, il vous tendra quelque piège. Au moins prenez bien garde à toutes vos actions, même aux plus légères ! enfin, transigez, voilà mon dernier mot. »

Les deux frères restèrent debout près de leur cousine, au milieu de la pelouse, regardant dans une profonde immobilité le berlingot qui tournait la grille et s'envolait sur le chemin vers Troyes, car Laurence leur avait répété le dernier mot du bonhomme. L'expérience aura toujours le tort de se montrer en berlingot, en bas chinés, et avec un crapaud sur la nuque. Aucun de ces jeunes cœurs ne pouvait concevoir le changement qui s'opérait en France, l'indignation leur remuait les nerfs et l'honneur bouillonnait dans toutes leurs veines avec leur noble sang.

« Le chef des Chargebœuf ! dit le marquis de Simeuse, un homme qui a pour devise : VIENNE UN PLUS FORT ! *(Adsit fortior !),* un des plus beaux cris de guerre.

— Il est devenu le bœuf, dit Laurence en souriant avec amertume.

— Nous ne sommes plus au temps de saint Louis, reprit le cadet des Simeuse.

— MOURIR EN CHANTANT ! s'écria la comtesse. Ce cri des cinq jeunes filles qui firent notre maison sera le mien.

— Le nôtre n'est-il pas CY MEURS ! Ainsi pas de quartier ! reprit l'aîné des Simeuse, car en réfléchissant nous trouverions que notre parent le Bœuf a bien sagement ruminé ce qu'il est venu nous dire, Gondreville devenir le nom d'un Malin !

— La demeure ! s'écria le cadet.

— Mansard l'a dessiné pour la Noblesse, et le Peuple y fera ses petits ! dit l'aîné.

— Si cela devait être, j'aimerais mieux voir Gondreville brûlé ! » s'écria Mlle de Cinq-Cygne.

Un homme du village qui venait voir un veau que lui vendait le bonhomme d'Hauteserre entendit cette phrase en sortant de l'étable.

« Rentrons, dit Laurence en souriant, nous avons failli commettre une imprudence et donner raison au bœuf à propos d'un veau. » « Mon pauvre Michu ! dit-elle en rentrant au salon, j'avais oublié ta frasque, mais nous ne sommes pas en odeur de sainteté dans le pays, ainsi ne nous compromets pas. As-tu quelque autre peccadille à te reprocher ?

— Je me reproche de n'avoir pas tué l'assassin de mes vieux maîtres avant d'accourir au secours de ceux-ci.

— Michu ! s'écria le curé.

— Mais je ne quitterai pas le pays, dit-il en continuant sans faire attention à l'exclamation du curé, que je ne sache si vous y êtes en sûreté. J'y vois rôder des gars qui ne me plaisent guère. La dernière fois que nous avons chassé dans la forêt, il est venu à moi cette manière de garde qui m'a remplacé à Gondreville, et qui m'a demandé si nous étions là chez nous. "Oh ! mon garçon, lui ai-je dit, il est difficile de se déshabituer en deux mois des choses qu'on fait depuis deux siècles."

— Tu as tort, Michu, dit en souriant de plaisir le marquis de Simeuse.

— Qu'a-t-il répondu ? demanda M. d'Hauteserre.

— Il a dit, reprit Michu, qu'il instruirait le sénateur de nos prétentions.

— Comte de Gondreville ! reprit l'aîné des d'Hauteserre. Ah ! la bonne mascarade ! Au fait, on dit Sa Majesté à Bonaparte.

— Et Son Altesse à Mgr le grand-duc de Berg [1], dit le curé.

— Qui, celui-là ? fit M. de Simeuse.

— Murat, le beau-frère de Napoléon, dit le vieux d'Hauteserre.

— Bon, reprit Mlle de Cinq-Cygne. Et dit-on Sa Majesté à la veuve du marquis de Beauharnais ?

— Oui, Mademoiselle, dit le curé.

— Nous devrions aller à Paris voir tout cela, s'écria Laurence.

— Hélas ! Mademoiselle, dit Michu, j'y suis allé pour mettre Michu au lycée, je puis vous jurer qu'il n'y a pas à badiner avec ce qu'on appelle la Garde impériale. Si toute l'armée est sur ce modèle-là, la chose peut durer plus que nous.

---

1. Murat ne reçut ce titre qu'un mois plus tard.

— On parle de familles nobles qui prennent du service, dit M. d'Hauteserre.

— Et d'après les lois actuelles, vos enfants, reprit le curé, seront forcés de servir. La loi ne connaît plus ni les rangs, ni les noms.

— Cet homme nous fait plus de mal avec sa cour que la Révolution avec sa hache ! s'écria Laurence.

— L'Église prie pour lui », dit le curé.

Ces mots, dits coup sur coup, étaient autant de commentaires sur les sages paroles du vieux marquis de Chargebœuf ; mais ces jeunes gens avaient trop de foi, trop d'honneur pour accepter une transaction. Ils se disaient aussi ce que se sont dit à toutes les époques les partis vaincus : que la prospérité du parti vainqueur finirait, que l'Empereur n'était soutenu que par l'armée, que le Fait périssait tôt ou tard devant le Droit, etc. Malgré ces avis, ils tombèrent dans la fosse creusée devant eux, et qu'eussent évitée des gens prudents et dociles comme le bonhomme d'Hauteserre. Si les hommes voulaient être francs, ils reconnaîtraient peut-être que jamais le malheur n'a fondu sur eux sans qu'ils aient reçu quelque avertissement patent ou occulte. Beaucoup n'ont aperçu le sens profond de cet avis mystérieux ou visible qu'après leur désastre.

« Dans tous les cas, madame la comtesse sait que je ne peux pas quitter le pays sans avoir rendu mes comptes », dit Michu tout bas à Mlle de Cinq-Cygne.

Elle fit pour toute réponse un signe d'intelligence au fermier qui s'en alla. Michu, qui vendit aussitôt ses terres à Beauvisage, le fermier de Bellache, ne put pas être payé avant une vingtaine de jours. Un mois donc après la visite du marquis, Laurence, qui avait appris à ses deux cousins l'existence de leur fortune, leur proposa de prendre le jour de la mi-carême[1] pour retirer le million enterré dans la forêt. La grande quantité de neige tombée avait jusqu'alors empêché Michu d'aller chercher ce trésor ; mais il aimait faire cette opération avec ses maîtres. Michu voulait absolument quitter le pays, il se craignait lui-même.

---

1. Le 13 mars.

« Malin vient d'arriver brusquement à Gondreville, sans qu'on sache pourquoi, dit-il à sa maîtresse, et je ne résisterais pas à faire mettre Gondreville en vente par suite du décès du propriétaire. Je me crois comme coupable de ne pas suivre mes inspirations !

— Par quelle raison peut-il quitter Paris au milieu de l'hiver ?

— Tout Arcis en cause, répondit Michu, il a laissé sa famille à Paris, et n'est accompagné que de son valet de chambre. M. Grévin, le notaire d'Arcis, Mme Marion, la femme du receveur général de l'Aube, et belle-sœur du Marion qui a prêté son nom à Malin, lui tiennent compagnie. »

Laurence regarda la mi-carême comme un excellent jour, car il permettait de se défaire des gens. Les mascarades attiraient les paysans à la ville, et personne n'était aux champs. Mais le choix du jour servit précisément la fatalité qui s'est rencontrée en beaucoup d'affaires criminelles. Le hasard fit ses calculs avec autant d'habileté que Mlle de Cinq-Cygne en mit aux siens. L'inquiétude de M. et Mme d'Hauteserre devait être si grande de se savoir onze cent mille francs en or dans un château situé sur la lisière d'une forêt, que les d'Hauteserre consultés furent eux-mêmes d'avis de ne leur rien dire. Le secret de cette expédition fut concentré entre Gothard, Michu, les quatre gentilshommes et Laurence. Après bien des calculs, il parut possible de mettre quarante-huit mille francs dans un long sac sur la croupe de chaque cheval. Trois voyages suffiraient. Par prudence, on convint donc d'envoyer tous les gens dont la curiosité pouvait être dangereuse à Troyes, y voir les réjouissances de la mi-carême. Catherine, Marthe et Durieu, sur qui l'on pouvait compter, garderaient le château. Les gens acceptèrent bien volontiers la liberté qu'on leur donnait, et partirent avant le jour. Gothard, aidé par Michu, pansa et sella les chevaux de grand matin. La caravane prit par les jardins de Cinq-Cygne, et de là maîtres et gens gagnèrent la forêt. Au moment où ils montèrent à cheval, car la porte du parc était si basse que chacun fit le parc à pied en tenant son cheval par la bride, le vieux Beauvisage, le fermier de Bellache, vint à passer.

« Allons ! s'écria Gothard, voilà quelqu'un.

— Oh ! c'est moi, dit l'honnête fermier en débouchant. Salut, messieurs ; vous allez donc à la chasse, malgré les arrêtés de préfecture ? Ce n'est pas moi qui me plaindrai ; mais prenez garde ! Si vous avez des amis, vous avez aussi bien des ennemis.

— Oh ! dit en souriant le gros d'Hauteserre, Dieu veuille que notre chasse réussisse et tu retrouveras tes maîtres. »

Ces paroles, auxquelles l'événement donna un tout autre sens, valurent un regard sévère de Laurence à Robert. L'aîné des Simeuse croyait que Malin restituerait la terre de Gondreville contre une indemnité. Ces enfants voulaient faire le contraire de ce que le marquis de Chargebœuf leur avait conseillé. Robert, qui partageait leurs espérances, y pensait en disant cette fatale parole.

« Dans tous les cas, motus, mon vieux ! » dit à Beauvisage Michu qui partit le dernier en prenant la clef de la porte.

Il faisait une de ces belles journées de la fin de mars où l'air est sec, la terre nette, le temps pur, et dont la température forme une espèce de contresens avec les arbres sans feuilles. Le temps était si doux que l'œil apercevait par places des champs de verdure dans la campagne.

« Nous allons chercher un trésor, tandis que vous êtes le vrai trésor de notre maison, cousine », dit en riant l'aîné des Simeuse.

Laurence marchait en avant, ayant de chaque côté de son cheval un de ses cousins. Les deux d'Hauteserre la suivaient, suivis eux-mêmes par Michu. Gothard allait en avant pour éclairer la route.

« Puisque notre fortune va se retrouver, en partie du moins, épousez mon frère, dit le cadet à voix basse. Il vous adore, vous serez aussi riches que doivent l'être les nobles d'aujourd'hui.

— Non, laissez-lui toute sa fortune, et je vous épouserai, moi qui suis assez riche pour deux, répondit-elle.

— Qu'il en soit ainsi, s'écria le marquis de Simeuse. Moi, je vous quitterai pour aller chercher une femme digne d'être votre sœur.

— Vous m'aimez donc moins que je ne le croyais, reprit Laurence en le regardant avec une expression de jalousie.

— Non ; je vous aime plus tous les deux que vous ne m'aimez, répondit le marquis.

— Ainsi vous vous sacrifieriez ? » demanda Laurence à l'aîné des Simeuse en lui jetant un regard plein d'une préférence momentanée.

Le marquis garda le silence.

« Eh bien, moi, je ne penserais alors qu'à vous, et ce serait insupportable à mon mari, reprit Laurence à qui ce silence arracha un mouvement d'impatience.

— Comment vivrais-je sans toi ? s'écria le cadet en regardant son frère.

— Mais cependant vous ne pouvez pas nous épouser tous deux, dit le marquis. Et, ajouta-t-il avec le ton brusque d'un homme atteint au cœur, il est temps de prendre une décision. »

Il poussa son cheval en avant pour que les deux d'Hauteserre n'entendissent rien. Le cheval de son frère et celui de Laurence imitèrent ce mouvement. Quand ils eurent mis un intervalle raisonnable entre eux et les trois autres, Laurence voulut parler, mais les larmes furent d'abord son seul langage.

« J'irai dans un cloître, dit-elle enfin.

— Et vous laisseriez finir les Cinq-Cygne ? dit le cadet des Simeuse. Et au lieu d'un seul malheureux qui consent à l'être, vous en ferez deux ! Non, celui de nous deux qui ne sera que votre frère se résignera. En sachant que nous n'étions pas si pauvres que nous pensions l'être, nous nous sommes expliqués, dit-il en regardant le marquis. Si je suis le préféré, toute notre fortune est à mon frère. Si je suis le malheureux, il me la donne, ainsi que les titres de Simeuse, car il deviendra Cinq-Cygne ! De toute manière, celui qui ne sera pas heureux aura des chances d'établissement. Enfin, s'il se sent mourir de chagrin, il ira se faire tuer à l'armée, pour ne pas attrister le ménage.

— Nous sommes de vrais chevaliers du Moyen Âge, nous sommes dignes de nos pères, s'écria l'aîné, parlez, Laurence !

— Nous ne voulons pas rester ainsi, dit le cadet.

— Ne crois pas, Laurence, que le dévouement soit sans voluptés, dit l'aîné.

— Mes chers aimés, dit-elle, je suis incapable de me prononcer. Je vous aime tous deux comme si vous n'étiez qu'un seul être, et comme vous aimait votre mère ! Dieu nous aidera. Je ne choisirai pas. Nous nous en remettrons au hasard, et j'y mets une condition.

— Laquelle ?

— Celui de vous qui deviendra mon frère restera près de moi jusqu'à ce que je lui permette de me quitter. Je veux être seule juge de l'opportunité du départ.

— Oui, dirent les deux frères sans s'expliquer la pensée de leur cousine.

— Le premier de vous deux à qui Mme d'Hauteserre adressera la parole ce soir à table, après le *Benedicite,* sera mon mari. Mais aucun de vous n'usera de supercherie, et ne la mettra dans le cas de l'interroger.

— Nous jouerons franc jeu », dit le cadet.

Chacun des deux frères embrassa la main de Laurence. La certitude d'un dénouement que l'un et l'autre pouvait croire lui être favorable rendit les deux jumeaux extrêmement gais.

« De toute manière, chère Laurence, tu feras un comte de Cinq-Cygne, dit l'aîné.

— Et nous jouons à qui ne sera pas Simeuse, dit le cadet.

— Je crois, de ce coup, que Madame ne sera pas longtemps fille, dit Michu derrière les deux d'Hauteserre. Mes maîtres sont bien joyeux. Si ma maîtresse fait son choix, je ne pars pas, je veux voir cette noce-là ! »

Aucun des deux d'Hauteserre ne répondit. Une pie s'envola brusquement entre les d'Hauteserre et Michu, qui, superstitieux comme les gens primitifs, crut entendre sonner les cloches d'un service mortuaire. La journée commença donc gaiement pour les amants, qui voient rarement des pies quand ils sont ensemble dans les bois. Michu armé de son plan reconnut les places, chaque gentilhomme s'était muni d'une pioche, les sommes furent trouvées ; la partie de la forêt où elles avaient été cachées était déserte, loin de tout passage et de toute habitation, ainsi la caravane chargée d'or ne rencontra personne. Ce fut un malheur. En venant de Cinq-Cygne pour chercher les derniers deux cent mille francs, la caravane, enhardie par le succès, prit un chemin plus direct que celui par lequel elle s'était dirigée aux voyages précédents. Ce chemin passait par un point culminant d'où l'on voyait le parc de Gondreville.

« Le feu ! dit Laurence en apercevant une colonne de feu bleuâtre.

— C'est quelque feu de joie », répondit Michu.

Laurence, qui connaissait les moindres sentiers de la forêt, laissa la caravane et piqua des deux jusqu'au pavillon de Cinq-Cygne, l'ancienne habitation de Michu. Quoique le pavillon fût désert et fermé, la grille était ouverte, et les traces du passage de plusieurs chevaux frappèrent les yeux de Laurence. La colonne de fumée s'élevait d'une prairie du parc anglais où elle présuma que l'on brûlait des herbes.

« Ah ! vous en êtes aussi, Mademoiselle, s'écria Violette qui sortit du parc sur son bidet au grand galop et qui s'arrêta devant Laurence. Mais c'est une farce de carnaval, n'est-ce pas ? on ne le tuera pas.

— Qui ?

— Vos cousins ne veulent pas sa mort.

— La mort de qui ?

— Du sénateur.

— Tu es fou, Violette !

— Eh bien, que faites-vous donc là ? » demanda-t-il.

À l'idée d'un danger couru par ses cousins, l'intrépide écuyère piqua des deux et arriva sur le terrain au moment où les sacs se chargeaient.

« Alerte ! je ne sais ce qui se passe, mais rentrons à Cinq-Cygne. »

Pendant que les gentilshommes s'employaient au transport de la fortune sauvée par le vieux marquis, il se passait une étrange scène au château de Gondreville.

À deux heures après midi, le sénateur et son ami Grévin faisaient une partie d'échecs devant le feu, dans le grand salon du rez-de-chaussée. Mme Grévin et Mme Marion causaient au coin de la cheminée assises sur un canapé. Tous les gens du château étaient allés voir une curieuse mascarade annoncée depuis longtemps dans l'arrondissement d'Arcis. La famille du garde qui remplaçait Michu au pavillon de Cinq-Cygne y était allée aussi. Le valet de chambre du sénateur et Violette se trouvaient alors seuls au château. Le concierge, deux jardiniers et leurs femmes restaient à leur poste ; mais leur pavillon est situé à l'entrée des cours, au bout de l'avenue d'Arcis, et la distance qui existe entre ce tournebride et le château ne permettait pas d'y entendre un coup de fusil. D'ailleurs ces gens se tenaient sur le pas de la porte et regardaient dans la direction d'Arcis, qui est à une demi-lieue, espérant voir arriver la mascarade. Violette attendait dans une vaste antichambre le moment d'être reçu par le sénateur et Grévin, pour traiter l'affaire relative à la prorogation de son bail. En ce moment, cinq hommes masqués et gantés, qui, par la taille, les manières et l'allure, ressemblaient à MM. d'Hauteserre, de Simeuse et à Michu, fondirent sur le valet de chambre et sur Violette, auxquels ils mirent un mouchoir en forme de bâillon, et qu'ils attachèrent à des chaises dans un office. Malgré la célérité des agresseurs, l'opération ne se fit pas sans que le valet de chambre et Violette eussent poussé chacun un cri. Ce cri fut entendu dans le salon. Les deux femmes voulurent y reconnaître un cri d'alarme.

« Écoutez ! dit Mme Grévin, voici des voleurs.

— Bah ! c'est un cri de mi-carême ! dit Grévin, nous allons avoir les masques au château. »

Cette discussion donna le temps aux cinq inconnus de fermer les portes du côté de la cour d'honneur, et d'enfermer le valet de chambre et Violette. Mme Grévin, femme assez entêtée, voulut absolument savoir la cause du bruit ; elle se leva et donna dans les cinq masques, qui la traitèrent comme ils avaient arrangé Violette et le valet de chambre ; puis ils entrèrent avec violence dans le salon, où les deux plus forts s'emparèrent du comte de Gondreville, le bâillonnèrent et l'enlevèrent par le parc, tandis que les trois autres liaient et bâillonnaient également Mme Marion et le notaire chacun sur un fauteuil. L'exécution de cet attentat ne prit pas plus d'une demi-heure. Les trois inconnus, bientôt rejoints par ceux qui avaient emporté le sénateur, fouillèrent le château de la cave au grenier. Ils ouvrirent toutes les armoires sans crocheter aucune serrure ; ils sondèrent les murs, et furent enfin les maîtres jusqu'à cinq heures du soir. En ce moment, le valet de chambre acheva de déchirer avec ses dents les cordes qui liaient les mains de Violette. Violette, débarrassé de son bâillon, se mit à crier au secours. En entendant ces cris, les cinq inconnus rentrèrent dans les jardins, sautèrent sur des chevaux semblables à ceux de Cinq-Cygne, et se sauvèrent, mais pas assez lestement pour empêcher Violette de les apercevoir. Après avoir détaché le valet de chambre, qui délia les femmes et le notaire, Violette enfourcha son bidet, et courut après les malfaiteurs. En arrivant au pavillon, il fut aussi stupéfait de voir les deux battants de la grille ouverts que de voir Mlle de Cinq-Cygne en vedette.

Quand la jeune comtesse eut disparu, Violette fut rejoint par Grévin à cheval et accompagné du garde champêtre de la commune de Gondreville, à qui le concierge avait donné un cheval des écuries du château. La femme du concierge était allée avertir la gendarmerie d'Arcis. Violette apprit aussitôt à Grévin sa rencontre avec Laurence et la fuite de cette audacieuse jeune fille, dont le caractère profond et décidé leur était connu.

« Elle faisait le guet, dit Violette.

— Est-il possible que ce soient les nobles de Cinq-Cygne qui aient fait le coup ? s'écria Grévin.

— Comment ! répondit Violette, vous n'avez pas reconnu ce gros Michu ? c'est lui qui s'est jeté sur moi ! j'ai bien senti sa *pogne*. D'ailleurs les cinq chevaux étaient bien ceux de Cinq-Cygne. »

En voyant la marque du fer des chevaux sur le sable du rond-point et dans le parc, le notaire laissa le garde champêtre en observation à la grille pour veiller à la conservation de ces précieuses empreintes, et envoya Violette chercher le juge de paix d'Arcis pour les constater. Puis il retourna promptement au salon du château de Gondreville, où le lieutenant et le sous-lieutenant de la gendarmerie impériale arrivaient accompagnés de quatre hommes et d'un brigadier. Ce lieutenant était, comme on doit le penser, le brigadier à qui, deux ans auparavant, François avait troué la tête, et à qui Corentin fit alors connaître son malicieux adversaire. Cet homme, appelé

Giguet, dont le frère servait et devint un des meilleurs colonels d'artillerie, se recommandait par sa capacité comme officier de gendarmerie. Plus tard il commanda l'escadron de l'Aube. Le sous-lieutenant, nommé Welff, avait autrefois mené Corentin de Cinq-Cygne au pavillon, et du pavillon à Troyes. Pendant la route, le Parisien avait suffisamment édifié l'Égyptien sur ce qu'il nomma la rouerie de Laurence et de Michu. Ces deux officiers devaient donc montrer et montrèrent une grande ardeur contre les habitants de Cinq-Cygne. Malin et Grévin avaient, l'un pour le compte de l'autre, tous deux travaillé au Code dit de Brumaire an IV, l'œuvre judiciaire de la Convention dite nationale, promulguée par le Directoire. Ainsi Grévin, qui connaissait cette législation à fond, put opérer dans cette affaire avec une terrible célérité, mais sous une présomption arrivée à l'état de certitude relativement à la criminalité de Michu, de MM. d'Hauteserre et de Simeuse. Personne aujourd'hui, si ce n'est quelques vieux magistrats, ne se rappelle l'organisation de cette justice que Napoléon renversait précisément alors par la promulgation de ses Codes et par l'institution de sa magistrature qui régit maintenant la France.

Le Code de Brumaire an IV réservait au directeur du Jury du Département la poursuite immédiate du délit commis à Gondreville. Remarquez, en passant, que la Convention avait rayé de la langue judiciaire le mot crime. Elle n'admettait que des délits contre la loi, délits emportant des amendes, l'emprisonnement, des peines infamantes ou afflictives. La mort était une peine afflictive. Néanmoins, la peine afflictive de la mort devait être supprimée à la paix, et remplacée par vingt-quatre années de travaux forcés. Ainsi la Convention estimait que vingt-quatre années de travaux forcés égalaient la peine de mort. Que dire du Code pénal qui inflige les travaux forcés à perpétuité ? L'organisation alors préparée par le Conseil d'État de Napoléon supprimait la magistrature des directeurs du Jury qui réunissaient, en effet, des pouvoirs énormes. Relativement à la poursuite des délits et à la mise en accusation, le directeur du Jury était en quelque sorte à la fois agent de police judiciaire, procureur du Roi, juge d'instruction et Cour royale. Seulement, sa procédure et son acte d'accusation étaient soumis au visa d'un commissaire du Pouvoir exécutif et au verdict de huit jurés auxquels il exposait les faits de son instruction, qui entendaient les témoins, les accusés, et qui prononçaient un premier verdict, dit d'accusation. Le directeur devait exercer sur les jurés, réunis dans son cabinet, une influence telle qu'ils ne pouvaient être que ses coopérateurs. Ces jurés constituaient le jury d'accusation. Il existait d'autres jurés pour composer le jury près le tribunal criminel chargé de juger les accusés. Par opposition aux jurés d'accusation, ceux-là se nommaient jurés de jugement. Le tribunal criminel, à qui Napoléon venait de donner le nom de Cour criminelle, se composait d'un président, de quatre juges, de l'accusateur public, et d'un commissaire du Gouvernement. Néanmoins, de 1799 à 1806, il exista des Cours dites spéciales, jugeant sans jurés dans certains Départements certains attentats, composées de juges pris au tribunal civil qui se formait en Cour spéciale. Ce conflit de la justice spéciale et de la justice criminelle amenait des questions de compétence que jugeait le tribunal de cassation. Si le département de l'Aube avait eu sa Cour spéciale, le jugement de l'attentat commis sur un sénateur de l'Empire y eût été sans doute déféré ; mais ce tranquille département était exempt de cette juridiction exceptionnelle. Grévin dépêcha donc le sous-lieutenant au directeur du jury de Troyes. L'Égyptien y courut bride abattue, et revint à Gondreville, ramenant en poste ce magistrat quasi souverain.

Le directeur du jury de Troyes était un ancien lieutenant de bailliage, ancien secrétaire appointé d'un des comités de la Convention, ami de Malin, et placé par lui. Ce magistrat, nommé Lechesneau, vrai praticien de la vieille justice criminelle, avait, ainsi que Grévin, beaucoup aidé Malin dans ses travaux judiciaires à la Convention. Aussi Malin le recommanda-t-il à Cambacérès, qui le nomma procureur général en Italie. Malheureusement pour sa carrière, Lechesneau eut des liaisons avec une grande dame de Turin, et Napoléon fut obligé de le destituer pour le soustraire à un procès correctionnel intenté par le mari à propos de la soustraction d'un enfant adultérin. Lechesneau, devant tout à Malin, et devinant l'importance d'un pareil attentat, avait amené le capitaine de la gendarmerie et un piquet de douze hommes.

Avant de partir, il s'était entendu naturellement avec le préfet, qui, pris par la nuit, ne put se servir du télégraphe. On expédia sur Paris une estafette afin de prévenir le ministre de la Police générale, le Grand-Juge et l'Empereur de ce crime inouï. Lechesneau trouva dans le salon de Gondreville Mmes Marion et Grévin, Violette, le valet de chambre du sénateur, et le juge de paix assisté de son greffier. Déjà des perquisitions avaient été pratiquées dans le château. Le juge de paix, aidé par Grévin, recueillait soigneusement les premiers éléments de l'instruction. Le magistrat fut tout d'abord frappé des combinaisons profondes que révélaient et le choix du jour et celui de l'heure. L'heure empêchait de chercher immédiatement des indices et des preuves. Dans cette saison, à cinq heures et demie, moment où Violette avait pu poursuivre les délinquants, il faisait presque nuit ; et, pour les malfaiteurs, la nuit est souvent l'impunité. Choisir un jour de réjouissances où tout le monde irait voir la mascarade d'Arcis, et où le sénateur devait se trouver seul chez lui, n'était-ce pas éviter les témoins ?

« Rendons justice à la perspicacité des agents de la Préfecture de police, dit Lechesneau. Ils n'ont cessé de nous mettre en garde contre les nobles de Cinq-Cygne, et nous ont dit que tôt ou tard ils feraient quelque mauvais coup. »

Sûr de l'activité du préfet de l'Aube, qui envoya dans toutes les préfectures environnant celle de Troyes des estafettes pour faire chercher les traces des cinq hommes masqués et du sénateur, Lechesneau commença par établir les bases de son instruction. Ce travail se fit rapidement avec deux têtes judiciaires aussi fortes que celles de Grévin et du juge de paix. Le juge de paix, nommé Pigoult, ancien premier clerc de l'étude où Malin et Grévin avaient étudié la chicane à Paris, fut nommé trois mois après président du tribunal d'Arcis. En ce qui concernait Michu, Lechesneau connaissait les menaces précédemment faites par cet homme à M. Marion, et le guet-apens auquel le sénateur avait échappé dans son parc. Ces deux faits, dont l'un était la conséquence de l'autre, devaient être les prémisses[1] de l'attentat actuel, et désignaient d'autant mieux l'ancien garde comme le chef des malfaiteurs, que Grévin, sa femme, Violette et Mme Marion déclaraient avoir reconnu dans les cinq individus masqués un homme entièrement semblable à Michu. La couleur des cheveux, celle des favoris, la taille trapue de l'individu rendaient son déguisement à peu près inutile. Quel autre que Michu, d'ailleurs, aurait pu ouvrir la grille de Cinq-Cygne avec une clef ? Le garde et sa femme, revenus d'Arcis et interrogés, déposèrent avoir fermé les deux grilles à la clef. Les grilles, examinées par le juge de paix, assisté du garde champêtre et de son greffier, n'avaient offert aucune trace d'effraction.

« Quand nous l'avons mis à la porte, il aura gardé des doubles clefs du château, dit Grévin. Mais il doit avoir médité quelque coup désespéré, car il a vendu ses biens en vingt jours, et en a touché le prix dans mon étude avant-hier.

— Ils lui auront tout mis sur le dos, s'écria Lechesneau frappé de cette circonstance. Il s'est montré leur âme damnée. »

Qui pouvait, mieux que MM. de Simeuse et d'Hauteserre, connaître les êtres du château ? Aucun des assaillants ne s'était trompé dans ses recherches, ils étaient allés partout avec une certitude qui prouvait que la troupe savait bien ce qu'elle voulait, et savait surtout où l'aller prendre. Aucune des armoires restées ouvertes n'avait été forcée. Ainsi les délinquants en avaient les clefs ; et, chose étrange ! ils ne s'étaient pas permis le moindre détournement. Il ne s'agissait donc pas d'un vol. Enfin, Violette, après avoir reconnu les chevaux du château de Cinq-Cygne, avait trouvé la comtesse en embuscade devant le pavillon du garde. De cet ensemble de faits et de dépositions il résultait, pour la justice la moins prévenue, des présomptions de culpabilité relativement à MM. de Simeuse, d'Hauteserre et Michu qui dégénéraient en certitude pour un directeur du jury. Maintenant que voulaient-ils faire du futur comte de Gondreville ? Le for-

1. Étant donné le sens évident du mot ici, on attendrait l'orthographe *prémices*.

cer à une rétrocession de sa terre, pour l'acquisition de laquelle le régisseur annonçait, dès 1799, avoir des capitaux ? Ici tout changeait d'aspect.

Le savant criminaliste se demanda quel pouvait être le but des recherches actives faites dans le château. S'il se fût agi d'une vengeance, les délinquants eussent pu tuer Malin. Peut-être le sénateur était-il mort et enterré. L'enlèvement accusait néanmoins une séquestration. Pourquoi la séquestration après les recherches accomplies au château ? Certes, il y avait folie à croire que l'enlèvement d'un dignitaire de l'Empire resterait longtemps secret ! La rapide publicité que devait avoir cet attentat en annulait les bénéfices.

À ces objections, Pigoult répondit que jamais la Justice ne pouvait deviner tous les motifs des scélérats. Dans tous les procès criminels, il existait, du juge au criminel et du criminel au juge, des parties obscures ; la conscience avait des abîmes où la lumière humaine ne pénétrait que par la confession des coupables.

Grévin et Lechesneau firent un hochement de tête en signe d'assentiment, sans pour cela cesser d'avoir les yeux sur ces ténèbres qu'ils tenaient à éclairer.

« L'Empereur leur a pourtant fait grâce, dit Pigoult à Grévin et à Mme Marion, il les a radiés de la liste, quoiqu'ils fussent de la dernière conspiration ourdie contre lui ! »

Lechesneau, sans plus tarder, expédia toute sa gendarmerie sur la forêt et la vallée de Cinq-Cygne, en faisant accompagner Giguet par le juge de paix qui devint, aux termes du Code, son officier de police judiciaire auxiliaire ; il le chargea de recueillir dans la commune de Cinq-Cygne les éléments de l'instruction, de procéder au besoin à tous interrogatoires, et, pour plus de diligence, il dicta rapidement et signa le mandat d'arrêt de Michu, sur qui les charges paraissaient évidentes. Après le départ des gendarmes et du juge de paix, Lechesneau reprit le travail important des mandats d'arrêt à décerner contre les Simeuse et les d'Hauteserre. D'après le Code, ces actes devaient contenir toutes les charges qui pesaient sur les délinquants. Giguet et le juge de paix se portèrent si rapidement sur Cinq-Cygne, qu'ils rencontrèrent les gens du château revenant de Troyes. Arrêtés et conduits chez le maire, où ils furent interrogés, chacun d'eux, ignorant l'importance de cette réponse, dit naïvement avoir reçu, la veille, la permission d'aller pendant toute la journée à Troyes. Sur une interpellation du juge de paix, chacun répondit également que Mademoiselle leur avait offert de prendre cette distraction à laquelle ils ne songeaient pas. Ces dépositions parurent si graves au juge de paix, qu'il envoya l'Égyptien à Gondreville prier M. Lechesneau de venir procéder lui-même à l'arrestation des gentilshommes de Cinq-Cygne, afin d'opérer simultanément, car il se transportait à la ferme de Michu, pour y surprendre le prétendu chef des malfaiteurs. Ces nouveaux éléments parurent si décisifs, que Lechesneau partit aussitôt pour Cinq-Cygne, en recommandant à Grévin de faire soigneusement garder les empreintes laissées par le pied des chevaux dans le parc. Le directeur du jury savait quel plaisir causerait à Troyes sa procédure contre d'anciens nobles, les ennemis du peuple, devenus les ennemis de l'Empereur. En de pareilles dispositions, un magistrat prend facilement de simples présomptions pour des preuves évidentes. Néanmoins, en allant de Gondreville à Cinq-Cygne dans la propre voiture du sénateur, Lechesneau qui, certes, eût fait un grand magistrat sans la passion à laquelle il dut sa disgrâce, car l'Empereur devint prude, trouva l'audace des jeunes gens et de Michu bien folle et peu en harmonie avec l'esprit de Mlle de Cinq-Cygne. Il crut en lui-même à des intentions autres que celles d'arracher au sénateur une rétrocession de Gondreville. En toute chose, même en magistrature, il existe ce qu'il faut appeler la conscience du métier. Les perplexités de Lechesneau résultaient de cette conscience que tout homme met à s'acquitter des devoirs qui lui plaisent, et que les savants portent dans la science, les artistes dans l'art, les juges dans la justice. Aussi peut-être les juges offrent-ils aux accusés plus de garanties que les jurés. Le magistrat ne se fie qu'aux lois de la raison, tandis que le juré se laisse entraîner par les ondes du sentiment. Le directeur du jury se posa plusieurs questions à lui-même, en se proposant d'y chercher des solutions satisfaisantes dans l'arrestation même des délinquants. Quoique la nouvelle de l'enlèvement de Malin agitât déjà la ville de Troyes, elle était encore ignorée dans Arcis à huit heures, car tout le monde soupait quand on y vint chercher la gendarmerie et le juge de paix ; enfin personne ne la savait à Cinq-Cygne, dont la vallée et le château étaient pour la seconde fois cernés, mais cette fois par la Justice et non par la Police : les transactions, possibles avec l'une, sont souvent impossibles avec l'autre.

Laurence n'avait eu qu'à dire à Marthe, à Catherine et aux Durieu de rester dans le château sans en sortir ni regarder au-dehors, pour être strictement obéie par eux. À chaque voyage, les chevaux stationnèrent dans le chemin creux, en face de la brèche, et de là, Robert et Michu, les plus robustes de la troupe, avaient pu transporter secrètement les sacs par la brèche dans une cave située sous l'escalier de la tour dite de Mademoiselle. En arrivant au château vers cinq heures et demie, les quatre gentilshommes et Michu se mirent aussitôt à y enterrer l'or. Laurence et les d'Hauteserre jugèrent convenable de murer le caveau. Michu se chargea de cette opération en se faisant aider par Gothard, qui courut à la ferme chercher quelques sacs de plâtre restés lors de la construction, et Marthe retourna chez elle pour donner secrètement les sacs à Gothard. La ferme bâtie par Michu se trouvait sur l'éminence d'où jadis il avait aperçu les gendarmes, et l'on y allait par le chemin creux. Michu, très affamé, se dépêcha si bien que, vers sept heures et demie, il eut fini sa besogne. Il revenait d'un pas leste, afin d'empêcher Gothard d'apporter un dernier sac de plâtre dont il avait cru avoir besoin. Sa ferme était déjà cernée par le garde champêtre de Cinq-Cygne, par le juge de paix, son greffier et trois gendarmes qui se cachèrent et le laissèrent entrer en l'entendant venir.

Michu rencontra Gothard, un sac sur l'épaule, et lui cria de loin : « C'est fini, petit, reporte-le, et dîne avec nous. »

Michu, le front en sueur, les vêtements souillés de plâtre et de débris de pierres meulières boueuses provenant des décombres de la brèche, entra tout joyeux dans la cuisine de sa ferme, où la mère de Marthe et Marthe servaient la soupe en l'attendant.

Au moment où Michu tournait le robinet de la fontaine pour se laver les mains, le juge de paix se présenta, accompagné de son greffier et du garde champêtre.

« Que nous voulez-vous, monsieur Pigoult ? demanda Michu.

— Au nom de l'Empereur et de la Loi, je vous arrête ! » dit le juge de paix.

Les trois gendarmes se montrèrent alors amenant Gothard. En voyant les chapeaux bordés, Marthe et sa mère échangèrent un regard de terreur.

« Ah ! bah ! Et pourquoi ? demanda Michu qui s'assit à sa table en disant à sa femme : "Sers-moi, je meurs de faim."

— Vous le savez aussi bien que nous, dit le juge de paix, qui fit signe à son greffier de commencer le procès-verbal, après avoir exhibé le mandat d'arrêt au fermier.

— Eh bien, tu fais l'étonné, Gothard. Veux-tu dîner, oui ou non ? dit Michu. Laisse-leur écrire leurs bêtises.

— Vous reconnaissez l'état dans lequel sont vos vêtements ? dit le juge de paix. Vous ne niez pas non plus les paroles que vous avez dites à Gothard dans votre cour. »

Michu, servi par sa femme stupéfaite de son sang-froid, mangeait avec l'avidité que donne la faim, et ne répondait point, il avait la bouche pleine et le cœur innocent. L'appétit de Gothard fut suspendu par une horrible crainte.

« Voyons, dit le garde champêtre à l'oreille de Michu, qu'avez-vous fait du sénateur ? Il s'en va, pour vous, à entendre les gens de justice, de la peine de mort.

— Ah ! mon Dieu ! cria Marthe qui surprit les derniers mots et tomba comme foudroyée.

— Violette nous aura joué quelque vilain tour ! s'écria Michu en se souvenant des paroles de Laurence.

— Ah ! vous savez donc que Violette vous a vus », dit le juge de paix.

Michu se mordit les lèvres, et résolut de ne plus rien dire. Gothard imita cette réserve. En voyant l'inutilité de ses efforts pour le faire parler, et connaissant d'ailleurs ce qu'on nommait dans le pays la perversité de Michu, le juge de paix ordonna de lui lier les mains ainsi qu'à Gothard, et de les emmener au château de Cinq-Cygne, sur lequel il se dirigea pour y rejoindre le directeur du jury.

Les gentilshommes et Laurence avaient trop appétit, et le dîner leur offrait un trop violent intérêt pour qu'ils le retardassent en faisant leur toilette. Ils vinrent, elle en amazone, eux en culotte de peau blanche, en bottes à l'écuyère et dans leur veste de drap vert, retrouver au salon M. et Mme d'Hauteserre qui étaient assez inquiets. Le bonhomme avait remarqué des allées et venues, et surtout la défiance dont il fut l'objet, car Laurence n'avait pu le soumettre à la consigne des gens. Donc, à un moment où l'un de ses fils avait évité de lui répondre en s'enfuyant, il était venu dire à sa femme : « Je crains que Laurence ne nous taille encore des croupières ! »

« Quelle espèce de chasse avez-vous faite aujourd'hui ? demanda Mme d'Hauteserre à Laurence.

— Ah ! vous apprendrez quelque jour le mauvais coup auquel vos enfants ont participé », répondit-elle en riant.

Quoique dites par plaisanterie, ces paroles firent frémir la vieille dame. Catherine annonça le dîner. Laurence donna le bras à M. d'Hauteserre, et sourit de la malice qu'elle faisait à ses cousins, en forçant l'un d'eux à offrir son bras à la vieille dame, transformée en oracle par leur convention.

Le marquis de Simeuse conduisit Mme d'Hauteserre à table. La situation devint alors si solennelle, que, le *Benedicite* fini, Laurence et ses deux cousins éprouvèrent au cœur des palpitations violentes. Mme d'Hauteserre, qui servait, fut frappée de l'anxiété peinte sur le visage des deux Simeuse et de l'altération que présentait la figure moutonne de Laurence.

« Mais il s'est passé quelque chose d'extraordinaire ? s'écria-t-elle en les regardant tous.

— À qui parlez-vous ? dit Laurence.

— À vous tous, répondit la vieille dame.

— Quant à moi, ma mère, dit Robert, j'ai une faim de loup. »

Mme d'Hauteserre, toujours troublée, offrit au marquis de Simeuse une assiette qu'elle destinait au cadet.

« Je suis comme votre mère, je me trompe toujours,

même malgré vos cravates. Je croyais servir votre frère, lui dit-elle.

— Vous le servez mieux que vous ne pensez, dit le cadet en pâlissant. Le voilà comte de Cinq-Cygne. »

Ce pauvre enfant si gai devint triste pour toujours ; mais il trouva la force de regarder Laurence en souriant, et de comprimer ses regrets mortels. En un instant, l'amant s'abîma dans le frère.

« Comment ! la comtesse aurait fait son choix ? s'écria la vieille dame.

— Non, dit Laurence, nous avons laissé agir le sort, et vous en étiez l'instrument. »

Elle raconta la convention stipulée le matin. L'aîné des Simeuse, qui voyait s'augmenter la pâleur du visage chez son frère, éprouvait de moment en moment le besoin de s'écrier : « Épouse-la, j'irai mourir, moi ! » Au moment où l'on servait le dessert, les habitants de Cinq-Cygne entendirent frapper à la croisée de la salle à manger, du côté du jardin. L'aîné des d'Hauteserre, qui alla ouvrir, livra passage au curé dont la culotte s'était déchirée aux treillis en escaladant les murs du parc.

« Fuyez ! on vient vous arrêter !

— Pourquoi ?

— Je ne sais pas encore, mais on procède contre vous. »

Ces paroles furent accueillies par des rires universels.

« Nous sommes innocents, s'écrièrent les gentilshommes.

— Innocents ou coupables, dit le curé, montez à cheval et gagnez la frontière. Là, vous serez à même de prouver votre innocence. On revient sur une condamnation par contumace, on ne revient pas d'une condamnation contradictoire obtenue par les passions populaires, et préparée par les préjugés. Souvenez-vous du mot du président de Harlay : "Si l'on m'accusait d'avoir emporté les tours de Notre-Dame, je commencerais par m'enfuir."

— Mais fuir, n'est-ce pas s'avouer coupable ? dit le marquis de Simeuse.

— Ne fuyez pas !... dit Laurence.

— Toujours de sublimes sottises, dit le curé au désespoir. Si j'avais la puissance de Dieu, je vous enlèverais.

Mais si l'on me trouve ici, dans cet état, ils tourneront contre vous et moi cette singulière visite, je me sauve par la même voie. Songez-y ! Vous avez encore le temps. Les gens de justice n'ont pas pensé au mur mitoyen du presbytère, et vous êtes cernés de tous côtés. »

Le retentissement des pas d'une foule et le bruit des sabres de la gendarmerie remplirent la cour et parvinrent dans la salle à manger quelques instants après le départ du pauvre curé, qui n'eut pas plus de succès dans ses conseils que le marquis de Chargebœuf dans les siens.

« Notre existence commune, dit mélancoliquement le cadet de Simeuse à Laurence, est une monstruosité et nous éprouvons un monstrueux amour. Cette monstruosité a gagné votre cœur. Peut-être est-ce parce que les lois de la nature sont bouleversées en eux, que les jumeaux dont l'histoire nous est conservée ont tous été malheureux. Quant à nous, voyez avec quelle persistance le sort nous poursuit. Voilà votre décision fatalement retardée. »

Laurence était hébétée, elle entendit comme un bourdonnement ces paroles, sinistres pour elle, prononcées par le directeur du jury : « Au nom de l'Empereur et de la Loi ! j'arrête les sieurs Paul-Marie et Marie-Paul Simeuse[1], Adrien et Robert d'Hauteserre. Ces messieurs, ajouta-t-il en montrant à ceux qui l'accompagnaient des traces de boue sur les vêtements des prévenus, ne nieront pas d'avoir passé une partie de cette journée à cheval.

— De quoi les accusez-vous ? demanda fièrement Mlle de Cinq-Cygne.

— Vous n'arrêtez pas Mademoiselle ? dit Giguet.

— Je la laisse en liberté, sous caution, jusqu'à un plus ample examen des charges qui pèsent sur elle. »

Goulard offrit sa caution en demandant simplement à la comtesse sa parole d'honneur de ne pas s'évader. Laurence foudroya l'ancien piqueur de la maison de Simeuse par un regard plein de hauteur qui lui fit de cet homme un ennemi mortel, et une larme sortit de ses yeux, une de ces larmes de rage qui annoncent un enfer de douleurs. Les quatre gentilshommes échangèrent un regard terrible

---

1. On attend *de* Simeuse.

et restèrent immobiles. M. et Mme d'Hauteserre, craignant d'avoir été trompés par les quatre jeunes gens et par Laurence, étaient dans un état de stupeur indicible. Cloués dans leurs fauteuils, ces parents, qui se voyaient arracher leurs enfants après avoir tant craint pour eux et les avoir reconquis, regardaient sans voir, écoutaient sans entendre.

« Faut-il vous demander d'être ma caution, monsieur d'Hauteserre ? » cria Laurence à son ancien tuteur, qui fut réveillé par ce cri pour lui clair et déchirant comme le son de la trompette du jugement dernier.

Le vieillard essuya les larmes qui lui vinrent aux yeux, il comprit tout, et dit à sa parente d'une voix faible : « Pardon, comtesse, vous savez que je vous appartiens corps et âme. »

Lechesneau, frappé d'abord de la tranquillité de ces coupables qui dînaient, revint à ses premiers sentiments sur leur culpabilité quand il vit la stupeur des parents et l'air songeur de Laurence, qui cherchait à deviner le piège qu'on lui avait tendu.

« Messieurs, dit-il poliment, vous êtes trop bien élevés pour faire une résistance inutile ; suivez-moi tous les quatre aux écuries, où il est nécessaire de détacher en votre présence les fers de vos chevaux, qui deviendront des pièces importantes au procès, et démontreront peut-être votre innocence ou votre culpabilité. Venez aussi, Mademoiselle !... »

Le maréchal-ferrant de Cinq-Cygne et son garçon avaient été requis par Lechesneau de venir en qualité d'experts. Pendant l'opération qui se faisait aux écuries, le juge de paix amena Gothard et Michu. L'opération de détacher les fers à chaque cheval, et de les réunir en les désignant, afin de procéder à la confrontation des marques laissées dans le parc par les chevaux des auteurs de l'attentat, prit du temps. Néanmoins Lechesneau, prévenu de l'arrivée de Pigoult, laissa les accusés avec les gendarmes, vint dans la salle à manger pour dicter le procès-verbal, et le juge de paix lui montra l'état des vêtements de Michu en racontant les circonstances de l'arrestation.

« Ils auront tué le sénateur et l'auront plâtré dans quelque muraille, dit en finissant Pigoult à Lechesneau.

— Maintenant, j'en ai peur », répondit le magistrat. « Où as-tu porté le plâtre ? » dit-il à Gothard.

Gothard se mit à pleurer.

« La justice l'effraie », dit Michu dont les yeux lançaient des flammes comme ceux d'un lion pris dans un filet.

Tous les gens de la maison retenus chez le maire arrivèrent alors, ils encombrèrent l'antichambre où Catherine et les Durieu pleuraient, et leur apprirent l'importance des réponses qu'ils avaient faites. À toutes les questions du directeur et du juge de paix, Gothard répondit par des sanglots ; en pleurant il finit par se donner une sorte d'attaque convulsive qui les effraya, et ils le laissèrent. Le petit drôle, ne se voyant plus surveillé, regarda Michu en souriant, et Michu l'approuva par un regard. Lechesneau quitta le juge de paix pour aller presser les experts.

« Monsieur, dit enfin Mme d'Hauteserre en s'adressant à Pigoult, pouvez-vous nous expliquer la cause de ces arrestations ?

— Ces messieurs sont accusés d'avoir enlevé le sénateur à main armée, et de l'avoir séquestré, car nous ne supposons pas qu'ils l'aient tué, malgré les apparences.

— Et quelles peines encourraient les auteurs de ce crime ? demanda le bonhomme.

— Mais comme les lois, auxquelles il n'est pas dérogé par le Code actuel, resteront en vigueur, il y a peine de mort, reprit le juge de paix.

— Peine de mort ! » s'écria Mme d'Hauteserre qui s'évanouit.

Le curé se présenta dans ce moment avec sa sœur, qui appela Catherine et la Durieu.

« Mais nous ne l'avons seulement pas vu, votre maudit sénateur ! s'écria Michu.

— Mme Marion, Mme Grévin, M. Grévin, le valet de chambre du sénateur, Violette ne peuvent pas en dire autant de vous, répondit Pigoult avec le sourire aigre du magistrat convaincu.

— Je n'y comprends rien », dit Michu que cette réponse frappa de stupeur et qui commença dès lors à se croire entortillé avec ses maîtres dans quelque trame ourdie contre eux.

En ce moment tout le monde revint des écuries. Laurence accourut à Mme d'Hauteserre qui reprit ses sens pour lui dire : « Il y a peine de mort.

— Peine de mort ?... » répéta Laurence en regardant les quatre gentilshommes.

Ce mot répandit un effroi dont profita Giguet, en homme instruit par Corentin.

« Tout peut s'arranger encore, dit-il en emmenant le marquis de Simeuse dans un coin de la salle à manger, peut-être n'est-ce qu'une plaisanterie ? Que diable ! vous avez été militaires. Entre soldats on s'entend. Qu'avez-vous fait du sénateur ? Si vous l'avez tué, tout est dit ; mais si vous l'avez séquestré, rendez-le, vous voyez bien que votre coup est manqué. Je suis certain que le directeur du jury, d'accord avec le sénateur, étouffera les poursuites.

— Nous ne comprenons absolument rien à vos questions, dit le marquis de Simeuse.

— Si vous le prenez sur ce ton, cela ira loin, dit le lieutenant.

— Chère cousine, dit le marquis de Simeuse, nous allons en prison, mais ne soyez pas inquiète, nous reviendrons dans quelques heures, il y a dans cette affaire des malentendus qui vont s'expliquer.

— Je le souhaite pour vous, messieurs », dit le magistrat en faisant signe à Giguet d'emmener les quatre gentilshommes, Gothard et Michu. « Ne les conduisez pas à Troyes, dit-il au lieutenant, gardez-les à votre poste d'Arcis, ils doivent être présents demain, au jour, à la vérification des fers de leurs chevaux avec les empreintes laissées dans le parc. »

Lechesneau et Pigoult ne partirent qu'après avoir interrogé Catherine, M., Mme d'Hauteserre et Laurence. Les Durieu, Catherine et Marthe déclarèrent n'avoir vu leurs maîtres qu'au déjeuner ; M. d'Hauteserre déclara les avoir vus à trois heures. Quand, à minuit, Laurence se vit entre M. et Mme d'Hauteserre, devant l'abbé Goujet et sa sœur, sans les quatre jeunes gens qui, depuis dix-huit mois, étaient la vie de ce château, son amour et sa joie, elle garda pendant longtemps un silence que personne n'osa rompre. Jamais affliction ne fut plus profonde ni plus complète. Enfin, on entendit un soupir, on regarda.

Marthe, oubliée dans un coin, se leva, disant : « La mort ! madame ?... on nous les tuera, malgré leur innocence.

— Qu'avez-vous fait ! » dit le curé.

Laurence sortit sans répondre. Elle avait besoin de la solitude pour retrouver sa force, au milieu de ce désastre imprévu.

CHAPITRE III

UN PROCÈS POLITIQUE SOUS L'EMPIRE

À trente-quatre ans de distance, pendant lesquels il s'est fait trois grandes révolutions, les vieillards seuls peuvent se rappeler aujourd'hui le tapage inouï produit en Europe par l'enlèvement d'un sénateur de l'Empire français. Aucun procès, si ce n'est ceux de Trumeau, l'épicier de la place Saint-Michel, et celui de la veuve Morin, sous l'Empire ; ceux de Fualdès et de Castaing, sous la Restauration ; ceux de Mme Lafarge et Fieschi [1], sous le gouvernement actuel, n'égala en intérêt et en curiosité celui des jeunes gens accusés de l'enlèvement de Malin. Un pareil attentat contre un membre de son Sénat excita la colère de l'Empereur, à qui l'on apprit l'arrestation des délinquants presque en même temps que la perpétration du délit et le résultat négatif des recherches. La forêt fouillée dans ses profondeurs,

---

1. L'épicier et la veuve Morin furent l'un et l'autre condamnés aux travaux forcés en 1812, l'un pour empoisonnement, l'autre pour assassinat. Fualdès, ancien procureur impérial, fut assassiné en 1817 dans une maison de prostitution. L'affaire avait été rendue célèbre par une complainte en quarante-huit couplets. Le médecin Castaing avait été condamné pour empoisonnement en 1823. Quant à la belle Mme Lafarge, accusée d'avoir empoisonné son mari et défendue par l'illustre Berryer, elle avait été condamnée en 1840. Fieschi avait organisé en 1835 un attentat contre Louis-Philippe.

« Un pareil attentat contre un membre de son Sénat excita la colère de l'Empereur... »

l'Aube et les départements environnants parcourus dans toute leur étendue, n'offrirent pas le moindre indice du passage ou de la séquestration du comte de Gondreville. Le grand juge, mandé par Napoléon, vint après avoir pris des renseignements auprès du ministre de la Police, et lui expliqua la position de Malin vis-à-vis des Simeuse. L'Empereur, alors occupé de choses graves, trouva la solution de l'affaire dans les faits antérieurs.

« Ces jeunes gens sont fous, dit-il. Un jurisconsulte comme Malin doit revenir sur des actes arrachés par la violence. Surveillez ces nobles pour savoir comment ils s'y prendront pour relâcher le comte de Gondreville. »

Il enjoignit de déployer la plus grande célérité dans une affaire où il vit un attentat contre ses institutions, un fatal exemple de résistance aux effets de la Révolution, une atteinte à la grande question des biens nationaux, et un obstacle à cette fusion des partis qui fut la constante occupation de sa politique intérieure. Enfin il se trouvait joué par ces jeunes gens qui lui avaient promis de vivre tranquillement.

« La prédiction de Fouché s'est réalisée », s'écria-t-il en se rappelant la phrase échappée deux ans auparavant à son ministre actuel de la Police, qui ne l'avait dite que sous l'impression du rapport fait par Corentin sur Laurence.

On ne peut pas se figurer, sous un gouvernement constitutionnel où personne ne s'intéresse à une Chose publique aveugle et muette, ingrate et froide, le zèle qu'un mot de l'Empereur imprimait à sa machine politique ou administrative. Cette puissante volonté semblait se communiquer aux choses aussi bien qu'aux hommes. Une fois son mot dit, l'Empereur, surpris par la coalition de 1806, oublia l'affaire. Il pensait à de nouvelles batailles à livrer, et s'occupait de masser ses régiments pour frapper un grand coup au cœur de la monarchie prussienne. Mais son désir de voir faire prompte justice trouva un puissant véhicule dans l'incertitude qui affectait la position de tous les magistrats de l'Empire. En ce moment, Cambacérès, en sa qualité d'archichancelier, et le grand juge Régnier préparaient l'institution des tribunaux de première instance, des cours impériales et de la Cour de cassation ; ils agitaient la question des costumes auxquels Napoléon tenait tant et avec tant de raison ; ils revisaient le personnel et recherchaient les restes des parlements abolis. Naturellement, les magistrats du département de l'Aube pensèrent que donner des preuves de zèle dans l'affaire de l'enlèvement du comte de Gondreville, serait une excellente recommandation. Les suppositions de Napoléon devinrent alors des certitudes pour les courtisans et pour les masses.

La paix régnait encore sur le continent, et l'admiration pour l'Empereur était unanime en France : il cajolait les intérêts, les vanités, les personnes, les choses, enfin tout jusqu'aux souvenirs. Cette entreprise parut donc à tout le monde une atteinte au bonheur public. Ainsi les pauvres gentilshommes innocents furent couverts d'un opprobre général. En petit nombre et confinés dans leurs terres, les nobles déploraient cette affaire entre eux, mais pas un n'osait ouvrir la bouche. Comment, en effet, s'opposer au déchaînement de l'opinion publique ? Dans tout le département on exhumait les cadavres des onze personnes tuées en 1792, à travers les persiennes de l'hôtel de Cinq-Cygne, et l'on en accablait les accusés. On craignait que les émigrés enhardis n'exerçassent tous des violences sur les acquéreurs de leurs biens, pour en préparer la restitution en protestant ainsi contre un injuste dépouillement. Ces nobles gens furent donc traités de brigands, de voleurs, d'assassins, et la complicité de Michu leur devint surtout fatale. Cet homme qui avait coupé, lui ou son beau-père, toutes les têtes tombées dans le département pendant la Terreur, était l'objet des contes les plus ridicules. L'exaspération fut d'autant plus vive que Malin avait à peu près placé tous les fonctionnaires de l'Aube. Aucune voix généreuse ne s'éleva pour contredire la voix publique. Enfin les malheureux n'avaient aucun moyen légal de combattre les préventions ; car, en soumettant à des jurés et les éléments de l'accusation et le jugement, le Code de Brumaire an IV n'avait pu donner aux accusés l'immense garantie du recours en cassation pour cause de suspicion légitime. Le surlendemain de l'arrestation, les maîtres et les gens du château de Cinq-Cygne furent assignés à comparaître devant le jury d'accusation. On laissa Cinq-Cygne à la garde du fermier, sous l'inspection de l'abbé Goujet et de sa sœur qui s'y établirent. Mlle de Cinq-Cygne, M. et Mme d'Hauteserre vinrent occuper la petite maison que possédait Durieu dans un de ces longs et larges faubourgs qui s'étalent autour de la ville de Troyes. Laurence eut le cœur serré quand elle reconnut la fureur des masses, la malignité de la bourgeoisie et l'hostilité de l'administration par plusieurs de ces petits événements qui arrivent toujours aux parents des gens impliqués dans une affaire criminelle, dans les villes de province où elles se jugent. C'est, au lieu de mots encourageants et pleins de compassion, des conversations entendues où éclatent d'affreux désirs de vengeance ; des témoignages de haine à la place des actes de la stricte politesse ou de la réserve ordonnée par la décence, mais surtout un isolement dont s'affectent les hommes ordinaires, et d'autant plus rapidement senti que le malheur excite la défiance. Laurence, qui avait recouvré toute sa force, comptait sur les clartés de l'innocence et méprisait trop la foule pour s'épouvanter de ce silence désapprobateur par lequel on l'accueillait. Elle soutenait le courage de M. et Mme d'Hauteserre, tout en pensant à la bataille judiciaire qui, d'après la rapidité de la procédure, devait bientôt se livrer devant la cour criminelle. Mais elle allait recevoir un coup auquel elle ne s'attendait point et qui diminua son courage. Au milieu de ce désastre et par le déchaînement général, au moment où cette famille affligée se voyait comme dans un désert, un homme grandit tout à coup aux yeux de Laurence et montra toute la beauté de son caractère. Le lendemain du jour où l'accusation approuvée par la formule : *Oui, il y a lieu*, que le chef du jury écrivait au bas de l'acte, fut renvoyée à l'accusateur public, et que le mandat d'arrêt décerné contre les accusés eut été converti en une ordonnance de prise de corps, le marquis de Chargebœuf vint courageusement dans sa vieille calèche au secours de sa jeune parente. Prévoyant la promptitude de la justice, le chef de cette grande famille s'était hâté d'aller à Paris, d'où il amenait l'un des plus rusés et des plus honnêtes procureurs du vieux temps, Bordin, qui devint, à Paris, l'avoué de la noblesse pendant dix ans, et dont le successeur fut le célèbre avoué Derville[1]. Ce digne procureur choisit aussitôt pour avocat le petit-fils d'un ancien président du parlement de Normandie qui se destinait à la magistrature et dont les études s'étaient faites sous sa tutelle. Ce jeune avocat, pour employer une dénomination abolie que l'Empereur allait faire revivre, fut en effet nommé substitut du procureur général à Paris après le procès actuel, et devint un de nos plus célèbres magistrats. M. de Grandville[2] accepta cette défense comme une occasion de débuter avec éclat. À cette époque, les avocats étaient remplacés par des défenseurs officieux. Ainsi le droit de défense n'était pas restreint, tous les citoyens pouvaient plaider la cause de l'innocence ; mais les accusés n'en prenaient pas moins d'anciens avocats pour se défendre. Le vieux marquis, effrayé des ravages que la douleur avait faits chez Laurence, fut admirable de bon goût et de convenance. Il ne rappela point ses conseils donnés en pure perte ; il présenta Bordin comme un oracle dont les avis devaient être suivis à la lettre, et le jeune de Grandville comme un défenseur en qui l'on pouvait avoir une entière confiance.

Laurence tendit la main au vieux marquis, et lui serra la sienne avec une vivacité qui le charma.

« Vous aviez raison, lui dit-elle.

— Voulez-vous maintenant écouter mes conseils ? » demanda-t-il.

La jeune comtesse fit, ainsi que M. et Mme d'Hauteserre, un signe d'assentiment.

« Eh bien, venez dans ma maison, elle est au centre de la ville près du tribunal ; vous et vos avocats, vous vous y trouverez mieux qu'ici où vous êtes entassés, et beaucoup trop loin du champ de bataille. Vous auriez la ville à traverser tous les jours. »

Laurence accepta, le vieillard l'emmena ainsi que Mme d'Hauteserre à sa maison, qui fut celle des défenseurs et des habitants de Cinq-Cygne tant que dura le procès. Après le dîner, les portes closes, Bordin se fit

---

1. Voir *Gobseck* et *Le Colonel Chabert*. **2.** Voir *Une double famille* et *Splendeurs et Misères des courtisanes.*

raconter exactement par Laurence les circonstances de l'affaire en la priant de n'omettre aucun détail, quoique déjà quelques-uns des faits antérieurs eussent été dits à Bordin et au jeune défenseur par le marquis durant leur voyage de Paris à Troyes. Bordin écouta, les pieds au feu, sans se donner la moindre importance. Le jeune avocat, lui, ne put s'empêcher de se partager entre son admiration pour Mlle de Cinq-Cygne et l'attention qu'il devait aux éléments de la cause.

« Est-ce bien tout ? demanda Bordin quand Laurence eut raconté les événements du drame tels que ce récit les a présentés jusqu'à présent.

— Oui », répondit-elle.

Le silence le plus profond régna pendant quelques instants dans le salon de l'hôtel de Chargebœuf où se passait cette scène, une des plus graves qui aient lieu durant la vie, et une des plus rares aussi. Tout procès est jugé par les avocats avant les juges, de même que la mort du malade est pressentie par les médecins, avant la lutte que les uns soutiendront avec la nature et les autres avec la justice. Laurence, M. et Mme d'Hauteserre, le marquis avaient les yeux sur la vieille figure noire et profondément labourée par la petite vérole de ce vieux procureur qui allait prononcer des paroles de vie ou de mort. M. d'Hauteserre s'essuya des gouttes de sueur sur le front. Laurence regarda le jeune avocat et lui trouva le visage attristé.

« Eh bien, mon cher Bordin ? » dit le marquis en lui tendant sa tabatière où le procureur puisa d'une façon distraite.

Bordin frotta le gras de ses jambes vêtues en gros bas de filoselle noire, car il était en culotte de drap noir, et portait un habit qui se rapprochait par sa forme des habits dits à la française ; il jeta son regard malicieux sur ses clients en y donnant une expression craintive, mais il les glaça.

« Faut-il vous disséquer cela, dit-il, et vous parler franchement ?

— Mais allez donc, monsieur ! dit Laurence.

— Tout ce que vous avez fait de bien se tourne en charges contre vous, lui dit alors le vieux praticien. On ne peut pas sauver vos parents, on ne pourra que faire diminuer la peine. La vente que vous avez ordonné à Michu de faire de ses biens, sera prise pour la preuve la plus évidente de vos intentions criminelles sur le sénateur. Vous avez envoyé vos gens exprès à Troyes pour être seuls, et cela sera d'autant plus plausible que c'est la vérité. L'aîné des d'Hauteserre a dit à Beauvisage un mot terrible qui vous perd tous. Vous en avez dit un autre dans votre cour qui prouvait longtemps à l'avance vos mauvais vouloirs contre Gondreville. Quant à vous, vous étiez à la grille en observation au moment du coup ; si l'on ne vous poursuit pas, c'est pour ne pas mettre un élément d'intérêt dans l'affaire.

— La cause n'est pas tenable, dit M. de Grandville.

— Elle l'est d'autant moins, reprit Bordin, qu'on ne peut plus dire la vérité. Michu, MM. de Simeuse et d'Hauteserre doivent s'en tenir tout simplement à prétendre qu'ils sont allés dans la forêt avec vous pendant une partie de la journée et qu'ils sont venus déjeuner à Cinq-Cygne. Mais si nous pouvons établir que vous y étiez tous à trois heures, pendant que l'attentat avait lieu, quels sont nos témoins ? Marthe, la femme d'un accusé, les Durieu, Catherine, gens à votre service, monsieur et madame, père et mère de deux accusés. Ces témoins sont sans valeur, la loi ne les admet pas contre vous, le bon sens les repousse en votre faveur. Si, par malheur, vous disiez être allé chercher onze cent mille francs d'or dans la forêt, vous enverriez tous les accusés aux galères comme voleurs. Accusateur public, jurés, juges, audience, et la France croiraient que vous avez pris cet or à Gondreville, et que vous avez séquestré le sénateur pour faire votre coup. En admettant l'accusation telle qu'elle est en ce moment, l'affaire n'est pas claire ; mais, dans sa vérité pure, elle deviendrait limpide ; les jurés expliqueraient par le vol toutes les parties ténébreuses, car royaliste aujourd'hui veut dire brigand ! Le cas actuel présente une vengeance admissible dans la situation politique. Les accusés encourent la peine de mort, mais elle n'est pas déshonorante à tous les yeux ; tandis qu'en y mêlant la soustraction des espèces qui ne paraîtra jamais légitime, vous perdrez les bénéfices de l'intérêt qui s'attache à des condamnés à mort, quand leur crime paraît excusable. Dans le premier moment, quand vous pouviez montrer vos cachettes, le plan de la forêt, les tuyaux de fer-blanc, l'or pour justifier l'emploi de votre journée, il eût été possible de s'en tirer en présence de magistrats impartiaux ; mais dans l'état des choses, il faut se taire. Dieu veuille qu'aucun des six accusés n'ait compromis la cause, mais nous verrons à tirer parti de leurs interrogatoires. »

Laurence se tordit les mains de désespoir et leva les yeux au ciel par un regard désolant, car elle aperçut alors dans toute sa profondeur le précipice où ses cousins étaient tombés. Le marquis et le jeune défenseur approuvaient le terrible discours de Bordin. Le bonhomme d'Hauteserre pleurait.

« Pourquoi ne pas avoir écouté l'abbé Goujet qui voulait les faire enfuir ? dit Mme d'Hauteserre exaspérée.

— Ah ! s'écria l'ancien procureur, si vous avez pu les faire sauver, et que vous ne l'ayez pas fait, vous les aurez tués vous-mêmes. La contumace donne du temps. Avec le temps, les innocents éclaircissent les affaires. Celle-ci me semble la plus ténébreuse que j'aie vue de ma vie, pendant laquelle j'en ai cependant bien débrouillé.

— Elle est inexplicable pour tout le monde, et même pour nous, dit M. de Grandville. Si les accusés sont innocents, le coup a été fait par d'autres. Cinq personnes ne viennent pas dans un pays comme par enchantement, ne se procurent pas des chevaux ferrés comme ceux des accusés, n'empruntent pas leur ressemblance et ne mettent pas Malin dans une fosse, exprès pour perdre Michu, MM. d'Hauteserre et de Simeuse. Les inconnus, les vrais coupables, avaient un intérêt quelconque à se mettre dans la peau de ces cinq innocents ; pour les retrouver, pour chercher leurs traces, il nous faudrait, comme au gouvernement, autant d'agents et d'yeux qu'il y a de communes dans un rayon de vingt lieues.

— C'est là chose impossible, dit Bordin. Il n'y faut même pas songer. Depuis que les sociétés ont inventé la justice, elles n'ont jamais trouvé le moyen de donner à l'innocence accusée un pouvoir égal à celui dont le magistrat dispose contre le crime. La justice n'est pas bilatérale. La Défense, qui n'a ni espions, ni police, ne dispose pas en faveur de ses clients de la puissance sociale. L'innocence n'a que le raisonnement pour elle ; et le raisonnement, qui peut frapper des juges, est souvent impuissant sur les esprits prévenus des jurés. Le pays est tout entier contre vous. Les huit jurés qui ont sanctionné l'acte d'accusation étaient des propriétaires de biens nationaux. Nous aurons dans nos jurés de jugement des gens qui seront, comme les premiers, acquéreurs, vendeurs de biens nationaux ou employés. Enfin, nous aurons un jury Malin. Aussi faut-il un système complet de défense, n'en sortez pas, et périssez dans votre innocence. Vous serez condamnés. Nous irons au tribunal de cassation, et nous tâcherons d'y rester longtemps. Si, dans l'intervalle, je puis recueillir des preuves en votre faveur, vous aurez le recours en grâce. Voilà l'anatomie de l'affaire et mon avis. Si nous triomphons (car tout est possible en justice), ce serait un miracle ; mais votre avocat est, parmi tous ceux que je connais, le plus capable de faire ce miracle, et j'y aiderai.

— Le sénateur doit avoir la clef de cette énigme, dit alors M. de Grandville, car on sait toujours qui nous en veut et pourquoi l'on nous en veut. Je le vois quittant Paris à la fin de l'hiver, venant à Gondreville seul, sans suite, s'y enfermant avec son notaire, et se livrant, pour ainsi dire, à cinq hommes qui l'empoignent.

— Certes, dit Bordin, sa conduite est au moins aussi extraordinaire que la nôtre ; mais comment, à la face d'un pays soulevé contre nous, devenir accusateurs, d'accusés que nous étions ? Il nous faudrait la bienveillance, le secours du Gouvernement, et mille fois plus de preuves que dans une situation ordinaire. J'aperçois là de la préméditation, et de la plus raffinée, chez nos adversaires inconnus, qui connaissaient la situation de Michu et de MM. de Simeuse à l'égard de Malin. Ne pas parler ! ne pas voler ! il y a prudence. J'aperçois tout autre chose que des malfaiteurs sous ces masques. Mais dites donc ces choses-là aux jurés qu'on nous donnera ! »

Cette perspicacité dans les affaires privées, qui rend certains avocats et certains magistrats si grands, étonnait et confondait Laurence ; elle eut le cœur serré par cette épouvantable logique.

« Sur cent affaires criminelles, dit Bordin, il n'y en a

pas dix que la Justice développe dans toute leur étendue, et il y en a peut-être un bon tiers dont le secret lui est inconnu. La vôtre est du nombre de celles qui sont indéchiffrables pour les accusés et pour les accusateurs, pour la Justice et pour le public. Quant au souverain, il a d'autres pois à lier qu'à secourir MM. de Simeuse quand même ils n'auraient pas voulu le renverser. Mais qui diable en veut à Malin ? et que lui voulait-on ? »

Bordin et M. de Grandville se regardèrent, ils eurent l'air de douter de la véracité de Laurence. Ce mouvement fut pour la jeune fille une des plus cuisantes des mille douleurs de cette affaire ; aussi jeta-t-elle aux deux défenseurs un regard qui tua chez eux tout mauvais soupçon.

Le lendemain la procédure fut remise aux défenseurs, qui purent communiquer avec les accusés. Bordin apprit à la famille qu'en gens de bien, les six accusés *s'étaient bien tenus*, pour employer un terme de métier.

« M. de Grandville défendra Michu, dit Bordin.

— Michu ?... s'écria M. de Chargebœuf étonné de ce changement.

— Il est le cœur de l'affaire, et là est le danger, répliqua le vieux procureur.

— S'il est le plus exposé, la chose me semble juste, s'écria Laurence.

— Nous apercevons des chances, dit M. de Grandville, et nous allons bien les étudier. Si nous pouvons les sauver, ce sera parce que M. d'Hauteserre a dit à Michu de réparer l'un des poteaux de la barrière du chemin creux, et qu'un loup a été vu dans la forêt, car tout dépend des débats devant une cour criminelle, et les débats rouleront sur de petites choses que vous verrez devenir immenses. »

Laurence tomba dans l'abattement intérieur qui doit mortifier l'âme de toutes les personnes d'action et de pensée, quand l'inutilité de l'action et de la pensée leur est démontrée. Il ne s'agissait plus ici de renverser un homme ou le pouvoir à l'aide de gens dévoués, de sympathies fanatiques enveloppées dans les ombres du mystère : elle voyait la société tout entière armée contre elle et ses cousins. On ne prend pas à soi seul une prison d'assaut, on ne délivre pas des prisonniers au sein d'une population hostile et sous les yeux d'une police éveillée par la prétendue audace des accusés. Aussi, quand, effrayés de la stupeur de cette noble et courageuse fille que sa physionomie rendait plus stupide encore, le jeune défenseur essaya de relever son courage, lui répondit-elle : « Je me tais, je souffre et j'attends. » L'accent, le geste et le regard firent de cette réponse une de ces choses sublimes auxquelles il manque un plus vaste théâtre pour devenir célèbres. Quelques instants après, le bonhomme d'Hauteserre disait au marquis de Chargebœuf : « Me suis-je donné de la peine pour mes deux malheureux enfants ! J'ai déjà refait pour eux près de huit mille livres de rentes sur l'État. S'ils avaient voulu servir, ils auraient gagné des grades supérieurs et pourraient aujourd'hui se marier avantageusement. Voilà tous mes plans à vau-l'eau.

— Comment, lui dit sa femme, pouvez-vous songer à leurs intérêts, quand il s'agit de leur honneur et de leurs têtes.

— M. d'Hauteserre pense à tout », dit le marquis.

Pendant que les habitants de Cinq-Cygne attendaient l'ouverture des débats à la cour criminelle et sollicitaient la permission de voir les prisonniers sans pouvoir l'obtenir, il se passait au château, dans le plus profond secret, un événement de la plus haute gravité. Marthe était revenue à Cinq-Cygne aussitôt après sa déposition devant le jury d'accusation, qui fut tellement insignifiante qu'elle ne fut pas assignée par l'accusateur public devant la cour criminelle. Comme toutes les personnes d'une excessive sensibilité, la pauvre femme restait assise dans le salon où elle tenait compagnie à Mlle Goujet, dans un état de stupeur qui faisait pitié. Pour elle, comme pour le curé d'ailleurs et pour tous ceux qui ne savaient point l'emploi que les accusés avaient fait de la journée, leur innocence paraissait douteuse. Par moments, Marthe croyait que Michu, ses maîtres et Laurence avaient exercé quelque vengeance sur le sénateur. La malheureuse femme connaissait assez le dévouement de Michu pour comprendre qu'il était de tous les accusés le plus en danger, soit à cause de ses antécédents, soit à cause de la part qu'il aurait prise dans l'exécution. L'abbé Goujet, sa sœur et Marthe se perdaient dans les probabilités auxquelles cette opinion donnait lieu ; mais, à force de les méditer, ils laissaient leur esprit s'attacher à un sens quelconque. Le doute absolu que demande Descartes ne peut pas plus s'obtenir dans le cerveau de l'homme que le vide dans la nature, et l'opération spirituelle par laquelle il aurait lieu serait, comme l'effet de la machine pneumatique, une situation exceptionnelle et monstrueuse. En quelque matière que ce soit, on croit à quelque chose. Or, Marthe avait si peur de la culpabilité des accusés, que sa crainte équivalait à une croyance ; et cette situation d'esprit lui fut fatale. Cinq jours après l'arrestation des gentilshommes, au moment où elle allait se coucher, sur les dix heures du soir, elle fut appelée dans la cour par sa mère qui arrivait à pied de la ferme.

« Un ouvrier de Troyes veut te parler de la part de Michu, et t'attend dans le chemin creux », dit-elle à Marthe.

Toutes deux passèrent par la brèche pour aller au plus court. Dans l'obscurité de la nuit et du chemin, il fut impossible à Marthe de distinguer autre chose que la masse d'une personne qui tranchait sur les ténèbres.

« Parlez, madame, afin que je sache si vous êtes bien Mme Michu, dit cette personne d'une voix assez inquiète.

— Certainement, dit Marthe. Et que me voulez-vous ?

— Bien, dit l'inconnu. Donnez-moi votre main, n'ayez pas peur de moi. Je viens, ajouta-t-il en se penchant à l'oreille de Marthe, de la part de Michu, vous remettre un petit mot. Je suis un des employés de la prison, et si mes supérieurs s'apercevaient de mon absence, nous serions tous perdus. Fiez-vous à moi. Dans les temps votre brave père m'a placé là. Aussi Michu a-t-il compté sur moi. »

Il mit une lettre dans la main de Marthe et disparut vers la forêt sans attendre de réponse. Marthe eut comme un frisson en pensant qu'elle allait sans doute apprendre le secret de l'affaire. Elle courut à la ferme avec sa mère et s'enferma pour lire la lettre suivante :

« Ma chère Marthe, tu peux compter sur la discrétion de l'homme qui t'apportera cette lettre, il ne sait ni lire ni écrire, c'est un des plus solides républicains de la conspiration de Babeuf ; ton père s'est servi de lui souvent, et il regarde le sénateur comme un traître. Or, ma chère femme, le sénateur a été claquemuré par nous dans le caveau où nous avons déjà caché nos maîtres. Le misérable n'a de vivres que pour cinq jours, et comme il est de notre intérêt qu'il vive, dès que tu auras lu ce petit mot, porte-lui de la nourriture pour au moins cinq jours. La forêt doit être surveillée, prends autant de précautions que nous en prenions pour nos jeunes maîtres. Ne dis pas un mot à Malin, ne lui parle point et mets un de nos masques que tu trouveras sur une des marches de la cave. Si tu ne veux pas compromettre nos têtes, tu garderas le silence le plus entier sur le secret que je suis forcé de te confier. N'en dis pas un mot à Mlle de Cinq-Cygne, qui pourrait *caner*. Ne crains rien pour moi. Nous sommes certains de la bonne issue de cette affaire, et, quand il le faudra, Malin sera notre sauveur. Enfin, dès que cette lettre sera lue, je n'ai pas besoin de te dire de la brûler, car elle me coûterait la tête si l'on en voyait une seule ligne. Je t'embrasse tant et plus.

« MICHU. »

L'existence du caveau situé sous l'éminence au milieu de la forêt n'était connue que de Marthe, de son fils, de Michu, des quatre gentilshommes et de Laurence ; du moins Marthe, à qui son mari n'avait rien dit de sa rencontre avec Peyrade et Corentin, devait le croire. Ainsi la lettre, qui d'ailleurs lui parut écrite et signée par Michu, ne pouvait venir que de lui. Certes, si Marthe avait immédiatement consulté sa maîtresse et ses deux conseils, qui connaissaient l'innocence des accusés, le rusé procureur aurait obtenu quelques lumières sur les perfides combinaisons qui avaient enveloppé ses clients ; mais Marthe, tout à son premier mouvement comme la plupart des femmes, et convaincue par ces considérations qui lui sautaient aux yeux, jeta la lettre dans la cheminée. Cependant, mue par une singulière illumination de prudence, elle retira du feu le côté de la lettre qui n'était pas écrit[1], prit les cinq premières lignes, dont le sens ne pouvait compromettre personne, et les cousit dans le bas de sa

1. On attendrait plutôt *consumé*.

robe. Assez effrayée de savoir que le patient jeûnait depuis vingt-quatre heures, elle voulut lui porter du vin, du pain et de la viande dès cette nuit. Sa curiosité ne lui permettait pas plus que l'humanité de remettre au lendemain. Elle chauffa son four, et fit, aidée par sa mère, un pâté de lièvre et de canards, un gâteau de riz, rôtit deux poulets, prit trois bouteilles de vin, et boulangea elle-même deux pains ronds. Vers deux heures et demie du matin, elle se mit en route vers la forêt, portant le tout dans une hotte, et en compagnie de Couraut qui, dans toutes ces expéditions, servait d'éclaireur avec une admirable intelligence. Il flairait des étrangers à des distances énormes, et quand il avait reconnu leur présence, il revenait auprès de sa maîtresse en grondant tout bas, la regardant et tournant son museau du côté dangereux.

Marthe arriva sur les trois heures du matin à la mare, où elle laissa Couraut en sentinelle. Après une demi-heure de travail pour débarrasser l'entrée, elle vint avec une lanterne sourde à la porte du caveau, le visage couvert d'un masque qu'elle avait en effet trouvé sur une marche. La détention du sénateur semblait avoir été préméditée longtemps à l'avance. Un trou d'un pied carré, que Marthe n'avait pas vu précédemment, se trouvait grossièrement pratiqué dans le haut de la porte en fer qui fermait le caveau ; mais pour que Malin ne pût, avec le temps et la patience dont disposent tous les prisonniers, faire jouer la bande de fer qui barrait la porte, on l'avait assujettie par un cadenas. Le sénateur, qui s'était levé de dessus son lit de mousse, poussa un soupir en apercevant une figure masquée, et devina qu'il ne s'agissait pas encore de sa délivrance. Il observa Marthe, autant que le lui permettait la lueur inégale d'une lanterne sourde, et la reconnut à ses vêtements, à sa corpulence et à ses mouvements ; quand elle lui passa le pâté par le trou, il laissa tomber le pâté pour lui saisir les mains, et avec une excessive prestesse, il essaya de lui ôter du doigt deux anneaux, son alliance et une petite bague donnée par Mlle de Cinq-Cygne.

« Vous ne nierez pas que ce ne soit vous, ma chère madame Michu », dit-il.

Marthe ferma le poing aussitôt qu'elle sentit les doigts

du sénateur, et lui donna un coup vigoureux dans la poitrine. Puis, sans mot dire, elle alla couper une baguette assez forte, au bout de laquelle elle tendit au sénateur le reste des provisions.

« Que veut-on de moi ? » dit-il.

Marthe se sauva sans répondre. En revenant chez elle, elle se trouva, sur les cinq heures, à la lisière de la forêt, et fut prévenue par Couraut de la présence d'un importun. Elle rebroussa chemin et se dirigea vers le pavillon qu'elle avait habité si longtemps ; mais, quand elle déboucha dans l'avenue, elle fut aperçue de loin par le garde champêtre de Gondreville, elle prit alors le parti d'aller droit à lui.

« Vous êtes bien matinale, madame Michu ? lui dit-il en l'accostant.

— Nous sommes si malheureux, répondit-elle, que je suis forcée de faire l'ouvrage d'une servante ; je vais à Bellache y chercher des graines.

— Vous n'avez donc point de graines à Cinq-Cygne ? » dit le garde.

Marthe ne répondit pas. Elle continua sa route, et, en arrivant à la ferme de Bellache, elle pria Beauvisage de lui donner plusieurs graines pour semence, en lui disant que M. d'Hauteserre lui avait recommandé de les prendre chez lui pour renouveler ses espèces. Quand Marthe fut partie, le garde de Gondreville vint à la ferme savoir ce que Marthe y était allée chercher. Six jours après, Marthe, devenue prudente, alla dès minuit porter les provisions afin de ne pas être surprise par les gardes qui surveillaient évidemment la forêt. Après avoir porté pour la troisième fois des vivres au sénateur, elle fut saisie d'une sorte de terreur en entendant lire par le curé les interrogatoires publics des accusés, car alors les débats étaient commencés. Elle prit l'abbé Goujet à part, et après lui avoir fait jurer qu'il lui garderait le secret sur ce qu'elle allait lui dire comme s'il s'agissait d'une confession, elle lui montra les fragments de la lettre qu'elle avait reçue de Michu, en lui en disant le contenu, et l'initia au secret de la cachette où se trouvait le sénateur. Le curé demanda sur-le-champ à Marthe si elle avait des lettres de son mari pour pouvoir comparer les écritures. Marthe alla chez elle à la ferme, où elle trouva une assignation pour comparaître comme témoin à la Cour. Quand elle revint au château, l'abbé Goujet et sa sœur étaient également assignés à la requête des accusés. Ils furent donc obligés de se rendre aussitôt à Troyes. Ainsi tous les personnages de ce drame, et même ceux qui n'en étaient en quelque sorte que les comparses, se trouvèrent réunis sur la scène où les destinées des deux familles se jouaient alors.

Il est très peu de localités en France où la Justice emprunte aux choses ce prestige qui devrait toujours l'accompagner. Après la religion et la royauté, n'est-elle pas la plus grande machine des sociétés ? Partout, et même à Paris, la mesquinerie du local, la mauvaise disposition des lieux, et le manque de décors chez la nation la plus vaniteuse et la plus théâtrale en fait de monuments qui soit aujourd'hui, diminuent l'action de cet énorme pouvoir. L'arrangement est le même dans presque toutes les villes. Au fond de quelque longue salle carrée[1], on voit un bureau couvert en serge verte, élevé sur une estrade, derrière lequel s'asseyent les juges dans des fauteuils vulgaires. À gauche, le siège de l'accusateur public, et, de son côté, le long de la muraille, une longue tribune garnie de chaises pour les jurés. En face des jurés, s'étend une autre tribune où se trouve un banc pour les accusés et pour les gendarmes qui les gardent. Le greffier se place au bas de l'estrade auprès de la table où se déposent les pièces à conviction. Avant l'institution de la justice impériale, le commissaire du gouvernement et le directeur du jury avaient chacun un siège et une table, l'un à droite, l'autre à gauche du bureau de la cour. Deux huissiers voltigent dans l'espace qu'on laisse devant la cour pour la comparution des témoins. Les défenseurs se tiennent au bas de la tribune des accusés. Une balustrade en bois réunit les deux tribunes vers l'autre bout de la salle, et forme une enceinte où se mettent des bancs pour les témoins entendus et pour les curieux privilégiés. Puis, en face du tribunal, au-dessus de la porte d'entrée, il existe toujours une méchante tribune réservée aux autorités et aux femmes choisies du département par le président, à

---

1. Est carrée toute figure à quatre côtés et à angles droits.

qui appartient la police de l'audience. Le public non privilégié se tient debout dans l'espace qui reste entre la porte de la salle et la balustrade. Cette physionomie normale des tribunaux français et des cours d'assises actuelles était celle de la cour criminelle de Troyes[1].

En avril 1806, ni les quatre juges et le président qui composaient la Cour, ni l'accusateur public, ni le directeur du jury, ni le commissaire du gouvernement, ni les huissiers, ni les défenseurs, personne, excepté les gendarmes, n'avait de costume ni de marque distinctive qui relevât la nudité des choses et l'aspect assez maigre des figures. Le crucifix manquait, et ne donnait son exemple ni à la justice, ni aux accusés. Tout était triste et vulgaire. L'appareil, si nécessaire à l'intérêt social, est peut-être une consolation pour le criminel. L'empressement du public fut ce qu'il a été, ce qu'il sera dans toutes les occasions de ce genre, tant que les mœurs ne seront pas réformées, tant que la France n'aura pas reconnu que l'admission du public à l'audience n'emporte pas[2] la publicité, que la publicité donnée aux débats constitue une peine tellement exorbitante, que si le législateur avait pu la soupçonner, il ne l'aurait pas infligée. Les mœurs sont souvent plus cruelles que les lois. Les mœurs, c'est les hommes ; mais la loi, c'est la raison d'un pays. Les mœurs, qui n'ont souvent pas de raison, l'emportent sur la loi. Il se fit des attroupements autour du palais. Comme dans tous les procès célèbres, le président fut obligé de faire garder les portes par des piquets de soldats. L'auditoire, qui restait debout derrière la balustrade, était si pressé qu'on y étouffait. M. de Grandville, qui défendait Michu ; Bordin, le défenseur de MM. de Simeuse, et un avocat de Troyes qui plaidait pour MM. d'Hauteserre et Gothard, les moins compromis des six accusés, furent à leur poste avant l'ouverture de la séance, et leurs figures respiraient la confiance. De même que le médecin ne laisse rien voir de ses appréhensions à son malade, de même l'avocat montre toujours une physionomie pleine

---

1. Il n'en était sans doute pas exactement ainsi du tribunal de Troyes qui s'était installé, semble-t-il, comme la prison, au couvent des Cordeliers, dans le réfectoire gothique. **2.** *N'implique pas.*

« Comme dans tous les procès célèbres, le président fut obligé de faire garder les portes par des piquets de soldats. »

d'espoir à son client. C'est un de ces cas rares où le mensonge devient vertu. Quand les accusés entrèrent, il s'éleva de favorables murmures à l'aspect des quatre jeunes gens qui, après vingt jours de détention passés dans l'inquiétude, avaient un peu pâli. La parfaite ressemblance des jumeaux excita l'intérêt le plus puissant. Peut-être chacun pensait-il que la nature devait exercer une protection spéciale sur l'une de ses plus curieuses raretés, et tout le monde était tenté de réparer l'oubli du destin envers eux ; leur contenance noble, simple, et sans la moindre marque de honte, mais aussi sans bravade, toucha beaucoup les femmes. Les quatre gentilshommes et Gothard se présentaient avec le costume qu'ils portaient lors de leur arrestation ; mais Michu, dont les habits faisaient partie des pièces à conviction, avait mis ses meilleurs habits, une redingote bleue, un gilet de velours brun à la Robespierre, et une cravate blanche. Le pauvre homme paya le loyer de sa mauvaise mine. Quand il jeta son regard jaune, clair et profond sur l'assemblée qui laissa échapper un mouvement, on lui répondit par un murmure d'horreur. L'audience voulut voir le doigt de Dieu dans sa comparution sur le banc des accusés, où son beau-père avait fait asseoir tant de victimes. Cet homme, vraiment grand, regarda ses maîtres en réprimant un sourire d'ironie. Il eut l'air de leur dire : « Je vous fais tort ! » Ces cinq accusés échangèrent des saluts affectueux avec leurs défenseurs. Gothard faisait encore l'idiot.

Après les récusations exercées avec sagacité par les défenseurs, éclairés sur ce point par le marquis de Chargebœuf assis courageusement auprès de Bordin et de M. de Grandville, quand le jury fut constitué, l'acte d'accusation lu, les accusés furent séparés pour procéder à leurs interrogatoires. Tous répondirent avec un remarquable ensemble. Après être allés le matin se promener à cheval dans la forêt, ils étaient revenus à une heure pour déjeuner à Cinq-Cygne ; après le repas, de trois heures à cinq heures et demie, ils avaient regagné la forêt. Tel fut le fond commun à chaque accusé, dont les variantes découlèrent de leur position spéciale. Quand le président pria MM. de Simeuse de donner les raisons qui les avaient fait sortir de si grand matin, l'un et l'autre déclarèrent que, depuis leur retour, ils pensaient à racheter Gondreville, et que, dans l'intention de traiter avec Malin, arrivé la veille, ils étaient sortis avec leur cousine et Michu afin d'examiner la forêt pour baser des offres. Pendant ce temps-là, MM. d'Hauteserre, leur cousine et Gothard avaient chassé un loup que les paysans avaient aperçu. Si le directeur du jury eût recueilli les traces de leurs chevaux dans la forêt avec autant de soin que celles des chevaux qui avaient traversé le parc de Gondreville, on aurait eu la preuve de leurs courses en des parties bien éloignées du château.

L'interrogatoire de MM. d'Hauteserre confirma celui de MM. de Simeuse, et se trouvait en harmonie avec leurs dires, dans l'instruction. La nécessité de justifier leur promenade avait suggéré à chaque accusé l'idée de l'attribuer à la chasse. Des paysans avaient signalé, quelques jours auparavant, un loup dans la forêt, et chacun d'eux s'en fit un prétexte.

Cependant l'accusateur public releva des contradictions entre les premiers interrogatoires où MM. d'Hauteserre disaient avoir chassé tous ensemble, et le système adopté à l'audience qui laissait MM. d'Hauteserre et Laurence chassant, tandis que MM. de Simeuse auraient évalué la forêt.

M. de Grandville fit observer que le délit n'ayant été commis que de deux heures à cinq heures et demie, les accusés devaient être crus quand ils expliquaient la manière dont ils avaient employé la matinée.

L'accusateur répondit que les accusés avaient intérêt à cacher les préparatifs pour séquestrer le sénateur.

L'habileté de la Défense apparut alors à tous les yeux. Les juges, les jurés, l'audience comprirent bientôt que la victoire allait être chaudement disputée. Bordin et M. de Grandville semblaient avoir tout prévu. L'innocence doit un compte clair et plausible de ses actions. Le devoir de la Défense est donc d'opposer un roman probable au roman improbable de l'Accusation. Pour le défenseur qui regarde son client comme innocent, l'Accusation devient une fable. L'interrogatoire public des quatre gentilshommes expliquait suffisamment les choses en leur faveur. Jusque-là tout allait bien. Mais l'interrogatoire de Michu fut plus grave, et engagea le combat. Chacun comprit alors pourquoi M. de Grandville avait préféré la défense du serviteur à celle des maîtres.

Michu avoua ses menaces à Marion, mais il démentit la violence qu'on leur prêtait. Quant au guet-apens sur Malin, il dit qu'il se promenait tout uniment dans le parc ; le sénateur et M. Grévin pouvaient avoir eu peur en voyant la bouche du canon de son fusil, et lui supposer une position hostile quand elle était inoffensive. Il fit observer que le soir un homme qui n'a pas l'habitude de la chasse peut croire le fusil dirigé sur lui, tandis qu'il se trouve sur l'épaule au repos. Pour justifier l'état de ses vêtements lors de son arrestation, il dit s'être laissé tomber dans la brèche en retournant chez lui. « N'y voyant plus clair pour la gravir, je me suis en quelque sorte, dit-il, colleté avec les pierres qui éboulaient sous moi quand je m'en aidais pour monter le chemin creux. » Quant au plâtre que Gothard lui apportait, il répondit, comme dans tous ses interrogatoires, qu'il avait servi à sceller un des poteaux de la barrière du chemin creux.

L'accusateur public et le président lui demandèrent d'expliquer comment il était à la fois et dans la brèche au château, et en haut du chemin creux à sceller un poteau à la barrière, surtout quand le juge de paix, les gendarmes et le garde champêtre déclaraient l'avoir entendu venir d'en bas. Michu dit que M. d'Hauteserre lui avait fait des reproches de ne pas avoir exécuté cette petite réparation à laquelle il tenait à cause des difficultés que ce chemin pouvait susciter avec la commune, il était donc allé lui annoncer le rétablissement de la barrière.

M. d'Hauteserre avait effectivement fait poser une barrière en haut du chemin creux pour empêcher que la commune ne s'en emparât. En voyant quelle importance prenait l'état de ses vêtements, et le plâtre dont l'emploi n'était pas niable, Michu avait inventé ce subterfuge. Si, en justice, la vérité ressemble souvent à une fable, la fable aussi ressemble beaucoup à la vérité. Le défenseur et l'accusateur attachèrent l'un et l'autre un grand prix à cette circonstance, qui devint capitale et par les efforts du défenseur et par les soupçons de l'accusateur.

À l'audience, Gothard, sans doute éclairé par M. de Grandville, avoua que Michu l'avait prié de lui apporter des sacs de plâtre, car jusqu'alors il s'était toujours mis à pleurer quand on le questionnait.

« Pourquoi ni vous ni Gothard n'avez-vous pas aussitôt mené le juge de paix et le garde champêtre à cette barrière ? demanda l'accusateur public.

— Je n'ai jamais cru qu'il pouvait s'agir contre nous d'une accusation capitale », dit Michu.

On fit sortir tous les accusés, à l'exception de Gothard. Quand Gothard fut seul, le président l'adjura de dire la vérité dans son intérêt, en lui faisant observer que sa prétendue idiotie avait cessé. Aucun des jurés ne le croyait imbécile. En se taisant devant la cour, il pouvait encourir des peines graves ; tandis qu'en disant la vérité, vraisemblablement il serait hors de cause. Gothard pleura, chancela, puis il finit par dire que Michu l'avait prié de lui porter plusieurs sacs de plâtre ; mais, chaque fois, il l'avait rencontré devant la ferme. On lui demanda combien il avait apporté de sacs.

« Trois », répondit-il.

Un débat s'établit entre Gothard et Michu pour savoir si c'était trois en comptant celui qu'il lui apportait au moment de l'arrestation, ce qui réduisait les sacs à deux, ou trois outre le dernier. Ce débat se termina en faveur de Michu. Pour les jurés, il n'y eut que deux sacs employés ; mais ils paraissaient avoir déjà une conviction sur ce point ; Bordin et M. de Grandville jugèrent nécessaire de les rassasier de plâtre et de les si bien fatiguer qu'ils n'y comprissent plus rien. M. de Grandville présenta des conclusions tendant à ce que des experts fussent nommés pour examiner l'état de la barrière.

« Le directeur du jury, dit le défenseur, s'est contenté d'aller visiter les lieux, moins pour y faire une expertise sévère que pour y voir un subterfuge de Michu ; mais il a failli, selon nous, à ses devoirs, et sa faute doit nous profiter. »

La cour commit, en effet, des experts pour savoir si l'un des poteaux de la barrière avait été récemment scellé. De son côté, l'accusateur public voulut avoir gain de cause sur cette circonstance avant l'expertise.

« Vous auriez, dit-il à Michu, choisi l'heure à laquelle il ne fait plus clair, de cinq heures et demie à six heures et demie, pour sceller la barrière à vous seul ?

— M. d'Hauteserre m'avait grondé !

— Mais, dit l'accusateur public, si vous avez employé le plâtre à la barrière, vous vous êtes servi d'une auge et d'une truelle ? Or, si vous êtes venu dire si promptement à M. d'Hauteserre que vous aviez exécuté ses ordres, il vous est impossible d'expliquer comment Gothard vous apportait encore du plâtre. Vous avez dû passer devant votre ferme, et alors vous avez dû déposer vos outils et prévenir Gothard. »

Ces arguments foudroyants produisirent un silence horrible dans l'auditoire.

« Allons, avouez-le, reprit l'accusateur, ce n'est pas un poteau que vous avez enterré.

— Croyez-vous donc que ce soit le sénateur ? » dit Michu d'un air profondément ironique.

M. de Grandville demanda formellement à l'accusateur public de s'expliquer sur ce chef. Michu était accusé d'enlèvement, de séquestration et non pas de meurtre. Rien de plus grave que cette interpellation. Le Code de Brumaire an IV défendait à l'accusateur public d'introduire aucun chef nouveau dans les débats : il devait, à peine de nullité, s'en tenir aux termes de l'acte d'accusation.

L'accusateur public répondit que Michu, principal auteur de l'attentat, et qui dans l'intérêt de ses maîtres avait assumé toute la responsabilité sur sa tête, pouvait avoir eu besoin de condamner l'entrée du lieu encore inconnu où gémissait le sénateur.

Pressé de questions, harcelé devant Gothard, mis en contradiction avec lui-même, Michu frappa sur l'appui de la tribune aux accusés un grand coup de poing, et dit : « Je ne suis pour rien dans l'enlèvement du sénateur, j'aime à croire que ses ennemis l'ont simplement enfermé ; mais s'il reparaît, vous verrez que le plâtre n'a pu y servir de rien.

— Bien, dit l'avocat en s'adressant à l'accusateur public, vous avez plus fait pour la défense de mon client que tout ce que je pouvais dire. »

La première audience fut levée sur cette audacieuse allégation, qui surprit les jurés et donna l'avantage à la défense. Aussi les avocats de la ville et Bordin félicitèrent-ils le jeune défenseur avec enthousiasme. L'accusateur public, inquiet de cette assertion, craignit d'être tombé dans un piège ; et il avait en effet donné dans un panneau très habilement tendu par les défenseurs, et pour lequel Gothard venait de jouer admirablement son rôle. Les plaisants de la ville dirent qu'on avait replâtré l'affaire, que l'accusateur public avait gâché sa position, et que les Simeuse devenaient blancs comme plâtre. En France, tout est du domaine de la plaisanterie, elle y est la reine : on plaisante sur l'échafaud, à la Bérézina, aux barricades, et quelque Français plaisantera sans doute aux grandes assises du jugement dernier.

Le lendemain, on entendit les témoins à charge : Mme Marion, Mme Grévin, Grévin, le valet de chambre du sénateur, Violette dont les dépositions peuvent être facilement comprises d'après les événements. Tous reconnurent les cinq accusés avec plus ou moins d'hésitation relativement aux quatre gentilshommes, mais avec certitude quant à Michu. Beauvisage répéta le propos échappé à Robert d'Hauteserre. Le paysan venu pour acheter le veau redit la phrase de Mlle de Cinq-Cygne. Les experts entendus confirmèrent leurs rapports sur la confrontation de l'empreinte des fers avec ceux des chevaux des quatre gentilshommes qui, selon l'accusation, étaient absolument pareils. Cette circonstance fut naturellement l'objet d'un débat violent entre M. de Grandville et l'accusateur public. Le défenseur prit à partie le maréchal-ferrant de Cinq-Cygne, et réussit à établir aux débats que des fers semblables avaient été vendus quelques jours auparavant à des individus étrangers au pays. Le maréchal déclara d'ailleurs qu'il ne ferrait pas seulement de cette manière les chevaux du château de Cinq-Cygne, mais beaucoup d'autres dans le canton. Enfin le cheval dont se servait habituellement Michu, par extraordinaire, avait été ferré à Troyes, et l'empreinte de ce fer ne se trouvait point parmi celles constatées dans le parc.

« Le Sosie de Michu ignorait cette circonstance, dit M. de Grandville en regardant les jurés, et l'accusation n'a pas établi que nous nous soyons servis d'un des chevaux du château. »

Il foudroya d'ailleurs la déposition de Violette en ce qui concernait la ressemblance des chevaux, vus de loin et par-derrière ! Malgré les incroyables efforts du défenseur, la masse des témoignages positifs accabla Michu. L'accusateur, l'auditoire, la cour et les jurés sentaient tous, comme l'avait pressenti la défense, que la culpabilité du serviteur entraînait celle des maîtres. Bordin avait bien deviné le nœud du procès en donnant M. de Grandville pour défenseur à Michu ; mais la défense avouait ainsi ses secrets. Aussi, tout ce qui concernait l'ancien régisseur de Gondreville était-il d'un intérêt palpitant. La tenue de Michu fut d'ailleurs superbe. Il déploya dans ces débats toute la sagacité dont l'avait doué la nature ; et, à force de le voir, le public reconnut sa supériorité ; mais, chose étonnante ! cet homme en parut plus certainement l'auteur de l'attentat. Les témoins à décharge, moins sérieux que les témoins à charge aux yeux des jurés et de la loi, parurent faire leur devoir, et furent écoutés en manière d'acquit de conscience. D'abord ni Marthe, ni M. et Mme d'Hauteserre ne prêtèrent serment ; puis Catherine et les Durieu, en leur qualité de domestiques, se trouvèrent dans le même cas. M. d'Hauteserre dit effectivement avoir donné l'ordre à Michu de replacer le poteau renversé. La déclaration des experts, qui lurent en ce moment leur rapport, confirma la déposition du vieux gentilhomme ; mais ils donnèrent aussi gain de cause au directeur du jury en déclarant qu'il leur était impossible de déterminer l'époque à laquelle ce travail avait été fait : il pouvait, depuis, s'être écoulé plusieurs semaines tout aussi bien que vingt jours. L'apparition de Mlle de Cinq-Cygne excita la plus vive curiosité, mais en revoyant ses cousins sur le banc des accusés après vingt-trois jours de séparation, elle éprouva des émotions si violentes qu'elle eut l'air coupable. Elle sentit un effroyable désir d'être à côté des jumeaux, et fut obligée, dit-elle plus tard, d'user de toute sa force pour réprimer la fureur qui la portait à tuer l'accusateur public, afin d'être, aux yeux du monde, criminelle avec eux. Elle raconta naïvement qu'en revenant à Cinq-Cygne, et voyant de la fumée dans le parc, elle avait cru à un incendie. Pendant longtemps elle avait pensé que cette fumée provenait de mauvaises herbes.

« Cependant, dit-elle, je me suis souvenue plus tard d'une particularité que je livre à l'attention de la Justice. J'ai trouvé dans les brandebourgs de mon amazone, et dans les plis de ma collerette, des débris semblables à ceux de papiers brûlés emportés par le vent.

— La fumée était-elle considérable ? demanda Bordin.

— Oui, dit Mlle de Cinq-Cygne, je croyais à un incendie.

— Ceci peut changer la face du procès, dit Bordin. Je requiers la cour d'ordonner une enquête immédiate des lieux où l'incendie a eu lieu. »

Le président ordonna l'enquête.

Grévin, rappelé sur la demande des défenseurs, et interrogé sur cette circonstance, déclara ne rien savoir à ce sujet. Mais entre Bordin et Grévin, il y eut des regards échangés qui les éclairèrent mutuellement.

« Le procès est là », se dit le vieux procureur.

« Ils y sont ! » pensa le notaire.

Mais, de part et d'autre, les deux fins matois pensèrent que l'enquête était inutile. Bordin se dit que Grévin serait discret comme un mur, et Grévin s'applaudit d'avoir fait disparaître les traces de l'incendie. Pour vider ce point, accessoire dans les débats et qui paraît puéril, mais capital dans la justification que l'histoire doit à ces jeunes gens, les experts et Pigoult commis pour la visite du parc déclarèrent n'avoir remarqué aucune place où il existât des marques d'incendie. Bordin fit assigner deux ouvriers qui déposèrent avoir labouré, par les ordres du garde, une portion du pré dont l'herbe était brûlée ; mais ils dirent n'avoir point observé de quelle substance provenaient les cendres. Le garde, rappelé sur l'invitation des défenseurs, dit avoir reçu du sénateur, au moment où il avait passé par le château pour aller voir la mascarade d'Arcis, l'ordre de labourer cette partie du pré que le sénateur avait remarquée le matin en se promenant.

« Y avait-on brûlé des herbes ou des papiers ?

— Je n'ai rien vu qui pût faire croire qu'on ait brûlé des papiers, répondit le garde.

— Enfin, dirent les défenseurs, si l'on y a brûlé des herbes, quelqu'un a dû les y apporter et y mettre le feu. »

La déposition du curé de Cinq-Cygne et celle de Mlle Goujet firent une impression favorable. En sortant de vêpres et se promenant vers la forêt, ils avaient vu les gentilshommes et Michu à cheval, sortant du château et se dirigeant sur la forêt. La position, la moralité de l'abbé Goujet donnaient du poids à ses paroles.

La plaidoirie de l'accusateur public, qui se croyait certain d'obtenir une condamnation, fut ce que sont ces sortes de réquisitoires. Les accusés étaient d'incorrigibles ennemis de la France, des institutions et des lois. Ils avaient soif de désordres. Quoiqu'ils eussent été mêlés aux attentats contre la vie de l'Empereur, et qu'ils fissent partie de l'armée de Condé, ce magnanime souverain les avait rayés de la liste des émigrés. Voilà le loyer qu'ils payaient à sa clémence. Enfin toutes les déclamations oratoires qui se sont répétées au nom des Bourbons contre les Bonapartistes, qui se répètent aujourd'hui contre les

Républicains et les Légitimistes au nom de la branche cadette. Ces lieux communs, qui auraient un sens chez un gouvernement fixe, paraîtront au moins comiques, quand l'histoire les trouvera semblables à toutes les époques dans la bouche du ministère public. On peut en dire ce mot fourni par des troubles plus anciens : « L'enseigne est changée, mais le vin est toujours le même ! » L'accusateur public, qui fut d'ailleurs un des procureurs généraux les plus distingués de l'Empire, attribua le délit à l'intention prise par les émigrés rentrés de protester contre l'occupation de leurs biens. Il fit assez bien frémir l'auditoire sur la position du sénateur. Puis il massa[1] les preuves, les semi-preuves, les probabilités, avec un talent que stimulait la récompense certaine de son zèle, et il s'assit tranquillement en attendant le feu des défenseurs.

M. de Grandville ne plaida jamais que cette cause criminelle, mais elle lui fit un nom. D'abord, il trouva pour son plaidoyer cet entrain d'éloquence que nous admirons aujourd'hui chez Berryer[2]. Puis il avait la conviction de l'innocence des accusés, ce qui est un des plus puissants véhicules de la parole. Voici les points principaux de sa défense rapportée en entier par les journaux du temps. D'abord il rétablit sous son vrai jour la vie de Michu. Ce fut un beau récit où sonnèrent les plus grands sentiments et qui réveilla bien des sympathies. En se voyant réhabilité par une voix éloquente, il y eut un moment où des pleurs sortirent des yeux jaunes de Michu et coulèrent sur son terrible visage. Il apparut alors ce qu'il était réellement : un homme simple et rusé comme un enfant, mais un homme dont la vie n'avait eu qu'une pensée. Il fut soudain expliqué, surtout par ses pleurs qui produisirent un grand effet sur le jury. L'habile défenseur saisit ce mouvement d'intérêt pour entrer dans la discussion des charges.

« Où est le corps du délit ? où est le sénateur ? demanda-t-il. Vous nous accusez de l'avoir claquemuré, scellé même avec des pierres et du plâtre ! Mais alors,

---

1. Disposa par masses sans éparpiller. Ce terme est probablement emprunté par Balzac, ici comme ailleurs, à la langue de la peinture.
2. Le célèbre avocat légitimiste que Balzac avait rencontré.

nous savons seuls où il est, et comme vous nous tenez en prison depuis vingt-trois jours, il est mort faute d'aliments. Nous sommes des meurtriers, et vous ne nous avez pas accusés de meurtre. Mais s'il vit, nous avons des complices ; si nous avions des complices et si le sénateur est vivant, ne le ferions-nous donc point paraître ? Les intentions que vous nous supposez une fois manquées, aggraverions-nous inutilement notre position ? Nous pourrions nous faire pardonner, par notre repentir, une vengeance manquée ; et nous persisterions à détenir un homme de qui nous ne pouvons rien obtenir ? N'est-ce pas absurde ? Remportez votre plâtre, son effet est manqué, dit-il à l'accusateur public, car nous sommes ou d'imbéciles criminels, ce que vous ne croyez pas, ou des innocents, victimes de circonstances inexplicables pour nous comme pour vous ! Vous devez bien plutôt chercher la masse de papiers qui s'est brûlée chez le sénateur et qui révèle des intérêts plus violents que les vôtres, et qui vous rendraient compte de son enlèvement. » Il entra dans ces hypothèses avec une habileté merveilleuse. Il insista sur la moralité des témoins à décharge, dont la foi religieuse était vive, qui croyaient à un avenir, à des peines éternelles. Il fut sublime en cet endroit et sut émouvoir profondément. « Hé ! quoi, dit-il, ces criminels dînent tranquillement en apprenant par leur cousine l'enlèvement du sénateur. Quand l'officier de gendarmerie leur suggère les moyens de tout finir, ils se refusent à rendre le sénateur, ils ne savent ce qu'on leur veut ! » Il fit alors pressentir une affaire mystérieuse dont la clef se trouvait dans les mains du Temps, qui dévoilerait cette injuste accusation. Une fois sur ce terrain, il eut l'audacieuse et ingénieuse adresse de se supposer juré, il raconta sa délibération avec ses collègues, il se représenta comme tellement malheureux, si, ayant été cause de condamnations cruelles, l'erreur venait à être reconnue, il peignit si bien ses remords, et revint sur les doutes que le plaidoyer lui donnerait avec tant de force, qu'il laissa les jurés dans une horrible anxiété.

Les jurés n'étaient pas encore blasés sur ces sortes d'allocutions, elles eurent alors le charme des choses neuves, et le jury fut ébranlé. Après le chaud plaidoyer de M. de

Grandville, les jurés eurent à entendre le fin et spécieux procureur qui multiplia les considérations, fit ressortir toutes les parties ténébreuses du procès et le rendit inexplicable. Il s'y prit de manière à frapper l'esprit et la raison, comme M. de Grandville avait attaqué le cœur et l'imagination. Enfin, il sut entortiller les jurés avec une conviction si sérieuse que l'accusateur public vit son échafaudage en pièces. Ce fut si clair que l'avocat de MM. d'Hauteserre et de Gothard s'en remit à la prudence des jurés, en trouvant l'accusation abandonnée à leur égard. L'accusateur demanda de remettre au lendemain pour sa réplique. En vain, Bordin, qui voyait un acquittement dans les yeux des jurés s'ils délibéraient sur le coup de ces plaidoiries, s'opposa-t-il, par des motifs de droit et de fait, à ce qu'une nuit de plus jetât ses anxiétés au cœur de ses innocents clients, la cour délibéra.

« L'intérêt de la société me semble égal à celui des accusés, dit le président. La cour manquerait à toutes les notions d'équité si elle refusait une pareille demande à la Défense, elle doit donc l'accorder à l'Accusation. »

« Tout est heur et malheur, dit Bordin en regardant ses clients. Acquittés ce soir, vous pouvez être condamnés demain.

— Dans tous les cas, dit l'aîné des Simeuse, nous ne pouvons que vous admirer. »

Mlle de Cinq-Cygne avait des larmes aux yeux. Après les doutes exprimés par les défenseurs, elle ne croyait pas à un pareil succès. On la félicitait, et chacun vint lui promettre l'acquittement de ses cousins. Mais cette affaire allait avoir le coup de théâtre le plus éclatant, le plus sinistre et le plus imprévu qui jamais ait changé la face d'un procès criminel.

À cinq heures du matin, le lendemain de la plaidoirie de M. de Grandville, le sénateur fut trouvé sur le grand chemin de Troyes, délivré de ses fers pendant son sommeil par des libérateurs inconnus, allant à Troyes, ignorant le procès, ne sachant pas le retentissement de son nom en Europe, et heureux de respirer l'air. L'homme qui servait de pivot à ce drame fut aussi stupéfait de ce qu'on lui apprit, que ceux qui le rencontrèrent le furent de le voir. On lui donna la voiture d'un fermier, et il arriva rapidement à Troyes chez le préfet. Le préfet prévint aussitôt le directeur du jury, le commissaire du gouvernement et l'accusateur public, qui, d'après le récit que leur fit le comte de Gondreville, envoyèrent prendre Marthe au lit chez les Durieu, pendant que le directeur du jury motivait et décernait un mandat d'arrêt contre elle. Mlle de Cinq-Cygne, qui n'était en liberté que sous caution, fut également arrachée à l'un des rares moments de sommeil qu'elle obtenait au milieu de ses constantes angoisses, et fut gardée à la préfecture pour y être interrogée. L'ordre de tenir les accusés sans communication possible, même avec les avocats, fut envoyé au directeur de la prison. À dix heures, la foule assemblée apprit que l'audience était remise à une heure après midi.

Ce changement, qui coïncidait avec la nouvelle de la délivrance du sénateur, l'arrestation de Marthe, celle de Mlle de Cinq-Cygne et la défense de communiquer avec les accusés, portèrent la terreur à l'hôtel de Chargebœuf. Toute la ville et les curieux venus à Troyes pour assister au procès, les tachygraphes des journaux, le peuple même fut dans un émoi facile à comprendre. L'abbé Goujet vint sur les dix heures voir M., Mme d'Hauteserre et les défenseurs. On déjeunait alors autant qu'on peut déjeuner en de semblables circonstances ; le curé prit Bordin et M. de Grandville à part, il leur communiqua la confidence de Marthe et le fragment de la lettre qu'elle avait reçue. Les deux défenseurs échangèrent un regard, après lequel Bordin dit au curé : « Pas un mot ! tout nous paraît perdu, faisons au moins bonne contenance. »

Marthe n'était pas de force à résister au directeur du jury et à l'accusateur public réunis. D'ailleurs les preuves abondaient contre elle. Sur l'indication du sénateur, Lechesneau avait envoyé chercher la croûte de dessous du dernier pain apporté par Marthe, et qu'il avait laissé dans le caveau, ainsi que les bouteilles vides et plusieurs objets. Pendant les longues heures de sa captivité, Malin avait fait des conjectures sur sa situation et cherché les indices qui pouvaient le mettre sur la trace de ses ennemis, il communiqua naturellement ses observations au magistrat. La ferme de Michu, récemment bâtie, devait avoir un four neuf, les tuiles et les briques sur lesquelles reposait le pain offrant un dessin quelconque de joints, on pouvait avoir la preuve de la préparation de son pain dans ce four, en prenant l'empreinte de l'aire dont les rayures se retrouvaient sur cette croûte. Puis, les bouteilles, cachetées en cire verte, étaient sans doute pareilles aux bouteilles qui se trouvaient dans la cave de Michu. Ces subtiles remarques, dites au juge de paix qui alla faire les perquisitions en présence de Marthe, amenèrent les résultats prévus par le sénateur. Victime de la bonhomie apparente avec laquelle Lechesneau, l'accusateur public et le commissaire du gouvernement lui firent apercevoir que des aveux complets pouvaient seuls sauver la vie à son mari, au moment où elle fut terrassée par ces preuves évidentes, Marthe avoua que la cachette où le sénateur avait été mis n'était connue que de Michu, de MM. de Simeuse et d'Hauteserre, et qu'elle avait apporté des vivres au sénateur, à trois reprises, pendant la nuit. Laurence, interrogée sur la circonstance de la cachette, fut forcée d'avouer que Michu l'avait découverte, et la lui avait montrée avant l'affaire pour y soustraire les gentilshommes aux recherches de la police.

Aussitôt ces interrogatoires terminés, le jury, les avocats furent avertis de la reprise de l'audience. À trois heures, le président ouvrit la séance en annonçant que les débats allaient recommencer sur de nouveaux éléments. Le président fit voir à Michu trois bouteilles de vin et lui demanda s'il les reconnaissait pour des bouteilles à lui en lui montrant la parité de la cire de deux bouteilles vides avec celle d'une bouteille pleine, prise dans la matinée à la ferme par le juge de paix, en présence de sa femme ; Michu ne voulut pas les reconnaître pour siennes ; mais ces nouvelles pièces à conviction furent appréciées par les jurés, auxquels le président expliqua que les bouteilles vides venaient d'être trouvées dans le lieu où le sénateur avait été détenu. Chaque accusé fut interrogé relativement au caveau situé sous les ruines du monastère. Il fut acquis aux débats après un nouveau témoignage de tous les témoins à charge et à décharge que cette cachette, découverte par Michu, n'était connue que de lui, de Laurence et des quatre gentilshommes. On peut juger de l'effet produit sur l'audience et sur les jurés quand l'accusateur public annonça que ce caveau, connu seulement des accusés et de deux des témoins, avait servi de prison au sénateur. Marthe fut introduite. Son apparition causa les plus vives anxiétés dans l'auditoire et parmi les accusés. M. de Grandville se leva pour s'opposer à l'audition de la femme témoignant contre le mari. L'accusateur public fit observer que, d'après ses propres aveux, Marthe était complice du délit : elle n'avait ni à prêter serment, ni à témoigner, elle devait être entendue seulement dans l'intérêt de la vérité.

« Nous n'avons d'ailleurs qu'à donner lecture de son interrogatoire devant le directeur du jury », dit le président qui fit lire par le greffier le procès-verbal dressé le matin.

« Confirmez-vous ces aveux ? » dit le président.

Michu regarda sa femme, et Marthe qui comprit son erreur tomba complètement évanouie. On peut dire sans exagération que la foudre éclatait sur le banc des accusés et sur leurs défenseurs.

« Je n'ai jamais écrit de ma prison à ma femme, et je n'y connais aucun des employés », dit Michu.

Bordin lui passa les fragments de la lettre, Michu n'eut qu'à y jeter un coup d'œil. « Mon écriture a été imitée, s'écria-t-il.

— La dénégation est votre dernière ressource », dit l'accusateur public.

On introduisit alors le sénateur avec les cérémonies prescrites pour sa réception. Son entrée fut un coup de théâtre. Malin, nommé par les magistrats comte de Gondreville sans pitié pour les anciens propriétaires de cette belle demeure, regarda, sur l'invitation du président, les accusés avec la plus grande attention et pendant longtemps. Il reconnut que les vêtements de ses ravisseurs étaient bien exactement ceux des gentilshommes ; mais il déclara que le trouble de ses sens au moment de son enlèvement l'empêchait de pouvoir affirmer que les accusés fussent les coupables.

« Il y a plus, dit-il, ma conviction est que ces quatre messieurs n'y sont pour rien. Les mains qui m'ont bandé les yeux dans la forêt étaient grossières. Aussi, dit Malin en regardant Michu, croirais-je plutôt volontiers que mon ancien régisseur s'est chargé de ce soin ; mais je prie messieurs les jurés de bien peser ma déposition. Mes soupçons à cet égard sont très légers, et je n'ai pas la moindre certitude. Voici pourquoi. Les deux hommes qui se sont emparés de moi m'ont mis à cheval, en croupe derrière celui qui m'avait bandé les yeux, et dont les cheveux étaient roux comme ceux de l'accusé Michu. Quelque singulière que soit mon observation, je dois en parler, car elle fait la base d'une conviction favorable à l'accusé, que je prie de ne point s'en choquer. Attaché au dos d'un inconnu, j'ai dû, malgré la rapidité de la course, être affecté de son odeur. Or, je n'ai point reconnu celle particulière à Michu. Quant à la personne qui m'a, par trois fois, apporté des vivres, je suis certain que cette personne est Marthe, la femme de Michu. La première fois, je l'ai reconnue à une bague que lui a donnée Mlle de Cinq-Cygne, et qu'elle n'avait pas songé à ôter. La justice et messieurs les jurés apprécieront les contradictions qui se rencontrent dans ces faits, et que je ne m'explique point encore. »

Des murmures favorables et d'unanimes approbations accueillirent la déposition de Malin. Bordin sollicita de la cour la permission d'adresser quelques demandes à ce précieux témoin.

« Monsieur le sénateur croit donc que sa séquestration tient à d'autres causes que les intérêts supposés par l'accusation aux accusés ?

— Certes ! dit le sénateur. Mais j'ignore ces motifs, car je déclare que, pendant mes vingt jours de captivité, je n'ai vu personne.

— Croyez-vous, dit alors l'accusateur public, que votre château de Gondreville pût contenir des renseignements, des titres ou des valeurs qui pussent y nécessiter une perquisition de MM. de Simeuse ?

— Je ne le pense pas, dit Malin. Je crois ces messieurs incapables, dans ce cas, de s'en mettre en possession par violence. Ils n'auraient eu qu'à me les réclamer pour les obtenir.

— Monsieur le sénateur n'a-t-il pas fait brûler des papiers dans son parc ? » dit brusquement M. de Grandville.

Le sénateur regarda Grévin. Après avoir rapidement échangé un fin coup d'œil avec le notaire et qui fut saisi par Bordin, il répondit ne point avoir brûlé de papiers. L'accusateur public lui ayant demandé des renseignements sur le guet-apens dont il avait failli être la victime dans le parc, et s'il ne s'était pas mépris sur la position du fusil, le sénateur dit que Michu se trouvait alors au guet sur un arbre. Cette réponse, d'accord avec le témoignage de Grévin, produisit une vive impression. Les gentilshommes demeurèrent impassibles pendant la déposition de leur ennemi qui les accablait de sa générosité. Laurence souffrait la plus horrible agonie ; et, de moments en moments, le marquis de Chargebœuf la retenait par le bras. Le comte de Gondreville se retira en saluant les quatre gentilshommes, qui ne lui rendirent pas son salut. Cette petite chose indigna les jurés.

« Ils sont perdus, dit Bordin à l'oreille du marquis.

— Hélas ! toujours par la fierté de leurs sentiments », répondit M. de Chargebœuf.

« Notre tâche est devenue trop facile, messieurs », dit l'accusateur public en se levant et regardant les jurés.

Il expliqua l'emploi des deux sacs de plâtre par le scellement de la broche de fer nécessaire pour accrocher le cadenas qui maintenait la barre avec laquelle la porte du caveau était fermée, et dont la description se trouvait au procès-verbal fait le matin par Pigoult. Il prouva facilement que les accusés seuls connaissaient l'existence du caveau. Il mit en évidence les mensonges de la défense, il en pulvérisa tous les arguments sous les nouvelles preuves arrivées si miraculeusement. En 1806, on était encore trop près de l'Être suprême de 1793 pour parler de la justice divine, il fit donc grâce aux jurés de l'intervention du ciel. Enfin il dit que la Justice aurait l'œil sur les complices inconnus qui avaient délivré le sénateur, et il s'assit en attendant avec confiance le verdict.

Les jurés crurent à un mystère ; mais ils étaient tous persuadés que ce mystère venait des accusés qui se taisaient dans un intérêt privé de la plus haute importance.

M. de Grandville, pour qui une machination quelconque devenait évidente, se leva ; mais il parut accablé, quoiqu'il le fût moins des nouveaux témoignages survenus que de la manifeste conviction des jurés. Il surpassa peut-être sa plaidoirie de la veille. Ce second plaidoyer fut plus logique et plus serré peut-être que le premier. Mais il sentit sa chaleur repoussée par la froideur du jury : il parlait inutilement, et il le voyait ! Situation horrible et glaciale. Il fit remarquer combien la délivrance du sénateur opérée comme par magie, et bien certainement sans le secours d'aucun des accusés, ni de Marthe, corroborait ses premiers raisonnements. Assurément, hier, les accusés pouvaient croire à leur acquittement ; et s'ils étaient, comme l'accusation le suppose, maîtres de détenir ou de relâcher le sénateur, ils ne l'eussent délivré qu'après le jugement. Il essaya de faire comprendre que des ennemis cachés dans l'ombre pouvaient seuls avoir porté ce coup.

Chose étrange ! M. de Grandville ne jeta le trouble que dans la conscience de l'accusateur public et dans celle des magistrats, car les jurés l'écoutaient par devoir. L'audience elle-même, toujours si favorable aux accusés, était convaincue de leur culpabilité. Il y a une atmosphère des idées. Dans une cour de justice, les idées de la foule pèsent sur les juges, sur les jurés, et réciproquement. En voyant cette disposition des esprits qui se reconnaît ou se sent, le défenseur arriva dans ses dernières paroles à une sorte d'exaltation fébrile causée par sa conviction.

« Au nom des accusés, je vous pardonne d'avance une fatale erreur que rien ne dissipera ! s'écria-t-il. Nous sommes tous le jouet d'une puissance inconnue et machiavélique. Marthe Michu est victime d'une odieuse perfidie, et la société s'en apercevra quand les malheurs seront irréparables. »

Bordin s'arma de la déposition du sénateur pour demander l'acquittement des gentilshommes.

Le président résuma les débats avec d'autant plus d'impartialité que les jurés étaient visiblement convaincus. Il fit même pencher la balance en faveur des accusés en appuyant sur la déposition du sénateur. Cette gracieuseté ne compromettait point le succès de l'accusation. À onze heures du soir, d'après les différentes réponses du chef du jury, la cour condamna Michu à la peine de mort, MM. de Simeuse à vingt-quatre ans, et les deux d'Hauteserre à dix ans de travaux forcés. Gothard fut acquitté.

Toute la salle voulut voir l'attitude des cinq coupables dans le moment suprême où amenés, libres, devant la Cour, ils entendraient leur condamnation. Les quatre gentilshommes regardèrent Laurence qui leur jeta d'un œil sec le regard enflammé des martyrs.

« Elle pleurerait si nous étions acquittés », dit le cadet des Simeuse à son frère.

Jamais accusés n'opposèrent des fronts plus sereins ni une contenance plus digne à une injuste condamnation que ces cinq victimes d'un horrible complot.

« Notre défenseur vous a pardonné ! » dit l'aîné des Simeuse en s'adressant à la cour.

Mme d'Hauteserre tomba malade et resta pendant trois mois au lit à l'hôtel de Chargebœuf. Le bonhomme d'Hauteserre retourna paisiblement à Cinq-Cygne ; mais, rongé par une de ces douleurs de vieillard qui n'ont aucune des distractions de la jeunesse, il eut souvent des moments d'absence qui prouvaient au curé que ce pauvre père était toujours au lendemain du fatal arrêt. On n'eut pas à juger la belle Marthe, elle mourut en prison, vingt jours après la condamnation de son mari, recommandant son fils à Laurence, entre les bras de laquelle elle expira. Une fois le jugement connu, des événements politiques de la plus haute importance étouffèrent le souvenir de ce procès dont il ne fut plus question. La Société procède comme l'Océan, elle reprend son niveau, son allure après un désastre, et en efface la trace par le mouvement de ses intérêts dévorants.

Sans sa fermeté d'âme et sa conviction de l'innocence de ses cousins, Laurence aurait succombé ; mais elle donna de nouvelles preuves de la grandeur de son caractère, elle étonna M. de Grandville et Bordin par l'apparente sérénité que les malheurs extrêmes impriment aux belles âmes. Elle veillait et soignait Mme d'Hauteserre et allait tous les jours deux heures à la prison. Elle dit qu'elle épouserait un de ses cousins quand ils seraient au bagne.

« Au bagne ! s'écria Bordin. Mais, Mademoiselle, ne pensons plus qu'à demander leur grâce à l'Empereur.

— Leur grâce, et à un Bonaparte ? » s'écria Laurence avec horreur.

Les lunettes du vieux digne procureur lui sautèrent du nez, il les saisit avant qu'elles ne tombassent, regarda la jeune personne qui maintenant ressemblait à une femme ; il comprit ce caractère dans toute son étendue, il prit le bras du marquis de Chargebœuf et lui dit : « Monsieur le marquis, courons à Paris les sauver sans elle ! »

Le pourvoi de MM. de Simeuse, d'Hauteserre et de Michu fut la première affaire que dut juger la Cour de cassation. L'arrêt fut donc heureusement retardé par les cérémonies de l'installation de la cour.

Vers la fin du mois de septembre, après trois audiences prises par les plaidoiries et par le procureur général Merlin [1] qui porta lui-même la parole, le pourvoi fut rejeté. La Cour impériale de Paris était instituée, M. de Grandville y avait été nommé substitut du procureur général, et le département de l'Aube se trouvant dans la juridiction de cette cour, il lui fut possible de faire au cœur de son ministère des démarches en faveur des condamnés ; il fatigua Cambacérès, son protecteur ; Bordin et M. de Chargebœuf vinrent le lendemain matin de l'arrêt dans son hôtel au Marais, où ils le trouvèrent dans la lune de miel de son mariage, car dans l'intervalle il s'était marié [2]. Malgré tous les événements qui s'étaient accomplis dans l'existence de son ancien avocat, M. de Chargebœuf vit bien à l'affliction du jeune substitut qu'il restait fidèle à ses clients. Certains avocats, les artistes de la profession, font de leurs causes des maîtresses. Le cas est rare, ne vous y fiez pas. Dès que ses anciens clients et lui furent seuls dans son cabinet, M. de Grandville dit au marquis : « Je n'ai pas attendu votre visite, j'ai déjà même usé tout mon crédit. N'essayez pas de sauver Michu, vous n'auriez pas la grâce de MM. de Simeuse. Il faut une victime.

— Mon Dieu ! dit Bordin en montrant au jeune magistrat les trois pourvois en grâce, puis-je prendre sur moi

---

1. Merlin, dit de Douai, dont le nom est proche de celui de Malin, eut aussi une carrière assez comparable à celle de Malin. Député à l'Assemblée législative et à la Convention, membre du Comité de salut public, il avait aussi participé à l'élaboration du Code de brumaire an IV. Il fut procureur général de 1801 à 1814. **2.** Voir *Une double famille.*

de supprimer la demande de votre ancien client ? jeter ce papier au feu, c'est lui couper la tête. »

Il présenta le blanc-seing de Michu, M. de Grandville le prit et le regarda.

« Nous ne pouvons pas le supprimer ; mais, sachez-le ! si vous demandez tout, vous n'obtiendrez rien.

— Avons-nous le temps de consulter Michu ? dit Bordin.

— Oui. L'ordre d'exécution regarde le Parquet du procureur général, et nous pouvons vous donner quelques jours. On tue les hommes, dit-il avec une sorte d'amertume, mais on y met des formes, surtout à Paris. »

M. de Chargebœuf avait eu déjà chez le grand juge des renseignements qui donnaient un poids énorme à ces tristes paroles de M. de Grandville.

« Michu est innocent, je le sais, je le dis, reprit le magistrat ; mais que peut-on seul contre tous ? Et songez que mon rôle est de me taire aujourd'hui. Je dois faire dresser l'échafaud où mon ancien client sera décapité[1]. »

M. de Chargebœuf connaissait assez Laurence pour savoir qu'elle ne consentirait pas à sauver ses cousins aux dépens de Michu. Le marquis essaya donc une dernière tentative. Il avait fait demander une audience au ministre des Relations extérieures, pour savoir s'il existait un moyen de salut dans la haute diplomatie. Il prit avec lui Bordin qui connaissait le ministre et lui avait rendu quelques services. Les deux vieillards trouvèrent Talleyrand absorbé dans la contemplation de son feu, les pieds en avant, la tête appuyée sur sa main, le coude sur la table, le journal à terre. Le ministre venait de lire l'arrêt de la Cour de cassation.

« Veuillez vous asseoir, monsieur le marquis, dit le

---

1. La longue relation que l'on vient de lire du procès Simeuse doit sans doute beaucoup à une récente expérience de l'auteur. En septembre 1839, il était allé avec Gavarni à Belley (Ain) assister au procès d'un de leurs amis journalistes de 1830 qui avait tué sa femme et fut condamné à mort. Rentré à Paris, Balzac publia dans *Le Siècle* une *Lettre sur le procès de Peytel, notaire à Belley*. La Cour de cassation ayant rejeté le pourvoi, ses amis implorèrent vainement sa grâce auprès de Louis-Philippe.

ministre, et vous, Bordin, ajouta-t-il en lui indiquant une place devant lui à sa table, écrivez :

“Sire,

“Quatre gentilshommes innocents, déclarés coupables par le jury, viennent de voir leur condamnation confirmée par votre Cour de cassation.

“Votre Majesté Impériale ne peut plus que leur faire grâce. Ces gentilshommes ne réclament cette grâce de votre auguste clémence que pour avoir l’occasion d’utiliser leur mort en combattant sous vos yeux, et se disent, de Votre Majesté Impériale et Royale, avec respect, les...” etc.

— Il n’y a que les princes pour savoir obliger ainsi, dit le marquis de Chargebœuf en prenant des mains de Bordin cette précieuse minute de la pétition à faire signer aux quatre gentilshommes et pour laquelle il se promit d’obtenir d’augustes apostilles.

— La vie de vos parents, monsieur le marquis, dit le ministre, est remise au hasard des batailles ; tâchez d’arriver le lendemain d’une victoire, ils seront sauvés ! »

Il prit la plume, il écrivit lui-même une lettre confidentielle à l’Empereur, une de dix lignes au maréchal Duroc, puis il sonna, demanda à son secrétaire un passeport diplomatique, et dit tranquillement au vieux procureur : « Quelle est votre opinion sérieuse sur ce procès ?

— Ne savez-vous donc pas, monseigneur, qui nous a si bien entortillés ?

— Je le présume, mais j’ai des raisons pour chercher une certitude, répondit le prince. Retournez à Troyes, amenez-moi la comtesse de Cinq-Cygne, demain, ici, à pareille heure, mais secrètement, passez chez Mme de Talleyrand[1] que je préviendrai de votre visite. Si Mlle de Cinq-Cygne, qui sera placée de manière à voir l’homme que j’aurai debout devant moi, le reconnaît pour être venu chez elle dans le temps de la conspiration de MM. de Polignac et de Rivière, quoi que je dise, quoi qu’il

1. Sur le conseil impératif de Napoléon, Talleyrand avait dû épouser Mme Grand avec qui il vivait.

réponde, pas un geste, pas un mot ! Ne pensez d'ailleurs qu'à sauver MM. de Simeuse, n'allez pas vous embarrasser de votre mauvais drôle de garde-chasse.

— Un homme sublime, monseigneur ! s'écria Bordin.

— De l'enthousiasme ? et chez vous, Bordin ! cet homme est alors quelque chose. Notre souverain a prodigieusement d'amour-propre, monsieur le marquis, dit-il en changeant de conversation, il va me congédier pour pouvoir faire des folies sans contradiction. C'est un grand soldat qui sait changer les lois de l'espace et du temps ; mais il ne saurait changer les hommes, et il voudrait les fondre à son usage. Maintenant, n'oubliez pas que la grâce de vos parents ne sera obtenue que par une seule personne... par Mlle de Cinq-Cygne. »

Le marquis partit seul pour Troyes, et dit à Laurence l'état des choses. Laurence obtint du procureur impérial la permission de voir Michu, et le marquis l'accompagna jusqu'à la porte de la prison, où il l'attendit. Elle sortit les yeux baignés de larmes.

« Le pauvre homme, dit-elle, a essayé de se mettre à mes genoux pour me prier de ne plus songer à lui, sans penser qu'il avait les fers aux pieds ! Ah ! marquis, je plaiderai sa cause. Oui, j'irai baiser la botte de leur Empereur. Et si j'échoue, eh bien, cet homme vivra, par mes soins, éternellement dans notre famille. Présentez son pourvoi en grâce pour gagner du temps, je veux avoir son portrait. Partons. »

Le lendemain, quand le ministre apprit par un signal convenu que Laurence était à son poste, il sonna, son huissier vint et reçut l'ordre de laisser entrer M. Corentin.

« Mon cher, vous êtes un habile homme, lui dit Talleyrand, et je veux vous employer.

— Monseigneur...

— Écoutez. En servant Fouché, vous aurez de l'argent et jamais d'honneur ni de position avouable ; mais en me servant toujours comme vous venez de le faire à Berlin, vous aurez de la considération.

— Monseigneur est bien bon...

— Vous avez déployé du génie dans votre dernière affaire à Gondreville...

— De quoi monseigneur parle-t-il ? dit Corentin en prenant un air ni trop froid, ni trop surpris.

— Monsieur, répondit sèchement le ministre, vous n'arriverez à rien, vous craignez...

— Quoi, monseigneur ?

— La mort ! dit le ministre de sa belle voix profonde et creuse. Adieu, mon cher. »

« C'est lui, dit le marquis de Chargebœuf en entrant ; mais nous avons failli tuer la comtesse, elle étouffe !

— Il n'y a que lui capable de jouer de pareils tours, répondit le ministre. Monsieur, vous êtes en danger de ne pas réussir, reprit le prince. Prenez ostensiblement la route de Strasbourg, je vais vous envoyer en blanc de doubles passeports. Ayez des Sosies, changez de route habilement et surtout de voiture, laissez arrêter à Strasbourg vos Sosies à votre place, gagnez la Prusse par la Suisse et par la Bavière. Pas un mot et de la prudence. Vous avez la Police contre vous, et vous ne savez pas ce que c'est que la Police !... »

Mlle de Cinq-Cygne offrit à Robert Lefebvre[1] une somme suffisante pour le déterminer à venir à Troyes faire le portrait de Michu, et M. de Grandville promit à ce peintre, alors célèbre, toutes les facilités possibles. M. de Chargebœuf partit dans son vieux berlingot avec Laurence et avec un domestique qui parlait allemand. Mais, vers Nancy, il rejoignit Gothard et Mlle Goujet qui les avaient précédés dans une excellente calèche, il leur prit cette calèche et leur donna le berlingot. Le ministre avait raison. À Strasbourg, le commissaire général de police refusa de viser le passeport des voyageurs, en leur opposant des ordres absolus. En ce moment même, le marquis et Laurence sortaient de France par Besançon avec les passeports diplomatiques. Laurence traversa la Suisse dans les premiers jours du mois d'octobre, sans accorder la moindre attention à ces magnifiques pays. Elle était au fond de la calèche dans l'engourdissement où tombe le criminel quand il sait l'heure de son supplice. Toute la

---

1. Robert Lefèvre (1755-1830), portraitiste à qui on reconnaît, entre autres mérites, celui de « faire ressemblant », eut une grande vogue. Il avait fait le portrait du père de Balzac... et de Bonaparte.

nature se couvre alors d'une vapeur bouillante, et les choses les plus vulgaires prennent une tournure fantastique. Cette pensée : « Si je ne réussis pas, ils se tuent », retombait sur son âme comme, dans le supplice de la roue, tombait jadis la barre du bourreau sur les membres du patient. Elle se sentait de plus en plus brisée, elle perdait toute son énergie dans l'attente du cruel moment, décisif et rapide, où elle se trouverait face à face avec l'homme de qui dépendait le sort des quatre gentilshommes. Elle avait pris le parti de se laisser aller à son affaissement pour ne pas dépenser inutilement son énergie. Incapable de comprendre ce calcul des âmes fortes et qui se traduit diversement à l'extérieur, car dans ces attentes suprêmes certains esprits supérieurs s'abandonnent à une gaieté surprenante, le marquis avait peur de ne pas amener Laurence vivante jusqu'à cette rencontre solennelle seulement pour eux, mais qui certes dépassait les proportions ordinaires de la vie privée. Pour Laurence, s'humilier devant cet homme, objet de sa haine et de son mépris, emportait la mort de tous ses sentiments généreux.

« Après cela, dit-elle, la Laurence qui survivra ne ressemblera plus à celle qui va périr. »

Néanmoins il fut bien difficile aux deux voyageurs de ne pas apercevoir l'immense mouvement d'hommes et de choses dans lequel ils entrèrent, une fois en Prusse. La campagne d'Iéna était commencée. Laurence et le marquis voyaient les magnifiques divisions de l'armée française s'allongeant et paradant comme aux Tuileries. Dans ces déploiements de la splendeur militaire, qui ne peuvent se dépeindre qu'avec les mots et les images de la Bible, l'homme qui animait ces masses prit des proportions gigantesques dans l'imagination de Laurence. Bientôt, les mots de victoire retentirent à son oreille. Les armées impériales venaient de remporter deux avantages signalés. Le prince de Prusse avait été tué la veille du jour où les deux voyageurs arrivèrent à Saalfeld, tâchant de rejoindre Napoléon qui allait avec la rapidité de la foudre. Enfin, le treize octobre, date de mauvais augure, Mlle de Cinq-Cygne longeait une rivière au milieu des corps de la Grande Armée, ne voyant que confusion, renvoyée d'un village à l'autre et de division en division, épouvantée de se voir seule avec un vieillard, ballottée dans un océan de cent cinquante mille hommes, qui en visaient cent cinquante mille autres. Fatiguée de toujours apercevoir cette rivière par-dessus les haies d'un chemin boueux qu'elle suivait sur une colline, elle en demanda le nom à un soldat.

« C'est la Saale », dit-il en lui montrant l'armée prussienne groupée par grandes masses de l'autre côté de ce cours d'eau.

La nuit venait, Laurence voyait s'allumer des feux et briller des armes. Le vieux marquis, dont l'intrépidité fut chevaleresque, conduisait lui-même, à côté de son nouveau domestique, deux bons chevaux achetés la veille. Le vieillard savait bien qu'il ne trouverait ni postillons, ni chevaux, en arrivant sur un champ de bataille. Tout à coup l'audacieuse calèche, objet de l'étonnement de tous les soldats, fut arrêtée par un gendarme de la gendarmerie de l'armée qui vint à bride abattue sur le marquis en lui criant : « Qui êtes-vous ? où allez-vous ? que demandez-vous ?

— L'Empereur, dit le marquis de Chargebœuf, j'ai une dépêche importante des ministres pour le grand-maréchal Duroc.

— Eh bien, vous ne pouvez pas rester là », dit le gendarme.

Mlle de Cinq-Cygne et le marquis furent d'autant plus obligés de rester là que le jour allait cesser.

« Où sommes-nous ? dit Mlle de Cinq-Cygne en arrêtant deux officiers qu'elle vit venir et dont l'uniforme était caché par des surtouts en drap.

— Vous êtes en avant de l'avant-garde de l'armée française, madame, lui répondit un des deux officiers. Vous ne pouvez même rester ici, car si l'ennemi faisait un mouvement et que l'artillerie jouât, vous seriez entre deux feux.

— Ah ! » dit-elle d'un air indifférent.

Sur ce *ah !* l'autre officier dit : « Comment cette femme se trouve-t-elle là ?

— Nous attendons, répondit-elle, un gendarme qui est

allé prévenir M. Duroc, en qui nous trouverons un protecteur pour pouvoir parler à l'Empereur.

— Parler à l'Empereur ?... dit le premier officier. Y pensez-vous ? à la veille d'une bataille décisive.

— Ah ! vous avez raison, dit-elle, je ne dois lui parler qu'après-demain, la victoire le rendra doux. »

Les deux officiers allèrent se placer à vingt pas de distance, sur leurs chevaux immobiles. La calèche fut alors entourée par un escadron de généraux, de maréchaux, d'officiers, tous extrêmement brillants, et qui respectèrent la voiture, précisément parce qu'elle était là.

« Mon Dieu ! dit le marquis à Mlle de Cinq-Cygne, j'ai peur que nous n'ayons parlé à l'Empereur.

— L'Empereur, dit un colonel général, mais le voilà ! »

Laurence aperçut alors à quelques pas, en avant et seul, celui qui s'était écrié : « Comment cette femme se trouve-t-elle là ? » L'un des deux officiers, l'Empereur enfin, vêtu de sa célèbre redingote mise par-dessus un uniforme vert, était sur un cheval blanc richement caparaçonné. Il examinait, avec une lorgnette, l'armée prussienne au-delà de la Saale. Laurence comprit alors pourquoi la calèche restait là, et pourquoi l'escorte de l'Empereur la respectait. Elle fut saisie d'un mouvement convulsif, l'heure était arrivée. Elle entendit alors le bruit sourd de plusieurs masses d'hommes et de leurs armes s'établissant au pas accéléré sur ce plateau. Les batteries semblaient avoir un langage, les caissons retentissaient et l'airain pétillait.

« Le maréchal Lannes prendra position avec tout son corps en avant, le maréchal Lefebvre et la Garde occuperont ce sommet », dit l'autre officier, qui était le major général Berthier.

L'Empereur descendit. Au premier mouvement qu'il fit, Roustan, son fameux mameluck, s'empressa de venir tirer le cheval. Laurence était stupide d'étonnement, elle ne croyait pas à tant de simplicité.

« Je passerai la nuit sur ce plateau », dit l'Empereur.

En ce moment le grand-maréchal Duroc, que le gendarme avait enfin trouvé, vint au marquis de Chargebœuf et lui demanda la raison de son arrivée ; le marquis lui répondit qu'une lettre écrite par le ministre des Relations extérieures lui dirait combien il était urgent qu'ils obtinssent, Mlle de Cinq-Cygne et lui, une audience de l'Empereur.

« Sa Majesté va dîner sans doute à son bivouac, dit Duroc en prenant la lettre, et quand j'aurai vu ce dont il s'agit, je vous ferai savoir si cela se peut. » « Brigadier, dit-il au gendarme, accompagnez cette voiture et menez-la près de la cabane en arrière. »

M. de Chargebœuf suivit le gendarme, et arrêta sa voiture derrière une misérable chaumière bâtie en bois et en terre, entourée de quelques arbres fruitiers, et gardée par des piquets d'infanterie et de cavalerie.

On peut dire que la majesté de la guerre éclatait là dans toute sa splendeur. De ce sommet, les lignes des deux armées se voyaient éclairées par la lune. Après une heure d'attente, remplie par le mouvement perpétuel d'aides de camp partant et revenant, Duroc, qui vint chercher Mlle de Cinq-Cygne et le marquis de Chargebœuf, les fit entrer dans la chaumière, dont le plancher était en terre battue comme celui de nos aires de grange. Devant une table desservie et devant un feu de bois vert qui fumait, Napoléon était assis sur une chaise grossière. Ses bottes, pleines de boue, attestaient ses courses à travers champs. Il avait ôté sa fameuse redingote, et alors son célèbre uniforme vert, traversé par son grand cordon rouge, rehaussé par le dessous blanc de sa culotte de casimir et de son gilet, faisait admirablement bien valoir sa pâle et terrible figure césarienne. Il avait la main sur une carte dépliée, placée sur ses genoux. Berthier se tenait debout dans son brillant costume de vice-connétable de l'Empire. Constant, le valet de chambre, présentait à l'Empereur son café sur un plateau.

« Que voulez-vous ? dit-il avec une feinte brusquerie en traversant par le rayon de son regard la tête de Laurence. Vous ne craignez donc plus de me parler avant la bataille ? De quoi s'agit-il ?

— Sire, dit-elle en le regardant d'un œil non moins fixe, je suis Mlle de Cinq-Cygne.

— Hé bien ? répondit-il d'une voix colère en se croyant bravé par ce regard.

— Ne comprenez-vous donc pas ? je suis la comtesse

de Cinq-Cygne, et je vous demande grâce », dit-elle en tombant à genoux et lui tendant le placet rédigé par Talleyrand, apostillé par l'Impératrice, par Cambacérès et par Malin.

L'Empereur releva gracieusement la suppliante en lui jetant un regard fin et lui dit : « Serez-vous sage enfin ? Comprenez-vous ce que doit être l'Empire français ?...

— Ah ! je ne comprends en ce moment que l'Empereur, dit-elle vaincue par la bonhomie avec laquelle l'homme du destin avait dit ces paroles qui faisaient pressentir la grâce.

— Sont-ils innocents ? demanda l'Empereur.

— Tous, dit-elle avec enthousiasme.

— Tous ? Non, le garde-chasse est un homme dangereux qui tuerait mon sénateur sans prendre votre avis...

— Oh ! Sire, dit-elle, si vous aviez un ami qui se fût dévoué pour vous, l'abandonneriez-vous ? ne vous...

— Vous êtes une femme, dit-il avec une teinte de raillerie.

— Et vous un homme de fer ! lui dit-elle avec une dureté passionnée qui lui plut.

— Cet homme a été condamné par la justice du pays, reprit-il.

— Mais il est innocent.

— Enfant !... » dit-il.

Il sortit, prit Mlle de Cinq-Cygne par la main et l'emmena sur le plateau.

« Voici, dit-il avec son éloquence à lui qui changeait les lâches en braves, voici trois cent mille hommes, ils sont innocents, eux aussi ! Eh bien, demain, trente mille hommes seront morts, morts pour leur pays ! Il y a chez les Prussiens, peut-être, un grand mécanicien, un idéologue, un génie qui sera moissonné. De notre côté, nous perdrons certainement des grands hommes inconnus. Enfin, peut-être verrai-je mourir mon meilleur ami ! Accuserai-je Dieu ? Non. Je me tairai. Sachez, mademoiselle, qu'on doit mourir pour les lois de son pays, comme on meurt ici pour sa gloire, ajouta-t-il en la ramenant dans la cabane. Allez, retournez en France, dit-il en regardant le marquis, mes ordres vous y suivront. »

Laurence crut à une commutation de peine pour Michu,

et, dans l'effusion de sa reconnaissance, elle plia le genou et baisa la main de l'Empereur.

« Vous êtes monsieur de Chargebœuf ? dit alors Napoléon en avisant le marquis.

— Oui, Sire.

— Vous avez des enfants ?

— Beaucoup d'enfants.

— Pourquoi ne me donneriez-vous pas un de vos petits-fils ? il serait un de mes pages... »

« Ah ! voilà le sous-lieutenant qui perce, pensa Laurence, il veut être payé de sa grâce. »

Le marquis s'inclina sans répondre. Heureusement le général Rapp se précipita dans la cabane.

« Sire, la cavalerie de la Garde et celle du grand-duc de Berg ne pourront pas rejoindre demain avant midi.

— N'importe, dit Napoléon en se tournant vers Berthier, il est des heures de grâce pour nous aussi, sachons en profiter. »

Sur un signe de main, le marquis et Laurence se retirèrent et montèrent en voiture ; le brigadier les mit dans leur route et les conduisit jusqu'à un village où ils passèrent la nuit. Le lendemain, tous deux ils s'éloignèrent du champ de bataille au bruit de huit cents pièces de canon qui grondèrent pendant dix heures, et en route ils apprirent l'étonnante victoire d'Iéna. Huit jours après, ils entraient dans les faubourgs de Troyes. Un ordre du grand juge, transmis au procureur impérial près le tribunal de première instance de Troyes, ordonnait la mise en liberté sous caution des gentilshommes en attendant la décision de l'Empereur et Roi ; mais, en même temps, l'ordre pour l'exécution de Michu fut expédié par le Parquet. Ces ordres étaient arrivés le matin même. Laurence se rendit alors à la prison, sur les deux heures, en habit de voyage. Elle obtint de rester auprès de Michu à qui l'on faisait la triste cérémonie appelée la toilette ; le bon abbé Goujet, qui avait demandé à l'accompagner jusqu'à l'échafaud, venait de donner l'absolution à cet homme qui se désolait de mourir dans l'incertitude sur le sort de ses maîtres ; aussi quand Laurence se montra poussa-t-il un cri de joie.

« Je puis mourir, dit-il.

— Ils sont graciés, je ne sais à quelles conditions,

répondit-elle ; mais ils le sont, et j'ai tout tenté pour toi, mon ami, malgré leur avis. Je croyais t'avoir sauvé, mais l'Empereur m'a trompée par gracieuseté de souverain.

— Il était écrit là-haut, dit Michu, que le chien de garde devait être tué à la même place que ses vieux maîtres ! »

La dernière heure se passa rapidement. Michu, au moment de partir, n'osait demander d'autre faveur que de baiser la main de Mlle de Cinq-Cygne, mais elle lui tendit ses joues et se laissa saintement embrasser par cette noble victime. Michu refusa de monter en charrette.

« Les innocents doivent aller à pied ! » dit-il.

Il ne voulut pas que l'abbé Goujet lui donnât le bras, il marcha dignement et résolument jusqu'à l'échafaud. Au moment de se coucher sur la planche, il dit à l'exécuteur, en le priant de rabattre sa redingote qui lui montait sur le cou : « Mon habit vous appartient, tâchez de ne pas l'entamer. »

À peine les quatre gentilshommes eurent-ils le temps de voir Mlle de Cinq-Cygne : un planton du général commandant la Division militaire leur apporta des brevets de sous-lieutenants dans le même régiment de cavalerie, avec l'ordre de rejoindre aussitôt à Bayonne le dépôt de leur corps. Après des adieux déchirants, car ils eurent tous un pressentiment de l'avenir, Mlle de Cinq-Cygne rentra dans son château désert.

Les deux frères moururent ensemble sous les yeux de l'Empereur, à Sommo-Sierra[1], l'un défendant l'autre, tous deux déjà chefs d'escadron. Leur dernier mot fut : « Laurence, *cy meurs !* »

L'aîné des d'Hauteserre mourut colonel à l'attaque de la redoute de la Moscowa, où son frère prit sa place.

Adrien, nommé général de brigade à la bataille de Dresde, y fut grièvement blessé et put revenir se faire soigner à Cinq-Cygne. En essayant de sauver ce débris des quatre gentilshommes qu'elle avait vus un moment autour d'elle, la comtesse, alors âgée de trente-deux ans, l'épousa ; mais elle lui offrit un cœur flétri qu'il accepta : les gens qui aiment ne doutent de rien, ou doutent de tout.

---

1. Victoire de Napoléon, le 30 novembre 1808, sur les Espagnols.

« Un planton du général leur apporta des brevets de sous-lieutenants... »

La Restauration trouva Laurence sans enthousiasme, les Bourbons venaient trop tard pour elle ; néanmoins, elle n'eut pas à se plaindre : son mari, nommé pair de France avec le titre de marquis de Cinq-Cygne, devint lieutenant général en 1816, et fut récompensé par le cordon bleu des éminents services qu'il rendit alors.

Le fils de Michu, de qui Laurence prit soin comme de son propre enfant, fut reçu avocat en 1817. Après avoir exercé pendant deux ans sa profession, il fut nommé juge suppléant au tribunal d'Alençon, et de là passa procureur du Roi au tribunal d'Arcis en 1827. Laurence, qui avait surveillé l'emploi des capitaux de Michu, remit à ce jeune homme une inscription de douze mille livres de rentes le jour de sa majorité ; plus tard, elle lui fit épouser la riche Mlle Girel de Troyes. Le marquis de Cinq-Cygne mourut en 1829 entre les bras de Laurence, de son père, de sa mère et de ses enfants qui l'adoraient. Lors de sa mort, personne n'avait encore pénétré le secret de l'enlèvement du sénateur. Louis XVIII ne se refusa point à réparer les malheurs de cette affaire ; mais il fut muet sur les causes de ce désastre avec la marquise de Cinq-Cygne, qui le crut alors complice de la catastrophe.

CONCLUSION

Le feu marquis de Cinq-Cygne avait employé ses épargnes, ainsi que celles de son père et de sa mère, à l'acquisition d'un magnifique hôtel situé rue du Faubourg du Roule, et compris dans le majorat considérable institué pour l'entretien de sa pairie. La sordide économie du marquis et de ses parents, qui souvent affligeait Laurence, fut alors expliquée. Aussi, depuis cette acquisition, la marquise, qui vivait à sa terre en y thésaurisant pour ses enfants, passa-t-elle d'autant plus volontiers ses hivers à Paris, que sa fille Berthe et son fils Paul atteignaient à un âge où leur éducation exigeait les ressources de Paris. Mme de Cinq-Cygne alla peu dans le monde. Son mari ne pouvait ignorer les regrets qui habitaient le cœur de cette femme ; mais il déploya pour elle les délicatesses les plus ingénieuses, et mourut n'ayant aimé qu'elle au monde. Ce noble cœur, méconnu pendant quelque temps, mais à qui la généreuse fille des Cinq-Cygne rendit dans les dernières années autant d'amour qu'elle en recevait, ce mari fut enfin complètement heureux. Laurence vivait surtout par les joies de la famille. Nulle femme de Paris ne fut plus chérie de ses amis, ni plus respectée. Aller chez elle est un honneur. Douce, indulgente, spirituelle, simple surtout, elle plaît aux âmes d'élite, elle les attire, malgré son attitude empreinte de douleur ; mais chacun semble protéger cette femme si forte, et ce sentiment de protection secrète explique peut-être l'attrait de son amitié. Sa vie, si douloureuse pendant sa jeunesse, est belle et sereine vers le soir. On connaît ses souffrances. Personne n'a jamais demandé quel est l'original du portrait de Robert Lefebvre, qui depuis la mort du garde est le principal et funèbre ornement du salon. La physionomie de Laurence a la maturité des fruits venus difficilement. Une sorte de fierté religieuse orne aujourd'hui ce front éprouvé. Au moment où la marquise vint tenir maison, sa fortune, augmentée par la loi sur les indemnités [1], allait à deux cent mille livres de rentes, sans compter les traitements de son mari. Laurence avait hérité des onze cent mille francs laissés par les Simeuse. Dès lors, elle dépensa cent mille francs par an, et mit de côté le reste pour faire la dot de Berthe.

Berthe est le portrait vivant de sa mère, mais sans audace guerrière ; c'est sa mère fine, spirituelle : « et plus femme », dit Laurence avec mélancolie. La marquise ne voulait pas marier sa fille avant qu'elle n'eût vingt ans. Les économies de la famille sagement administrées par le vieux d'Hauteserre, et placées dans les fonds au moment où les rentes tombèrent en 1830, formaient une dot d'environ quatre-vingt mille francs de rentes à Berthe, qui, en 1833, eut vingt ans.

---

1. Cette loi, dite du « milliard des émigrés », votée en 1825, indemnisait les propriétaires de biens confisqués et vendus pendant la Révolution, sans remettre en cause ces ventes. Elle souleva néanmoins des indignations.

Vers ce temps, la princesse de Cadignan, qui voulait marier son fils, le duc de Maufrigneuse, avait depuis quelques mois lié son fils avec la marquise de Cinq-Cygne. Georges de Maufrigneuse dînait trois fois par semaine chez la marquise, il accompagnait la mère et la fille aux Italiens, il caracolait au Bois autour de leur calèche quand elles s'y promenaient. Il fut alors évident pour le monde du faubourg Saint-Germain que Georges aimait Berthe. Seulement personne ne pouvait savoir si Mme de Cinq-Cygne avait le désir de faire sa fille duchesse en attendant qu'elle devînt princesse ; ou si la princesse désirait pour son fils une si belle dot, si la célèbre Diane allait au-devant de la noblesse de province, ou si la noblesse de province était effrayée de la célébrité de Mme de Cadignan, de ses goûts et de sa vie ruineuse. Dans le désir de ne point nuire à son fils, la princesse, devenue dévote, avait muré sa vie intime, et passait la belle saison à Genève dans une villa[1].

Un soir, Mme la princesse de Cadignan avait chez elle la marquise d'Espard, et de Marsay, le président du Conseil. Elle vit ce soir-là cet ancien amant pour la dernière fois, car il mourut l'année suivante. Rastignac, sous-secrétaire d'État attaché au ministère de Marsay, deux ambassadeurs, deux orateurs célèbres restés à la Chambre des pairs, les vieux ducs de Lenoncourt et de Navarreins, le comte de Vandenesse et sa jeune femme, d'Arthez s'y trouvaient et formaient un cercle assez bizarre dont la composition s'expliquera facilement : il s'agissait d'obtenir du Premier ministre un laissez-passer pour le prince de Cadignan. De Marsay, qui ne voulait pas prendre sur lui cette responsabilité, venait dire à la princesse que l'affaire était entre bonnes mains. Un vieil homme politique devait leur apporter une solution pendant la soirée. On annonça la marquise et Mlle de Cinq-Cygne. Laurence, dont les principes étaient intraitables, fut non pas surprise, mais choquée, de voir les représentants les plus illustres de la légitimité, dans l'une et l'autre Chambre, causant avec le Premier ministre de celui qu'elle n'appelait jamais que monseigneur le duc d'Orléans, l'écoutant et riant

1. Voir *Les Secrets de la princesse de Cadignan.*

avec lui. De Marsay, comme les lampes près de s'éteindre, brillait d'un dernier éclat. Il oubliait là, volontiers, les soucis de la politique. La marquise de Cinq-Cygne accepta de Marsay, comme on dit que la cour d'Autriche acceptait alors M. de Saint-Aulaire[1] : l'homme du monde fit passer le ministre. Mais elle se dressa comme si son siège eût été de fer rougi, quand elle entendit annoncer M. le comte de Gondreville.

« Adieu, madame », dit-elle à la princesse d'un ton sec.

Elle sortit avec Berthe en calculant la direction de ses pas de manière à ne pas rencontrer cet homme fatal.

« Vous avez peut-être fait manquer le mariage de Georges », dit à voix basse la princesse à de Marsay.

L'ancien clerc venu d'Arcis, l'ancien Représentant du Peuple, l'ancien Thermidorien, l'ancien tribun, l'ancien conseiller d'État, l'ancien comte de l'Empire et sénateur, l'ancien pair de Louis XVIII, le nouveau pair de Juillet fit une révérence servile à la belle princesse de Cadignan.

« Ne tremblez plus, belle dame, nous ne faisons pas la guerre aux princes », dit-il en s'asseyant auprès d'elle.

Malin avait eu l'estime de Louis XVIII, à qui sa vieille expérience ne fut pas inutile. Il avait aidé beaucoup à renverser Decazes, et conseillé fortement le ministère Villèle. Reçu froidement par Charles X, il avait épousé les rancunes de Talleyrand. Il était alors en grande faveur sous le douzième gouvernement qu'il a l'avantage de servir depuis 1789, et qu'il desservira sans doute ; mais depuis quinze mois, il avait rompu l'amitié qui, pendant trente-six ans, l'avait uni au plus célèbre de nos diplomates. Ce fut dans cette soirée qu'en parlant de ce grand diplomate il dit ce mot : « Savez-vous la raison de son hostilité contre le duc de Bordeaux ?... le Prétendant est trop jeune...

— Vous donnez là, lui répondit Rastignac, un singulier conseil aux jeunes gens. »

De Marsay, devenu très songeur depuis le mot de la princesse, ne releva pas ces plaisanteries ; il regardait

---

1. Louis-Clair de Beaupoil, comte de Saint-Aulaire, qui avait été chambellan et préfet de Napoléon, fut nommé ambassadeur à Rome en 1831, et fut en poste à Vienne de 1833 à 1841.

sournoisement Gondreville, et attendait évidemment pour parler que le vieillard, qui se couchait de bonne heure, fût parti. Tous ceux qui étaient là, témoins de la sortie de Mme de Cinq-Cygne, dont les raisons étaient connues, imitèrent le silence de de Marsay. Gondreville, qui n'avait pas reconnu la marquise, ignorait les motifs de cette réserve générale ; mais l'habitude des affaires, les mœurs politiques lui avaient donné du tact, il était homme d'esprit d'ailleurs, il crut que sa présence gênait, il partit. De Marsay, debout à la cheminée, contempla, de façon à laisser deviner de graves pensées, ce vieillard de soixante-dix ans qui s'en allait lentement.

« J'ai eu tort, madame, de ne pas vous avoir nommé mon négociateur, dit enfin le Premier ministre en entendant le roulement de la voiture. Mais je vais racheter ma faute et vous donner les moyens de faire votre paix avec les Cinq-Cygne. Voici plus de trente ans que la chose a eu lieu ; c'est aussi vieux que la mort d'Henri IV, qui certes, entre nous, malgré le proverbe, est bien l'histoire la moins connue, comme beaucoup d'autres catastrophes historiques. Je vous jure, d'ailleurs, que si cette affaire ne concernait pas la marquise, elle n'en serait pas moins curieuse. Enfin, elle éclaircit un fameux passage de nos annales modernes, celui du Mont-Saint-Bernard[1]. Messieurs les ambassadeurs y verront que, sous le rapport de la profondeur, nos hommes politiques d'aujourd'hui sont bien loin des Machiavels que les flots populaires ont élevés, en 1793, au-dessus des tempêtes, et dont quelques-uns ont *trouvé*, comme dit la romance, *un port.* Pour être aujourd'hui quelque chose en France, il faut avoir roulé dans les ouragans de ce temps-là.

— Mais il me semble, dit en souriant la princesse, que, sous ce rapport, votre état de choses n'a rien à désirer... »

Un rire de bonne compagnie se joua sur toutes les lèvres, et de Marsay ne put s'empêcher de sourire. Les ambassadeurs parurent impatients, de Marsay fut pris par une quinte, et l'on fit silence.

« Par une nuit de juin 1800, dit le Premier ministre,

---

1. Le passage du mont Saint-Bernard avait eu lieu en mai, avant Montebello et Marengo.

vers trois heures du matin, au moment où le jour faisait pâlir les bougies, deux hommes, las de jouer à la bouillotte, ou qui n'y jouaient que pour occuper les autres, quittèrent le salon de l'hôtel des Relations extérieures, alors situé rue du Bac, et allèrent dans un boudoir. Ces deux hommes, dont un est mort, et dont l'autre a *un* pied dans la tombe [1], sont, chacun dans leur genre, aussi extraordinaires l'un que l'autre. Tous deux ont été prêtres, et tous deux ont abjuré ; tous deux se sont mariés. L'un avait été simple oratorien, l'autre avait porté la mitre épiscopale. Le premier s'appelait Fouché, je ne vous dis pas le nom du second ; mais tous deux étaient alors de simples citoyens français, très peu simples. Quand on les vit allant dans le boudoir, les personnes qui se trouvaient encore là manifestèrent un peu de curiosité. Un troisième personnage les suivit. Quant à celui-là, qui se croyait beaucoup plus fort que les deux premiers, il avait nom Sieyès, et vous savez tous qu'il appartenait également à l'Église avant la Révolution. Celui qui marchait difficilement se trouvait alors ministre des Relations extérieures, Fouché était ministre de la Police générale. Sieyès avait abdiqué le consulat. Un petit homme, froid et sévère, quitta sa place et rejoignit ces trois hommes en disant à haute voix, devant quelqu'un de qui je tiens le mot : "Je crains le brelan des prêtres." Il était ministre de la Guerre. Le mot de Carnot n'inquiéta point les deux consuls qui jouaient dans le salon. Cambacérès et Lebrun étaient alors à la merci de leurs ministres, infiniment plus forts qu'eux. Presque tous ces hommes d'État sont morts, on ne leur doit plus rien : ils appartiennent à l'histoire, et l'histoire de cette nuit a été terrible ; je vous la dis, parce que moi seul la sais, parce que Louis XVIII ne l'a pas dite à la pauvre Mme de Cinq-Cygne, et qu'il est indifférent au gouvernement actuel qu'elle le sache. Tous quatre, ils s'assirent. Le boiteux dut fermer la porte avant qu'on ne prononçât un mot, il poussa même, dit-on, un verrou. Il n'y a que les gens bien élevés qui aient de ces petites attentions. Les trois prêtres avaient les figures blêmes et

1. Fouché était mort en 1820 ; Talleyrand ne devait disparaître qu'en 1838. Il y a là une allusion à son pied bot.

impassibles que vous leur avez connues. Carnot seul offrait un visage coloré. Aussi le militaire parla-t-il le premier. “De quoi s'agit-il ? — De la France, dut dire le prince, que j'admire comme un des hommes les plus extraordinaires de notre temps. — De la république, a certainement dit Fouché. — Du pouvoir”, a dit probablement Sieyès. »

Tous les assistants se regardèrent. De Marsay avait, de la voix, du regard et du geste, admirablement peint les trois hommes.

« Les trois prêtres s'entendirent à merveille, reprit-il. Carnot regarda sans doute ses collègues et l'ex-consul d'un air assez digne. Je crois qu'il a dû se trouver abasourdi en dedans. “Croyez-vous au succès ? lui demanda Sieyès. — On peut tout attendre de Bonaparte, répondit le ministre de la Guerre, il a passé les Alpes heureusement. — En ce moment, dit le diplomate avec une lenteur calculée, il joue son tout [1]. — Enfin, tranchons le mot, dit Fouché, que ferons-nous, si le Premier consul est vaincu ? Est-il possible de refaire une armée ? Resterons-nous ses humbles serviteurs ? — Il n'y a plus de république en ce moment, fit observer Sieyès, il est consul pour dix ans. — Il a plus de pouvoir que n'en avait Cromwell, ajouta l'évêque, et n'a pas voté la mort du Roi. — Nous avons un maître, dit Fouché, le conserverons-nous s'il perd la bataille, ou reviendrons-nous à la république pure ? — La France, répliqua sentencieusement Carnot, ne pourra résister qu'en revenant à l'énergie conventionnelle. — Je suis de l'avis de Carnot, dit Sieyès. Si Bonaparte revient défait, il faut l'achever ; il nous en a trop dit depuis sept mois ! — Il a l'Armée, reprit Carnot d'un air penseur. — Nous aurons le peuple ! s'écria Fouché. — Vous êtes prompt, monsieur ! répliqua le grand seigneur de cette voix de basse-taille qu'il a conservée et qui fit rentrer l'oratorien en lui-même. — Soyez franc, dit un ancien conventionnel en montrant sa tête, si Bonaparte est vainqueur, nous l'adorerons ; vaincu, nous l'enterrerons ! —

---

1. *Tout ce qu'il y a de plus important*. Expression qui appartient surtout au jeu et ne surprend pas dans la bouche du joueur de whist qu'est Talleyrand.

Vous étiez là, Malin, reprit le maître de la maison sans s'émouvoir ; vous serez des nôtres." Et il lui fit signe de s'asseoir. Ce fut à cette circonstance que ce personnage, conventionnel assez obscur, dut d'être ce que nous venons de voir qu'il est encore en ce moment. Malin fut discret, et les deux ministres lui furent fidèles ; mais il fut aussi le pivot de la machine et l'âme de la machination. "Cet homme n'a point encore été vaincu ! s'écria Carnot avec un accent de conviction, et il vient de surpasser Annibal. — En cas de malheur, voici le Directoire, reprit très finement Sieyès en faisant remarquer à chacun qu'ils étaient cinq. — Et, dit le ministre des Affaires étrangères, nous sommes tous intéressés au maintien de la Révolution française, nous avons tous trois jeté le froc aux orties ; le général a voté la mort du Roi. Quant à vous, dit-il à Malin, vous avez des biens d'émigrés. — Nous avons tous les mêmes intérêts, dit péremptoirement Sieyès, et nos intérêts sont d'accord avec celui de la patrie. — Chose rare, dit le diplomate en souriant. — Il faut agir, ajouta Fouché ; la bataille se livre, et Mélas a des forces supérieures. Gênes est rendue, et Masséna a commis la faute de s'embarquer pour Antibes ; il n'est donc pas certain qu'il puisse rejoindre Bonaparte, qui restera réduit à ses seules ressources. — Qui vous a dit cette nouvelle ? demanda Carnot. — Elle est sûre, répondit Fouché. Vous aurez le courrier à l'heure de la Bourse."

« Ceux-là n'y faisaient point de façons, dit de Marsay en souriant et s'arrêtant un moment. "Or, ce n'est pas quand la nouvelle du désastre viendra, dit toujours Fouché, que nous pourrons organiser les clubs, réveiller le patriotisme et changer la Constitution. Notre Dix-huit Brumaire doit être prêt. — Laissons-le faire au ministre de la Police, dit le diplomate, et défions-nous de Lucien. (Lucien Bonaparte était alors ministre de l'Intérieur.) — Je l'arrêterai bien, dit Fouché. — Messieurs, s'écria Sieyès, notre Directoire ne sera plus soumis à des mutations anarchiques. Nous organiserons un pouvoir oligarchique, un sénat à vie, une chambre élective qui sera dans nos mains ; car sachons profiter des fautes du passé. — Avec ce système, j'aurai la paix, dit l'évêque. — Trouvez-moi un homme sûr pour correspondre avec Moreau, car l'Armée d'Allemagne deviendra notre seule ressource !" s'écria Carnot qui était resté plongé dans une profonde méditation.

« En effet, reprit de Marsay après une pause, ces hommes avaient raison, messieurs ! Ils ont été grands dans cette crise, et j'eusse fait comme eux.

« "Messieurs", s'écria Sieyès d'un ton grave et solennel, dit de Marsay en reprenant son récit. Ce mot : Messieurs ! fut parfaitement compris : tous les regards exprimèrent une même foi, la même promesse, celle d'un silence absolu, d'une solidarité complète au cas où Bonaparte reviendrait triomphant. "Nous savons tous ce que nous avons à faire", ajouta Fouché. Sieyès avait tout doucement dégagé le verrou, son oreille de prêtre l'avait bien servi. Lucien entra. "Bonne nouvelle, messieurs ! un courrier apporte à Mme Bonaparte un mot du Premier consul : il a débuté par une victoire à Montebello." Les trois ministres se regardèrent. "Est-ce une bataille générale ? demanda Carnot. — Non, un combat où Lannes s'est couvert de gloire. L'affaire a été sanglante. Attaqué avec dix mille hommes par dix-huit mille, il a été sauvé par une division envoyée à son secours. Ott est en fuite. Enfin la ligne d'opérations de Mélas est coupée [1]. — De quand le combat ? demanda Carnot. — Le huit, dit Lucien. — Nous sommes le treize, reprit le savant ministre ; eh bien, selon toute apparence, les destinées de la France se jouent au moment où nous causons. (En effet, la bataille de Marengo commença le quatorze juin, à l'aube.) — Quatre jours d'attente mortelle ! dit Lucien. — Mortelle ? reprit le ministre des Relations extérieures froidement et d'un air interrogatif. — Quatre jours, dit Fouché." Un témoin oculaire m'a certifié que les deux consuls n'apprirent ces détails qu'au moment où les six personnages rentrèrent au salon. Il était alors quatre heures du matin. Fouché partit le premier. Voici ce que fit, avec une infernale et sourde activité, ce génie ténébreux, profond, extraordinaire, peu connu, mais qui avait bien certainement un

1. Les deux feld-maréchaux autrichiens. Le premier avait connu un grave échec près de Montebello, le second dut à son imprévoyance d'être défait à Marengo.

génie égal à celui de Philippe II, à celui de Tibère et de Borgia. Sa conduite, lors de l'affaire de Walcheren, a été celle d'un militaire consommé, d'un grand politique, d'un administrateur prévoyant. C'est le seul ministre que Napoléon ait eu. Vous savez qu'alors il a épouvanté Napoléon. Fouché, Masséna et le Prince sont les trois plus grands hommes, les plus fortes têtes, comme diplomatie, guerre et gouvernement, que je connaisse ; si Napoléon les avait franchement associés à son œuvre, il n'y aurait plus d'Europe, mais un vaste Empire français. Fouché ne s'est détaché de Napoléon qu'en voyant Sieyès et le prince de Talleyrand mis de côté. Dans l'espace de trois jours, Fouché, tout en cachant la main qui remuait les cendres de ce foyer, organisa cette angoisse générale qui pesa sur toute la France et ranima l'énergie républicaine de 1793. Comme il faut éclaircir ce coin obscur de notre histoire, je vous dirai que cette agitation, partie de lui qui tenait tous les fils de l'ancienne Montagne, produisit les complots républicains par lesquels la vie du Premier consul fut menacée après sa victoire de Marengo [1]. Ce fut la conscience qu'il avait du mal dont il était l'auteur qui lui donna la force de signaler à Bonaparte, malgré l'opinion contraire de celui-ci, les républicains comme plus mêlés que les royalistes à ces entreprises. Fouché connaissait admirablement les hommes ; il compta sur Sieyès à cause de son ambition trompée, sur M. de Talleyrand parce qu'il était un grand seigneur, sur Carnot à cause de sa profonde honnêteté ; mais il redoutait notre homme de ce soir, et voici comment il l'entortilla. Il n'était que Malin dans ce temps-là, Malin, le correspondant de Louis XVIII. Il fut forcé, par le ministre de la Police, de rédiger les proclamations du gouvernement révolutionnaire, ses actes, ses arrêts, la mise hors la loi des factieux du 18 brumaire ; et bien plus, ce fut ce complice malgré lui qui les fit imprimer au nombre d'exemplaires nécessaire et qui les tint prêts en ballots dans sa maison. L'imprimeur fut arrêté comme conspirateur, car on fit choix d'un imprimeur révolutionnaire, et

1. On songe au complot Arena-Ceracchi et à la machine infernale de l'ancien Jacobin Chevalier.

la police ne le relâcha que deux mois après. Cet homme est mort en 1816, croyant à une conspiration montagnarde. Une des scènes les plus curieuses jouées par la police de Fouché est, sans contredit, celle que causa le premier courrier reçu par le plus célèbre banquier de cette époque[1], et qui annonça la perte de la bataille de Marengo. La fortune, si vous vous le rappelez, ne se déclara pour Napoléon que sur les sept heures du soir. À midi, l'agent envoyé sur le théâtre de la guerre par le roi de la finance d'alors regarda l'armée française comme anéantie et s'empressa de dépêcher un courrier. Le ministre de la Police envoya chercher les afficheurs, les crieurs, et l'un de ses affidés arrivait avec un camion chargé des imprimés, quand le courrier du soir, qui avait fait une excessive diligence, répandit la nouvelle du triomphe qui rendit la France véritablement folle. Il y eut des pertes considérables à la Bourse. Mais le rassemblement des afficheurs et des crieurs qui devaient proclamer la mise hors la loi, la mort politique de Bonaparte, fut tenu en échec et attendit que l'on eût imprimé la proclamation et le placard où la victoire du Premier consul était exaltée. Gondreville, sur qui toute la responsabilité du complot pouvait tomber, fut si effrayé, qu'il mit les ballots dans des charrettes et les mena nuitamment à Gondreville, où sans doute il enterra ces sinistres papiers dans les caves du château qu'il avait acheté sous le nom d'un homme... Il l'a fait nommer président d'une cour impériale, il avait nom... Marion ! Puis il revint à Paris assez à temps pour complimenter le Premier consul. Napoléon accourut, vous le savez, avec une effrayante célérité d'Italie en France, après la bataille de Marengo ; mais il est certain, pour ceux qui connaissent à fond l'histoire secrète de ce temps, que sa promptitude eut pour cause un message de Lucien. Le ministre de l'Intérieur avait entrevu

---

1. Il ne pourrait s'agir que d'Ouvrard qui était intéressé au résultat de la bataille, car il était en quelque sorte le banquier du Premier consul. C'est à lui qu'avait eu recours le gouvernement pour traiter des fournitures nécessaires à l'armée d'Italie (il les soumissionna sous le nom de Maurin). Dans *La Vieille Fille*, Du Bousquier, entrepreneur des vivres des armées et un temps associé à Ouvrard, a commis l'erreur de jouer secrètement contre Bonaparte à Marengo.

l'attitude du parti montagnard, et, sans savoir d'où soufflait le vent, il craignait l'orage. Incapable de soupçonner les trois ministres, il attribuait ce mouvement aux haines excitées par son frère au 18 brumaire, et à la ferme croyance où fut alors le reste des hommes de 1793, d'un échec irréparable en Italie. Les mots : “Mort au tyran !” criés à Saint-Cloud, retentissaient toujours aux oreilles de Lucien. La bataille de Marengo retint Napoléon sur les champs de la Lombardie jusqu'au 25 juin, il arriva le 2 juillet en France. Or, imaginez les figures des cinq conspirateurs, félicitant aux Tuileries le Premier consul sur sa victoire. Fouché, dans le salon même, dit au tribun, car ce Malin que vous venez de voir a été un peu tribun, d'attendre encore, et que tout n'était pas fini. En effet, Bonaparte ne semblait pas à M. de Talleyrand et à Fouché aussi marié qu'ils l'étaient eux-mêmes à la Révolution, et ils l'y bouclèrent pour leur propre sûreté, par l'affaire du duc d'Enghien. L'exécution du prince tient, par des ramifications saisissables, à ce qui s'était tramé dans l'hôtel des Relations extérieures pendant la campagne de Marengo. Certes, aujourd'hui, pour qui a connu des personnes bien informées, il est clair que Bonaparte fut joué comme un enfant par M. de Talleyrand et Fouché, qui voulurent le brouiller irrévocablement avec la maison de Bourbon, dont les ambassadeurs faisaient alors des tentatives auprès du Premier consul.

— Talleyrand faisant son whist chez Mme de Luynes[1], dit alors un des personnages qui écoutaient, à trois heures du matin, tire sa montre, interrompt le jeu et demande tout à coup, sans aucune transition, à ses trois partners, si le prince de Condé avait d'autre enfant que M. le duc d'Enghien. Une demande si saugrenue, dans la bouche de M. de Talleyrand, causa la plus grande surprise. “Pourquoi nous demandez-vous ce que vous savez si bien ? lui dit-on. — C'est pour vous apprendre que la

1. Personnage réel, Mme de Luynes était la femme du duc de Luynes, sénateur d'Empire.

maison de Condé finit en ce moment[1]." Or, M. de Talleyrand était à l'hôtel de Luynes depuis le commencement de la soirée, et savait sans doute que Bonaparte était dans l'impossibilité de faire grâce.

— Mais, dit Rastignac à de Marsay, je ne vois point dans tout ceci Mme de Cinq-Cygne.

— Ah ! vous étiez si jeune, mon cher, que j'oubliais la conclusion ; vous savez l'affaire de l'enlèvement du comte de Gondreville, qui a été la cause de la mort des deux Simeuse et du frère aîné de d'Hauteserre, qui, par son mariage avec Mlle de Cinq-Cygne, devint comte et depuis marquis de Cinq-Cygne. »

De Marsay, prié par plusieurs personnes à qui cette aventure était inconnue, raconta le procès, en disant que les cinq inconnus étaient des escogriffes de la Police générale de l'Empire, chargés d'anéantir des ballots d'imprimés que le comte de Gondreville était venu précisément brûler en croyant l'Empire affermi. « Je soupçonne Fouché, dit-il, d'y avoir fait chercher en même temps des preuves de la correspondance de Gondreville et de Louis XVIII, avec lequel il s'est toujours entendu, même pendant la Terreur. Mais, dans cette épouvantable affaire, il y a eu de la passion de la part de l'agent principal, qui vit encore, un de ces grands hommes subalternes qu'on ne remplace jamais, et qui s'est fait remarquer par des tours de force étonnants. Il paraît que Mlle de Cinq-Cygne l'avait maltraité quand il était venu pour arrêter les Simeuse. Ainsi, madame, vous avez le secret de l'affaire ; vous pourrez l'expliquer à la marquise de Cinq-Cygne, et lui faire comprendre pourquoi Louis XVIII a gardé le silence. »

Paris, janvier 1841.

---

1. Ce mot de Talleyrand se trouve aussi dans *Le Cabinet des Antiques* pour annoncer une phrase du président du Ronceret qui en est un démarquage.

COMMENTAIRES

DU MANUSCRIT À L'ÉDITION FURNE

Le manuscrit d'*Une ténébreuse affaire* fut donné par l'auteur à M. de Peyssonel, directeur du journal *Le Commerce* ; il passa dans la collection Champion, puis dans la collection Loubet ; il appartint en dernier lieu à Maurice Goudeket, et entra finalement à la Bibliothèque nationale en 1960 sous la cote Na fr. 14 318 (acq. 21 908). Il comporte 60 feuillets, plus un feuillet *52 bis*, d'une écriture généralement assez lisible, avec d'importants ajouts dans les marges, et un passage fortement raturé dont nous aurons l'occasion de reparler.

L'étude attentive du manuscrit, qui a été faite par Mme S.-J. Bérard (voir *Cahiers de l'Association internationale des études françaises*, 1963, nº 15, et dans son édition du roman in *La Comédie humaine*, Bibl. de la Pléiade, t. VIII, p. 1447-1471 [1977]), révèle des hésitations, des projets avortés et montre que Balzac n'entrevit pas tout de suite l'heureuse composition que l'on admire dans le roman. Les folios 53 et suivants, rédigés d'une encre et d'une écriture différentes, et anciennement numérotés de 1 à 7, apparaissent en effet comme les restes d'une première rédaction ; on y lit ce qui constitue maintenant la fin du roman, l'histoire racontée par de Marsay du complot ourdi à la veille de Marengo par Talleyrand et Fouché. Dans un premier temps, c'était là le début du roman, et il n'y aurait eu pour Laurence de Cinq-Cygne, comme pour le lecteur, aucune énigme à découvrir. C'était là le prélude à un roman qui devait mettre en scène les émigrés, rentrés à l'époque du couronnement de Napoléon, qui entretinrent de l'agitation en Anjou. Ce début de roman figure au folio 59 qui porte 23 lignes fortement biffées. Nous donnons le texte des 14 dernières lignes intégralement déchiffrées par Mme Bérard :

Les Émigrés d'Angers

« Il voulut épargner l'ancienne noblesse et non seulement il laissa rentrer les émigrés, mais encore il rendit quelques fonds invendus à ceux qui portaient de grands noms. Ce fut à cette époque que beaucoup de Vendéens revinrent en France. En Bretagne, en Vendée, en Anjou, la plupart des Émigrés à qui la patrie était chère arrivaient sans être radiés et attendaient chez eux leur radiation officielle. Les autorités fermaient complaisamment les yeux sur ces illégalités et s'empressaient de régulariser la position des émigrés rentrés. Plus d'une fois l'Empereur n'avait pas attendu lui-même la radiation pour donner de l'emploi dans ses armées aux nobles qui voulaient. »

La fin de la phrase se lit sur le folio 51 (anciennement numéroté 8) : « servir. [On sait] Son faible pour la vieille noblesse était connu ». Cette première ébauche du roman que constituent les folios 53 à 59 révèle aussi une hésitation sur le titre : on lit au folio 53 ce titre général fortement biffé *Une affaire secrète*, et en sous-titre *Scène de la vie politique*. On peut dater approximativement cette première version, grâce à cette phrase du folio 53 : « Ces quatre hommes d'État [Talleyrand, Fouché, Sieyès et Carnot] sont morts, on ne leur doit plus rien, ils appartiennent à l'Histoire. » Or on sait que Talleyrand était mort, le dernier, en 1838.

Balzac dut reprendre son texte en novembre 1840, et il songea à un nouveau titre qu'on lit au folio 6 : *Les Cinq-*

Cygne, Scène de la vie politique, suivi d'un titre de chapitre peu lisible, peut-être *MM. de Simeuse.* Ce qui donne à penser que Balzac songea alors à aborder l'action par les problèmes d'émigration, « projetant d'abord la lumière, écrit Mme Bérard, sur les gentilshommes royalistes et probablement la part qu'ils prennent à la conspiration de Cadoudal ».

Comme il arrive presque toujours avec Balzac, le manuscrit dans son ensemble ne constitue qu'une ébauche en 5 chapitres intitulés : *Le Judas, Laurence de Cinq-Cygne, La police jouée, La Revanche de la police, Un procès fameux.*

Le roman commence par la description de Gondreville, et non par la belle scène inquiétante où l'on voit Michu préparer sa carabine. Les policiers n'apparaissent que tard et restent anonymes. Michu ne mène pas Laurence à la fameuse cachette, et il n'y a point de duel entre Laurence et Corentin. La visite de M. de Chargebœuf — qui n'est pas l'unique visiteur pendant l'entracte mondain 1804-1806 — n'a pas le caractère grave et inquiétant qu'elle revêtira plus tard. Enfin le procès est peu détaillé : pas de M. de Grandville ; un seul avocat, Bordin, dont l'éloquence rappelle d'ailleurs celle de l'illustre Berryer ; quant au voyage d'Iéna, il est escamoté.

Une ténébreuse affaire fut publiée du 14 janvier au 20 février dans *Le Commerce, Journal des progrès moraux et matériels*, après avoir sans doute été refusée par *Le Siècle*. Le texte a considérablement augmenté par rapport au manuscrit, et il serait intéressant de suivre le travail du romancier sur les nombreux jeux d'épreuves. Conservés dans une collection particulière aux États-Unis, ils sont malheureusement fort difficiles à consulter. Le roman parut dans *Le Commerce* divisé en 20 courts chapitres intitulés : 1. *Le Judas* ; 2. *Un Crime abandonné* ; 3. *Le masque jeté* ; 4. *Laurence de Cinq-Cygne* ; 5. *Intérieurs et physionomies royalistes sous le Consulat* ; 6. *La Visite domiciliaire* ; 7. *Un Coin de la forêt* ; 8. *Les Chagrins de la police* ; 9. *Revanche de la police* ; 10. *Un double et même amour* ; 11. *Un bon conseil* ; 12. *Les Circonstances de l'affaire* ; 13. *La Justice sous le code de Brumaire an IV* ; 14. *Les Arrestations* ; 15. *Doutes des défenseurs officiels* ; 16. *Marthe compromise* ; 17. *Les Débats* ; 18. *Horrible péripétie* ; 19. *Le Bivouac de l'Empereur* ; 20. *Les Ténèbres dissipées.*

Le 11 avril 1841, Balzac vendit à Souverain le droit de publier *Les Lecamus (Le Martyr calviniste), La Rabouilleuse, Les Paysans* et *Une ténébreuse affaire*. Souverain fut très lent à profiter de ce droit. Balzac se plaint à plusieurs reprises, en décembre 1841, en janvier 1842, de n'avoir pas reçu les épreuves. Le 9 juin 1842, Balzac envoyait le roman à Mme Hanska, mais Souverain ne mit aucun empressement à le diffuser, et l'auteur lui fit adresser une sommation par l'huissier Brizard le 7 novembre suivant. L'ouvrage ne fut mis en vente qu'en mars 1843. Il comportait 3 volumes in-8°, divisés en 22 chapitres au lieu de 20 : entre les chapitres 2 et 3 de la pré-originale venait s'intercaler *Les Malices de Malin*, et entre les chapitres 9 et 10 *Laurence et Corentin*. Une préface disculpait le romancier d'un certain nombre d'attaques et racontait l'affaire Viriot.

En 1846, le roman entra dans les *Scènes de la vie politique*, au tome XII de *La Comédie humaine*. Comme d'habitude, la division en chapitres disparut, ainsi que de nombreux alinéas. Il ne resta que les quatre parties que l'on connaît. Le dédicataire est M. de Margonne, châtelain de Saché, dont Balzac fut si souvent l'invité.

Balzac n'a apporté que très peu de corrections dans les marges de son exemplaire du Furne (deux ajouts dans la rencontre d'Iéna : le visage de l'Empereur est *pâle* et Laurence répond avec une dureté *passionnée*).

L'AUTEUR ET SES PERSONNAGES

Balzac nous a habitués à se laisser deviner derrière ses personnages. Il les crée en effet avec ses souvenirs, ses ambitions, les drames ou les échecs qu'il a lui-même frôlés, avec ses hantises et ses phantasmes aussi, enfin avec tout ce qu'on n'avoue que sous le masque.

Une ténébreuse affaire doit à la Touraine de l'enfance, à Gretz aussi. Le récit du procès Simeuse et de ses suites s'inspire probablement d'un souvenir plus récent. En septembre 1839, Balzac et Gavarni avaient volé au secours d'un ancien camarade de bohème littéraire, le notaire Peytel qui, accusé d'avoir assassiné sa femme, venait d'être condamné à mort par les assises de Bourg-en-Bresse. Balzac ne s'était pas contenté de cette équipée qui l'avait tenu deux fois trente-six heures sur les routes ; il avait aussi rédigé une lettre sur le procès Peytel, que publia *Le Siècle*. Le notaire n'en fut pas moins exécuté le 28 octobre. Pour Balzac, cette exécution a sans doute rappelé des profondeurs de la mémoire le souvenir d'une autre condamnation à mort sur laquelle la famille Balzac avait été d'accord pour faire le silence : l'exécution en 1819 de l'oncle Louis Balssa, reconnu coupable du meurtre de Cécile Soulié, et condamné à mort par la cour d'assises d'Albi. L'exécution de l'ouvrier Tascheron (dans *Le Curé de village*), celle de Michu — qui porte sur le visage l'annonce de sa destinée tragique — nous assurent que Balzac fut toujours hanté par ce qui avait été ressenti comme un drame et un déshonneur familial.

Dans *Une ténébreuse affaire*, plusieurs personnages se font à l'occasion les porte-parole du romancier, mais un seul d'entre eux ressemble à l'auteur, qui s'est dès longtemps identifié à lui, et c'est un personnage réel : Napoléon. Tout le monde connaît la célèbre inscription dont s'ornait la statuette du grand homme qui, placée sur la cheminée du romancier, présidait à ses veilles laborieuses : « Ce qu'il n'a pas achevé par l'épée je l'accomplirai par la plume. » Le génie des lettres se sentait le continuateur et l'égal du soldat conquérant. Napoléon présent partout à la fois, opérant la fusion de deux sociétés et créant un monde, c'est aussi Balzac tenant tous les fils d'une intrigue, travaillant en même temps à trois ou quatre romans, embrassant l'histoire d'une société de la Révolution à la fin de la monarchie de Juillet, construisant *La Comédie humaine*. Un roman achevé, c'est une bataille gagnée sur le temps, sur la fatigue, sur la misère :

« ... si Napoléon s'est lassé de la guerre, je puis avouer que le combat avec le malheur commence à me fatiguer... » (Lettre à Mme d'Abrantès d'octobre 1834.)

« *Quinola* est pour moi ce qu'était la bataille de Marengo pour le Premier consul. »

« *La Perle brisée* qui termine enfin *L'Enfant maudit*, a été écrite en une seule nuit. C'est mon Brienne, mon Champaubert, mon Montmirail, ma campagne de France. »

Comme Napoléon, Balzac s'est senti un démiurge. Il fait apparaître ici l'Empereur parmi ses soldats, à la veille d'une bataille, simple et grand tout ensemble, comme l'est le génie. Sa toute-puissante présence fait fondre la haine dans le cœur de la Judith champenoise. Et il trouve le temps, au moment de changer une fois de plus le sort de l'Europe, de se pencher sur une affaire relative à la vie privée.

Ce magnétisme du génie, Balzac l'a revendiqué mainte fois, et il l'a prêté aux personnes de *La Comédie humaine* qui le représentent le mieux, Bénassis ou Savarus. N'est-il pas capable, au milieu d'une de ces batailles que représente la rédaction d'une œuvre, harcelé par les éditeurs et les hommes de loi, de résoudre les incessants problèmes de la vie quotidienne et sociale ? Et n'a-t-il pas essayé, en grand capitaine — toutes proportions gardées ! —, de régner sur un état-major de secrétaires et de confrères qui prolongeraient en romans et pièces de théâtre ses géniales idées ?

La comparaison peut paraître forcée. Et pourtant Balzac aurait pu la faire, tant il a poussé loin l'identification à son modèle et héros. En 1840, alors qu'il rédige *Une ténébreuse affaire*, il projette d'aller en Italie étudier les lieux pour ses *Scènes de la vie militaire*. Il emmènera sa mère qui ne connaît encore ni la Suisse ni les Alpes. Et voici comment il présente les choses à sa sœur Laure (il faut naturellement faire la part de la plaisanterie : « ... Je compte l'emmener, à moins que cela ne la fatigue trop ou que l'argent ne manque ; et, en voyage, il me serait impossible à l'étranger de ne pas pouvoir lui faire avoir tous les honneurs dus à Madame mère. »

Il y a plus : Balzac, dans la scène du *Bivouac*, découvre

et exalte chez Napoléon un sentiment qu'il connaît, et qui se trouve ainsi justifié : l'énorme égoïsme du génie. Qui se sait capable d'une grande œuvre peut légitimement, *doit* même se préférer aux autres, accepter de faire souffrir au besoin. Tant pis pour les morts. C'est la leçon que propose Napoléon à la veille d'Iéna.

THÈMES REPARAISSANTS

La célébration de l' Empereur

L'homme

« La veille de la bataille de Friedland, reprit-il [Genestas] après une pause, j'avais été envoyé en mission au quartier du général Davoust, et je revenais à mon bivouac, lorsqu'au détour d'un chemin je me trouve nez à nez avec l'Empereur. Napoléon me regarde : "— Tu es le capitaine Genestas ? me dit-il. — Oui, Sire. — Tu es allé en Égypte ? — Oui, Sire. — Ne continue pas d'aller par ce chemin-là, me dit-il, prends à gauche, tu te trouveras plus tôt à ta division." Vous ne sauriez imaginer avec quel accent de bonté l'Empereur me dit ces paroles, lui qui avait bien d'autres chats à fouetter, car il parcourait le pays pour reconnaître son champ de bataille. »

(*Le Médecin de campagne.*)

Le chef d'État

« Qui pourra jamais expliquer, peindre ou comprendre Napoléon ? [dit Canalis] Un homme qu'on représente les bras croisés, et qui a tout fait ! qui a été le plus beau pouvoir connu, le pouvoir le plus concentré, le plus mordant, le plus acide de tous les pouvoirs ; singulier génie qui a promené partout la civilisation armée sans la fixer nulle part ; un homme qui pouvait tout faire parce qu'il voulait tout ; prodigieux phénomène de volonté, domptant une maladie par une bataille, et qui cependant devait mourir de maladie dans son lit après avoir vécu au milieu des balles et des boulets ; un homme qui avait dans la tête un code et une épée, la parole et l'action ; esprit perspicace qui a tout deviné, excepté sa chute ; politique bizarre qui jouait les hommes à poignées par économie, et qui respecta trois têtes, celles de Talleyrand, de Pozzo di Borgo et de Metternich, diplomates dont la mort eût sauvé l'Empire français, et qui lui paraissaient peser plus que des milliers de soldats... Hypocrite et généreux, aimant le clinquant et simple, sans goût et protégeant les arts... Et lui, qui avait pris un empire avec son nom, perdit son nom au bord de son empire, dans une mer de sang et de soldats. Homme qui, tout pensée et tout action, comprenait Desaix et Fouché !

— Tout arbitraire et tout justice à propos, le vrai roi ! dit de Marsay. »

(*Autre étude de femme.*)

Les fondements du pouvoir

« Le souverain est la personnification constante de l'intérêt national. Les chartes qui n'entrent pas dans les mœurs ne sont que des feuilles de papier. »

« Il n'y a jamais avantage pour les rois dans ce qui est un inconvénient pour leurs sujets. »

« 89 produit 93. »

« Comment obéir à un roi placé par la main des hommes à leur tête ? »

(Pensées de Balzac citées par Edmond Biré, *Chateaubriand, Victor Hugo et Honoré de Balzac*, 1907, p. 317.)

« À mon avis un homme qui conçoit un système politique doit, s'il se sent la force de l'appliquer, se taire, s'emparer du pouvoir et agir. »

(*Le Médecin de campagne*, éd. Pléiade, VIII, p. 439.)

« Le pouvoir absolu doit être essentiellement paternel, autrement il est renversé. »

« La souveraineté ne doit se montrer qu'en pleine activité accordant des grâces et dépouillée d'infirmités. »

(*Maximes et pensées de Napoléon* recueillies par J.-L. Gaudy jeune (max. 190 et 198). On sait que ce recueil est en fait de Balzac.)

Complots

« Le citoyen Du Bousquier fut l'un des familiers de Barras, il fut au mieux avec Fouché, très bien avec Bernadotte, et crut devenir ministre en se jetant à corps perdu dans le parti qui joua secrètement contre Bonaparte jusqu'à Marengo. Il s'en fallut de la charge de Kellermann et de la mort de Desaix que du Bousquier ne fût un grand homme d'État. Il était l'un des employés supérieurs du gouvernement inédit que le bonheur de Napoléon fit rentrer dans les coulisses de 1793 (voyez *Une Ténébreuse Affaire*). La victoire opiniâtrement surprise à Marengo fut la défaite de ce parti, qui avait des proclamations tout imprimées pour revenir au système de la Montagne, au cas où le Premier consul aurait succombé. Dans la conviction où il était de l'impossibilité d'un triomphe, du Bousquier joua la majeure partie de sa fortune à la baisse, et conserva deux courriers sur le champ de bataille : le premier partit au moment où Mélas était victorieux ; mais dans la nuit, à quatre heures de distance, le second vint proclamer la défaite des Autrichiens. Du Bousquier maudit Kellerman et Desaix, il n'osa pas maudire le Premier consul qui lui devait des millions. »

(*La Vieille Fille.*)

La police politique

« En achevant ces paroles, Corentin retomba dans des réflexions qui ne lui permirent pas de voir le profond dégoût qui se peignit sur le visage du loyal militaire au moment où il découvrit la profondeur de cette intrigue et le mécanisme des ressorts employés par Fouché. Aussi Hulot résolut-il de contrarier Corentin en tout ce qui ne nuirait pas essentiellement aux succès et aux vœux du gouvernement, et de laisser à l'ennemi de la République les moyens de périr avec honneur les armes à la main, avant d'être la proie du bourreau de qui ce sbire de la haute police s'avouait être le pourvoyeur. »

(*Les Chouans*.)

« Vous serez dans une sphère où vos talents seront bien appréciés, bien récompensés, et vous agirez à votre aise. La police politique et gouvernementale a ses périls. J'ai déjà, tel que vous me voyez, été deux fois emprisonné... je ne m'en porte pas plus mal. Mais on voyage ! on est tout ce qu'on veut être... On est le machiniste des drames politiques, on est traité poliment par les grands seigneurs... Voyez, mon cher Jacques Collin, cela vous va-t-il ?...

— Avez-vous des ordres à cet égard ? lui dit le forçat.

— J'ai plein pouvoir... répliqua Corentin, tout heureux de cette inspiration.

— Vous badinez, vous êtes un homme très fort, vous pouvez bien admettre qu'on se puisse défier de vous... Vous avez vendu plus d'un homme en le liant dans un sac et l'y faisant entrer de lui-même... Je connais vos belles batailles, l'affaire Montauran, l'affaire Simeuse... Ah ! c'est les batailles de Marengo de l'espionnage. »

(*Splendeurs et Misères des courtisanes*.)

L'importante question des biens nationaux et de la possession de la terre

« Douze siècles ne sont rien pour une caste [celle des paysans] que le spectacle historique de la civilisation n'a jamais divertie de sa pensée principale, et qui conserve encore orgueilleusement le chapeau à grands rebords et à tour en soie de ses maîtres, depuis le jour où la mode abandonnée le lui a laissé prendre. L'amour dont la racine plongeait jusqu'aux entrailles du peuple, et qui s'attacha violemment à Napoléon, dans le secret duquel il ne fut même pas autant qu'il le croyait, et qui peut expliquer le prodige de son retour en 1815, procédait uniquement de cette idée. Aux yeux du Peuple, Napoléon, sans cesse uni au Peuple par son million de soldats, est encore le roi sorti des flancs de la Révolution, l'homme qui lui assurait la possession des biens nationaux. Son sacre fut trempé dans cette idée... »

(*Les Paysans.*)

La noblesse sous le Consulat

« — Que Monsieur Amédée fasse sa soumission, et il sera bientôt général, répondit l'Abbé.

— Lui se soumettre, s'écria la Comtesse. Lui qui brûlerait la cervelle à Cormatin, à Scepeaux, à Bersier, s'il les rencontrait ! Mais vous ne le connaissez pas ! C'est une âme de bronze, il irait au supplice en criant : Vive le Roi ! Proposez-lui de faire la guerre aux Anglais et de conquérir un Empire dans l'Inde ! [...] mais obéir à des chefs, il couperait d'un coup de cravache la figure au Premier consul, si le Premier consul ne lui parlait pas en gentilhomme. Ce n'est pas l'enfantillage du jeune homme qui s'estime à toute la valeur de ses espérances ; c'est une conviction profonde. Il sert le Roi, parce que le Roi, c'est tout. La noblesse c'est la représentation de nos droits, de notre race, le Roi, selon Amédée est à nous. »

(*Mademoiselle du Vissard
ou La France sous le Consulat.*)

L'ŒUVRE, L'AUTEUR ET LA CRITIQUE

Le romancier se déclara très satisfait de l'accueil fait à son œuvre... et de l'œuvre elle-même :

« La *Ténébreuse Affaire* a paru hier en volumes et fait son fracas, il y en a qui disent que c'est un chef-d'œuvre, moi je n'ai pas d'opinion. J'attends deux ans encore avant de la lire, car il faut l'oublier pour pouvoir la juger. »

(*Lettres à Mme Hanska*, II, 172, 2 mars 1843.)

« La *Ténébreuse Affaire* fait un grand chemin. Mais aussi c'est une œuvre très forte, vraie comme événement, et vraie comme détail. »

(*Lettres à Mme Hanska*, II, 185, 31 mars 1843.)

À vrai dire on ne trouve guère trace dans les journaux du temps de ce « fracas », ni de « ce grand chemin ». La critique fut à peu près muette, hors Gaschon de Molènes dont le jugement sévère est resté célèbre en raison du néologisme qui devait, lui, faire du chemin : *roman policier*, dont il usait pour caractériser le roman de Balzac. Il ajoute :

« *Ursule Mirouët, Une ténébreuse affaire, Albert Savarus*, appartiennent à la pire espèce des œuvres littéraires, à l'espèce médiocre et négligée. »

(*La Revue des Deux Mondes*, 1842, p. 408.)

et encore :

« L'auteur de la *Ténébreuse Affaire* aurait reçu des lettres de différents personnages saisis d'étonnement aux révélations contenues dans son œuvre, il aurait même soutenu une discussion qui nous eût semblé fort désagréable, avec des amis ou parents de l'ancien sénateur accusant ses récits d'être mensongers. Cette préface est-elle un artifice de romancier, ou bien se lie-t-elle, pour quelques hommes instruits de secrets que nous n'avons nulle envie de connaître, à un véritable scandale ? Malgré les efforts de l'auteur pour donner à ses ouvertures un air de vérité, les idées que nous nous sommes formées sur la dignité de l'écrivain nous font pencher pour la première hypothèse. Au reste, qu'il soit entièrement tiré de la vie réelle ou qu'il ait pris naissance au pays de l'imagination, le roman de M. de Balzac éveille un intérêt d'une nature exactement semblable à celui qu'excitent toutes les causes renfermées dans les fastes criminels. La critique littéraire doit donc se borner à blâmer l'ensemble de cet ouvrage, dont les détails ne sont point de sa compétence. »

(*RDM*, 1843, p. 990-991.)

Le roman trouva heureusement par la suite des lecteurs plus ouverts :

« Ce beau roman, dont je vois que certains biographes ou critiques de Balzac ne parlent qu'avec une espèce de moue dédaigneuse, n'en est pas moins, à mon sens, un de ses chefs-d'œuvre et il ne suffit pas, pour l'avoir condamné, de l'avoir appelé "un roman policier" ; l'exécution est trop sommaire. On a toujours aimé les histoires de brigands, non seulement en France, mais dans toutes les littératures, et qu'est-ce donc que *Les Misérables* dont je vois les mêmes juges faire une si singulière estime, sinon un roman policier ? »

(Brunetière, *Honoré de Balzac*,
éd. Calmann-Lévy, 1906, p. 104-105.)

« Il [le roman policier] vient des nouvelles conditions de la vie au début du XIXe siècle. Fouché, instaurant la police politique met du même coup le mystère et la ruse à la place de la rapidité et de la force. Auparavant, l'uniforme décelait le représentant de l'ordre. Celui-ci se précipitait derrière le malfaiteur et cherchait à l'atteindre. L'agent secret remplace la poursuite par l'investigation, la vitesse par l'intelligence, la violence par la dissimulation. Un roman de Balzac, *Une Ténébreuse Affaire*, marque le pivot, on y aperçoit bien l'espèce de désarroi que jette dans les mœurs cette innovation diabolique — la police invisible — et le parfum d'étrangeté, le monde de méfiance et d'insécurité qu'elle apporte avec elle. »

(Roger Caillois, *Puissances du roman*, 1942, p. 79.)

« Ce roman, un des plus grands de Balzac, suit naturellement les romans de la guerre civile. On y retrouve Corentin et la Police. Les couches sociales y sont souvent soulevées de façon à faire apparaître la Révolution, l'Empire et la Restauration, tels que pouvait les voir un simple citoyen de ce temps-là. Cette analyse politique est supérieure à tout ce qu'on peut citer dans la littérature. Tout y est spontané ; tout y est lié par la parenté, l'amitié ou l'intérêt. L'action qui est violente, comme il convient à l'époque, nous emporte un peu vite. Et parce que l'analyse sociale, disons même sociologique, est faite en même temps que le récit et par le récit même, il n'est pas facile de tout remarquer et de prendre le temps de connaître ce roman, un des plus difficiles à lire. »

(Alain, préface à *Une ténébreuse affaire*, in *L'Œuvre de Balzac*, éd. Formes et Reflets, t. XI, 1957, p. 1307 et 1311.)

« *Une ténébreuse affaire* me paraît être plus qu'un roman policier orné d'un beau roman d'amour. J'y vois un roman politique — plus exactement : le roman du politicien, homme ténébreux par excellence. Surtout pour Balzac qui, il faut l'avouer, a une vue plutôt ténébreuse de la politique. Tout y est ressort caché, tout s'y déroule dans les coulisses. »

(J.-L. Bory, préface à l'éd. d'*Une ténébreuse affaire* au Club du meilleur livre, 1958, p. XVII.)

« Balzac a donc porté, rêvé, préparé, manqué le grand et difficile sujet du roman militaire. Il l'a rêvé comme Dresde ou Wagram, l'engagement gigantesque, *La Bataille* où le destin se fond au souffle des canons ; il l'a rêvé comme l'armée en marche, la naissance, l'ascension d'une jeune élite militaire et d'un jeune chef. Les deux se retrouvent, embryonnaires, dans *Une ténébreuse affaire* : l'un, c'est, à peine profilé à l'arrière-plan, la prise de Gênes, les revers épisodiques où se débat encore Bonaparte, revers qui mettent en marche ce rouage compliqué où viennent finalement se prendre des victimes innocentes ; l'autre, c'est le bivouac, la veillée d'Iéna, reste de *La Bataille* pratiquement abandonnée et qui se décompose... »

(S.-J. Bérard, préface à *Une ténébreuse affaire*, éd. Colin, 1963, p. 36-37.)

« Bien sûr, il serait excessif de soutenir que tout est invention chez Balzac, et qu'il a créé un Fouché tout droit sorti de son imagination. Les archives confirment le rôle important joué par la police impériale. De même Balzac n'est pas le seul à avoir forgé le mythe. Charles Nodier assure la transition entre le témoignage des contemporains et *Une ténébreuse affaire*. Dans ses *Souvenirs* n'écrit-il pas : "J'ai souvent raconté au duc d'Otrante des événements flatteurs et inespérés. J'étais près de lui et seul avec lui à l'arrivée de plus d'un message de doléances et je n'ai jamais vu se démentir d'un clin d'œil l'impassible immobilité de ses yeux de verre. Je me demandais par quelle incroyable opération de la volonté on pouvait parvenir à éteindre son âme, à dérober à la prunelle sa transparence animée, à faire rentrer le regard dans un invisible étui, comme l'ongle rétractible des chats. Ce devait être l'objet d'une étrange étude" ? Mais il faut bien avouer qu'*Une ténébreuse affaire* fut si convaincante que, dans sa *Vendée militaire*, l'historien Crétineau-Joly a repris sans le moindre esprit critique la démonstration de Balzac [...] Pour que naisse le mythe de Fouché, il a fallu attendre *Une ténébreuse affaire.* »

Tulard (Jean), « Fouché dans *La Comédie humaine* », *L'Année balzacienne*, 1990.

TABLE DES ILLUSTRATIONS

LE DÉPUTÉ D'ARCIS

INTRODUCTION

Le Député d'Arcis est une œuvre non seulement inachevée, mais réduite en quelque sorte à un prologue. En mai 1839, Balzac commence, sous le titre encore incertain des *Mitouflet ou L'Élection en province, L'Élection en province, histoire de 1838*, une nouvelle qu'il destine à un journal conservateur. Il semble qu'il s'agisse alors dans son esprit d'une *Scène de la vie de province*, toute prête à entrer plus tard dans la section des *Provinciaux à Paris*, avec *Illusions perdues*, dont le romancier publie justement en 1839 ce qui en sera la deuxième partie, sous le titre *Un grand homme de province à Paris*. Comme dans ce roman contemporain, on assisterait dans *Une élection* au mouvement qui pousse les provinciaux à « monter » à Paris pour y gagner illustration ou fortune dans les lettres ou la politique ; cependant que, par un mouvement opposé, Paris draine les fortunes accumulées dans les bas de laine de la province. On verra en effet ici un avocaillon de province briguer la députation, un vieux notaire, son compatriote, préparer l'entrée de sa petite-fille dans le grand monde parisien, et un décavé parisien aller dénicher en province la grosse dot. On se souvient que le romancier, en mai-juin 1840, laissa de côté cette scène pour créer, avec *Une ténébreuse affaire*, un passé à ses nouveaux personnages.

Quand Balzac, en 1842, reprend son ébauche sous le titre nouveau de *L'Ambitieux malgré lui* (l'ambitieux étant le riche et incapable Beauvisage que sa femme pousse vers la Chambre des députés), c'est avec l'intention d'écrire un roman en quatre volumes où « se remuent cent personnages » et qui contiendra « la politique de la Chambre et ses détails intérieurs ». En juin, il se rend à

Arcis-sur-Aube où il a choisi de situer sa scène. Mais nouvel abandon du manuscrit en mars 1843, et pourtant le roman figure sous son titre actuel comme *Scène de la vie politique* achevée dans le catalogue-prospectus de *La Comédie humaine* en 1845.

Deux ans plus tard, sous le titre *L'Élection* paraissent, du 7 avril au 3 mai, en feuilleton dans *L'Union monarchique*, les dix-sept chapitres qui constituent le texte du *Député d'Arcis*, tel qu'on le lira ici. Le journal ayant décidé d'interrompre une publication qui déplaisait à ses lecteurs, Balzac abandonna une œuvre qu'ensuite la révolution de février 1848, la maladie, les longs séjours en Ukraine, puis la mort, l'empêchèrent de mener à bien.

Sa veuve, infidèle à quelqu'un qui avait souffert des contrefaçons et lutté pour la reconnaissance de la propriété littéraire, demanda en 1851 à l'homme de lettres Charles Rabou de terminer l'ouvrage. Rabou en fit un roman-fleuve auquel les éditeurs de *La Comédie humaine*, à la fin du XIXe siècle, firent trop souvent et indûment une place.

Si Balzac n'a jamais eu une haute idée du système électoral, s'il refuse d'y voir « l'unique moyen social » et en devine les coulisses peu ragoûtantes, il a pourtant dès longtemps fondé lui-même des espoirs sur une carrière politique que permettrait le régime parlementaire. Dès 1819, le jeune auteur s'imaginait un avenir où la gloire et la fortune lui viendraient à la fois de la littérature et de la politique. La révolution de 1830 rendait ce rêve plus facile à réaliser. La monarchie de Juillet avait en effet abaissé à deux cents francs le cens fixé par la Charte à trois cents francs d'impôt direct, ce qui doublait le nombre des électeurs, et, en même temps, le cens d'éligibilité passait de mille à cinq cents francs. En 1832, Balzac, converti au légitimisme, songe à se présenter à la députation sous l'égide du duc de Fitz-James, et *La Quotidienne* du 24 mai annonce sa candidature à l'élection partielle de la circonscription de Chinon. Le projet fit long feu, mais l'ambition politique explique le désir que Balzac continuera à nourrir de devenir propriétaire. Et qu'il réalisera en 1837 par l'achat des Jardies.

En 1839, le romancier qui a quarante ans, des difficultés financières renouvelées et le désir de faire socialement une fin, songe plus que jamais à la députation.

Cette idée le hante en 1842-1843 lorsque, M. Hanski disparu, il s'imagine qu'une situation dominante à la Chambre lui mériterait la main de Mme Hanska. *Albert Savarus*, œuvre contemporaine du *Député d'Arcis,* raconte la campagne électorale qui aboutit à l'échec de l'avocat-écrivain Savarus dont les amours comme les ambitions font un double romanesque de son créateur.

Enfin, après la chute de Louis-Philippe, en mars 1848, Balzac acceptera de se porter candidat aux élections législatives et fera sa profession de foi politique le 17 avril. Les choses en resteront là.

D'autres raisons et influences expliquent qu'en 1839 Balzac songe à traiter de l'élection. Cette année-là il rencontre plusieurs fois Stendhal, et il connaît peut-être la teneur d'un de ses romans non encore publié, *Lucien Leuwen*, dont la deuxième partie fait du héros un commissaire aux élections. En tout cas il connaissait bien le roman de Felix Davin qui lui avait prêté son nom pour préfacer les *Études philosophiques* et les *Études de mœurs*. Balzac s'inspire à l'évidence de son roman, *Ce que regrettent les femmes* (1834). On sait combien ces stimuli littéraires étaient puissants pour Balzac comme pour Stendhal. Ce dernier avait refait, avec *Lucien Leuwen*, *Le Lieutenant* d'une amie *femme littéraire*, et Balzac, avec *Le Lys dans la vallée*, le triste *Volupté* de Sainte-Beuve.

Autre stimulus : la situation politique en avril-mai 1839. Le succès d'un ouvrage de Duvergier de Hauranne, *Principes du gouvernement représentatif* (1838), avait mis à l'ordre du jour la question du gouvernement parlementaire et de la nécessité d'une réforme électorale qui donnerait plus de pouvoir à la Chambre des députés, face au pouvoir du roi et des ministres. En janvier 1839, une coalition qui rassemblait centre droit, centre gauche et gauche dynastique en la personne de Guizot, de Thiers et d'Odilon Barrot, livra un assaut contre le « ministère de la cour » et son président du Conseil, Molé, à propos de l'Adresse. Après dix jours de discussion à la Chambre et le vote final qui ne donnait que treize voix à Molé, ce

Les cinq partis de la France en juillet 1831.
De gauche à droite :
Républicain, Napoléoniste, Juste-milieu, Carliste, Jésuite.

dernier démissionna mais fut rappelé par le roi ; il fut question de dissoudre la Chambre. Début mars, le gouvernement ayant perdu trente sièges aux élections, Molé offrit le 8 sa démission qui, cette fois, fut acceptée par le roi à regret... Mais aucun ministère stable ne put être formé avant la tentative de Barbès pour s'emparer en mai de l'Hôtel de Ville, de la Préfecture et du Palais de justice, et l'émotion qu'elle causa. C'est dans ce contexte électoral et de crise que Balzac commença son *Élection.*

En 1842, quand il reprend la plume, une dissolution de la Chambre vient encore d'imposer des élections ; mais, plus que jamais, sous la férule de Guizot, le ministère reste maître des élections qui recrutent de plus en plus de députés parmi les fonctionnaires dont le vote est d'avance acquis au gouvernement. Enfin, lorsqu'en 1847 paraît *L'Élection*, le pays est en pleine crise politique, économique, financière et industrielle, et à la veille de la fameuse *campagne des banquets* qui s'organise autour de la question électorale.

Ici l'élection de 1839 — que le romancier repousse jusqu'en mai — a lieu à Arcis-sur-Aube, qui justement ne fait pas de député ; on vote à Bar-sur-Aube, ce qui met Balzac à l'aise, s'agissant d'événements réels et contemporains. L'Arcis de Balzac est un de ces bourgs pourris, nés de l'intrigue et des coteries que favorisait le vote par arrondissement (ou de l'habitude), mais qui, dans un soudain mouvement de révolte, refuse le traditionnel candidat ministériel. C'est ce qui se passa d'ailleurs en 1842 à Bar-sur-Aube, mais on n'alla pas jusqu'à opposer au député sortant un rival sérieux.

Arcis va plus loin et laisse faire un petit galop d'essai à un candidat de l'opposition. Cette fièvre électorale réveille une petite ville endormie qui compte à peine deux mille habitants et, au plus, quatre cents électeurs, chiffre ensuite revu à la baisse par le romancier, soit les cent cinquante prévus par la loi comme minimum. Jamais Balzac peintre de la province n'a levé d'un coup une telle armée de personnages. Ses « cent personnages », ils sont déjà presque tous en scène, tous ceux, nommés ou anonymes encore, qui nourrissent les urnes ou influencent les votes : les officiels, les fonctionnaires qui ne peuvent compromettre leur avancement, des médecins et des notaires ; et ces commerçants qui *font* les élections, éminemment représentés par le maire Beauvisage. Enfin de grands vieillards reconvertis dans le jardinage mais dont l'autorité reste grande ; sans oublier des épouses et des filles. On en dénombre déjà soixante-sept, les conspirateurs du salon Marion.

Comme dans *Albert Savarus*, le romancier, sur le manuscrit et dans le texte même, se livre à des calculs de voix : cinquante suffiraient pour l'élection d'un candidat ministériel qui, on le sait, l'aurait emporté en la personne de Maxime de Trailles. Comme l'emporta une fois de plus en 1842 à Bar-sur-Aube l'indestructible M. Armand, ingénieur, ainsi qu'en fait foi l'*Almanach royal et national*.

Est-il besoin de dire que Balzac connaît et montre parfaitement ce qu'était alors une élection, sujet assez neuf, et dans laquelle la réunion préélectorale où s'affrontaient les candidats était encore en 1839 de création récente ? Mais, en même temps, il saisit les traits qui semblent, à toutes les époques, inhérents à l'élection : l'imitation des ténors parisiens du parti, mais aussi le « patriotisme de clocher » qui, de temps à autre, pousse la province à se révolter contre le candidat parachuté de Paris et à lui opposer un enfant du pays ; le pragmatisme qui fait s'unir les partis opposés, tout comme firent en 1847 gauche dynastique, centre gauche et républicains ; et l'emploi des maîtres mots qui font toujours recette, tel celui de *Progrès.*

Mais ce qui donne un accent très personnel au « drame électoral » d'Arcis, ce sont les clivages, nets et forts, remontant à la Révolution et à l'Empire, qui déterminent des votants presque tous autochtones, clivages qui n'existent plus guère dans le monde parisien ou dans une élection parisienne.

Le Député d'Arcis dépasse l'*étude de mœurs* et la *scène politique*. En ces années où la richesse fait les électeurs, Balzac est amené, comme il l'a fait tant de fois, à expliquer comment un futur député, Beauvisage, a fait fortune dans sa Champagne pouilleuse en vendant de la bonneterie. L'astucieuse réussite d'un être par ailleurs stupide — mais existe-t-il des créatures balzaciennes à qui leur créateur n'ait pas communiqué quelque étincelle de son propre génie ? — s'enlève sur le sombre tableau que les historiens ont laissé de la bonneterie champenoise à une époque difficile, et que Balzac connaît et évoque. Balzac n'est pas seulement l'observateur des réalités politiques et économiques. Romancier ou journaliste, il a souvent dit son opinion sur les questions de cet ordre. On la retrouvera ici : il est contre les intermédiaires, contre la thésaurisation, pour le bon marché intérieur qui favorise les exportations et pour l'investissement qui peut fertiliser une région stérile.

Dans la population petitement bourgeoise d'Arcis, pas d'êtres jeunes et passionnés dont les amours toucheraient le lecteur. La jolie Cécile Beauvisage est rien moins que romanesque et n'a pas d'autre idée sur le mariage que son grand-père et son ambitieuse mère. Le romancier s'est rendu compte de « l'horrible difficulté » qu'il y avait à faire un ouvrage sans « l'élément de la passion ». « Comment », se demande-t-il, « rendre dramatique et intéressant le seul jeu des intérêts ? »

Dramatique ? L'étude du manuscrit a montré comment le romancier, rien que dans ce prologue, a trouvé la solution. En 1839-1840, le roman s'ouvrait sur la conversation de salon, parisienne, dont la conclusion est d'envoyer Maxime de Trailles à Arcis en tant que *commissaire électoral* pour y pêcher, en cas de succès, une dot et un poste diplomatique. Puis l'idée vient au romancier de prendre le sujet « en travers », comme d'Arthez le conseille à Lucien de Rubempré dans *Un grand homme de province à Paris*. Le roman commencera donc par la promenade des officiels d'Arcis. Puis, nouveau perfectionnement : le rideau se lève sur le salon de Mme Marion et la réunion pré-préélectorale qui s'y tient. Dramatique alors le coup de théâtre que permettent ces changements de structure : l'annonce que Charles Keller, le député sortant, est mort, et la victoire ainsi assurée au neveu de Mme Marion. Cependant que le lecteur, comme les habitants d'Arcis, est tenu en haleine par l'arrivée à l'auberge du lieu d'un mystérieux voyageur qui se révélera une grave menace pour le candidat de l'opposition. Enfin, grâce à un retour en arrière, comme dans *Une ténébreuse affaire*, la scène parisienne initiale, « l'avant-scène », disait Balzac, rejetée à la fin du prologue, éclaire ce « drame électoral ». *Le Député d'Arcis* fait d'ailleurs songer au théâtre pour lequel Balzac écrit en 1839 *L'École des ménages*, en 1840 *Vautrin* et en 1841 *Les Ressources de Quinola*, et dans lequel il ne cessera de mettre ses espoirs jusqu'à la révolution de 1848 qui les ruine. Ici la scène est essentiellement cette place d'Arcis où le sous-préfet et ses collègues, débouchant du mail, voient les futurs électeurs sortir du salon Marion, où le sous-préfet s'entretient avec le commissaire de police, où passe l'inconnu en tilbury pour rentrer à son auberge qui s'y trouve aussi, où Simon Giguet attend dans l'angoisse, en conversant avec son ami, le retour de sa tante et apprend de sa bouche la réponse du notaire Grévin à une quasi-demande en mariage.

Par ailleurs, ce roman, d'où la médiocrité des personnages et des enjeux écarte tout tragique, emprunte son intérêt au comique, l'autre aspect sous lequel tout événement, selon l'idée de Balzac, peut être considéré et raconté. Le comique s'impose ici, s'agissant d'individus assez grotesques, et du personnage particulièrement ridicule à l'époque, le bourgeois-bonnet de coton, et si possible bonnetier lui-même, qu'Henri Monnier et Louis Reybaud ont caricaturé sous les traits de Joseph Prud'homme et de Jérôme Paturot. La veine des charges et des monographies — en 1839 Balzac écrit celle du *Rentier* — se voit dans les portraits d'un Beauvisage ou d'un Simon Giguet. Comique le procédé qui donne aux personnages dérisoires et à leurs activités une allure héroïque par l'emploi de métaphores guerrières, faisant des plates-bandes d'un ancien militaire recyclé dans le jardinage des « carrés » de soldats, du salon de Mme Marion un « champ de bataille », des réussites d'un notaire des « campagnes » et du pacifique Beauvisage « le général du tricot », « l'Alexandre et l'Attila de la bonneterie ». Comiques aussi les discours dont la réunion pré-préparatoire, calquée sur les séances de la Chambre, offre une sorte de compte rendu analytique caricatural. Comique l'inventaire des poncifs du temps, et le dénombrement des électeurs, réduits à leur seule fonction, s'en venant deux par deux — deux médecins, deux receveurs, deux greffiers, deux adjoints au maire... — à la réunion.

Ce comique ne peut dissimuler la tristesse foncière de cette ébauche de roman sans amour ni grandeur. Avec cette œuvre, Balzac, en 1839, rejoint son époque, exactement, mais ce n'est point de gaieté de cœur. Les personnages qu'il crée maintenant pour remplacer la génération vieillissante des grands mondains, des grands dandys, des illustres femmes du monde, sont à l'image d'un temps qui, dans toutes les classes depuis le ralliement des légitimistes en 1836, s'est installé dans une certaine médiocrité, dans la recherche effrénée, reconnue et recommandée de l'enrichissement. La « hideuse bourgeoisie qui mène les affaires » l'a emporté.

Le Député d'Arcis porte témoignage de cet abaissement. Sans doute les vieux clivages sont-ils encore très sensibles à Arcis, mais Maxime de Trailles, l'ancien page de Napoléon, le commissaire ministériel, dîne à Gondreville et à Cinq-Cygne, et l'on sent qu'une union va se faire entre les irréductibles ennemis pour faire barrage à l'ennemi commun, représenté ici par le falot Simon Giguet derrière lequel se profilent les républicains, les socialistes, les classes dangereuses, les Barbares, les Paysans — c'est là le titre d'un roman presque contemporain du *Député d'Arcis* — qui seraient tout prêts à dépecer aussi bien le domaine de Malin de Gondreville que celui de Cinq-Cygne. *Le Député d'Arcis* fait mentir le mot de l'abbé de Grancey qui affirmait dans *Albert Savarus* : « On peut toujours semer la division dans les intérêts, on ne sépare pas les convictions. »

Rose FORTASSIER

LE DÉPUTÉ D'ARCIS*

À la fin du mois d'avril 1839, sur les dix heures du matin, le salon de Mme Marion, veuve d'un ancien receveur général du département de l'Aube, offrait un coup d'œil étrange. De tous les meubles, il n'y restait que les rideaux aux fenêtres, la garniture de cheminée, le lustre et la table à thé. Le tapis d'Aubusson, décloué quinze jours avant le temps, obstruait les marches du perron, et le parquet venait d'être frotté à outrance, sans en être plus clair. C'était une espèce de présage domestique concernant l'avenir des élections qui se préparaient sur toute la surface de la France. Souvent les choses sont aussi spirituelles que les hommes. C'est un argument en faveur des Sciences occultes.

Le vieux domestique du colonel Giguet, frère de Mme Marion, achevait de chasser la poussière qui s'était glissée dans le parquet pendant l'hiver. La femme de

---

* Avant de commencer la peinture des élections en province, principal élément de cette Étude, il est inutile de faire observer que la ville d'Arcis-sur-Aube n'a pas été le théâtre des événements qui en sont le sujet. L'arrondissement d'Arcis va voter à Bar-sur-Aube, qui se trouve à quinze lieues d'Arcis, il n'existe donc pas de député d'Arcis à la Chambre. Des ménagements exigés par l'histoire des mœurs contemporaines ont dicté ces précautions. Peut-être est-ce une ingénieuse combinaison que de donner la peinture d'une ville pour cadre à des faits qui se sont passés ailleurs. Plusieurs fois déjà, dans le cours de *La Comédie humaine*, ce moyen fut employé, malgré son inconvénient qui consiste à rendre la bordure souvent aussi considérable que la toile.

chambre et la cuisinière apportaient, avec une prestesse qui dénotait un enthousiasme égal à leur attachement, les chaises de toutes les chambres de la maison, et les entassaient dans le jardin.

Hâtons-nous de dire que les arbres avaient déjà déplié de larges feuilles à travers lesquelles on voyait un ciel sans nuages. L'air du printemps et le soleil du mois de mai[1] permettaient de tenir ouvertes et la porte-fenêtre et les deux fenêtres de ce salon qui forme un carré long.

En désignant aux deux femmes le fond du salon, la vieille dame ordonna de disposer les chaises sur quatre rangs de profondeur, entre chacun desquels elle fit laisser un passage d'environ trois pieds. Chaque rangée présenta bientôt un front de dix chaises d'espèces diverses. Une ligne de chaises s'étendit le long des fenêtres et de la porte vitrée. À l'autre bout du salon, en face des quarante chaises, Mme Marion plaça trois fauteuils derrière la table à thé qui fut recouverte d'un tapis vert, et sur laquelle elle mit une sonnette.

Le vieux colonel Giguet arriva sur ce champ de bataille au moment où sa sœur inventait de remplir les espaces vides de chaque côté de la cheminée, en y faisant apporter les deux banquettes de son antichambre, malgré la calvitie du velours qui comptait déjà vingt-quatre ans de services.

« Nous pouvons asseoir soixante-dix personnes, dit-elle triomphalement à son frère.

— Dieu veuille que nous ayons soixante-dix amis ! répondit le colonel.

— Si, après avoir reçu pendant vingt-quatre ans, tous les soirs, la société d'Arcis-sur-Aube, il nous manquait, dans cette circonstance, un seul de nos habitués ?... dit la vieille dame d'un air de menace.

— Allons, répondit le colonel en haussant les épaules et interrompant sa sœur, je vais vous en nommer dix qui ne peuvent pas, qui ne doivent pas venir. D'abord, dit-il en comptant sur ses doigts : Antonin Goulard, le sous-préfet, et d'un ! Le procureur du Roi, Frédéric Marest, et

1. On lit à la page précédente *avril*. On trouvera par la suite d'autres contradictions. Nous ne les signalerons pas toutes.

de deux ! M. Olivier Vinet, son substitut, trois ! M. Martener, le juge d'instruction, quatre ! Le juge de paix...

— Mais je ne suis pas assez sotte, dit la vieille dame en interrompant son frère à son tour, pour vouloir que les gens en place assistent à une réunion dont le but est de donner un député de plus à l'Opposition... Cependant Antonin Goulard, le camarade d'enfance et de collège de Simon, sera très content de le voir député, car...

— Tenez, ma sœur, laissez-nous faire notre besogne, à nous autres hommes... Où donc est Simon ?

— Il s'habille, répondit-elle. Il a bien fait de ne pas déjeuner, car il est très nerveux, et quoique notre jeune avocat ait l'habitude de parler au tribunal, il appréhende cette séance comme s'il devait y rencontrer des ennemis.

— Ma foi ! j'ai souvent eu à supporter le feu des batteries ennemies ; eh bien ! mon âme, je ne dis pas mon corps, n'a jamais tremblé ; mais s'il fallait me mettre là, dit le vieux militaire en se plaçant à la table à thé, regarder les quarante bourgeois qui seront assis en face, bouche béante, les yeux braqués sur les miens, et s'attendant à des périodes ronflantes et correctes... j'aurais ma chemise mouillée avant d'avoir trouvé mon premier mot.

— Et il faudra cependant, mon cher père, que vous fassiez cet effort pour moi, dit Simon Giguet en entrant par le petit salon, car s'il existe, dans le département de l'Aube, un homme dont la parole y soit puissante, c'est assurément vous. En 1815...

— En 1815, dit ce petit vieillard admirablement conservé, je n'ai pas eu à parler, j'ai rédigé tout bonnement une petite proclamation qui a fait lever deux mille hommes en vingt-quatre heures... Et c'est bien différent de mettre son nom au bas d'une page qui sera lue par un département, ou de parler à une assemblée. À ce métier-là, Napoléon lui-même a échoué. Lors du 18 Brumaire, il n'a dit que des sottises aux Cinq-Cents.

— Enfin, mon cher père, reprit Simon, il s'agit de toute ma vie, de ma fortune, de mon bonheur... Tenez, ne regardez qu'une seule personne et figurez-vous que vous ne parlez qu'à elle, vous vous en tirerez...

— Mon Dieu ! je ne suis qu'une vieille femme, dit

Mme Marion ; mais, dans une pareille circonstance, et en sachant de quoi il s'agit, mais... je serais éloquente !

— Trop éloquente peut-être ! dit le colonel. Et dépasser le but, ce n'est pas y atteindre. Mais de quoi s'agit-il donc ? reprit-il en regardant son fils. Depuis deux jours vous attachez à cette candidature des idées... Si mon fils n'est pas nommé, tant pis pour Arcis, voilà tout. »

Ces paroles, dignes d'un père, étaient en harmonie avec toute la vie de celui qui les disait. Le colonel Giguet, un des officiers les plus estimés qu'il y eût dans la Grande Armée, se recommandait par un de ces caractères dont le fond est une excessive probité, jointe à une grande délicatesse. Jamais il ne se mit en avant, les faveurs devaient venir le chercher ; aussi resta-t-il onze ans simple capitaine d'artillerie dans la Garde, où il ne fut nommé chef de bataillon qu'en 1813, et major en 1814. Son attachement presque fanatique à Napoléon ne lui permit pas de servir les Bourbons, après la première abdication. Enfin, son dévouement en 1815 fut tel, qu'il eût été banni sans le comte de Gondreville qui le fit effacer de l'ordonnance et finit par lui obtenir et une pension de retraite et le grade de colonel.

Mme Marion, née Giguet, avait un autre frère qui devint colonel de gendarmerie à Troyes, et qu'elle avait suivi là dans le temps [1]. Elle y épousa M. Marion, le receveur général de l'Aube.

Feu M. Marion, le receveur général, avait pour frère un premier président d'une cour impériale. Simple avocat d'Arcis, ce magistrat avait prêté son nom, pendant la Terreur, au fameux Malin de l'Aube, Représentant du peuple, pour l'acquisition de la terre de Gondreville. Aussi tout le crédit de Malin, devenu sénateur et comte, fut-il au service de la famille Marion. Le frère de l'avocat eut ainsi la recette générale de l'Aube à une époque où, loin d'avoir à choisir entre trente solliciteurs, le gouvernement était fort heureux de trouver un sujet qui voulût accepter de si glissantes places.

Marion, le receveur général, recueillit la succession de

1. Voir *Une ténébreuse affaire*, roman dans lequel Mme Marion apparaît aussi.

son frère le président, et Mme Marion celle de son frère le colonel de gendarmerie. En 1814, le receveur général éprouva des revers. Il mourut en même temps que l'Empire, mais sa veuve trouva quinze mille francs de rentes dans les débris de ces diverses fortunes accumulées. Le colonel de gendarmerie Giguet avait laissé son bien à sa sœur, en apprenant le mariage de son frère l'artilleur, qui, vers 1806, épousa l'une des filles d'un riche banquier de Hambourg. On sait quel fut l'engouement de l'Europe pour les sublimes troupiers de l'empereur Napoléon !

En 1814, Mme Marion, quasi ruinée, revint habiter Arcis, sa patrie, où elle acheta, sur la Grande-Place, l'une des plus belles maisons de la ville, et dont la situation indique une ancienne dépendance du château. Habituée à recevoir beaucoup de monde à Troyes, où régnait le receveur général, son salon fut ouvert aux notabilités du parti libéral d'Arcis. Une femme, accoutumée aux avantages d'une royauté de salon, n'y renonce pas facilement. De toutes les habitudes, celles de la vanité sont les plus tenaces.

Bonapartiste, puis libéral, car, par une des plus étranges métamorphoses, les soldats de Napoléon devinrent presque tous amoureux du système constitutionnel, le colonel Giguet fut, pendant la Restauration, le président naturel du comité directeur d'Arcis, qui se composa du notaire Grévin, de son gendre Beauvisage et de Varlet fils, le premier médecin d'Arcis, beau-frère de Grévin, personnages qui vont tous figurer dans cette histoire, malheureusement pour nos mœurs politiques, beaucoup trop véridique.

« Si notre cher enfant n'est pas nommé, dit Mme Marion après avoir regardé dans l'antichambre et dans le jardin pour voir si personne ne pouvait l'écouter, il n'aura pas Mlle Beauvisage ; car, il y a pour lui, dans le succès de sa candidature, un mariage avec Cécile.

— Cécile ?... fit le vieillard en ouvrant les yeux et regardant sa sœur d'un air de stupéfaction.

— Il n'y a peut-être que vous dans tout le département, mon frère, qui puissiez oublier la dot et les espérances de Mlle Beauvisage.

— C'est la plus riche héritière du département de l'Aube, dit Simon Giguet.

— Mais il me semble que mon fils n'est pas à dédaigner, reprit le vieux militaire ; il est votre héritier, il a déjà le bien de sa mère, et je compte lui laisser autre chose que mon nom tout sec...

— Tout cela mis ensemble ne fait pas trente mille francs de rente, et il y a déjà des gens qui se présentaient avec cette fortune-là, sans compter leurs positions...

— Et ?... demanda le colonel.

— Et on les a refusés !

— Que veulent donc les Beauvisage ? » fit le colonel en regardant alternativement sa sœur et son fils.

On peut trouver extraordinaire que le colonel Giguet, frère de Mme Marion, chez qui la société d'Arcis se réunissait tous les jours depuis vingt-quatre ans, dont le salon était l'écho de tous les bruits, de toutes les médisances, de tous les commérages du département de l'Aube, et où peut-être il s'en fabriquait, ignorât des événements et des faits de cette nature ; mais son ignorance paraîtra naturelle, dès qu'on aura fait observer que ce noble débris des vieilles phalanges napoléoniennes se couchait et se levait avec les poules, comme tous les vieillards qui veulent vivre toute leur vie. Il n'assistait donc jamais aux conversations intimes. Il existe en province deux conversations, celle qui se tient officiellement quand tout le monde est réuni, joue aux cartes et babille ; puis, celle qui *mitonne*, comme un potage bien soigné, lorsqu'il ne reste devant la cheminée que trois ou quatre amis de qui l'on est sûr et qui ne répètent rien de ce qui se dit, que chez eux, quand ils se trouvent avec trois ou quatre autres amis bien sûrs.

Depuis neuf ans, depuis le triomphe de ses idées politiques, le colonel vivait presque en dehors de la société. Levé toujours en même temps que le soleil, il s'adonnait à l'horticulture, il adorait les fleurs, et, de toutes les fleurs, il ne cultivait que les roses. Il avait les mains noires du vrai jardinier ; il soignait ses carrés. Ses carrés ! ce mot lui rappelait les carrés d'hommes multicolores alignés sur les champs de batailles. Toujours en conférence avec son garçon jardinier, il se mêlait peu, surtout depuis deux ans, à la société qu'il entrevoyait par échappées. Il ne faisait en famille qu'un repas, le dîner ; car il se levait de trop bonne heure pour pouvoir déjeuner avec son fils et sa sœur. On doit aux efforts de ce colonel la fameuse rose-Giguet, que connaissent tous les amateurs. Ce vieillard, passé à l'état de fétiche domestique, était exhibé, comme bien on le pense, dans les grandes circonstances. Certaines familles jouissent d'un demi-dieu de ce genre, et s'en parent comme on se pare d'un titre.

« J'ai cru deviner que, depuis la révolution de Juillet, répondit Mme Marion à son frère, Mme Beauvisage aspire à vivre à Paris. Forcée de rester ici tant que vivra son père, elle a reporté son ambition sur la tête de son futur gendre, et la belle dame rêve les splendeurs de la vie politique.

— Aimerais-tu Cécile ? dit le colonel à son fils.

— Oui, mon père.

— Lui plais-tu ?

— Je le crois, mon père ; mais il s'agit aussi de plaire à la mère et au grand-père. Quoique le bonhomme Grévin veuille contrarier mon élection, le succès déterminerait Mme Beauvisage à m'accepter, car elle espérera me gouverner à sa guise, être ministre sous mon nom...

— Ah ! la bonne plaisanterie ! s'écria Mme Marion. Et pour quoi nous compte-t-elle ?...

— Qui donc a-t-elle refusé ? demanda le colonel à sa sœur.

— Mais, depuis trois mois, Antonin Goulard et le procureur du Roi, M. Frédéric Marest, ont reçu, dit-on, de ces réponses équivoques, qui sont tout ce qu'on veut, excepté un *oui !*

— Oh ! mon Dieu ! fit le vieillard en levant les bras, dans quel temps vivons-nous ? Mais Cécile est la fille d'un bonnetier, et la petite-fille d'un fermier. Mme Beauvisage veut-elle donc avoir un comte de Cinq-Cygne pour gendre ?

— Mon frère, ne vous moquez pas des Beauvisage. Cécile est assez riche pour pouvoir choisir un mari partout, même dans le parti auquel appartiennent les Cinq-Cygne. J'entends la cloche qui vous annonce des électeurs, je vous laisse et je regrette bien de ne pouvoir écouter ce qui va se dire... »

Quoique 1839 soit, politiquement parlant, bien éloigné de 1847, on peut encore se rappeler aujourd'hui les élections qui produisirent la coalition[1], tentative éphémère que fit la Chambre des députés pour réaliser la menace d'un gouvernement parlementaire ; menace à la Cromwell qui, sans un Cromwell, ne pouvait aboutir, sous un prince ennemi de la fraude[2], qu'au triomphe du système actuel où les chambres et les ministres ressemblent aux acteurs de bois que fait jouer le propriétaire du spectacle de Guignol, à la grande satisfaction des passants toujours ébahis.

L'arrondissement d'Arcis-sur-Aube se trouvait alors dans une singulière situation, il se croyait libre de choisir un député. Depuis 1816 jusqu'en 1836, on y avait toujours nommé l'un des plus lourds orateurs du Côté Gauche, l'un des dix-sept qui furent tous appelés *grands citoyens* par le parti libéral, enfin l'illustre François Keller, de la maison Keller frères[3], le gendre du comte de Gondreville. Gondreville, une des plus magnifiques terres de la France, est située à un quart de lieue d'Arcis. Ce banquier, récemment nommé comte et pair de France, comptait sans doute transmettre à son fils, alors âgé de trente ans, sa succession électorale, pour le rendre un jour apte à la pairie.

Déjà chef d'escadron dans l'État-major, et l'un des favoris du prince royal, Charles Keller, devenu vicomte, appartenait au parti de la cour citoyenne. Les plus brillantes destinées semblaient promises à un jeune homme puissamment riche, plein de courage, remarqué pour son dévouement à la nouvelle dynastie, petit-fils du comte de Gondreville et neveu de la maréchale de Carigliano ; mais cette élection, si nécessaire à son avenir, présentait de grandes difficultés à vaincre.

Depuis l'accession au pouvoir de la classe bourgeoise, Arcis éprouvait un vague désir de se montrer indépen-

---

1. Voir notre Introduction. 2. *Tartuffe*, acte V, scène dernière. Rapprochement évidemment ironique entre le Roi-Soleil et le roi-citoyen. 3. Les frères Keller (François et Adolphe) apparaissent plusieurs fois dans *La Comédie humaine*.

dant. Aussi les dernières élections de François Keller avaient-elles été troublées par quelques républicains, dont les casquettes rouges et les barbes frétillantes n'avaient pas trop effrayé les gens d'Arcis. En exploitant les dispositions du pays, le candidat radical put réunir trente ou quarante voix. Quelques habitants, humiliés de voir leur ville comptée au nombre des bourgs-pourris de l'Opposition, se joignirent aux démocrates, quoique ennemis de la démocratie. En France, au scrutin des élections, il se forme des produits politico-chimiques où les lois des affinités sont renversées.

Or, nommer le jeune commandant Keller, en 1839, après avoir nommé le père pendant vingt ans, accusait une véritable servitude électorale, contre laquelle se révoltait l'orgueil de plusieurs bourgeois enrichis, qui croyaient bien valoir et M. Malin, comte de Gondreville, et les banquiers Keller frères, et les Cinq-Cygne et même le roi des Français ! Aussi les nombreux partisans du vieux Gondreville, le roi du département de l'Aube, attendaient-ils une nouvelle preuve de son habileté tant de fois éprouvée. Pour ne pas compromettre l'influence de sa famille dans l'arrondissement d'Arcis, ce vieil homme d'État proposerait sans doute pour candidat un homme du pays qui céderait sa place à Charles Keller, en acceptant des fonctions publiques ; cas parlementaire qui rend l'élu du peuple sujet à réélection.

Quand Simon Giguet pressentit, au sujet des élections, le fidèle ami du comte, l'ancien notaire Grévin, ce vieillard répondit que, sans connaître les intentions du comte de Gondreville, il faisait de Charles Keller son candidat, et emploierait toute son influence à cette nomination. Dès que cette réponse du bonhomme Grévin circula dans Arcis, il y eut une réaction contre lui. Quoique, durant trente ans de notariat, cet Aristide champenois eût possédé la confiance de la ville, qu'il eût été maire d'Arcis de 1804 à 1814, et pendant les Cent-Jours ; quoique l'Opposition l'eût accepté pour chef jusqu'au triomphe de 1830, époque à laquelle il refusa les honneurs de la mairie en objectant son grand âge ; enfin, quoique la ville, pour lui témoigner son affection, eût alors pris pour maire son gendre M. Beauvisage, on se révolta contre lui, et quelques jeunes allèrent jusqu'à le taxer de radotage. Les partisans de Simon Giguet se tournèrent vers Philéas Beauvisage, le maire, et le mirent d'autant mieux de leur côté que, sans être mal avec son beau-père, il affichait une indépendance qui dégénérait en froideur, mais que lui laissait le fin beau-père, en y voyant un excellent moyen d'action sur la ville d'Arcis.

Monsieur le maire, interrogé la veille sur la place publique, avait déclaré qu'il nommerait le premier inscrit sur la liste des éligibles d'Arcis, plutôt que de donner sa voix à Charles Keller qu'il estimait d'ailleurs infiniment.

« Arcis ne sera plus un bourg-pourri ! dit-il, ou j'émigre à Paris. »

Flattez les passions du moment, vous devenez partout un héros, même à Arcis-sur-Aube.

« Monsieur le maire, dit-on, vient de mettre le sceau à la fermeté de son caractère. »

Rien ne marche plus rapidement qu'une révolte légale. Dans la soirée, Mme Marion et ses amis organisèrent pour le lendemain une réunion des *électeurs indépendants*, au profit de Simon Giguet, le fils du colonel. Ce lendemain venait de se lever, et de faire mettre cen[1] dessus dessous toute la maison pour recevoir les amis sur l'indépendance desquels on comptait.

Simon Giguet, candidat-né d'une petite ville jalouse de nommer un de ses enfants, avait, comme on le voit, aussitôt mis à profit ce mouvement des esprits pour devenir le représentant des besoins et des intérêts de la Champagne pouilleuse. Cependant, toute la considération et la fortune de la famille Giguet étaient l'ouvrage du comte de Gondreville. Mais, en matière d'élection, y a-t-il des sentiments ?

Cette Scène est écrite pour l'enseignement des pays assez malheureux pour ne pas connaître les bienfaits d'une représentation nationale, et qui, par conséquent, ignorent par quelles guerres intestines, au prix de quels sacrifices à la Brutus, une petite ville enfante un député ! Spectacle majestueux et naturel, auquel on ne peut comparer que celui d'un

1. Balzac tient à cette orthographe archaïque de l'expression.

accouchement : mêmes efforts, mêmes impuretés, mêmes déchirements, même triomphe !

On peut se demander comment un fils unique, dont la fortune était satisfaisante, se trouvait, comme Simon Giguet, simple avocat dans la petite ville d'Arcis, où les avocats sont inutiles. Un mot sur le candidat est ici nécessaire.

Le colonel avait eu, de 1806 à 1813, de sa femme, qui mourut en 1814, trois enfants, dont l'aîné, Simon, survécut à ses cadets, morts tous deux, l'un en 1818, l'autre en 1825. Jusqu'à ce qu'il restât seul, Simon dut être élevé comme un homme à qui l'exercice d'une profession lucrative était nécessaire. Devenu fils unique, Simon fut atteint d'un revers de fortune. Mme Marion comptait beaucoup pour son neveu sur la succession du grand-père, le banquier de Hambourg ; mais cet Allemand mourut en 1826, ne laissant à son petit-fils Giguet que deux mille francs de rentes. Ce banquier, doué d'une grande vertu procréatrice, avait combattu les ennuis de son commerce par les plaisirs de la paternité ; donc il favorisa les familles de onze autres enfants qui l'entouraient et qui lui firent croire, avec assez de vraisemblance d'ailleurs, que Simon Giguet serait riche.

Le colonel tint à faire embrasser à son fils une profession indépendante. Voici pourquoi.

Les Giguet ne pouvaient attendre aucune faveur du pouvoir sous la Restauration. Quand même Simon n'eût pas été le fils d'un ardent bonapartiste, il appartenait à une famille dont tous les membres avaient, à juste titre, encouru l'animadversion de la famille de Cinq-Cygne, à propos de la part que Giguet le colonel de gendarmerie, et les Marion, y compris Mme Marion, prirent, en qualité de témoins à charge, dans le fameux procès de MM. de Simeuse, condamnés en 1805 comme coupables de la séquestration du comte de Gondreville, alors sénateur, et de laquelle ils étaient parfaitement innocents. Ce représentant du peuple avait spolié la fortune de la maison de Simeuse, les héritiers parurent coupables de cet attentat, dans un temps où la vente des biens nationaux était l'arche sainte de la politique. (Voir *Une ténébreuse affaire*.)

Grévin fut non seulement l'un des témoins les plus importants, mais encore un des plus ardents meneurs de cette affaire. Ce procès criminel divisait encore l'arrondissement d'Arcis en deux partis, dont l'un tenait pour l'innocence des condamnés, et conséquemment pour la maison de Cinq-Cygne, l'autre pour le comte de Gondreville et pour ses adhérents.

Si, sous la Restauration, la comtesse de Cinq-Cygne usa de l'influence que lui donnait le retour des Bourbons pour ordonner tout à son gré dans le département de l'Aube, le comte de Gondreville sut contrebalancer la royauté des Cinq-Cygne, par l'autorité secrète qu'il exerça sur les libéraux du pays, au moyen du notaire Grévin, du colonel Giguet, de son gendre Keller, toujours nommé député d'Arcis-sur-Aube en dépit des Cinq-Cygne, et enfin par le crédit qu'il conserva dans les conseils de la Couronne, tant que vécut Louis XVIII. Ce ne fut qu'après la mort de ce Roi que la comtesse de Cinq-Cygne put faire nommer Michu président du tribunal de première instance d'Arcis[1]. Elle tenait à mettre à cette place le fils du régisseur qui périt sur l'échafaud à Troyes, victime de son dévouement à la famille Simeuse, et dont le portrait en pied ornait son salon et à Paris et à Cinq-Cygne. Jusqu'en 1823, le comte de Gondreville avait eu le pouvoir d'empêcher la nomination de Michu.

Ce fut par le conseil même du comte de Gondreville que le colonel Giguet fit de son fils un avocat. Simon devait d'autant plus briller dans l'arrondissement d'Arcis, qu'il y fut le seul avocat, les avoués plaidant toujours les causes eux-mêmes dans ces petites localités. Simon avait eu quelques triomphes à la cour d'assises de l'Aube ; mais il n'en était pas moins l'objet des plaisanteries de Frédéric Marest le procureur du Roi, d'Olivier Vinet le substitut, du président Michu, les trois plus fortes têtes du tribunal, et qui seront d'importants personnages dans le drame électoral dont la première scène se préparait.

Simon Giguet, comme presque tous les hommes d'ailleurs, payait à la grande puissance du ridicule une forte

---

1. Pour la vie et la carrière de Michu fils, voir *Une ténébreuse affaire* et *Le Cabinet des Antiques*.

part de contributions. Il s'écoutait parler, il prenait la parole à tout propos, il dévidait solennellement des phrases filandreuses et sèches qui passaient pour de l'éloquence dans la haute bourgeoisie d'Arcis. Ce pauvre garçon appartenait à ce genre d'ennuyeux qui prétendent tout expliquer, même les choses les plus simples. Il expliquait la pluie, il expliquait les causes de la révolution de Juillet ; il expliquait aussi les choses impénétrables : il expliquait Louis-Philippe, il expliquait M. Odilon Barrot, il expliquait M. Thiers, il expliquait les affaires d'Orient, il expliquait la Champagne, il expliquait 1789, il expliquait le tarif des douanes et les humanitaires [1], le magnétisme et l'économie de la liste civile.

Ce jeune homme maigre, au teint bilieux, d'une taille assez élevée pour justifier sa nullité sonore, car il est rare qu'un homme de haute taille ait de grandes capacités, outrait le puritanisme des gens de l'extrême gauche, déjà tous si affectés à la manière des prudes qui ont des intrigues à cacher. Toujours vêtu de noir, il portait une cravate blanche qu'il laissait descendre au bas de son cou. Aussi sa figure semblait-elle être dans un cornet de papier blanc, car il conservait ce col de chemise haut et empesé que la mode a fort heureusement proscrit. Son pantalon, ses habits paraissaient toujours être trop larges. Il avait ce qu'on nomme en province de la dignité, c'est-à-dire qu'il se tenait roide et qu'il était ennuyeux ; Antonin Goulard, son ami, l'accusait de singer M. Dupin. En effet, l'avocat se chaussait un peu trop de souliers et de gros bas en filoselle noire [2]. Simon Giguet, protégé par la considération dont jouissait son vieux père et par l'influence qu'exerçait sa tante sur une petite ville dont les principaux habitants venaient dans son salon depuis vingt-quatre ans, déjà riche d'environ dix mille francs de rentes, sans compter les honoraires produits par son cabinet, et à

---

1. Plus clairement nommées plus loin *doctrinaires* humanitaires.
2. Homme politique représentant en 1839, dans la majorité parlementaire, le tiers parti entre le centre droit de Guizot et le centre gauche de Thiers. Les caricaturistes le figurent volontiers ainsi chaussé pour faire ses tournées dans la campagne, car il s'intéressait à l'agriculture. Il était alors président de la Chambre.

Simon Giguet, « le député d'Arcis ».
« Il avait ce qu'on nomme en province de la dignité... »

qui la fortune de sa tante revenait un jour, ne mettait pas sa nomination en doute.

Néanmoins, le premier coup de cloche, en annonçant l'arrivée des électeurs les plus influents, retentit au cœur de l'ambitieux en y portant des craintes vagues. Simon ne se dissimulait ni l'habileté ni les immenses ressources du vieux Grévin, ni le prestige que le ministère déploierait en appuyant la candidature d'un jeune et brave officier alors en Afrique, attaché au prince royal, fils d'un des ex-grands citoyens de la France et neveu d'une maréchale.

« Il me semble, dit-il à son père, que j'ai la colique. Je sens une chaleur douceâtre au-dessous du creux de l'estomac, qui me donne des inquiétudes...

— Les plus vieux soldats, répondit le colonel, avaient une pareille émotion quand le canon commençait à ronfler, au début de la bataille.

— Que sera-ce donc à la Chambre ?... dit l'avocat.

— Le comte de Gondreville nous disait, répondit le vieux militaire, qu'il arrive à plus d'un orateur quelques-uns des petits inconvénients qui signalaient pour nous, vieilles culottes de peau, le début des batailles. Tout cela pour des paroles oiseuses. Enfin, tu veux être député, fit le vieillard en haussant les épaules : sois-le !

— Mon père, le triomphe, c'est Cécile ! Cécile, c'est une immense fortune ! Aujourd'hui, la grande fortune, c'est le pouvoir !

— Ah ! combien les temps sont changés ! Sous l'Empereur, il fallait être brave !

— Chaque époque se résume dans un mot ! dit Simon à son père, en répétant une observation du vieux comte de Gondreville qui peint bien ce vieillard. Sous l'Empire, quand on voulait tuer un homme, on disait : "C'est un lâche !" Aujourd'hui, l'on dit : "C'est un escroc !"

— Pauvre France ! où t'a-t-on menée !... s'écria le colonel. Je vais retourner à mes roses.

— Oh ! restez, mon père ! Vous êtes ici la clef de la voûte ! »

Le maire, M. Philéas Beauvisage, se présenta le premier, accompagné du successeur de son beau-père, le plus occupé des notaires de la ville, Achille Pigoult, petit-fils d'un vieillard resté juge de paix d'Arcis pendant la Révolution, pendant l'Empire et pendant les premiers jours de la Restauration.

Achille Pigoult, âgé d'environ trente-deux ans, avait été dix-huit ans clerc chez le vieux Grévin, sans avoir l'espérance de devenir notaire. Son père, fils du juge de paix d'Arcis, mort d'une prétendue apoplexie, avait fait de mauvaises affaires. Le comte de Gondreville, à qui le vieux Pigoult tenait par les liens de 1793, avait prêté l'argent d'un cautionnement, et avait ainsi facilité l'acquisition de l'étude de Grévin au petit-fils du juge de paix qui fit la première instruction du procès Simeuse. Achille s'était établi sur la place de l'Église, dans une maison appartenant au comte de Gondreville, et que le pair de France lui avait louée à si bas prix, qu'il était facile de voir combien le rusé politique tenait à toujours avoir le premier notaire d'Arcis dans sa main.

Ce jeune Pigoult, petit homme sec dont les yeux fins semblaient percer ses lunettes vertes qui n'atténuaient point la malice de son regard, instruit de tous les intérêts du pays, devant à l'habitude de traiter les affaires une certaine facilité de parole, passait pour être *gouailleur*, et disait tout bonnement les choses avec plus d'esprit que n'en mettaient les indigènes dans leurs conversations. Ce notaire, encore garçon, attendait un riche mariage de la bienveillance de ses deux protecteurs, Grévin et le comte de Gondreville. Aussi l'avocat Giguet laissa-t-il échapper un mouvement de surprise en apercevant Achille à côté de M. Philéas Beauvisage. Ce petit notaire, dont le visage était couturé par tant de marques de petite vérole qu'il s'y trouvait comme un réseau de filets blancs, formait un contraste parfait avec la grosse personne de monsieur le maire, dont la figure ressemblait à une pleine lune, mais à une lune réjouie.

Ce teint de lys et de roses était encore relevé chez Philéas par un sourire gracieux qui résultait bien moins d'une disposition de l'âme que de cette disposition des lèvres pour lesquelles on a créé le mot *poupin*. Philéas Beauvisage était doué d'un si grand contentement de lui-même, qu'il souriait toujours à tout le monde, dans toutes les circonstances. Ses lèvres poupines auraient souri à un enterrement. La vie qui abondait dans ses yeux bleus et enfantins ne démentait pas ce perpétuel et insupportable sourire. Cette satisfaction interne passait d'autant plus pour de la bienveillance et de l'affabilité que Philéas s'était fait un langage à lui, remarquable par un usage immodéré des formules de la politesse. Il avait toujours l'*honneur,* il joignait à toutes ses demandes de santé relatives aux personnes absentes les épithètes de *cher,* de *bon,* d'*excellent.* Il prodiguait les phrases de condoléance ou les phrases complimenteuses à propos des petites misères ou des petites félicités de la vie humaine. Il cachait ainsi sous un déluge de lieux communs son incapacité, son défaut absolu d'instruction, et une faiblesse de caractère qui ne peut être exprimée que par le mot un peu vieilli de *girouette*[1].

Rassurez-vous ! cette girouette avait pour axe la belle Mme Beauvisage, Séverine Grévin, la femme célèbre de l'arrondissement. Aussi quand Séverine apprit ce qu'elle nomma l'équipée de M. Beauvisage, à propos de l'élection, lui avait-elle dit le matin même : « Vous n'avez pas mal agi en vous donnant des airs d'indépendance ; mais vous n'irez pas à la réunion des Giguet sans vous y faire accompagner par Achille Pigoult, à qui j'ai dit de venir vous prendre ! » Donner Achille Pigoult pour mentor à Beauvisage, n'était-ce pas faire assister à l'assemblée des Giguet un espion du parti Gondreville ? Aussi chacun peut maintenant se figurer la grimace qui contracta la figure puritaine de Simon, forcé de bien accueillir un habitué du salon de sa tante, un électeur influent dans lequel il vit alors un ennemi.

« Ah ! se dit-il à lui-même, j'ai eu bien tort de lui refuser son cautionnement quand il me l'a demandé ! Le vieux Gondreville a eu plus d'esprit que moi... »

« Bonjour, Achille, dit-il en prenant un air dégagé, vous allez me tailler des croupières !...

— Je ne crois pas que votre réunion soit une conspira-

---

1. Le mot avait été à la mode en 1814-1815 quand le journal *Le Nain jaune* avait inventé un ordre de la Girouette pour se moquer des retournements de veste.

tion contre l'indépendance de nos votes, répondit le notaire en souriant. Ne jouons-nous pas franc jeu ?

— Franc jeu ! » répéta Beauvisage.

Et le maire se mit à rire de ce rire sans expression par lequel certaines personnes finissent toutes leurs phrases, et qu'on devrait appeler la ritournelle de la conversation. Puis monsieur le maire se mit à ce qu'il faut appeler sa *troisième position*[1], en se présentant droit, la poitrine effacée, les mains derrière le dos. Il était en habit et pantalon noirs, orné d'un superbe gilet blanc entrouvert de manière à laisser voir deux boutons de diamant d'une valeur de plusieurs milliers de francs.

« Nous nous combattrons, et nous n'en serons pas moins bons amis, reprit Philéas. C'est là l'essence des mœurs constitutionnelles ! (Hé ! hé ! hé !) Voilà comment je comprends l'alliance de la monarchie et de la liberté... (Ha ! ha ! ha !) »

Là, monsieur le maire prit la main de Simon en lui disant :

« Comment vous portez-vous ! mon bon ami ? Votre chère tante et notre digne colonel vont sans doute aussi bien ce matin qu'hier... du moins il faut le présumer !... (Hé ! hé ! hé !) ajouta-t-il d'un air de parfaite béatitude, — peut-être un peu tourmentés de la cérémonie qui va se passer... — Ah ! dame, jeune homme *(sic : jeûne hôme !),* nous entrons dans la carrière politique... (Ah ! ah ! ah !) — Voilà votre premier pas... — il n'y a pas à reculer, — c'est un grand parti, — et j'aime mieux que ce soit vous que moi qui vous lanciez dans les orages et les tempêtes de la Chambre... (hi ! hi !) quelque agréable que ce soit de voir résider en sa personne... (hi ! hi ! hi !) le pouvoir souverain de la France pour un quatre cent cinquante-troisième !... (Hi ! hi ! hi !) »

L'organe de Philéas Beauvisage avait une agréable sonorité tout à fait en harmonie avec les courbes légumineuses de son visage coloré comme un potiron jaune

1. Expression empruntée à la danse classique et d'un effet comique s'agissant du gros Beauvisage.

clair[1], avec son dos épais, avec sa poitrine large et bombée. Cette voix, qui tenait de la basse-taille par son volume, se veloutait comme celle des barytons, et prenait, dans le rire par lequel Philéas accompagnait ses fins de phrase, quelque chose d'argentin. Dieu, dans son paradis terrestre, aurait voulu, pour y compléter les Espèces[2], y mettre un bourgeois de province, il n'aurait pas fait de ses mains un type plus beau, plus complet que Philéas Beauvisage.

« J'admire le dévouement de ceux qui peuvent se jeter dans les orages de la vie politique. (Hé ! hé ! hé !) Il faut pour cela des nerfs que je n'ai pas. — Qui nous eût dit, en 1812, en 1813, qu'on en arriverait là... Moi, je ne doute plus de rien dans un temps où l'asphalte, le caoutchouc, les chemins de fer et la vapeur changent le sol, les redingotes et les distances. (Hé ! hé ! hé ! hé !) »

Ces derniers mots furent largement assaisonnés de ce rire par lequel Philéas relevait les plaisanteries vulgaires dont se paient les bourgeois et qui sera représenté par des parenthèses ; mais il les accompagna d'un geste qu'il s'était rendu propre : il fermait le poing droit et l'insérait dans la paume arrondie de la main gauche en l'y frottant d'une façon joyeuse. Ce manège concordait à ses rires, dans les occasions fréquentes où il croyait avoir dit un trait d'esprit. Peut-être est-il superflu de dire que Philéas passait dans Arcis pour un homme aimable et charmant.

« Je tâcherai, répondit Simon Giguet, de dignement représenter...

— Les moutons de la Champagne », repartit vivement Achille Pigoult en interrompant son ami.

Le candidat dévora l'épigramme sans répondre, car il fut obligé d'aller au-devant de deux nouveaux électeurs.

L'un était le maître du *Mulet*, la meilleure auberge d'Arcis[3], et qui se trouve sur la Grande-Place, au coin de la rue de Brienne. Ce digne aubergiste, nommé Poupart, avait épousé la sœur d'un domestique attaché à la

---

1. Pour ce genre de description à base de légumes, voir *Pierre Grassou.* **2.** Espèces sociales (voir Avant-propos de *La Comédie humaine*), comme il y a chez Cuvier des espèces animales. **3.** Cette auberge existait bien à Arcis ; elle était tenue par un certain Delbart.

comtesse de Cinq-Cygne, le fameux Gothard, un des acteurs du procès criminel. Dans le temps, ce Gothard fut acquitté. Poupart, quoique l'un des habitants d'Arcis les plus dévoués aux Cinq-Cygne, avait été sondé depuis deux jours par le domestique du colonel Giguet avec tant de persévérance et d'habileté, qu'il croyait jouer un tour à l'ennemi des Cinq-Cygne en consacrant son influence à la nomination de Simon Giguet, et il venait de causer dans ce sens avec un pharmacien nommé Fromaget, qui, ne fournissant pas le château de Gondreville, ne demandait pas mieux que de cabaler contre les Keller.

Ces deux personnages de la petite bourgeoisie pouvaient, à la faveur de leurs relations, déterminer une certaine quantité de votes flottants, car ils conseillaient une foule de gens à qui les opinions politiques des candidats étaient indifférentes. Aussi l'avocat s'empara-t-il de Poupart et livra-t-il le pharmacien Fromaget à son père, qui vint saluer les électeurs déjà venus. Le sous-ingénieur de l'arrondissement, le secrétaire de la mairie, quatre huissiers, trois avoués, le greffier du tribunal et celui de la justice de paix, le receveur de l'enregistrement et celui des contributions, deux médecins rivaux de Varlet, le beau-frère de Grévin, un meunier, les deux adjoints de Philéas, le libraire-imprimeur d'Arcis, une douzaine de bourgeois, entrèrent successivement et se promenèrent dans le jardin par groupes, en attendant que la réunion fût assez nombreuse pour ouvrir la séance. Enfin, à midi, cinquante personnes environ, toutes endimanchées, la plupart venues par curiosité pour voir les beaux salons dont on parlait tant dans tout l'arrondissement, s'assirent sur les sièges que Mme Marion leur avait préparés. On laissa les fenêtres ouvertes, et bientôt il se fit un si profond silence, qu'on put entendre crier la robe de soie de Mme Marion, qui ne put résister au plaisir de descendre au jardin et de se placer à un endroit d'où elle pouvait entendre les électeurs. La cuisinière, la femme de chambre et le domestique se tinrent dans la salle à manger et partagèrent les émotions de leurs maîtres.

« Messieurs, dit Simon Giguet, quelques-uns d'entre vous veulent faire à mon père l'honneur de lui offrir la présidence de cette réunion ; mais le colonel Giguet me charge de leur présenter ses remerciements, en exprimant toute la gratitude que mérite ce désir, dans lequel il voit une récompense de ses services à la patrie. Nous sommes chez mon père, il croit devoir se récuser pour ces fonctions, et il vous propose un honorable négociant à qui vos suffrages ont conféré la première magistrature de la ville, M. Philéas Beauvisage.

— Bravo ! bravo !

— Nous sommes, je crois, tous d'accord d'imiter dans cette réunion — essentiellement amicale... mais entièrement libre — et qui ne préjudicie en rien à la grande réunion préparatoire où vous interpellerez les candidats, où vous pèserez leurs mérites... — d'imiter, dis-je, — les formes... constitutionnelles de la Chambre... élective.

— Oui ! oui ! cria-t-on d'une seule voix.

— En conséquence, reprit Simon, j'ai l'honneur de prier, d'après le vœu de l'assemblée, monsieur le maire, de venir occuper le fauteuil de la présidence. »

Philéas se leva, traversa le salon, en se sentant devenir rouge comme une cerise. Puis, quand il fut derrière la table, il ne vit pas cent yeux, mais cent mille chandelles. Enfin, le soleil lui parut jouer dans ce salon le rôle d'un incendie, et il eut, selon son expression, une gabelle[1] dans la gorge.

« Remerciez ! » lui dit Simon à voix basse.

« Messieurs... »

On fit un si grand silence, que Philéas eut un mouvement de colique.

« Que faut-il dire, Simon ? reprit-il tout bas.

— Eh bien ? dit Achille Pigoult.

— Messieurs, dit l'avocat saisi par la cruelle interjection du petit notaire, l'honneur que vous faites à monsieur le maire peut le surprendre sans l'étonner.

— C'est cela, dit Beauvisage, je suis trop sensible à cette attention de mes concitoyens, pour ne pas en être excessivement flatté.

— Bravo ! » cria le notaire tout seul.

---

1. Nous n'avons trouvé trace nulle part de cette expression figurée pour dire une gêne, un obstacle qui pourrait se comparer au poids de l'ancien impôt si impopulaire.

« Que le diable m'emporte, se dit en lui-même Beauvisage, si l'on me reprend jamais à haranguer... »

« Messieurs Fromaget et Marcellot veulent-ils accepter les fonctions de scrutateurs ? dit Simon Giguet.

— Il serait plus régulier, dit Achille Pigoult en se levant, que l'assemblée nommât elle-même les deux membres du bureau, toujours pour imiter la Chambre.

— Cela vaut mieux, en effet, dit l'énorme M. Mollot, le greffier du tribunal ; autrement, ce qui se fait en ce moment serait une comédie, et nous ne serions pas libres. Pourquoi ne pas continuer alors à tout faire par la volonté de monsieur Simon. »

Simon dit quelques mots à Beauvisage, qui se leva pour accoucher d'un : « Messieurs !... » qui pouvait passer pour être *palpitant d'intérêt.*

« Pardon, monsieur le président, dit Achille Pigoult, mais vous devez présider et non discuter...

— Messieurs, si nous devons... nous conformer... aux usages parlementaires, dit Beauvisage soufflé par Simon, je prierai — l'honorable monsieur Pigoult — de venir parler — à la table que voici... »

Pigoult s'élança vers la table à thé, s'y tint debout, les doigts légèrement appuyés sur le bord, et fit preuve d'audace, en parlant sans gêne, à peu près comme parle l'illustre M. Thiers.

« Messieurs, ce n'est pas moi qui ai lancé la proposition d'imiter la Chambre ; car, jusqu'aujourd'hui, les Chambres m'ont paru véritablement inimitables ; néanmoins, j'ai très bien conçu qu'une assemblée de soixante et quelques notables champenois devait s'improviser un président, car aucun troupeau ne va sans berger. Si nous avions voté au scrutin secret, je suis certain que le nom de notre estimable maire y aurait obtenu l'unanimité ; son opposition à la candidature soutenue par sa famille nous prouve qu'il possède le courage civil au plus haut degré, puisqu'il sait s'affranchir des liens les plus forts, ceux de la famille ! Mettre la patrie avant la famille, c'est un si grand effort, que nous sommes toujours forcés, pour y arriver, de nous dire que du haut de son tribunal, Brutus nous contemple, depuis deux mille cinq cents et quelques années[1]. Il semble naturel à Me Giguet, qui a eu le mérite de deviner nos sentiments relativement au choix d'un président, de nous guider encore pour celui des scrutateurs ; mais en appuyant mon observation vous avez pensé que c'était assez d'une fois, et vous avez eu raison ! Notre ami commun Simon Giguet, qui doit se présenter en candidat, aurait l'air de se présenter en maître, et pourrait alors perdre dans notre esprit les bénéfices de l'attitude modeste qu'a prise son vénérable père. Or, que fait en ce moment notre digne président en acceptant la manière de présider que lui a proposée le candidat ? il nous ôte notre liberté ! Je vous le demande ? est-il convenable que le président de notre choix nous dise de nommer par assis et levé les deux scrutateurs ?... Ceci, messieurs, est un choix déjà. Serions-nous libres de choisir ? Peut-on, à côté de son voisin, rester assis ? On me proposerait, que tout le monde se lèverait, je crois, par politesse ; et comme nous nous lèverions tous pour chacun de nous, il n'y a pas de choix, là où tout le monde serait nommé nécessairement par tout le monde.

— Il a raison, dirent les soixante auditeurs.

— Donc, que chacun de nous écrive deux noms sur un bulletin, et ceux qui viendront s'asseoir aux côtés de monsieur le président pourront alors se regarder comme deux ornements de la société ; ils auront qualité pour, conjointement avec monsieur le président, prononcer sur la majorité, quand nous déciderons par assis et levé sur les déterminations à prendre. Nous sommes ici, je crois, pour promettre à un candidat les forces dont chacun de nous dispose à la réunion préparatoire où viendront tous les électeurs de l'arrondissement. Cet acte, je le déclare, est grave. Ne s'agit-il pas d'un quatre-centième du pouvoir, comme le disait naguère monsieur le maire, avec l'esprit d'à-propos qui le caractérise et que nous apprécions toujours. »

Le colonel Giguet coupait en bandes une feuille de papier, et Simon envoya chercher une plume et une écritoire. La séance fut suspendue.

Cette discussion préliminaire sur les formes avait déjà

---

1. L'orateur fait bon marché de la chronologie !

profondément inquiété Simon, et éveillé l'attention des soixante bourgeois convoqués. Bientôt, on se mit à écrire les bulletins, et le rusé Pigoult réussit à faire porter M. Mollot, le greffier du tribunal, et M. Godivet, le receveur de l'enregistrement. Ces deux nominations mécontentèrent nécessairement Fromaget, le pharmacien, et Marcellot, l'avoué.

« Vous avez servi, leur dit Achille Pigoult, à manifester notre indépendance, soyez plus fiers d'avoir été rejetés que vous ne le seriez d'avoir été choisis. »

On se mit à rire.

Simon Giguet fit régner le silence en demandant la parole au président, dont la chemise était déjà mouillée, et qui rassembla tout son courage pour dire : « La parole est à monsieur Simon Giguet[1].

— Messieurs, dit l'avocat, qu'il me soit permis de remercier monsieur Achille Pigoult qui, bien que notre réunion soit tout amicale...

— C'est la réunion préparatoire de la grande réunion préparatoire, dit l'avoué Marcellot.

— C'est ce que j'allais expliquer, reprit Simon. Je remercie avant tout monsieur Achille Pigoult, d'y avoir introduit la rigueur des formes parlementaires. Voici la première fois que l'arrondissement d'Arcis usera librement...

— Librement ?... dit Pigoult en interrompant l'orateur.

— Librement, cria l'assemblée.

— Librement, reprit Simon Giguet, de ses droits dans la grande bataille de l'élection générale de la Chambre des députés, et comme dans quelques jours nous aurons une réunion à laquelle assisteront tous les électeurs pour juger du mérite des candidats, nous devons nous estimer très heureux d'avoir pu nous habituer ici en petit comité aux usages de ces assemblées ; nous en serons plus forts pour décider de l'avenir politique de la ville d'Arcis, car il s'agit aujourd'hui de substituer une ville à une famille, le pays à un homme... »

Simon fit alors l'histoire des élections depuis vingt ans.

---

1. Le chapitre qui, dans l'originale, commençait ici s'intitulait moqueusement *Un premier orage parlementaire.*

Tout en approuvant la constante nomination de François Keller, il dit que le moment était venu de secouer le joug de la maison Gondreville. Arcis ne devait pas plus être un fief libéral qu'un fief des Cinq-Cygne. Il s'élevait en France, en ce moment, des opinions avancées que les Keller ne représentaient pas. Charles Keller, devenu vicomte, appartenait à la Cour, il n'aurait aucune indépendance, car en le présentant ici comme candidat, on pensait bien plus à faire de lui le successeur à la pairie de son père, que le successeur d'un député, etc. Enfin, Simon se présentait au choix de ses concitoyens en s'engageant à siéger auprès de l'illustre M. Odilon Barrot[1], et à ne jamais déserter le glorieux drapeau du Progrès !

Le Progrès, un de ces mots derrière lesquels on essayait alors de grouper beaucoup plus d'ambitions menteuses que d'idées, car, après 1830, il ne pouvait représenter que les prétentions de quelques démocrates affamés, ce mot faisait encore beaucoup d'effet dans Arcis et donnait de la consistance à qui l'inscrivait sur son drapeau. Se dire un homme de progrès, c'était se proclamer philosophe en toute chose, et puritain en politique. On se déclarait ainsi pour les chemins de fer, les mackintosh, les pénitenciers, le pavage en bois, l'indépendance des nègres, les caisses d'épargne, les souliers sans couture, l'éclairage au gaz, les trottoirs en asphalte, le vote universel, la réduction de la liste civile[2]. Enfin c'était se prononcer contre les traités de 1815, contre la branche aînée, contre le colosse du Nord[3], la perfide Albion, contre toutes les entreprises, bonnes ou mauvaises, du gouvernement. Comme on le voit, le mot progrès peut aussi bien signifier : Non ! que : Oui !... C'est le réchampissage du mot *libéralisme*, un nouveau mot d'ordre pour des ambitions nouvelles.

« Si j'ai bien compris ce que nous venons de faire ici, dit Jean Violette, un fabricant de bas qui avait acheté

---

1. Il était à la tête de la gauche dynastique, parti d'opposition qui, malgré son nom, était assez proche des républicains. **2.** Le mackintosh ou mac-intosh (manteau imperméable) ne figure pas encore dans le Boiste. À cette énumération s'ajoutaient dans le manuscrit les soupes populaires, comme celle sans doute du philanthrope Edme Champion, dit « l'homme au petit manteau », dont Balzac s'est souvent moqué. **3.** La Russie.

depuis deux ans la maison Beauvisage, il s'agit de nous engager tous à faire nommer, en usant de tous nos moyens, monsieur Simon Giguet aux élections comme député, à la place du comte François Keller ? Si chacun de nous entend se coaliser ainsi, nous n'avons qu'à dire tout bonnement oui ou non là-dessus ?...

— C'est aller trop promptement au fait ! Les affaires politiques ne marchent pas ainsi, car ce ne serait plus de la politique ! s'écria Pigoult, dont le grand-père âgé de quatre-vingt-six ans entra dans la salle. Le préopinant[1] décide ce qui, selon mes faibles lumières, me paraît devoir être l'objet de la discussion. Je demande la parole.

— La parole est à monsieur Achille Pigoult, dit Beauvisage, qui put prononcer enfin cette phrase avec sa dignité municipale et constitutionnelle.

— Messieurs, dit le petit notaire, s'il était une maison dans Arcis où l'on ne devait pas s'élever contre l'influence du comte de Gondreville et des Keller, ne devait-ce pas être celle-ci ?... Le digne colonel Giguet est le seul ici qui n'ait pas ressenti les effets du pouvoir sénatorial, car il n'a rien demandé certainement au comte de Gondreville, qui l'a fait rayer de la liste des proscrits de 1815, et lui a fait avoir la pension dont il jouit, sans que le vénérable colonel, notre gloire à tous, ait bougé... »

Un murmure, flatteur pour le vieillard, accueillit cette observation.

« Mais, reprit l'orateur, les Marion sont couverts des bienfaits du comte. Sans cette protection, le feu colonel Giguet n'eût jamais commandé la gendarmerie de l'Aube. Le feu comte Marion n'eût jamais présidé de cour impériale, sans l'appui du comte de qui je serai toujours l'obligé, moi !... Vous trouverez donc naturel que je sois son avocat dans cette enceinte !... Enfin, il est peu de personnes dans notre arrondissement qui n'ait reçu des bienfaits de cette famille... »

Il se fit une rumeur.

« Un candidat se met sur la sellette, et, reprit Achille avec feu, j'ai le droit d'interroger sa vie avant de l'investir

1. Le mot qui désigne l'orateur précédent appartient au vocabulaire parlementaire.

de mes pouvoirs. Or, je ne veux pas d'ingratitude chez mon mandataire, car l'ingratitude est comme le malheur, l'une attire l'autre. Nous avons été, dites-vous, le marchepied des Keller, eh bien ! ce que je viens d'entendre me fait craindre d'être le marchepied des Giguet. Nous sommes dans le siècle du positif[1], n'est-ce pas ? Eh bien ! examinons quels seront, pour l'arrondissement d'Arcis, les résultats de la nomination de Simon Giguet ? On vous parle d'indépendance ? Simon, que je maltraite comme candidat, est mon ami, comme il est celui de tous ceux qui m'écoutent, et je serai personnellement charmé de le voir devenir un orateur de la gauche, se placer entre Garnier-Pagès et Laffitte[2] ; mais qu'en reviendra-t-il à l'arrondissement ?... L'arrondissement aura perdu l'appui du comte de Gondreville et celui des Keller... Nous avons tous besoin de l'un et des autres dans une période de cinq ans. On va voir la maréchale de Carigliano, pour obtenir la réforme d'un gaillard dont le numéro est mauvais[3]. On a recours au crédit des Keller dans bien des affaires qui se décident sur leur recommandation. On a toujours trouvé le vieux comte de Gondreville tout prêt à nous rendre service. Il suffit d'être d'Arcis pour entrer chez lui sans faire antichambre. Ces trois familles connaissent toutes les familles d'Arcis... Où est la caisse de la maison Giguet, et quelle sera son influence dans les ministères ?... De quel crédit jouira-t-elle sur la place de Paris ?... S'il faut faire reconstruire en pierre notre méchant pont de bois[4], obtiendra-t-elle du Département et de l'État les fonds nécessaires ?... En nommant Charles Keller, nous continuons un pacte d'alliance et d'amitié qui jusqu'aujourd'hui ne nous a donné que des bénéfices. En nommant mon bon et excellent camarade de collège, mon digne ami Simon Giguet, nous réaliserons des pertes, jusqu'au jour où il sera ministre ! Je connais assez sa modestie pour croire qu'il ne me démentira pas si je doute

---

1. Maître mot du temps et dont Balzac s'est souvent moqué. **2.** Le premier représente la gauche républicaine, le second la gauche constitutionnelle. **3.** Au tirage au sort pour la conscription. **4.** Le pont de pierre avait été détruit au cours de la campagne de France, en 1814.

de sa nomination à ce poste !... (Rires.) Je suis venu dans cette réunion pour m'opposer à un acte que je regarde comme fatal à notre arrondissement. Charles Keller appartient à la Cour ! me dira-t-on. Eh ! tant mieux ! nous n'aurons pas à payer les frais de son apprentissage politique, il sait les affaires du pays, il connaît les nécessités parlementaires, il est plus près d'être homme d'État que mon ami Simon, qui n'a pas la prétention de s'être fait Pitt ou Talleyrand, dans notre pauvre petite ville d'Arcis...

— Danton en est sorti !... cria le colonel Giguet furieux de cette improvisation pleine de justesse.

— Bravo !... »

Ce mot fut une acclamation, soixante personnes battirent des mains.

« Mon père a bien de l'esprit, dit tout bas Simon Giguet à Beauvisage.

— Je ne comprends pas qu'à propos d'une élection, dit le vieux colonel à qui le sang bouillait dans le visage et qui se leva soudain, on tiraille les liens qui nous unissent au comte de Gondreville. Mon fils tient sa fortune de sa mère, il n'a rien demandé au comte de Gondreville. Le comte n'aurait pas existé, que Simon serait ce qu'il est : fils d'un colonel d'artillerie qui doit ses grades à ses services, un avocat dont les opinions n'ont pas varié. Je dirais tout haut au comte de Gondreville et en face de lui : "Nous avons nommé votre gendre pendant vingt ans, aujourd'hui nous voulons faire voir qu'en le nommant nous agissions volontairement, et nous prenons un homme d'Arcis, afin de montrer que le vieil esprit de 1789, à qui vous avez dû votre fortune, vit toujours dans la patrie des Danton, des Malin, des Grévin, des Pigoult, des Marion !..." Et voilà ! »

Et le vieillard s'assit. Il se fit alors un grand brouhaha. Achille ouvrit la bouche pour répliquer. Beauvisage, qui ne se serait pas cru président s'il n'avait pas agité sa sonnette, augmenta le tapage en réclamant le silence. Il était alors deux heures.

« Je prends la liberté de faire observer à l'honorable colonel Giguet, dont les sentiments sont faciles à comprendre, qu'il a pris de lui-même la parole, et c'est contre les usages parlementaires, dit Achille Pigoult.

— Je ne crois pas nécessaire de rappeler à l'ordre le colonel..., dit Beauvisage. Il est père... »

Le silence se rétablit.

« Nous ne sommes pas venus ici, s'écria Fromaget, pour dire *Amen* à tout ce que voudraient messieurs Giguet, père et fils...

— Non ! non ! » cria l'assemblée.

« Ça va mal ! » dit Mme Marion à sa cuisinière.

« Messieurs, reprit Achille, je me borne à demander catégoriquement à mon ami Simon Giguet ce qu'il compte faire pour nos intérêts !...

— Oui ! oui !

— Depuis quand, dit Simon Giguet, de bons citoyens comme ceux d'Arcis voudraient-ils faire métier et marchandise de la sainte mission du député ?... »

On ne se figure pas l'effet que produisent les beaux sentiments sur les hommes réunis. On applaudit aux grandes maximes, et l'on n'en vote pas moins l'abaissement de son pays, comme le forçat qui souhaite la punition de Robert Macaire en voyant jouer la pièce n'en va pas moins assassiner un M. Germeuil[1] quelconque.

« Bravo ! crièrent quelques électeurs Giguet-pur-sang.

— Vous m'enverriez à la Chambre, si vous m'y envoyiez, pour y représenter des principes, les principes de 1789 ! pour être un des chiffres, si vous voulez, de l'opposition, mais pour voter avec elle, éclairer le gouvernement, faire la guerre aux abus, et réclamer le progrès en tout...

— Qu'appelez-vous progrès ? Pour nous, le progrès serait de mettre la Champagne pouilleuse en culture, dit Fromaget.

— Le progrès ! je vais vous l'expliquer comme je l'entends, cria Giguet exaspéré par l'interruption.

— C'est les frontières du Rhin pour la France ! dit le colonel, et les traités de 1815 déchirés !

— C'est de vendre toujours le blé fort cher et de laisser toujours le pain à bon marché, cria railleusement

1. La victime de Robert Macaire dans *L'Auberge des Adrets*, mélodrame dans lequel Frédérick Lemaître s'était fait une énorme réputation.

Achille Pigoult qui, croyant faire une plaisanterie, exprimait un des non-sens qui règnent en France.

— C'est le bonheur de tous obtenu par le triomphe des doctrinaires humanitaires...

— Qu'est-ce que je disais ?... demanda le fin notaire à ses voisins.

— Chut ! silence ! Écoutons ! dirent quelques curieux.

— Messieurs, dit le gros Mollot en souriant, le débat s'élève, donnez votre attention à l'orateur, laissez-le s'expliquer...

— À toutes les époques de transition, messieurs, reprit gravement Simon Giguet, et nous sommes à l'une de ces époques...

— Bèèèè... bèèèè... » fit un ami d'Achille Pigoult qui possédait les facultés (sublimes en matière d'élection) du ventriloque.

Un fou rire général s'empara de cette assemblée, champenoise avant tout. Simon Giguet se croisa les bras et attendit que cet orage de rires fût passé.

« Si l'on a prétendu me donner une leçon, reprit-il, et me dire que je suis le troupeau des glorieux défenseurs des droits de l'humanité qui lancent cri sur cri, livre sur livre, du prêtre immortel[1] qui plaide pour la Pologne expirée, du courageux pamphlétaire[2], le surveillant de la liste civile, des philosophes qui réclament la sincérité dans le jeu de nos institutions, je remercie mon interrupteur inconnu ! Pour moi, le progrès, c'est la réalisation de tout ce qui nous fut promis à la révolution de Juillet, c'est la réforme électorale, c'est...

— Vous êtes démocrate, alors ! dit Achille Pigoult.

— Non, reprit le candidat. Est-ce être démocrate que de vouloir le développement régulier, légal de nos institutions ? Pour moi, le progrès, c'est la fraternité rétablie entre les membres de la grande famille française, et nous

---

1. Lamennais (1782-1854). Après avoir prôné la soumission du pouvoir temporel au pouvoir spirituel, il se fit le défenseur d'un humanitarisme démocratique. **2.** Louis de Cormenin. Député et publiciste dont les trois *Lettres sur la liste civile* (1832) avaient eu vingt rééditions, et dont la *Lettre sur l'apanage* était sans doute pour quelque chose dans la chute de Molé en 1839.

ne pouvons pas nous dissimuler que beaucoup de souffrances... »

À trois heures, Simon Giguet expliquait encore le progrès, et quelques-uns des assistants faisaient entendre des ronflements réguliers qui dénotaient un profond sommeil. Le malicieux Achille Pigoult avait engagé tout le monde à religieusement écouter l'orateur qui se noyait dans ses phrases et périphrases.

En ce moment, plusieurs groupes de bourgeois, électeurs ou non, stationnaient devant le château d'Arcis, dont la grille donne sur la place, et en retour de laquelle se trouve la porte de la maison Marion.

Cette place est un terrain auquel aboutissent plusieurs routes et plusieurs rues. Il s'y trouve un marché couvert ; puis, en face du château, de l'autre côté de la place qui n'est ni pavée, ni macadamisée, et où la pluie dessine de petites ravines, s'étend une magnifique promenade appelée avenue des Soupirs. Est-ce à l'honneur ou au blâme des femmes de la ville ? Cette amphibologie est sans doute un trait d'esprit du pays. Deux belles contre-allées plantées de vieux tilleuls très touffus mènent de la place à un boulevard circulaire, qui forme une autre promenade délaissée comme toutes les promenades de province, où l'on aperçoit beaucoup plus d'immondices tranquilles que de promeneurs agités comme ceux de Paris.

Au plus fort de la discussion qu'Achille Pigoult dramatisait avec un sang-froid et un courage dignes d'un orateur du vrai Parlement, quatre personnages se promenaient de front sous les tilleuls d'une des contre-allées de l'avenue des Soupirs. Quand ils arrivaient à la place, ils s'arrêtaient d'un commun accord, et regardaient les habitants d'Arcis qui bourdonnaient devant le château, comme des abeilles rentrant le soir à leur ruche.

Ces quatre promeneurs étaient tout le parti ministériel d'Arcis : le sous-préfet, le procureur du Roi, son substitut, et M. Martener le juge d'instruction. Le président du tribunal est, comme on le sait déjà, partisan de la branche aînée et le dévoué serviteur de la maison de Cinq-Cygne.

« Non, je ne conçois pas le gouvernement, répéta le sous-préfet en montrant les groupes qui épaississaient. En de si graves conjonctures, on me laisse sans instructions !...

— Vous ressemblez en ceci à beaucoup de monde ! répondit Olivier Vinet en souriant.

— Qu'avez-vous à reprocher au gouvernement ? demanda le procureur du Roi.

— Le ministère est fort embarrassé, reprit le jeune Martener ; il sait que cet arrondissement appartient en quelque sorte aux Keller, et il se gardera bien de les contrarier. On a des ménagements à garder avec le seul homme comparable à M. de Talleyrand. Ce n'est pas au préfet que vous deviez envoyer le commissaire de police, mais au comte de Gondreville.

— En attendant, dit Frédéric Marest, l'opposition se remue, et vous voyez quelle est l'influence du colonel Giguet. Notre maire, M. Beauvisage, préside cette réunion préparatoire...

— Après tout, dit sournoisement Olivier Vinet au sous-préfet, Simon Giguet est votre ami, votre camarade de collège, il sera du parti de M. Thiers, et vous ne risquez rien à favoriser sa nomination.

— Avant de tomber, le ministère actuel peut me destituer. Si nous savons quand on nous destitue, nous ne savons jamais quand on nous renomme, dit Antonin Goulard.

— Collinet, l'épicier !... voilà le soixante-septième électeur entré chez le colonel Giguet, dit M. Martener qui faisait son métier de juge d'instruction en comptant les électeurs.

— Si Charles Keller est le candidat du ministère, reprit Antonin Goulard, on aurait dû me le dire, et ne pas donner le temps à Simon Giguet de s'emparer des esprits ! »

Ces quatre personnages arrivèrent en marchant lentement jusqu'à l'endroit où cesse le boulevard, et où il devient la place publique.

« Voilà M. Groslier ! » dit le juge en apercevant un homme à cheval.

Ce cavalier était le commissaire de police ; il aperçut le gouvernement d'Arcis, réuni sur la voie publique, et se dirigea vers les quatre magistrats.

« Eh bien ! monsieur Groslier ?... fit le sous-préfet en

allant causer avec le commissaire à quelques pas de distance des trois magistrats.

— Monsieur, dit le commissaire de police à voix basse, monsieur le préfet m'a chargé de vous apprendre une triste nouvelle, M. le vicomte Charles Keller est mort. La nouvelle est arrivée avant-hier à Paris par le télégraphe, et les deux MM. Keller, M. le comte de Gondreville, la maréchale de Carigliano, enfin toute la famille est depuis hier à Gondreville. Abd-el-Kader a repris l'offensive en Afrique[1], et la guerre s'y fait avec acharnement. Ce pauvre jeune homme a été l'une des premières victimes des hostilités. Vous recevrez, ici même, m'a dit monsieur le préfet, relativement à l'élection, des instructions confidentielles...

— Par qui ?... demanda le sous-préfet.

— Si je le savais, ce ne serait plus confidentiel, répondit le commissaire. Monsieur le préfet lui-même ne sait rien. Ce sera, m'a-t-il dit, un secret entre vous et le ministre. »

Et il continua son chemin après avoir vu l'heureux sous-préfet mettant un doigt sur les lèvres pour lui recommander le silence.

« Eh bien ! quelle nouvelle de la préfecture ?... dit le procureur du Roi quand Antonin Goulard revint vers le groupe formé par les trois fonctionnaires.

— Rien de bien satisfaisant », répondit d'un air mystérieux Antonin qui marcha lestement comme s'il voulait quitter les magistrats.

En allant vers le milieu de la place assez silencieusement, car les trois magistrats furent comme piqués de la vitesse affectée par le sous-préfet, M. Martener aperçut la vieille Mme Beauvisage, la mère de Philéas, entourée par presque tous les bourgeois de la place, auxquels elle paraissait faire un récit. Un avoué, nommé Sinot, qui avait la clientèle des royalistes de l'arrondissement d'Arcis, et qui s'était abstenu d'aller à la réunion Giguet, se détacha du groupe et courut vers la porte de la maison Marion en sonnant avec force.

---

1. C'est seulement en novembre 1839 qu'Abd el-Kader se jeta sur la Mitidja.

« Qu'y a-t-il ? dit Frédéric Marest en laissant tomber son lorgnon et instruisant le sous-préfet et le juge de cette circonstance.

— Il y a, messieurs, répondit Antonin Goulard, que Charles Keller a été tué en Afrique, et que cet événement donne les plus belles chances à Simon Giguet ! Vous connaissez Arcis, il ne pouvait y avoir d'autre candidat ministériel que Charles Keller. Tout autre rencontrera contre lui le patriotisme de clocher...

— Un pareil imbécile serait nommé ?... » dit Olivier Vinet en riant.

Le substitut, âgé d'environ vingt-trois ans, en sa qualité de fils aîné d'un des plus fameux procureurs généraux dont l'arrivée au pouvoir date de la révolution de Juillet, avait dû naturellement à l'influence de son père d'entrer dans la magistrature du parquet. Ce procureur général, toujours nommé député par la ville de Provins, est un des arcs-boutants du centre à la Chambre. Aussi le fils, dont la mère est une demoiselle de Chargebœuf[1], avait-il une assurance, dans ses fonctions et dans son allure, qui révélait le crédit du père. Il exprimait ses opinions sur les hommes et sur les choses, sans trop se gêner ; car il espérait ne pas rester longtemps dans la ville d'Arcis, et passer procureur du Roi à Versailles, infaillible marchepied d'un poste à Paris. L'air dégagé de ce petit Vinet, l'espèce de fatuité judiciaire que lui donnait la certitude de faire son chemin, gênaient d'autant plus Frédéric Marest que l'esprit le plus mordant appuyait les prétentions du subordonné. Le procureur du Roi, homme de quarante ans qui, sous la Restauration, avait mis six ans à devenir premier substitut, et que la révolution de Juillet oubliait au parquet d'Arcis, quoiqu'il eût dix-huit mille francs de rentes, se trouvait perpétuellement pris entre le désir de se concilier les bonnes grâces d'un procureur général susceptible d'être garde des Sceaux tout comme tant d'avocats-députés, et la nécessité de garder sa dignité.

Olivier Vinet, mince et fluet, blond, à la figure fade, relevée par deux yeux verts pleins de malice, était de ces jeunes gens railleurs, portés au plaisir, qui savent reprendre l'air

1. Sur la carrière et le mariage de Vinet, voir *Pierrette*.

gourmé, rogue et pédant dont s'arment les magistrats une fois sur leur siège. Le grand, gros, épais et grave procureur du Roi venait d'inventer depuis quelques jours un système au moyen duquel il se tirait d'affaires avec le désespérant Vinet, il le traitait comme un père traite un enfant gâté.

« Olivier, répondit-il à son substitut en lui frappant sur l'épaule, un homme qui a autant de portée que vous doit penser que Me Giguet peut devenir député. Vous eussiez dit votre mot tout aussi bien devant des gens d'Arcis qu'entre amis.

— Il y a quelque chose contre Giguet », dit alors M. Martener.

Ce bon jeune homme, assez lourd, mais plein de capacité, fils d'un médecin de Provins, devait sa place au procureur général Vinet, qui fut pendant longtemps avocat à Provins et qui protégeait les gens de Provins, comme le comte de Gondreville protégeait ceux d'Arcis. (Voir *Pierrette*.)

« Quoi ? fit Antonin.

— Le patriotisme de clocher est terrible contre un homme qu'on impose à des électeurs, reprit le juge ; mais quand il s'agira pour les bonnes gens d'Arcis d'élever un de leurs égaux, la jalousie, l'envie seront plus fortes que le patriotisme.

— C'est bien simple, dit le procureur du Roi, mais c'est bien vrai... Si vous pouvez réunir cinquante voix ministérielles, vous vous trouverez vraisemblablement le maître des élections ici, ajouta-t-il en regardant Antonin Goulard.

— Il suffit d'opposer un candidat du même genre à Simon Giguet », dit Olivier Vinet.

Le sous-préfet laissa percer sur sa figure un mouvement de satisfaction qui ne pouvait échapper à aucun de ses trois compagnons, avec lesquels il s'entendait d'ailleurs très bien. Garçons tous les quatre, tous assez riches, ils avaient formé, sans aucune préméditation, une alliance pour échapper aux ennuis de la province. Les trois fonctionnaires avaient d'ailleurs remarqué déjà l'espèce de jalousie que Giguet inspirait à Goulard, et qu'une notice sur leurs antécédents fera comprendre.

Fils d'un ancien piqueur de la maison de Simeuse, enrichi par un achat de biens nationaux[1], Antonin Goulard était, comme Simon Giguet, un enfant d'Arcis. Le vieux Goulard son père quitta l'abbaye du Valpreux (corruption du Val-des-Preux), pour habiter Arcis après la mort de sa femme, et il envoya son fils Antonin au lycée impérial, où le colonel Giguet avait déjà mis son fils Simon. Les deux compatriotes, après s'être trouvés camarades de collège, firent à Paris leur droit ensemble, et leur amitié s'y continua dans les amusements de la jeunesse. Ils se promirent de s'aider les uns les autres à parvenir en se trouvant tous deux dans des carrières différentes. Mais le sort voulut qu'ils devinssent rivaux. Malgré ses avantages assez positifs, malgré la croix de la Légion d'honneur que le comte de Gondreville, à défaut d'avancement, avait fait obtenir à Goulard et qui fleurissait sa boutonnière, l'offre de son cœur et de sa position fut honnêtement rejetée, quand, six mois avant le jour où cette histoire commence, Antonin s'était présenté lui-même secrètement à Mme Beauvisage.

Aucune démarche de ce genre n'est secrète en province. Le procureur du Roi, Frédéric Marest, dont la fortune, la boutonnière, la position étaient égales à celles d'Antonin Goulard, avait essuyé, trois ans auparavant, un refus motivé sur la différence des âges.

Aussi le sous-préfet et le procureur du Roi se renfermaient-ils dans les bornes d'une exacte politesse avec les Beauvisage, et se moquaient d'eux en petit comité. Tous deux en se promenant, ils venaient de deviner et de se communiquer le secret de la candidature de Simon Giguet ; car ils avaient compris, la veille, les espérances de Mme Marion. Possédés l'un et l'autre du sentiment qui anime *le chien du jardinier*[2], ils étaient pleins d'une secrète bonne volonté pour empêcher l'avocat d'épouser la riche héritière dont la main leur avait été refusée.

« Dieu veuille que je sois le maître des élections, reprit

---

1. Voir *Une ténébreuse affaire*. **2.** Titre d'une pièce de Lope de Vega (1562-1635) qui illustre le proverbe espagnol : le chien du jardinier ne mange pas le chou, mais il refuse de le laisser manger par d'autres.

le sous-préfet, et que le comte de Gondreville me fasse nommer préfet, car je n'ai pas plus envie que vous de rester ici, quoique je sois d'Arcis.

— Vous avez une belle occasion de vous faire nommer député, mon chef ! dit Olivier Vinet à Marest. Venez voir mon père, qui sans doute arrivera dans quelques heures à Provins, et nous lui demanderons de vous faire prendre pour candidat ministériel...

— Restez ici, reprit Antonin, le ministère a des vues sur la candidature d'Arcis...

— Ah ! bah ? Mais il y a deux ministères, celui qui croit faire les élections et celui qui croit en profiter, dit Vinet.

— Ne compliquons pas les embarras d'Antonin », répondit Frédéric Marest en faisant un clignement d'yeux à son substitut.

Les quatre magistrats, alors arrivés bien au-delà de l'avenue des Soupirs, sur la place, s'avancèrent jusque devant l'auberge du *Mulet*, en voyant venir Poupart qui sortait de chez Mme Marion. En ce moment, la porte cochère de la maison vomissait les soixante-sept conspirateurs.

« Vous êtes donc allé dans cette maison, lui dit Antonin Goulard en lui montrant les murs du jardin Marion qui bordent la route de Brienne en face des écuries du *Mulet.*

— Je n'y retournerai plus, monsieur le sous-préfet, répondit l'aubergiste, le fils de M. Keller est mort, je n'ai plus rien à faire, Dieu s'est chargé de faire la place nette...

— Eh bien ! Pigoult ?... fit Olivier Vinet en voyant venir toute l'opposition de l'assemblée Marion.

— Eh bien ! répondit le notaire sur le front de qui la sueur non séchée témoignait de ses efforts, Sinot est venu nous apprendre une nouvelle qui les a mis tous d'accord ! À l'exception de cinq dissidents : Poupart, mon grand-père, Mollot, Sinot et moi, tous ont juré, comme au jeu de paume, d'employer leurs moyens au triomphe de Simon Giguet, de qui je me suis fait un ennemi mortel. Oh ! nous nous étions bien échauffés. J'ai toujours amené les Giguet à fulminer contre les Gondreville. Ainsi le vieux comte sera de mon côté. Pas plus tard que demain, il saura tout ce que les soi-disant patriotes d'Arcis ont dit de lui, de sa corruption, de ses infamies, pour se soustraire à sa protection, ou, selon eux, à son joug.

— Ils sont unanimes, dit en souriant Olivier Vinet.

— Aujourd'hui, répondit M. Martener.

— Oh ! s'écria Pigoult, le sentiment général des électeurs est de nommer un homme du pays. Qui voulez-vous opposer à Simon Giguet ! un homme qui vient de passer deux heures à expliquer le mot *progrès !*...

— Nous trouverons le vieux Grévin, s'écria le sous-préfet.

— Il est sans ambition, répondit Pigoult ; mais il faut avant tout consulter M. le comte de Gondreville. Tenez, voyez avec quels soins Simon reconduit cette ganache dorée de Beauvisage », dit-il en montrant l'avocat qui tenait le maire par le bras et lui parlait à l'oreille.

Beauvisage saluait à droite et à gauche tous les habitants qui le regardaient avec la déférence que les gens de province témoignent à l'homme le plus riche de leur ville.

« Il le soigne comme père et maire ! répliqua Vinet.

— Oh ! il aura beau le papelarder[1], répondit Pigoult qui saisit la pensée cachée dans le calembour du substitut, la main de Cécile ne dépend ni du père, ni de la mère.

— Et de qui donc ?...

— De mon ancien patron. Simon serait nommé député d'Arcis, il n'aurait pas ville gagnée... »

Quoi que le sous-préfet et Frédéric Marest pussent dire à Pigoult, il refusa d'expliquer cette exclamation qui leur avait justement paru grosse d'événements, et qui révélait une certaine connaissance des projets de la famille Beauvisage.

Tout Arcis était en mouvement, non seulement à cause de la fatale nouvelle qui venait d'atteindre la famille Gondreville, mais encore à cause de la grande résolution prise chez les Giguet où, dans ce moment, les trois domestiques et Mme Marion travaillaient à tout remettre en état, pour pouvoir recevoir pendant la soirée leurs habitués, que la curiosité devait attirer au grand complet.

---

1. *Faire l'hypocrite.*

La Champagne[1] a l'apparence d'un pays pauvre et n'est qu'un pauvre pays. Son aspect est généralement triste, la campagne y est plate. Si vous traversez les villages et même les villes, vous n'apercevez que de méchantes constructions en bois ou en pisé ; les plus luxueuses sont en briques. La pierre y est à peine employée pour les établissements publics. Aussi le château, le Palais de Justice d'Arcis, l'église, sont-ils les seuls édifices bâtis en pierre. Néanmoins la Champagne, ou si vous voulez, les départements de l'Aube, de la Marne et de la Haute-Marne, déjà richement dotés de ces vignobles dont la renommée est universelle, sont encore pleins d'industries florissantes.

Sans parler des manufactures de Reims, presque toute la bonneterie de France, commerce considérable, se fabrique autour de Troyes. La campagne, dans un rayon de dix lieues, est couverte d'ouvriers dont les métiers s'aperçoivent par les portes ouvertes quand on passe dans les villages[2]. Ces ouvriers correspondent à des facteurs, lesquels aboutissent à un spéculateur appelé fabricant. Ce fabricant traite avec des maisons de Paris ou souvent avec de simples bonnetiers au détail qui, les uns et les autres, ont une enseigne où se lisent ces mots : *Fabrique de bonneteries*. Ni les uns ni les autres ne font un bas, ni un bonnet, ni une chaussette. La bonneterie vient de la Champagne en grande partie, car[3] il existe à Paris des ouvriers qui rivalisent avec les Champenois. Cet intermédiaire entre le producteur et le consommateur n'est pas une plaie particulière à la bonneterie. Il existe dans la plupart des commerces, et renchérit la marchandise de tout le bénéfice exigé par l'entrepositaire. Abattre ces cloisons coûteuses qui nuisent à la vente des produits, serait une entreprise grandiose qui, par ses résultats, arriverait à la hauteur d'une œuvre politique. En effet, l'industrie tout entière y gagnerait, en établissant à l'intérieur ce bon marché si nécessaire à l'extérieur pour soutenir

---

1. Ici commençait dans l'originale le chapitre intitulé *La Campagne de 1814 au point de vue de la bonneterie.* **2.** On lit dans le manuscrit : ces ouvriers et ouvrières qui occupaient les taudis et les chaumières champenoises. **3.** On attendrait *quoique*.

victorieusement la guerre industrielle avec l'étranger ; bataille tout aussi meurtrière que celle des armes.

Mais la destruction d'un abus de ce genre ne rapporterait pas aux philanthropes modernes la gloire et les avantages d'une polémique soutenue pour les noix creuses de la négrophilie[1] ou du système pénitentiaire ; aussi le commerce interlope *de ces banquiers de marchandises* continuera-t-il à peser pendant longtemps et sur la production et sur la consommation. En France, dans ce pays si spirituel, il semble que simplifier, ce soit détruire. La révolution de 1789 y fait encore peur.

On voit, par l'énergie industrielle que déploie un pays pour qui la nature est marâtre, quels progrès y ferait l'agriculture si l'argent consentait à commanditer le sol, qui n'est pas plus ingrat dans la Champagne qu'il ne l'est en Écosse, où les capitaux ont produit des merveilles. Aussi le jour où l'agriculture aura vaincu les portions infertiles de ces départements, quand l'industrie aura semé quelques capitaux sur la craie champenoise, la prospérité triplera-t-elle. En effet le pays est sans luxe, les habitations y sont dénuées[2] ; le *comfort* des Anglais y pénétrera, l'argent y prendra cette rapide circulation qui est la moitié de la richesse, et qui commence dans beaucoup de contrées inertes de la France.

Les écrivains, les administrateurs, l'Église du haut de ses chaires, la Presse du haut de ses colonnes, tous ceux à qui le hasard donne le pouvoir d'influer sur les masses, doivent le dire et le redire : thésauriser est un crime social. L'économie inintelligente de la province arrête la vie du corps industriel et gêne la santé de la nation.

Ainsi, la petite ville d'Arcis, sans transit, sans passage, en apparence vouée à l'immobilité sociale la plus complète, est, relativement, une ville riche et pleine de capitaux lentement amassés dans l'industrie de la bonneterie.

M. Philéas Beauvisage était l'Alexandre, ou, si vous

---

1. À défaut de *négrophilie*, *négrophile* figure dans Boiste ; contemporain de Schoelcher qui œuvrait pour l'abolition de l'esclavage.
2. Adjectif rarement employé absolument, il est dans Littré avec cet exemple tiré du *Député d'Arcis*.

voulez, l'Attila de cette partie. Voici comment cet honorable industriel avait conquis sa suprématie sur le coton.

Resté le seul enfant des Beauvisage, anciens fermiers de la magnifique ferme de Bellache, dépendant de la terre de Gondreville[1], ses parents firent, en 1811, un sacrifice pour le sauver de la conscription, en achetant un homme. Depuis, la mère Beauvisage, devenue veuve, avait, en 1813, encore soustrait son fils unique à l'enrôlement des Gardes d'honneur, grâce au crédit du comte de Gondreville. En 1813, Philéas, âgé de vingt-un ans, s'était déjà voué depuis trois ans au commerce pacifique de la bonneterie. En se trouvant alors à la fin du bail de Bellache, la vieille fermière refusa de le continuer. Elle se voyait en effet assez d'ouvrage pour ses vieux jours à faire valoir ses biens. Pour que rien ne troublât sa vieillesse, elle voulut procéder chez M. Grévin, le notaire d'Arcis, à la liquidation de la succession de son mari, quoique son fils ne lui demandât aucun compte ; il en résulta qu'elle lui devait cent cinquante mille francs environ. La bonne femme ne vendit point ses terres, dont la plus grande partie provenait du malheureux Michu, l'ancien régisseur de la maison de Simeuse, elle remit la somme en argent à son fils, en l'engageant à traiter de la maison de son patron, le fils du vieux juge de paix, dont les affaires étaient devenues si mauvaises, qu'on suspecta, comme on l'a dit déjà, sa mort d'avoir été volontaire. Philéas Beauvisage, garçon sage et plein de respect pour sa mère, eut bientôt conclu l'affaire avec son patron ; et comme il tenait de ses parents la bosse que les phrénologistes appellent l'*acquisivité*, son ardeur de jeunesse se porta sur ce commerce qui lui parut magnifique et qu'il voulut agrandir par la spéculation. Ce prénom de Philéas, qui peut paraître extraordinaire, est une des mille bizarreries dues à la Révolution. Attachés à la famille Simeuse, et conséquemment bons catholiques, les Beauvisage avaient voulu faire baptiser leur enfant. Le curé de Cinq-Cygne, l'abbé Goujet, consulté par les fermiers, leur conseilla de donner à leur fils Philéas pour patron, un saint dont le nom grec satisferait la Municipalité ; car cet enfant naquit

---

1. Voir *Une ténébreuse affaire.*

à une époque où les enfants s'inscrivaient à l'état civil sous les noms bizarres du calendrier républicain.

En 1814, la bonneterie, commerce peu chanceux en temps ordinaires, était soumise à toutes les variations des prix du coton. Le prix du coton dépendait du triomphe ou de la défaite de l'empereur Napoléon dont les adversaires, les généraux anglais, disaient en Espagne : « La ville est prise, faites avancer les ballots... »

Pigoult, l'ex-patron du jeune Philéas, fournissait la matière première à ses ouvriers dans les campagnes. Au moment où il vendit sa maison de commerce au fils Beauvisage, il possédait une forte partie de cotons achetés en pleine hausse, tandis que de Lisbonne, on en introduisait des masses dans l'Empire à six sous le kilogramme, en vertu du fameux décret[1] de l'Empereur. La réaction produite en France par l'introduction de ces cotons causa la mort de Pigoult, le père d'Achille, et commença la fortune de Philéas qui, loin de perdre la tête comme son patron, se fit un prix moyen en achetant du coton à bon marché, en quantité double de celle acquise par son prédécesseur. Cette idée si simple permit à Philéas de tripler la fabrication, de se poser en bienfaiteur des ouvriers, et il put verser ses bonneteries dans Paris et en France, avec des bénéfices, quand les plus heureux vendaient à prix coûtant.

Au commencement de 1814, Philéas avait vidé ses magasins. La perspective d'une guerre sur le territoire, et dont les malheurs devaient peser principalement sur la Champagne, le rendit prudent ; il ne fit rien fabriquer, et se tint prêt à tout événement avec ses capitaux réalisés en or.

À cette époque, les lignes de douanes étaient enfoncées. Napoléon n'avait pu se passer de ses trente mille douaniers pour sa lutte sur le territoire. Le coton introduit par mille trous faits à la haie de nos frontières se glissait sur tous les marchés de la France. On ne se figure pas combien le coton fut fin et alerte à cette époque ! ni avec

---

1. Le décret du 21 novembre 1806, dit de Berlin, qui déclarait les îles Britanniques en état de blocus, interdisant tout commerce avec elles.

quelle avidité les Anglais s'emparèrent d'un pays où les bas de coton valaient six francs, et où les chemises en percale étaient un objet de luxe ! Les fabricants du second ordre, les principaux ouvriers, comptant sur le génie de Napoléon, avaient acheté les cotons venus d'Espagne. Ils travaillèrent dans l'espoir de faire la loi, plus tard, aux négociants de Paris. Philéas observa ces faits. Puis quand la guerre ravagea la Champagne, il se tint entre l'armée française et Paris. À chaque bataille perdue, il se présentait chez les ouvriers qui avaient enterré leurs produits dans des futailles, les silos de la bonneterie ; puis, l'or à la main, ce cosaque des bas achetait au-dessous du prix de fabrication, de village en village, les tonneaux de marchandises qui pouvaient du jour au lendemain devenir la proie d'un ennemi dont les pieds avaient autant besoin d'être chaussés que le gosier d'être humecté.

Philéas déploya dans ces circonstances malheureuses une activité presque égale à celle de l'Empereur. Ce général du tricot fit commercialement la campagne de 1814 avec un courage ignoré. À une lieue en arrière, là où le général se portait à une lieue en avant, il accaparait des bonnets et des bas de coton dans son succès, là où l'Empereur recueillait dans ses revers des palmes immortelles. Le génie fut égal de part et d'autre, quoiqu'il s'exerçât dans des sphères différentes et que l'un pensât à couvrir les têtes en aussi grand nombre que l'autre en faisait tomber. Obligé de se créer des moyens de transport pour sauver ses tonnes de bonneterie qu'il emmagasina dans un faubourg de Paris, Philéas mit souvent en réquisition des chevaux et des fourgons, comme s'il s'agissait du salut de l'Empire. Mais la majesté du commerce ne valait-elle pas celle de Napoléon ? Les marchands anglais, après avoir soldé l'Europe, n'avaient-ils pas raison du colosse qui menaçait leurs boutiques ?... Au moment où l'Empereur abdiquait à Fontainebleau, Philéas triomphant se trouvait maître de l'article. Il soutint, par suite de ses habiles manœuvres, la dépréciation des cotons, et doubla sa fortune au moment où les plus heureux fabricants étaient ceux qui se défaisaient de leurs marchandises à cinquante pour cent de perte. Il revint à Arcis, riche de trois cent mille francs, dont la moitié placée sur le Grand

Livre à soixante francs lui produisit quinze mille livres de rentes[1]. Cent mille francs furent destinés à doubler le capital nécessaire à son commerce. Il employa le reste à bâtir, meubler, orner une belle maison sur la place du Pont, à Arcis.

Au retour du bonnetier triomphant, M. Grévin fut naturellement son confident. Le notaire avait alors à marier une fille unique, âgée de vingt ans. Le beau-père de Grévin, qui fut pendant quarante ans médecin d'Arcis, n'était pas encore mort. Grévin, déjà veuf, connaissait la fortune de la mère Beauvisage. Il crut à l'énergie, à la capacité d'un jeune homme assez hardi pour avoir ainsi fait la campagne de 1814. Séverine Grévin avait en dot la fortune de sa mère, soixante mille francs. Que pouvait laisser le vieux bonhomme Varlet à Séverine, tout au plus une pareille somme ! Grévin était alors âgé de cinquante ans, il craignait de mourir, il ne voyait plus jour, sous la Restauration, à marier sa fille à son goût ; car, pour elle, il avait de l'ambition. Dans ces circonstances, il eut la finesse de se faire demander sa fille en mariage par Philéas.

Séverine Grévin, jeune personne bien élevée, belle, passait alors pour être un des bons partis d'Arcis. D'ailleurs, une alliance avec l'ami le plus intime du sénateur, comte de Gondreville, maintenu pair de France, ne pouvait qu'honorer le fils d'un fermier de Gondreville, la veuve Beauvisage eût fait un sacrifice pour l'obtenir ; mais en apprenant les succès de son fils, elle se dispensa de lui donner une dot, sage réserve qui fut imitée par le notaire. Ainsi fut consommée l'union du fils d'un fermier, jadis si fidèle aux Simeuse, avec la fille d'un de leurs plus cruels ennemis. C'est peut-être la seule application qui se fit du mot de Louis XVIII : Union et oubli.

Au second retour des Bourbons, le vieux médecin, M. Varlet, mourut à soixante-seize ans, laissant deux cent mille francs en or dans sa cave, outre ses biens évalués à une somme égale. Ainsi, Philéas et sa femme eurent, dès

---

1. Le calcul est faux, comme l'a montré P. Citron dans son édition. En effet Balzac, ayant augmenté la somme finale, a oublié d'augmenter le capital.

1816, en dehors de leur commerce, trente mille francs de rente ; car Grévin voulut placer en immeubles la fortune de sa fille, et Beauvisage ne s'y opposa point. Les sommes recueillies par Séverine Grévin dans la succession de son grand-père donnèrent à peine quinze mille francs de revenu, malgré les belles occasions de placement que rechercha le vieux Grévin.

Ces deux premières années suffirent à Mme Beauvisage et à Grévin pour reconnaître la profonde ineptie de Philéas. Le coup d'œil de la rapacité commerciale avait paru l'effet d'une capacité supérieure au vieux notaire ; de même qu'il avait pris la jeunesse pour la force, et le bonheur pour le génie des affaires. Mais si Philéas savait lire, écrire et bien compter, jamais il n'avait rien lu. D'une ignorance crasse, on ne pouvait pas avoir avec lui la plus petite conversation, il répondait par un déluge de lieux communs agréablement débités. Seulement, en sa qualité de fils de fermier, il ne manquait pas du bon sens commercial. La parole d'autrui devait exprimer des propositions nettes, claires, saisissables ; mais il ne rendait jamais la pareille à son adversaire. Philéas, bon et même tendre, pleurait au moindre récit pathétique. Cette bonté lui fit surtout respecter sa femme, dont la supériorité lui causa la plus profonde admiration. Séverine, femme à idées, savait tout, selon Philéas. Puis, elle voyait d'autant plus juste, qu'elle consultait son père en toute chose. Enfin elle possédait une grande fermeté qui la rendit chez elle maîtresse absolue. Dès que ce résultat fut obtenu, le vieux notaire eut moins de regret en voyant sa fille heureuse par une domination qui satisfait toujours les femmes de ce caractère ; mais restait la femme ! Voici ce que trouva, dit-on, la femme.

Dans la réaction de 1816, on envoya pour sous-préfet à Arcis un vicomte de Chargebœuf, de la branche pauvre, et qui fut nommé par la protection de la marquise de Cinq-Cygne, à la famille de laquelle il était allié. Ce jeune homme resta sous-préfet pendant cinq ans. La belle Mme Beauvisage ne fut pas, dit-on, étrangère au séjour infiniment trop prolongé pour son avancement que le vicomte fit dans cette sous-préfecture. Néanmoins, hâtons-nous de dire que les propos ne furent sanctionnés par aucun de ces scandales qui révèlent en province ces passions si difficiles à cacher aux Argus de petite ville. Si Séverine aima le vicomte de Chargebœuf, si elle fut aimée de lui, ce fut en tout bien tout honneur, dirent les amis de Grévin et ceux de Marion. Cette double coterie imposa son opinion à tout l'arrondissement ; mais les Marion, les Grévin n'avaient aucune influence sur les royalistes, et les royalistes tinrent le sous-préfet pour très heureux.

Dès que la marquise de Cinq-Cygne apprit ce qui se disait de son parent dans les châteaux, elle le fit venir à Cinq-Cygne ; et telle était son horreur pour tous ceux qui tenaient de loin ou de près aux acteurs du drame judiciaire si fatal à sa famille, qu'elle enjoignit au vicomte de changer de résidence. Elle obtint la nomination de son cousin à la sous-préfecture de Sancerre[1], en lui promettant une préfecture. Quelques fins observateurs prétendirent que le vicomte avait joué la passion pour devenir préfet, car il connaissait la haine de la marquise pour le nom de Grévin. D'autres remarquèrent des coïncidences entre les apparitions du vicomte de Chargebœuf à Paris, et les voyages qu'y faisait Mme Beauvisage, sous les prétextes les plus frivoles.

Un historien impartial serait fort embarrassé d'avoir une opinion sur des faits ensevelis dans les mystères de la vie privée. Une seule circonstance a paru donner gain de cause à la médisance. Cécile-Renée Beauvisage était née en 1820, au moment où M. de Chargebœuf quitta sa sous-préfecture, et parmi les noms de l'heureux sous-préfet se trouve celui de René. Ce nom fut donné par le comte de Gondreville, parrain de Cécile. Si la mère s'était opposée à ce que sa fille reçût ce nom, elle aurait en quelque sorte confirmé les soupçons. Comme le monde veut toujours avoir raison, ceci passa pour une malice du vieux pair de France. Mme Keller, fille du comte, et qui avait nom Cécile, était la marraine. Quant à la ressemblance de Cécile-Renée Beauvisage, elle est frappante ! Cette jeune personne ne ressemble ni à son père ni à sa mère ; et, avec le temps, elle est devenue le portrait vivant

---

1. Voir *La Muse du département*.

du vicomte dont elle a pris les manières aristocratiques. Cette double ressemblance, morale et physique, ne put jamais être remarquée par les gens d'Arcis, où le vicomte ne revint plus.

Séverine rendit d'ailleurs Philéas heureux à sa manière. Il aimait la bonne chère et les aises de la vie, elle eut pour lui les vins les plus exquis, une table digne d'un évêque et entretenue par la meilleure cuisinière du département ; mais sans afficher aucun luxe, car elle maintint sa maison dans les conditions de la vie bourgeoise d'Arcis. Le proverbe d'Arcis est qu'il faut dîner chez Mme Beauvisage et passer la soirée chez Mme Marion.

La prépondérance que la Restauration donnait à la maison de Cinq-Cygne, dans l'arrondissement d'Arcis, avait naturellement resserré les liens entre toutes les familles du pays qui touchèrent au procès criminel fait à propos de l'enlèvement de Gondreville. Les Marion, les Grévin, les Giguet furent d'autant plus unis, que le triomphe de leur opinion dite *constitutionnelle* aux élections exigeait une harmonie parfaite.

Par calcul, Séverine occupa Beauvisage au commerce de la bonneterie, auquel tout autre que lui aurait pu renoncer ; elle l'envoyait à Paris, dans les campagnes, pour ses affaires. Aussi jusqu'en 1830, Philéas, qui trouvait à exercer ainsi sa bosse de l'acquisivité, gagna-t-il chaque année une somme équivalente à celle de ses dépenses, outre l'intérêt de ses capitaux, en faisant son métier *en pantoufles*, pour employer une expression proverbiale. Les intérêts de la fortune de M. et Mme Beauvisage, capitalisés depuis quinze ans par les soins de Grévin, devaient donc donner cinq cent mille francs en 1830. Telle était, en effet, à cette époque, la dot de Cécile, que le vieux notaire fit placer en trois pour cent à cinquante francs, ce qui produisit trente mille livres de rente. Ainsi, personne ne se trompait dans l'appréciation de la fortune des Beauvisage, alors évaluée à quatre-vingt mille francs de rentes. Depuis 1830, ils avaient vendu leur commerce de bonneterie à Jean Violette, un de leurs facteurs, petit-fils d'un des principaux témoins à charge dans l'affaire Simeuse, et ils avaient alors placé leurs capitaux, estimés à trois cent mille francs ; mais M. et Mme Beauvisage avaient en perspective les deux successions du vieux Grévin et de la vieille fermière Beauvisage, estimées chacune entre quinze et vingt mille francs de rentes. Les grandes fortunes de la province sont le produit du temps multiplié par l'économie. Trente ans de vieillesse y sont toujours un capital.

En donnant à Cécile-Renée cinquante mille francs de rentes en dot, M. et Mme Beauvisage conservaient encore pour eux ces deux successions, trente mille livres de rentes, et leur maison d'Arcis. Une fois la marquise de Cinq-Cygne morte, Cécile pouvait assurément épouser le jeune marquis ; mais la santé de cette femme, encore forte et presque belle à soixante ans, tuait cette espérance, si toutefois elle était entrée au cœur de Grévin et de sa fille, comme le prétendaient quelques gens étonnés des refus essuyés par des gens aussi convenables que le sous-préfet et le procureur du Roi.

La maison Beauvisage, une des plus belles d'Arcis, est située sur la place du Pont, dans l'alignement de la rue Vide-Bourse, à l'angle de la rue du Pont qui monte jusqu'à la place de l'Église. Quoique sans cour, ni jardin, comme beaucoup de maisons de province, elle y produit un certain effet, malgré des ornements de mauvais goût. La porte bâtarde, mais à deux vantaux, donne sur la place. Les croisées du rez-de-chaussée ont sur la rue la vue de l'auberge de la Poste, et sur la place celle du paysage assez pittoresque de l'Aube, dont la navigation commence en aval du pont. Au-delà du pont, se trouve une autre petite place sur laquelle demeure M. Grévin, et où commence la route de Sézanne. Sur la rue, comme sur la place, la maison Beauvisage, soigneusement peinte en blanc, a l'air d'avoir été bâtie en pierre. La hauteur des persiennes, les moulures extérieures des croisées, tout contribue à donner à cette habitation une certaine tournure que rehausse l'aspect généralement misérable des maisons d'Arcis, construites presque toutes en bois, et couvertes d'un enduit à l'aide duquel on simule la solidité de la pierre. Néanmoins, ces maisons ne manquent pas d'une certaine naïveté, par cela même que chaque architecte, ou chaque bourgeois, s'est ingénié pour résoudre le problème que présente ce mode de bâtisse. On voit sur chacune des places qui se trouvent de l'un et de l'autre côté du pont un modèle de ces édifices champenois.

Au milieu de la rangée de maisons situées sur la place, à gauche de la maison Beauvisage, on aperçoit, peinte en couleur lie-de-vin, et les bois peints en vert, la frêle boutique de Jean Violette, petit-fils du fameux fermier de Grouage, un des témoins principaux dans l'affaire de l'enlèvement du sénateur[1], à qui, depuis 1830, Beauvisage avait cédé son fonds de commerce, ses relations, et à qui, dit-on, il prêtait des capitaux.

Le pont d'Arcis est en bois. À cent mètres de ce pont, en remontant l'Aube, la rivière est barrée par un autre pont sur lequel s'élèvent les hautes constructions en bois d'un moulin à plusieurs tournants. Cet espace entre le pont public et ce pont particulier forme un grand bassin sur les rives duquel sont assises de grandes maisons. Par une échancrure, et au-dessus des toits, on aperçoit l'éminence sur laquelle sont assis le château d'Arcis, ses jardins, son parc, ses murs de clôture, ses arbres qui dominent le cours supérieur de l'Aube et les maigres prairies de la rive gauche.

Le bruit de l'Aube qui s'échappe au-delà de la chaussée des moulins par-dessus le barrage, la musique des roues contre lesquelles l'eau fouettée retombe dans le bassin en y produisant des cascades, animent la rue du Pont, et contrastent avec la tranquillité de la rivière qui coule en aval entre les jardins de M. Grévin, dont la maison se trouve au coin du pont sur la rive gauche, et le port où, sur la rive droite, les bateaux déchargent leurs marchandises devant une rangée de maisons assez pauvres, mais pittoresques. L'Aube serpente dans le lointain entre des arbres épars ou serrés, grands ou petits, de divers feuillages, au gré des caprices des riverains.

La physionomie des maisons est si variée, qu'un voyageur y trouverait un spécimen des maisons de tous les pays. Ainsi, au nord, sur le bord du bassin, dans les eaux duquel s'ébattent des canards, il y a une maison quasiment méridionale dont le toit plie sous la tuilerie à gouttières en usage dans l'Italie, elle est flanquée d'un

1. Voir *Une ténébreuse affaire.*

jardinet soutenu par un coin de quai, dans lequel il s'élève des vignes, une treille et deux ou trois arbres. Elle rappelle quelques détails de Rome où, sur la rive du Tibre, quelques maisons offrent des aspects semblables. En face, sur l'autre bord, est une grande maison à toit avancé, avec des galeries, qui ressemble à une maison suisse. Pour compléter l'illusion, entre cette construction et le déversoir, on aperçoit une vaste prairie ornée de ses peupliers et que traverse une petite route sablonneuse. Enfin, les constructions du château qui paraît, entouré de maisons si frêles, d'autant plus imposant, représente les splendeurs de l'aristocratie française.

Quoique les deux places du pont soient coupées par le chemin de Sézanne, une affreuse chaussée en mauvais état, et qu'elles soient l'endroit le plus vivant de la ville, car la Justice de paix et la mairie d'Arcis sont situées rue Vide-Bourse, un Parisien trouverait ce lieu prodigieusement champêtre et solitaire. Ce paysage a tant de naïveté que, sur la place du Pont, en face de l'auberge de la Poste, vous voyez une pompe de ferme ; il s'en trouve bien une à peu près semblable dans la splendide cour du Louvre !

Rien n'explique mieux la vie de province que le silence profond dans lequel est ensevelie cette petite ville et qui règne dans son endroit le plus vivant. On doit facilement imaginer combien la présence d'un étranger, n'y passât-il qu'une demi-journée, y est inquiétante, avec quelle attention des visages se penchent à toutes les croisées pour l'observer, et dans quel état d'espionnage les habitants vivent les uns envers les autres. La vie y devient si conventuelle, qu'à l'exception des dimanches et jours de fêtes, un étranger ne rencontre personne sur les boulevards, ni dans l'avenue des Soupirs, nulle part, pas même par les rues.

Chacun peut comprendre maintenant pourquoi le rez-de-chaussée de la maison Beauvisage était de plain-pied avec la rue et la place. La place y servait de cour. En se mettant à sa fenêtre, l'ancien bonnetier pouvait embrasser en enfilade la place de l'Église, les deux places du pont, et le chemin de Sézanne. Il voyait arriver les messagers et les voyageurs à l'auberge de la Poste. Enfin il apercevait, les jours d'audience, le mouvement de la Justice de paix et celui de la mairie. Aussi Beauvisage n'aurait pas troqué sa maison contre le château, malgré son air seigneurial, ses pierres de taille et sa superbe situation.

En entrant chez Beauvisage[1], on trouvait devant soi un péristyle où se développait, au fond, un escalier. À droite, on entrait dans un vaste salon dont les deux fenêtres donnaient sur la place, et à gauche dans une belle salle à manger dont les fenêtres voyaient sur la rue. Le premier étage servait à l'habitation.

Malgré la fortune des Beauvisage, le personnel de leur maison se composait de la cuisinière et d'une femme de chambre, espèce de paysanne qui savonnait, repassait, frottait plus souvent qu'elle n'habillait madame et mademoiselle, habituées à se servir l'une l'autre pour employer le temps. Depuis la vente du fonds de bonneterie, le cheval et le cabriolet de Philéas, logés à l'hôtel de la Poste, avaient été supprimés et vendus.

Au moment où Philéas rentra chez lui, sa femme, qui avait appris la résolution de l'assemblée-Giguet, avait mis ses bottines et son châle pour aller chez son père, car elle devinait bien que le soir Mme Marion lui ferait quelques ouvertures relativement à Cécile pour Simon. Après avoir appris à sa femme la mort de Charles Keller, il lui demanda naïvement son avis par un : « Que dis-tu de cela, ma femme ? » qui peignait son habitude de respecter l'opinion de Séverine en toute chose. Puis il s'assit sur un fauteuil et attendit une réponse.

En 1839, Mme Beauvisage, alors âgée de quarante-quatre ans, était si bien conservée qu'elle aurait pu doubler Mlle Mars. En se rappelant la plus charmante Célimène que le Théâtre-Français ait eue, on se fera une idée exacte de la physionomie de Séverine Grévin. C'était la même richesse de formes, la même beauté de visage, la même netteté de contours ; mais la femme du bonnetier avait une petite taille qui lui ôtait cette grâce noble, cette coquetterie à la Sévigné par lesquelles la grande actrice se recommande au souvenir des hommes qui ont vu l'Empire et la Restauration.

---

1. Ici commençait, dans l'original le chapitre intitulé *Où paraît la dot, héroïne de cette histoire.*

La vie de province et la mise un peu négligée à laquelle Séverine se laissait aller, depuis dix ans, donnait je ne sais quoi de commun à ce beau profil, à ces beaux traits, et l'embonpoint avait détruit ce corps, si magnifique pendant les douze premières années de mariage. Mais Séverine rachetait ces imperfections par un regard souverain, superbe, impérieux, et par une certaine attitude de tête pleine de fierté. Ses cheveux encore noirs, longs et fournis, relevés en hautes tresses sur la tête, lui prêtaient un air jeune. Elle avait une poitrine et des épaules de neige ; mais tout cela rebondi, plein, de manière à gêner le mouvement du col devenu trop court. Au bout de ses gros bras potelés pendait une jolie petite main trop grasse. Elle était enfin accablée de tant de vie et de santé, que par-dessus ses souliers la chair, quoique contenue, formait un léger bourrelet. Deux anneaux de nuit[1], d'une valeur de mille écus chaque, ornaient ses oreilles. Elle portait un bonnet de dentelles à nœuds roses, une robe-redingote en mousseline de laine à raies alternativement roses et gris de lin, bordée de lisérés verts, qui s'ouvrait par en bas pour laisser voir un jupon garni d'une petite valencienne, et un châle de cachemire vert à palmes dont la pointe traînait jusqu'à terre. Ses pieds ne paraissaient pas à l'aise dans ses brodequins de peau bronzée.

« Vous n'avez pas tellement faim, dit-elle en jetant les yeux sur Beauvisage, que vous ne puissiez attendre une demi-heure. Mon père a fini de dîner, et je ne peux pas manger en repos sans avoir su ce qu'il pense et si nous devons aller à Gondreville.

— Va, va, ma bonne, je t'attendrai, dit le bonnetier.

— Mon Dieu, je ne vous déshabituerai donc jamais de me tutoyer ? dit-elle en faisant un geste d'épaules assez significatif.

— Jamais cela ne m'est arrivé devant le monde, depuis 1817, dit Philéas.

— Cela vous arrive constamment devant les domestiques et devant votre fille.

---

1. Expression bizarre, mais le manuscrit manque ici qui permettrait peut-être de corriger.

— Comme vous voudrez, Séverine, répondit tristement Beauvisage.

— Surtout, ne dites pas un mot à Cécile de cette détermination des électeurs, ajouta Mme Beauvisage qui se mirait dans la glace en arrangeant son châle.

— Veux-tu que j'aille avec toi chez ton père ? demanda Philéas.

— Non ; restez avec Cécile. D'ailleurs, Jean Violette ne doit-il pas vous payer aujourd'hui le reste de son prix ? Il va venir vous apporter ses vingt mille francs. Voilà trois fois qu'il nous remet à trois mois, ne lui accordez plus de délais ; et s'il n'est pas en mesure, allez porter son billet à Courtet l'huissier ; soyons en règle, prenez jugement. Achille Pigoult vous dira comment faire pour toucher notre argent. Ce Violette est bien le digne petit-fils de son grand-père ! je le crois capable de s'enrichir par une faillite : il n'a ni foi ni loi.

— Il est bien intelligent, dit Beauvisage.

— Vous lui avez donné pour trente mille francs une clientèle et un établissement qui, certes, en valait cinquante mille, et en huit ans il ne vous a payé que dix mille francs...

— Je n'ai jamais poursuivi personne, répondit Beauvisage, et j'aime mieux perdre mon argent que de tourmenter un pauvre homme...

— Un homme qui se moque de vous ! »

Beauvisage resta muet. Ne trouvant rien à répondre à cette observation cruelle, il regarda les planches qui formaient le parquet du salon. Peut-être l'abolition progressive de l'intelligence et de la volonté de Beauvisage s'expliquerait-elle par l'abus du sommeil. Couché tous les soirs à huit heures et levé le lendemain à huit heures, il dormait depuis vingt ans ses douze heures sans jamais s'être réveillé la nuit, ou, si ce grave événement arrivait, c'était pour lui le fait le plus extraordinaire, il en parlait pendant toute la journée. Il passait à sa toilette une heure environ, car sa femme l'avait habitué à ne se présenter devant elle, au déjeuner, que rasé, propre et habillé. Quand il était dans le commerce, il partait après le déjeuner, il allait à ses affaires, et ne revenait que pour le dîner. Depuis 1832, il avait remplacé les courses d'affaires par une visite à son beau-père, et par une promenade, ou par des visites en ville. En tout temps, il portait des bottes, un pantalon de drap bleu, un gilet blanc et un habit bleu, tenue encore exigée par sa femme. Son linge se recommandait par une blancheur et une finesse d'autant plus remarquée, que Séverine l'obligeait à en changer tous les jours. Ces soins pour son extérieur, si rarement pris en province, contribuaient à le faire considérer dans Arcis comme on considère à Paris un homme élégant.

À l'extérieur, ce digne et grave marchand de bonnets de coton paraissait donc un personnage ; car sa femme était assez spirituelle pour n'avoir jamais dit une parole qui mît le public d'Arcis dans la confidence de son désappointement et dans la nullité [1] de son mari, qui, grâce à ses sourires, à ses phrases obséquieuses et à sa tenue d'homme riche, passait pour un des hommes les plus considérables. On disait que Séverine en était si jalouse, qu'elle l'empêchait d'aller en soirée ; tandis que Philéas broyait les roses et les lis sur son teint par la pesanteur d'un heureux sommeil.

Beauvisage, qui vivait selon ses goûts, choyé par sa femme, bien servi par ses deux domestiques, cajolé par sa fille, se disait l'homme le plus heureux d'Arcis, et il l'était. Le sentiment de Séverine pour cet homme nul n'allait pas sans la pitié protectrice de la mère pour ses enfants. Elle déguisait la dureté des paroles qu'elle était obligée de lui dire sous un air de plaisanterie. Aucun ménage n'était plus calme, et l'aversion que Philéas avait pour le monde où il s'endormait, où il ne pouvait pas jouer ne sachant aucun jeu de cartes, avait rendu Séverine entièrement maîtresse de ses soirées.

L'arrivée de Cécile mit un terme à l'embarras de Philéas, qui s'écria : « Comme te voilà belle ! »

Mme Beauvisage se retourna brusquement et jeta sur sa fille un regard perçant qui la fit rougir.

« Ah ! Cécile, qui vous a dit de faire une pareille toilette ?... demanda la mère.

— N'irons-nous pas ce soir chez Mme Marion ? Je

---

1. On attendrait *de* la nullité.

« Beauvisage se disait l'homme le plus heureux d'Arcis, et il l'était. »

me suis habillée pour voir comment m'allait ma nouvelle robe.

— Cécile ! Cécile ! fit Séverine, pourquoi vouloir tromper votre mère ?... Ce n'est pas bien, je ne suis pas contente de vous, vous voulez me cacher quelque pensée...

— Qu'a-t-elle donc fait ? demanda Beauvisage enchanté de voir sa fille si pimpante.

— Ce qu'elle a fait ? je le lui dirai !... » fit Mme Beauvisage en menaçant du doigt sa fille unique.

Cécile se jeta sur sa mère, l'embrassa, la cajola, ce qui, pour les filles uniques, est une manière d'avoir raison.

Cécile Beauvisage, jeune personne de dix-neuf ans, venait de mettre une robe en soie gris de lin, garnie de brandebourgs en gris plus foncé, et qui figurait par-devant une redingote. Le corsage à guimpe, orné de boutons et de jockeis[1], se terminait en pointe par-devant, et se laçait par-derrière comme un corset. Ce faux corset dessinait ainsi parfaitement le dos, les hanches et le buste. La jupe, garnie de trois rangs d'effilés, faisait des plis charmants, et annonçait par sa coupe et sa façon la science d'une couturière de Paris. Un joli fichu, garni de dentelle, retombait sur le corsage. L'héritière avait autour du cou un petit foulard rose noué très élégamment, et sur la tête un chapeau de paille orné d'une rose mousseuse. Ses mains étaient gantées de mitaines en filet noir. Elle était chaussée de brodequins en peau bronzée ; enfin, excepté son petit air endimanché, cette tournure de figurine, dessinée dans les journaux de mode, devait ravir le père et la mère de Cécile. Cécile était d'ailleurs bien faite, d'une taille moyenne et parfaitement proportionnée. Elle avait tressé ses cheveux châtains, selon la mode de 1839, en deux grosses nattes qui lui accompagnaient le visage et se rattachaient derrière la tête. Sa figure, pleine de santé, d'un ovale distingué, se recommandait par cet air aristocratique qu'elle ne tenait ni de son père, ni de sa mère. Ses yeux, d'un brun clair, étaient entièrement dépourvus

---

1. Le jockey est une garniture attachée aux épaules, qui rappelle le costume des jockeys.

de cette expression douce, calme et presque mélancolique, si naturelle aux jeunes filles.

Vive, animée, bien portante, Cécile gâtait, par une sorte de positif bourgeois, et par la liberté de manières que prennent les enfants gâtés, tout ce que sa physionomie avait de romanesque. Néanmoins, un mari capable de refaire son éducation et d'y effacer les traces de la vie de province pouvait encore extraire de ce bloc une femme charmante. En effet, l'orgueil que Séverine mettait en sa fille avait contrebalancé les effets de sa tendresse. Mme Beauvisage avait eu le courage de bien élever sa fille, elle s'était habituée avec elle à une fausse sévérité qui lui permit de se faire obéir et de réprimer le peu de mal qui se trouvait dans cette âme. La mère et la fille ne s'étaient jamais quittées, ainsi Cécile avait, ce qui chez les jeunes filles est plus rare qu'on ne le pense, une pureté de pensée, une fraîcheur de cœur, une naïveté réelles, entières et parfaites.

« Votre toilette me donne à penser, dit Mme Beauvisage : Simon Giguet vous aurait-il dit quelque chose hier que vous m'auriez caché ?

— Eh bien ? dit Philéas, un homme qui va recevoir le mandat de ses concitoyens...

— Ma chère maman, dit Cécile à l'oreille de sa mère, il m'ennuie ; mais il n'y a plus que lui pour moi dans Arcis.

— Tu l'as bien jugé ; mais attends que ton grand-père ait prononcé », dit Mme Beauvisage en embrassant sa fille, dont la réponse annonçait un grand sens tout en révélant une brèche faite dans son innocence par l'idée du Mariage.

La maison de Grévin[1], située sur la rive droite de l'Aube, et qui fait le coin de la petite place d'au-delà le pont, est une des plus vieilles maisons d'Arcis. Aussi est-elle bâtie en bois, et les intervalles de ces murs si légers sont-ils remplis de cailloux ; mais elle est revêtue d'une couche de mortier lissé à la truelle et peint en gris. Malgré

---

1. Ici commençait, dans l'originale, le chapitre *Histoire de deux Malins*.

ce fard coquet, elle n'en paraît pas moins être une maison de cartes.

Le jardin, situé le long de l'Aube, est protégé par un mur de terrasse couronné de pots de fleurs. Cette humble maison, dont les croisées ont des contrevents solides, peints en gris comme le mur, est garnie d'un mobilier en harmonie avec la simplicité de l'extérieur. En entrant on apercevait, dans une petite cour cailloutée, les treillages verts qui servaient de clôture au jardin. Au rez-de-chaussée, l'ancienne étude, convertie en salon, et dont les fenêtres donnent sur la rivière et sur la place, est meublée de vieux meubles en velours d'Utrecht vert, excessivement passé. L'ancien cabinet est devenu la salle à manger du notaire retiré. Là, tout annonce un vieillard profondément philosophe, et une de ces vies qui se sont écoulées comme coule l'eau des ruisseaux champêtres que les arlequins de la vie politique finissent par envier quand ils sont désabusés sur les grandeurs sociales, et des luttes insensées avec le cours de l'humanité.

Pendant que Séverine traverse le pont en regardant si son père a fini de dîner, il n'est pas inutile de jeter un coup d'œil sur la personne, sur la vie et les opinions de ce vieillard, que l'amitié du comte Malin de Gondreville recommandait au respect de tout le pays.

Voici la simple et naïve histoire de ce notaire, pendant longtemps, pour ainsi dire, le seul notaire d'Arcis.

En 1787, deux jeunes gens d'Arcis allèrent à Paris, recommandés à un avocat au conseil nommé Danton. Cet illustre patriote était d'Arcis. On y voit encore sa maison et sa famille y existe encore. Ceci pourrait expliquer l'influence que la Révolution exerça sur ce coin de la Champagne. Danton plaça ses compatriotes chez le procureur au Châtelet si fameux par son procès avec le comte Moreton de Chabrillan, à propos de sa loge à la première représentation du *Mariage de Figaro*, et pour qui le Parlement prit fait et cause en se regardant comme outragé dans la personne de son procureur[1].

---

1. Ce procureur malmené par le comte de Moreton-Chabrillan se nommait Pernot. Dans *Un début dans la vie* Balzac donne comme premier patron de Malin et de Grévin le Bordin d'*Une ténébreuse affaire.*

« On y voit encore sa maison et sa famille y existe encore. »

L'un s'appelait Malin et l'autre Grévin, tous deux fils uniques. Malin avait pour père le propriétaire même de la maison où demeure actuellement Grévin. Tous deux ils eurent l'un pour l'autre une mutuelle, une solide affection. Malin, garçon retors, d'un esprit profond, ambitieux, avait le don de la parole. Grévin, honnête, travailleur, eut pour vocation d'admirer Malin. Ils revinrent à leur pays lors de la Révolution, l'un pour être avocat à Troyes, l'autre pour être notaire à Arcis. Grévin, l'humble serviteur de Malin, le fit nommer député à la Convention. Malin fit nommer Grévin procureur syndic d'Arcis. Malin fut un obscur conventionnel jusqu'au 9 Thermidor, se rangeant toujours du côté du plus puissant, écrasant le faible ; mais Tallien lui fit comprendre la nécessité d'abattre Robespierre. Malin se distingua lors de cette terrible bataille parlementaire, il eut du courage à propos. Dès ce moment commença le rôle politique de cet homme, un des héros de la sphère inférieure : il abandonna le parti des Thermidoriens pour celui des Clichiens, et fut alors nommé membre du Conseil des Anciens. Devenu l'ami de Talleyrand et de Fouché, conspirant avec eux contre Bonaparte, il devint comme eux un des plus ardents partisans de Bonaparte, après la victoire de Marengo. Nommé tribun, il entra l'un des premiers au Conseil d'État, fut un des rédacteurs du Code, et fut promu l'un des premiers à la dignité de sénateur, sous le nom de comte de Gondreville. Ceci est le côté politique de cette vie, en voici le côté financier.

Grévin fut dans l'arrondissement d'Arcis l'instrument le plus actif et le plus habile de la fortune du comte de Gondreville. La terre de Gondreville appartenait aux Simeuse, bonne vieille noble famille de province, décimée par l'échafaud et dont les héritiers, deux jeunes gens, servaient dans l'armée de Condé. Cette terre, vendue nationalement, fut acquise pour Malin sous le nom de M. Marion et par les soins de Grévin. Grévin fit acquérir à son ami la meilleure partie des biens ecclésiastiques vendus par la République dans le département de l'Aube. Malin envoyait à Grévin les sommes nécessaires à ces acquisitions, et n'oubliait d'ailleurs point son homme d'affaires. Quand vint le Directoire, époque à laquelle Malin régnait dans les conseils de la République, les ventes furent réalisées au nom de Malin. Grévin fut notaire et Malin fut conseiller d'État. Grévin fut maire d'Arcis, Malin fut sénateur et comte de Gondreville. Malin épousa la fille d'un fournisseur millionnaire, Grévin épousa la fille unique du bonhomme Varlet, le premier médecin d'Arcis. Le comte de Gondreville eut trois cent mille livres de rentes, un hôtel à Paris, le magnifique château de Gondreville ; il maria l'une de ses filles à l'un des Keller, banquier à Paris, l'autre au maréchal duc de Carigliano.

Grévin, lui, riche de quinze mille livres de rentes, possède la maison où il achève sa paisible vie en économisant, et il a géré les affaires de son ami, qui lui a vendu cette maison pour six mille francs.

Le comte de Gondreville a quatre-vingts et Grévin soixante-seize ans. Le pair de France se promène dans son parc, l'ancien notaire dans le jardin du père de Malin. Tous deux, enveloppés de molleton, entassent écus sur écus. Aucun nuage n'a troublé cette amitié de soixante ans. Le notaire a toujours obéi au conventionnel, au conseiller d'État, au sénateur, au pair de France. Après la révolution de Juillet, Malin, en passant par Arcis, dit à Grévin : « Veux-tu la croix ? — Qué que j'en ferais ? » répondit Grévin. L'un n'avait jamais failli à l'autre, tous deux s'étaient toujours mutuellement éclairés, conseillés ; l'un sans jalousie, et l'autre sans morgue ni prétention blessante. Malin avait toujours été obligé de faire la part de Grévin, car tout l'orgueil de Grévin était le comte de Gondreville. Grévin était autant comte de Gondreville que le comte de Gondreville lui-même.

Cependant, depuis la révolution de Juillet, moment où Grévin, se sentant vieilli, avait cessé de gérer les biens du comte, et où le comte, affaibli par l'âge et par sa participation aux tempêtes politiques, avait songé à vivre tranquille, les deux vieillards, sûrs d'eux-mêmes, mais n'ayant plus tant besoin l'un de l'autre, ne se voyaient plus guère. En allant à sa terre, ou en retournant à Paris, le comte venait voir Grévin, qui faisait seulement une ou deux visites au comte pendant son séjour à Gondreville. Il n'existait aucun lien entre leurs enfants. Jamais ni Mme Keller ni la duchesse de Carigliano n'avaient eu la moindre relation avec Mlle Grévin, ni avant ni après son mariage avec le bonnetier Beauvisage. Ce dédain involontaire ou réel surprenait beaucoup Séverine.

Grévin, maire d'Arcis sous l'Empire, serviable pour tout le monde, avait, durant l'exercice de son ministère, concilié, prévenu beaucoup de difficultés. Sa rondeur, sa bonhomie et sa probité lui méritaient l'estime et l'affection de tout l'arrondissement, chacun, d'ailleurs, respectait en lui l'homme qui disposait de la faveur, du pouvoir et du crédit du comte de Gondreville. Néanmoins, depuis que l'activité du notaire et sa participation aux affaires publiques et particulières avaient cessé, depuis huit ans, son souvenir s'était presque aboli dans la ville d'Arcis, où chacun s'attendait, de jour en jour, à le voir mourir. Grévin, à l'instar de son ami Malin, paraissait plus végéter que vivre, il ne se montrait point, il cultivait son jardin, taillait ses arbres, allait examiner ses légumes, ses bourgeons ; et comme tous les vieillards, il s'essayait à l'état de cadavre. La vie de ce septuagénaire était d'une régularité parfaite. De même que son ami, le colonel

Giguet, levé au jour, couché avant neuf heures, il avait la frugalité des avares, il buvait peu de vin, mais ce vin était exquis. Il ne prenait ni café ni liqueurs, et le seul exercice auquel il se livrât était celui qu'exige le jardinage. En tout temps, il portait les mêmes vêtements : de gros souliers huilés, des bas drapés, un pantalon de molleton gris à boucles, sans bretelles, un grand gilet de drap léger bleu de ciel à boutons en corne, et une redingote en molleton gris pareil à celui du pantalon ; il avait sur la tête une petite casquette en loutre ronde, et la gardait au logis. En été, il remplaçait cette casquette par une espèce de calotte en velours noir, et la redingote de molleton par une redingote en drap gris de fer. Sa taille était de cinq pieds quatre pouces, il avait l'embonpoint des vieillards bien portants, ce qui alourdissait un peu sa démarche, déjà lente, comme celle de tous les gens de cabinet. Dès le jour, ce bonhomme s'habillait en accomplissant les soins de toilette les plus minutieux ; il se rasait lui-même, puis il faisait le tour de son jardin, il regardait le temps, allait consulter son baromètre, en ouvrant lui-même les volets de son salon. Enfin il binait, il échenillait, il sarclait, il avait toujours quelque chose à faire, jusqu'au déjeuner. Après son déjeuner, il restait assis à digérer jusqu'à deux heures, pensant on ne sait à quoi. Sa petite-fille venait presque toujours conduite par une domestique, quelquefois accompagnée de sa mère, le voir entre deux et cinq heures. À certains jours, cette vie mécanique était interrompue, il y avait à recevoir les fermages et les revenus en nature aussitôt vendus. Mais ce petit trouble n'arrivait que les jours de marché, et une fois par mois. Que devenait l'argent ? Personne, pas même Séverine et Cécile, ne le savait. Grévin était là-dessus d'une discrétion ecclésiastique. Cependant tous les sentiments de ce vieillard avaient fini par se concentrer sur sa fille et sur sa petite-fille, il les aimait plus que son argent. Ce septuagénaire propret, à figure toute ronde, au front dégarni, aux yeux bleus et à cheveux blancs, avait quelque chose d'absolu dans le caractère, comme chez tous ceux à qui ni les hommes, ni les choses n'ont résisté. Son seul défaut, extrêmement caché d'ailleurs, car il n'avait jamais eu occasion de le manifester, était une rancune persistante, terrible, une susceptibilité que Malin n'avait jamais heurtée. Si Grévin avait toujours servi le comte de Gondreville, il l'avait toujours trouvé reconnaissant, jamais Malin n'avait ni humilié ni froissé son ami qu'il connaissait à fond. Les deux amis conservaient encore le tutoiement de leur jeunesse et la même affectueuse poignée de main. Jamais le sénateur n'avait fait sentir à Grévin la différence de leurs situations ; il devançait toujours les désirs de son ami d'enfance, en lui offrant toujours tout, sachant qu'il se contenterait de peu. Grévin, adorateur de la littérature classique, puriste, bon administrateur, possédait de sérieuses et vastes connaissances en législation, il avait fait pour Malin des travaux qui fondèrent au Conseil d'État la gloire du rédacteur des Codes.

Séverine aimait beaucoup son père, elle et sa fille ne laissaient à personne le soin de faire son linge ; elles lui tricotaient des bas pour l'hiver, elles avaient pour lui les plus petites précautions, et Grévin savait qu'il n'entrait dans leur affection aucune pensée d'intérêt ; le million probable de la succession paternelle n'aurait pas séché leurs larmes, les vieillards sont sensibles à la tendresse désintéressée. Avant de s'en aller de chez le bonhomme, tous les jours Mme Beauvisage et Cécile s'inquiétaient du dîner de leur père pour le lendemain, et lui envoyaient les primeurs du marché.

Mme Beauvisage avait toujours souhaité que son père la présentât au château de Gondreville, et la liât avec les filles du comte ; mais le sage vieillard lui avait maintes fois expliqué combien il était difficile d'entretenir des relations suivies avec la duchesse de Carigliano, qui habitait Paris, et qui venait rarement à Gondreville, ou avec la brillante Mme Keller, quand on tenait une fabrique de bonneteries à Arcis.

« Ta vie est finie, disait Grévin à sa fille, mets toutes tes jouissances en Cécile, qui sera, certes, assez riche pour te donner, quand tu quitteras le commerce, l'existence grande et large à laquelle tu as droit. Choisis un gendre qui ait de l'ambition, des moyens, tu pourras un jour aller à Paris, et laisser ici ce benêt de Beauvisage. Si je vis assez pour me voir un petit-gendre, je vous piloterai sur la mer des intérêts politiques comme j'ai piloté Malin, et vous arriverez à une position égale à celle des Keller... »

Ce peu de paroles, dites avant la révolution de 1830, un an après la retraite du vieux notaire dans cette maison, explique son attitude végétative. Grévin voulait vivre, il voulait mettre dans la route des grandeurs sa fille, sa petite-fille et ses arrière-petits-enfants. Le vieillard avait de l'ambition à la troisième génération. Quand il parlait ainsi, le vieillard rêvait de marier Cécile à Charles Keller ; aussi pleurait-il en ce moment sur ses espérances renversées, il ne savait plus que résoudre. Sans relations dans la société parisienne, ne voyant plus dans le département de l'Aube d'autre mari pour Cécile que le jeune marquis de Cinq-Cygne, il se demandait s'il pouvait surmonter à force d'or les difficultés que la révolution de Juillet suscitait entre les royalistes fidèles à leurs principes et leurs vainqueurs. Le bonheur de sa petite-fille lui paraissait si compromis en la livrant à l'orgueilleuse marquise de Cinq-Cygne, qu'il se décidait à se confier à l'ami des vieillards, au Temps. Il espérait que son ennemie capitale, la marquise de Cinq-Cygne, mourrait, et il croyait pouvoir séduire le fils, en se servant du grand-père du marquis, le vieux d'Hauteserre, qui vivait alors à Cinq-Cygne, et qu'il savait accessible aux calculs de l'avarice.

On expliquera, lorsque le cours des événements amènera le drame au château de Cinq-Cygne, comment le grand-père du jeune marquis portait un autre nom que son petit-fils[1].

Quand Cécile Beauvisage atteindrait à vingt-deux ans, en désespoir de cause, Grévin comptait consulter son ami Gondreville, qui lui choisirait à Paris un mari selon son cœur et son ambition, parmi les ducs de l'Empire.

Séverine trouva son père assis sur un banc de bois, au bout de sa terrasse, sous les lilas en fleur et prenant son café, car il était cinq heures et demie. Elle vit bien, à la douleur gravée sur la figure de son père, qu'il savait la nouvelle. En effet, le vieux pair de France venait d'en-

---

1. C'est évidemment dans *Une ténébreuse affaire* que l'on trouve cette explication.

voyer un valet de chambre à son ami, en le priant de venir le voir. Jusqu'alors le vieux Grévin n'avait pas voulu trop encourager l'ambition de sa fille ; mais, en ce moment, au milieu des réflexions contradictoires qui se heurtaient dans sa triste méditation, son secret lui échappa.

« Ma chère enfant, lui dit-il, j'avais formé pour ton avenir les plus beaux et les plus fiers projets, la mort vient de les renverser. Cécile eût été vicomtesse Keller, car Charles, par mes soins, eût été nommé député d'Arcis, et il eût succédé quelque jour à la pairie de son père. Gondreville, ni sa fille, Mme Keller, n'auraient refusé les soixante mille francs de rentes que Cécile a en dot, surtout avec la perspective de cent autres que vous aurez un jour... Tu aurais habité Paris avec ta fille, et tu y aurais joué ton rôle de belle-mère dans les hautes régions du pouvoir. »

Mme Beauvisage fit un geste de satisfaction.

« Mais nous sommes atteints ici du coup qui frappe ce charmant jeune homme à qui l'amitié du prince royal était acquise déjà... Maintenant, ce Simon Giguet, qui se pousse sur la scène politique, est un sot, un sot de la pire espèce, car il se croit un aigle... Vous êtes trop liés avec les Giguet et la maison Marion pour ne pas mettre beaucoup de formes à votre refus, et il faut refuser...

— Nous sommes comme toujours du même avis, mon père.

— Tout ceci m'oblige à voir mon vieux Malin, d'abord pour le consoler, puis pour le consulter. Cécile et toi, vous seriez malheureuses avec une vieille famille du faubourg Saint-Germain, on vous ferait sentir votre origine de mille façons ; nous devons chercher quelque duc de la façon de Bonaparte qui soit ruiné, nous serons à même d'avoir ainsi pour Cécile un beau titre, et nous la marierons séparée de biens. Tu peux dire que j'ai disposé de la main de Cécile, nous couperons court ainsi à toutes les demandes saugrenues comme celles d'Antonin Goulard. Le petit Vinet ne manquera pas de s'offrir, il serait préférable à tous les épouseurs qui viendront flairer la dot... Il a du talent, de l'intrigue, et il appartient aux Chargebœuf par sa mère ; mais il a trop de caractère pour ne pas dominer sa femme, et il est assez jeune pour se faire aimer : tu périrais entre ces deux sentiments-là, car je te sais par cœur, mon enfant !

— Je serai bien embarrassée ce soir, chez les Marion, dit Séverine.

— Eh bien, mon enfant, répondit Grévin, envoie-moi Mme Marion, je lui parlerai, moi !

— Je savais bien, mon père, que vous pensiez à notre avenir, mais je ne m'attendais pas à ce qu'il fût si brillant, dit Mme Beauvisage en prenant les mains de son père et les lui baisant.

— J'y avais si profondément pensé, reprit Grévin, qu'en 1831, j'ai acheté l'hôtel de Beauséant. »

Mme Beauvisage fit un vif mouvement de surprise, en apprenant ce secret si bien gardé, mais elle n'interrompit point son père.

« Ce sera mon présent de noces, dit-il. En 1832, je l'ai loué pour sept ans à des Anglais, à raison de vingt-quatre mille francs, une jolie affaire, car il ne m'a coûté que trois cent vingt-cinq mille francs, et en voici près de deux cent mille de retrouvés. Le bail finit le 15 juillet de cette année. »

Séverine embrassa son père au front et sur les deux joues. Cette dernière révélation agrandissait tellement son avenir qu'elle eut comme un éblouissement.

« Mon père, par mon conseil, ne donnera que la nue propriété de cet héritage à ses petits-enfants, se dit-elle en traversant le pont, j'en aurai l'usufruit, je ne veux pas que ma fille et un gendre me chassent de chez eux, ils seront chez moi ! »

Au dessert, quand les deux bonnes furent attablées dans la cuisine, et que Mme Beauvisage eut la certitude de n'être pas écoutée, elle jugea nécessaire de faire une petite leçon à Cécile.

« Ma fille, lui dit-elle, conduisez-vous ce soir en personne bien élevée, et, à dater d'aujourd'hui, prenez un air posé, ne causez pas légèrement, ne vous promenez pas seule avec M. Giguet, ni avec M. Olivier Vinet, ni avec le sous-préfet, ni avec M. Martener, avec personne enfin, pas même avec Achille Pigoult. Vous ne vous marierez à aucun des jeunes gens d'Arcis, ni du département, vous êtes destinée à briller à Paris. Aussi, tous les jours, aurez-vous de charmantes toilettes, pour vous habituer à l'élégance. Nous tâcherons de débaucher une femme de chambre à la jeune duchesse de Maufrigneuse, nous saurons ainsi où se fournissent la princesse de Cadignan et la marquise de Cinq-Cygne. Oh ! je ne veux pas que nous ayons le moindre air provincial. Vous étudierez trois heures par jour le piano, je ferai venir tous les jours M. Moïse de Troyes, jusqu'à ce qu'on m'ait dit le maître que je puis faire venir de Paris. Il faut perfectionner tous vos talents, car vous n'avez plus qu'un an tout au plus à rester fille. Vous voilà prévenue, je verrai comment vous vous comporterez ce soir. Il s'agit de tenir Simon à une grande distance de vous, sans vous amuser de lui.

— Soyez tranquille, maman, je vais me mettre à adorer l'*inconnu*. »

Ce mot, qui fit sourire Mme Beauvisage, a besoin d'une explication.

« Ah ! je ne l'ai pas encore vu, dit Philéas ; mais tout le monde parle de lui. Quand je voudrai savoir qui c'est, j'enverrai le brigadier ou M. Groslier lui demander son passeport... »

Il n'est pas de petites villes en France où, dans un temps donné, le drame ou la comédie de l'*étranger* ne se joue. Souvent l'étranger est un aventurier qui fait des dupes et qui part, emportant la réputation d'une femme ou l'argent d'une famille. Plus souvent l'étranger est un étranger véritable, dont la vie reste assez longtemps mystérieuse pour que la petite ville soit occupée de ses faits et gestes. Or, l'avènement de Simon Giguet au pouvoir n'était pas le seul événement grave. Depuis deux jours, l'attention de la ville d'Arcis avait pour point de mire un personnage arrivé depuis trois jours, qui se trouvait être le *premier inconnu* de la génération actuelle. Aussi l'*inconnu* faisait-il en ce moment les frais de la conversation dans toutes les maisons. C'était le soliveau tombé du ciel dans la ville des grenouilles[1].

La situation d'Arcis-sur-Aube explique l'effet que devait y produire l'arrivée d'un étranger. À six lieues avant Troyes, sur la grande route de Paris, devant une

1. La Fontaine, *Les grenouilles qui demandent un roi* (III, 4).

ferme appelée la Belle-Étoile, commence un chemin départemental qui mène à la ville d'Arcis, en traversant de vastes plaines où la Seine trace une étroite vallée verte ombragée de peupliers, qui tranche sur la blancheur des terres crayeuses de la Champagne. La route qui relie Arcis à Troyes a six lieues de longueur, et fait la corde de l'arc dont les deux extrémités sont Arcis et Troyes, en sorte que le plus court chemin pour aller de Paris à Arcis est cette route départementale qu'on prend à la Belle-Étoile. L'Aube, comme on l'a dit, n'est navigable que depuis Arcis jusqu'à son embouchure. Ainsi cette ville, sise à six lieues de la grande route, séparée de Troyes par des plaines monotones, se trouve perdue au milieu des terres, sans commerce, ni transit soit par eau soit par terre. En effet, Sézanne, située à quelques lieues d'Arcis, de l'autre côté de l'Aube, est traversée par une grande route qui économise huit postes sur l'ancienne route d'Allemagne par Troyes. Arcis est donc une ville entièrement isolée où ne passe aucune voiture, et qui ne se rattache à Troyes et à la station de la Belle-Étoile que par des messagers. Tous les habitants se connaissent, ils connaissent même les voyageurs du commerce qui viennent pour les affaires des maisons parisiennes ; ainsi, comme toutes les petites villes de province qui sont dans une situation analogue, un étranger doit y mettre en branle toutes les langues et agiter toutes les imaginations, quand il y reste plus de deux jours sans qu'on sache ni son nom, ni ce qu'il y vient faire.

Or, comme tout Arcis était encore tranquille, trois jours avant la matinée où, par la volonté du créateur de tant d'histoires, celle-ci commence, tout le monde avait vu venir, par la route de la Belle-Étoile, un étranger conduisant un joli tilbury attelé d'un cheval de prix, et accompagné d'un petit domestique gros comme le poing, monté sur un cheval de selle. Le messager, en relation avec les diligences de Troyes, avait apporté de la Belle-Étoile trois malles venues de Paris, sans adresse et appartenant à cet inconnu, qui se logea au *Mulet*.

Chacun, dans Arcis, imagina le soir que ce personnage avait l'intention d'acheter la terre d'Arcis, et l'on en parla dans beaucoup de ménages comme du futur propriétaire du château. Le tilbury, le voyageur, ses chevaux, son domestique, tout paraissait appartenir à un homme tombé des plus hautes sphères sociales. L'inconnu, sans doute fatigué, ne se montra pas, peut-être passa-t-il une partie de son temps à s'installer dans les chambres qu'il choisit, en annonçant devoir demeurer un certain temps. Il voulut voir la place que ses chevaux devaient occuper dans l'écurie, et se montra très exigeant, il voulut qu'on les séparât de ceux de l'aubergiste, et de ceux qui pourraient venir. D'après tant d'exigences, le maître de l'hôtel du *Mulet* considéra son hôte comme un Anglais. Dès le soir du premier jour, quelques tentatives furent faites par des curieux, au *Mulet ;* mais on n'obtint aucune lumière d'un petit groom, qui refusa de s'expliquer sur son maître, non pas par des non ou par le silence, mais par des moqueries qui parurent être au-dessus de son âge et annoncer une grande corruption.

Après avoir fait une toilette soignée et avoir dîné, sur les six heures, il partit à cheval, suivi de son tigre[1], disparut par la route de Brienne, et ne revint que fort tard.

L'hôte, sa femme et ses filles de chambre ne recueillirent, en examinant les malles et les affaires de l'inconnu, rien qui pût les éclairer sur le rang, sur le nom, sur la condition ou les projets de cet hôte mystérieux. Ce fut d'un effet incalculable. On fit mille commentaires de nature à nécessiter l'intervention du procureur du Roi.

À son retour, l'inconnu laissa monter la maîtresse de la maison, qui lui présenta le livre où, selon les ordonnances de police, il devait inscrire son nom, sa qualité, le but de son voyage et son point de départ.

« Je n'écrirai rien, dit-il à la maîtresse de l'auberge. Si vous étiez tourmentée à ce sujet, vous diriez que je m'y suis refusé, et vous m'enverriez le sous-préfet, car je n'ai point de passeport. On vous fera sur moi bien des questions, madame, reprit-il, mais répondez comme vous voudrez, je veux que vous ne sachiez rien sur moi, quand même vous apprendriez malgré moi quelque chose. Si vous me tourmentez, j'irai à l'hôtel de la Poste, sur la place du Pont, et remarquez que je compte rester au moins

---

1. Petit groom.

quinze jours ici... Cela me contrarierait beaucoup, car je sais que vous êtes la sœur de Gothard, l'un des héros de l'affaire Simeuse.

— Suffit, monsieur ! » dit la sœur de Gothard, l'intendant de Cinq-Cygne.

Après un pareil mot, l'inconnu put garder près de lui, pendant deux heures environ, la maîtresse de l'hôtel, et lui fit dire tout ce qu'elle savait sur Arcis, sur toutes les fortunes, sur tous les intérêts et sur les fonctionnaires. Le lendemain, il disparut à cheval, suivi de son tigre, et ne revint qu'à minuit.

On doit comprendre alors la plaisanterie qu'avait faite Cécile, et que Mme Beauvisage crut être sans fondement. Beauvisage et Cécile, surpris de l'ordre du jour formulé par Séverine, en furent enchantés. Pendant que sa femme passait une robe pour aller chez Mme Marion, le père entendit sa fille faire les suppositions auxquelles il est si naturel aux jeunes personnes de se livrer en pareil cas. Puis, fatigué de sa journée, il alla se coucher lorsque la mère et la fille furent parties [1].

Comme doivent le deviner ceux qui connaissent la France ou la Champagne, ce qui n'est pas la même chose, et, si l'on veut, les petites villes, il y eut un monde fou chez Mme Marion le soir de cette journée. Le triomphe du fils Giguet fut considéré comme une victoire remportée sur le comte de Gondreville, et l'indépendance d'Arcis en fait d'élection parut être à jamais assurée. La nouvelle de la mort du pauvre Charles Keller fut regardée comme un arrêt du ciel, et imposa silence à toutes les rivalités. Antonin Goulard, Frédéric Marest, Olivier Vinet, M. Martener, enfin les autorités qui jusqu'alors avaient hanté ce salon dont les opinions ne leur paraissaient pas devoir être contraires au gouvernement créé par la volonté populaire en juillet 1830, vinrent selon leur habitude, mais possédés tous d'une curiosité dont le but était l'attitude de la famille Beauvisage.

Le salon, rétabli dans sa forme, ne portait pas la moindre trace de la séance qui semblait avoir décidé de

---

1. Pour le lecteur, Beauvisage ne se réveillera que dans *La Cousine Bette*, député et Parisien.

« Jamais, excepté dans les grandes occasions de bals ou de jours de fête, Mme Marion n'avait vu de groupes à l'entrée du salon... »

la destinée de Me Simon. À huit heures, quatre tables de jeu, chacune garnie de quatre joueurs, fonctionnaient. Le petit salon et la salle à manger étaient pleins de monde. Jamais, excepté dans les grandes occasions de bals ou de jours de fête, Mme Marion n'avait vu de groupes à l'entrée du salon et formant comme la queue d'une comète dans la salle à manger.

« C'est l'aurore de la faveur, lui dit Olivier qui lui montra ce spectacle si réjouissant pour une maîtresse de maison qui aime à recevoir.

— On ne sait pas jusqu'où peut aller Simon, répondit Mme Marion. Nous sommes à une époque où les gens qui ont de la persévérance et beaucoup de conduite peuvent prétendre à tout. »

Cette réponse était beaucoup moins faite pour Vinet que pour Mme Beauvisage qui entrait alors avec sa fille et qui vint féliciter son amie.

Afin d'éviter toute demande indirecte, et se soustraire à toute interprétation de paroles dites en l'air, la mère de Cécile prit position à une table de whist, et s'enfonça dans une contention d'esprit à gagner cent fiches. Cent fiches font cinquante sous !... Quand un joueur a perdu cette somme, on en parle pendant deux jours dans Arcis.

Cécile alla causer avec Mlle Mollot, une de ses bonnes amies, et sembla prise d'un redoublement d'affection pour elle. Mlle Mollot était la beauté d'Arcis comme Cécile en était l'héritière.

M. Mollot, le greffier du tribunal d'Arcis, habitait sur la grande place une maison située dans les mêmes conditions que celle de Beauvisage sur la place du Pont. Mme Mollot, incessamment assise à la fenêtre de son salon, au rez-de-chaussée, était atteinte, par suite de cette situation, d'un cas de curiosité aiguë, chronique, devenue maladie consécutive, invétérée. Mme Mollot s'adonnait à l'espionnage comme une femme nerveuse parle de ses maux imaginaires, avec coquetterie et passion. Dès qu'un paysan débouchait par la route de Brienne sur la place, elle le regardait et cherchait ce qu'il pouvait venir faire à Arcis ; elle n'avait pas l'esprit en repos, tant que son paysan n'était pas expliqué. Elle passait sa vie à juger les événements, les hommes, les choses et les ménages d'Arcis. Cette grande femme sèche, fille d'un juge de Troyes, avait apporté en dot à M. Mollot, ancien premier clerc de Grévin, une dot assez considérable pour qu'il pût acheter la charge de greffier. On sait que le greffier d'un tribunal a le rang de juge, comme dans les cours royales le greffier en chef a celui de conseiller. La position de M. Mollot était due au comte de Gondreville qui, d'un mot, avait arrangé l'affaire du premier clerc de Grévin, à la chancellerie. Toute l'ambition de la maison Mollot, du père, de la mère et de la fille était de marier Ernestine Mollot, fille unique d'ailleurs, à Antonin Goulard. Aussi le refus par lequel les Beauvisage avaient accueilli les tentatives du sous-préfet avait-il encore resserré les liens d'amitié des Mollot pour la famille Beauvisage.

« Voilà quelqu'un de bien impatienté ! dit Ernestine à Cécile en lui montrant Simon Giguet. Oh ! il voudrait bien venir causer avec nous ; mais chaque personne qui entre se croit obligée de le féliciter, de l'entretenir. Voilà plus de cinquante fois que je lui entends dire : "C'est, je crois, moins à moi qu'à mon père que se sont adressés les vœux de mes concitoyens ; mais, en tout cas, croyez que je serai dévoué non seulement à nos intérêts généraux, mais encore aux vôtres propres." Tiens, je devine la phrase au mouvement des lèvres, et chaque fois il te regarde en faisant des yeux de martyr...

— Ernestine, répondit Cécile, ne me quitte pas de toute la soirée, car je ne veux pas avoir à écouter ses propositions cachées sous des phrases à *hélas !* entremêlées de soupirs.

— Tu ne veux donc pas être la femme d'un garde des Sceaux ?

— Ah ! ils n'en sont que là ? dit Cécile en riant.

— Je t'assure, reprit Ernestine, que tout à l'heure, avant que tu n'arrivasses, M. Miley[1], le receveur de l'enregistrement, dans son enthousiasme, prétendait que Simon serait garde des Sceaux avant trois ans.

— Compte-t-on pour cela sur la protection du comte de Gondreville ? demanda le sous-préfet, qui vint s'asseoir à côté des deux jeunes filles en devinant qu'elles se moquaient de son ami Giguet.

— Ah ! monsieur Antonin, dit la belle Ernestine Mollot, vous qui avez promis à ma mère de découvrir ce qu'est le bel inconnu, que savez-vous de neuf sur lui ?

— Les événements d'aujourd'hui, mademoiselle, sont bien autrement importants ! dit Antonin en s'asseyant près de Cécile comme un diplomate enchanté d'échapper à l'attention générale en se réfugiant dans une causerie de jeunes filles. Toute ma vie de sous-préfet ou de préfet est en question...

— Comment ! vous ne laisserez pas nommer à l'unanimité votre ami Simon ?

— Simon est mon ami, mais le gouvernement est mon maître, et je compte tout faire pour empêcher Simon de réussir. Et voilà madame Mollot qui me devra son concours, comme la femme d'un homme que ses fonctions attachent au gouvernement.

— Nous ne demandons pas mieux que d'être avec vous, répliqua la greffière. Mollot m'a raconté, dit-elle à voix basse, ce qui s'est fait ici ce matin... C'était

---

1. Alias Godivet.

pitoyable ! Un seul homme a montré du talent, et c'est Achille Pigoult. Tout le monde s'accorde à dire que ce serait un orateur qui brillerait à la Chambre ; aussi, quoiqu'il n'ait rien et que ma fille soit fille unique, qu'elle aura d'abord sa dot, qui sera de soixante mille francs, puis notre succession, dont je ne parle pas ; et, enfin, les héritages de l'oncle à Mollot, le meunier, et de ma tante Lambert, à Troyes, que nous devons recueillir ; eh bien ! je vous déclare que si M. Achille Pigoult voulait nous faire l'honneur de penser à elle et la demandait pour femme, je la lui donnerais, moi, si toutefois il plaisait à ma fille ; mais la petite sotte ne veut se marier qu'à sa fantaisie... C'est mademoiselle Beauvisage qui lui met ces idées-là dans la tête... »

Le sous-préfet reçut cette double bordée en homme qui se sait trente mille livres de rentes et qui attend une préfecture.

« Mademoiselle a raison, répondit-il en regardant Cécile ; mais elle est assez riche pour faire un mariage d'amour...

— Ne parlons pas mariage, dit Ernestine. Vous attristez ma pauvre chère petite Cécile, qui m'avouait tout à l'heure que, pour ne pas être épousée pour sa fortune, mais pour elle-même, elle souhaiterait une aventure avec un inconnu qui ne saurait rien d'Arcis, ni des successions qui doivent faire d'elle une lady Crésus, et filer un roman où elle serait, au dénouement, épousée, aimée pour elle-même...

— C'est très joli, cela. Je savais déjà que mademoiselle avait autant d'esprit que d'argent ! s'écria Olivier Vinet en se joignant au groupe des demoiselles en haine des courtisans de Simon Giguet, l'idole du jour.

— Et c'est ainsi, monsieur Goulard, dit Cécile en souriant, que nous sommes arrivées, de fil en aiguille, à parler de l'inconnu...

— Et, dit Ernestine, elle l'a pris pour le héros de ce roman que je vous ai tracé...

— Oh ! dit Mme Mollot, un homme de cinquante ans !... Fi donc !

— Comment savez-vous qu'il a cinquante ans ? demanda Olivier Vinet en souriant.

— Ma foi ! dit Mme Mollot, ce matin j'étais si intriguée, que j'ai pris ma lorgnette !...

— Bravo ! dit l'ingénieur des ponts et chaussées, qui faisait la cour à la mère pour avoir la fille.

— Donc, reprit Mme Mollot, j'ai pu voir l'inconnu se faisant la barbe lui-même, avec des rasoirs d'une élégance !... ils sont montés en or ou en vermeil.

— En or ! en or ! dit Vinet. Quand les choses sont inconnues, il faut les imaginer de la plus belle qualité. Aussi, moi qui, je vous le déclare, n'ai pas vu ce monsieur, suis-je sûr que c'est au moins un comte... »

Le mot, pris pour un calembour, fit excessivement rire. Ce petit groupe où l'on riait excita la jalousie du groupe des douairières, et l'attention du troupeau d'hommes en habits noirs qui entourait Simon Giguet. Quant à l'avocat, il était au désespoir de ne pouvoir mettre sa fortune et son avenir aux pieds de la riche Cécile.

« Oh ! mon père, pensa le substitut en se voyant complimenté pour ce calembour involontaire, dans quel tribunal m'as-tu fait débuter ? » — « Un comte par un M !... mesdames et mesdemoiselles ! reprit-il. Un homme aussi distingué par sa naissance que par ses manières, par sa fortune et par ses équipages, un lion, un élégant ! un *gant jaune*[1] !...

— Il a, monsieur Olivier, dit Ernestine, le plus joli tilbury du monde.

— Comment ! Antonin, tu ne m'avais pas dit qu'il avait un tilbury, ce matin, quand nous avons parlé de ce conspirateur ; mais le tilbury, c'est une circonstance atténuante ; ce ne peut plus être un républicain...

— Mesdemoiselles, il n'est rien que je ne fasse dans l'intérêt de vos plaisirs..., dit Antonin Goulard. Nous allons savoir si c'est un comte par un M, afin que vous puissiez continuer votre conte par un N.

— Et ce deviendra peut-être une histoire, dit l'ingénieur de l'arrondissement.

— À l'usage des sous-préfets, dit Olivier Vinet...

---

1. Sobriquet donné aux dandys qui faisaient une grande consommation de gants beurre frais.

— Comment allez-vous vous y prendre ? demanda Mme Mollot.

— Oh ! répliqua le sous-préfet, demandez à mademoiselle Beauvisage qui elle prendrait pour mari, si elle était condamnée à choisir parmi les gens ici présents, elle ne vous répondrait jamais !... Laissez au pouvoir sa coquetterie. Soyez tranquilles, mesdemoiselles, vous allez savoir, dans dix minutes, si l'inconnu est un comte ou un commis voyageur. »

Antonin Goulard[1] quitta le petit groupe des demoiselles, car il s'y trouvait, outre Mlle Berton, fille du receveur des contributions, jeune personne insignifiante qui jouait le rôle de satellite auprès de Cécile et d'Ernestine, Mlle Herbelot, la sœur du second notaire d'Arcis, vieille fille de trente ans, aigre, pincée et mise comme toutes les vieilles filles. Elle portait, sur une robe en alépine[2] verte, un fichu brodé dont les coins, ramenés sur la taille par-devant, étaient noués à la mode qui régnait sous la Terreur.

« Julien, dit le sous-préfet dans l'antichambre à son domestique, toi qui as servi pendant six mois à Gondreville, tu sais comment est faite une couronne de comte ?

— Il y a des perles sur les neuf pointes.

— Eh bien ! donne un coup de pied au *Mulet* et tâche d'y donner un coup d'œil au tilbury du monsieur qui y loge ; puis viens me dire ce qui s'y trouvera peint. Enfin fais bien ton métier, récolte tous les cancans... Si tu vois le domestique, demande-lui à quelle heure monsieur le comte peut recevoir le sous-préfet demain, dans le cas où tu verrais les neuf pointes à perles. Ne bois pas, ne cause pas, reviens promptement, et quand tu seras revenu, fais-moi-le savoir en te montrant à la porte du salon...

— Oui, monsieur le sous-préfet. »

L'auberge du *Mulet*, comme on l'a déjà dit, occupe sur la place le coin opposé à l'angle du mur de clôture des jardins de la maison Marion, de l'autre côté de la route de Brienne. Ainsi, la solution du problème devait être

---

1. Ici commençait le chapitre *Description d'une partie de l'inconnu.*
2. Tissu de soie ou de laine. Le mot vient évidemment d'*Alep.*

immédiate. Antonin Goulard revint prendre sa place auprès de Mlle Beauvisage.

« Nous avions tant parlé hier, ici, de l'étranger, disait alors Mme Mollot, que j'ai rêvé de lui toute la nuit...

— Ah ! ah ! dit Vinet, vous rêvez encore aux inconnus, belle dame ?

— Vous êtes un impertinent ; si je voulais, je vous ferais rêver de moi ! répliqua-t-elle. Ce matin donc, en me levant... »

Il n'est pas inutile de faire observer que Mme Mollot passe à Arcis pour une femme d'esprit, c'est-à-dire qu'elle s'exprime si facilement, qu'elle abuse de ses avantages. Un Parisien, égaré dans ces parages comme l'était l'inconnu, l'aurait peut-être trouvée excessivement bavarde.

« ... Je fais, comme de raison, ma toilette, et je regarde machinalement devant moi !...

— Par la fenêtre..., dit Antonin Goulard.

— Mais oui, mon cabinet de toilette donne sur la place. Or, vous savez que Poupart a mis l'inconnu dans une des chambres dont les fenêtres sont en face des miennes...

— Une chambre, maman ?... dit Ernestine. Le comte occupe trois chambres !... Le petit domestique, habillé tout en noir, est dans la première. On a fait comme un salon de la seconde, et l'inconnu couche dans la troisième.

— Il a donc la moitié des chambres du *Mulet*, dit Mlle Herbelot.

— Enfin, mesdemoiselles, qu'est-ce que cela fait à sa personne ? dit aigrement Mme Mollot fâchée d'être interrompue par les demoiselles. Il s'agit de sa personne.

— N'interrompez pas l'orateur, dit Olivier Vinet.

— Comme j'étais baissée...

— Assise, dit Antonin Goulard.

— Madame était comme elle devait être, reprit Vinet, elle faisait sa toilette et regardait le *Mulet !...* »

En province, ces plaisanteries sont prisées, car on s'est tout dit depuis trop longtemps pour ne pas avoir recours aux bêtises dont s'amusaient nos pères avant l'introduction de l'hypocrisie anglaise, une de ces marchandises contre lesquelles les douanes sont impuissantes[1].

« N'interrompez pas l'orateur, dit en souriant Mlle Beauvisage à Vinet avec qui elle échangea un sourire.

— Mes yeux se sont portés involontairement sur la fenêtre de la chambre où la veille s'était couché l'inconnu, je ne sais pas à quelle heure, par exemple, car je ne me suis endormie que longtemps après minuit... J'ai le malheur d'être unie à un homme qui ronfle à faire trembler les planchers et les murs... Si je m'endors la première, oh ! j'ai le sommeil si dur que je n'entends rien, mais si c'est Mollot qui part le premier, ma nuit est flambée...

— Il y a le cas où vous partez ensemble ! dit Achille Pigoult qui vint se joindre à ce joyeux groupe. Je vois qu'il s'agit de votre sommeil...

— Taisez-vous, mauvais sujet ! répliqua gracieusement Mme Mollot.

— Comprends-tu ? dit Cécile à l'oreille d'Ernestine.

— Donc, à une heure après minuit, il n'était pas encore rentré ! dit Mme Mollot.

— Il vous a fraudée ! Rentrer sans que vous le sachiez ! dit Achille Pigoult. Ah ! cet homme est très fin, il nous mettra tous dans un sac, et nous vendra sur la place du Marché !

— À qui ? demanda Vinet.

— À une affaire ! À une idée ! À un système ! répondit le notaire à qui le substitut sourit d'un air fin.

— Jugez de ma surprise, reprit Mme Mollot, en apercevant une étoffe d'une magnificence, d'une beauté, d'un éclat... Je me dis : il a sans doute une robe de chambre de cette étoffe de verre que nous sommes allés voir à l'Exposition des produits de l'industrie[2]. Alors je vais chercher ma lorgnette, et j'examine... Mais bon Dieu ! qu'est-ce que je vois ?... Au-dessus de la robe de chambre, là où devrait être la tête, je vois une masse

1. Balzac s'est souvent moqué de l'hypocrisie anglaise et du fameux *improper*. 2. Un fabricant lillois y avait présenté en 1837 un tissu de la sorte.

énorme, quelque chose comme un genou... Non, je ne peux pas vous dire quelle a été ma curiosité !...

— Je le conçois, dit Antonin.

— Non, vous ne le concevez pas, dit Mme Mollot, car ce genou...

— Ah ! je comprends, dit Olivier Vinet en riant aux éclats, l'inconnu faisait aussi sa toilette, et vous avez vu ses deux genoux...

— Mais non ! s'écria Mme Mollot, vous me faites dire des incongruités. L'inconnu était debout, il tenait une éponge au-dessus d'une immense cuvette, et vous en serez pour vos mauvaises plaisanteries, monsieur Olivier. J'aurais bien reconnu ce que vous croyez...

— Oh ! reconnu, madame, vous vous compromettez !... dit Antonin Goulard.

— Laissez-moi donc achever, dit Mme Mollot. C'était sa tête ! Il se lavait la tête, et il n'a pas un seul cheveu...

— L'imprudent ! dit Antonin Goulard. Il ne vient certes pas ici avec des idées de mariage. Ici, pour se marier, il faut avoir des cheveux... C'est très demandé.

— J'ai donc raison de dire que notre inconnu doit avoir cinquante ans. On ne prend guère perruque qu'à cet âge. Et en effet, de loin, l'inconnu, sa toilette finie, a ouvert sa fenêtre, je l'ai revu muni d'une superbe chevelure noire, et il m'a lorgnée quand je me suis mise à mon balcon. Ainsi, ma chère Cécile, vous ne prendrez pas ce monsieur-là pour héros de votre roman.

— Pourquoi pas ? les gens de cinquante ans ne sont pas à dédaigner, quand ils sont comtes, reprit Ernestine.

— Il a peut-être des cheveux, dit malicieusement Olivier Vinet, et alors il serait très mariable. La question serait de savoir s'il a montré sa tête nue à Mme Mollot, ou...

— Taisez-vous », dit Mme Mollot.

Antonin Goulard s'empressa de dépêcher le domestique de Mme Marion au *Mulet*, en lui donnant un ordre pour Julien.

« Mon Dieu ! que fait l'âge d'un mari, dit Mlle Herbelot.

— Pourvu qu'on en ait un, ajouta le substitut qui se faisait redouter par sa méchanceté froide et ses railleries.

— Mais, répliqua la vieille fille en sentant l'épigramme, j'aimerais mieux un homme de cinquante ans, indulgent et bon, plein d'attention pour sa femme, qu'un jeune homme de vingt et quelques années qui serait sans cœur, dont l'esprit mordrait tout le monde, même sa femme.

— Ceci, dit Olivier Vinet, est bon pour la conversation, car pour aimer mieux un quinquagénaire qu'un adulte, il faut les avoir à choisir.

— Oh ! dit Mme Mollot pour arrêter cette lutte de la vieille fille et du jeune Vinet qui allait toujours trop loin, quand une femme a l'expérience de la vie, elle sait qu'un mari de cinquante ans ou de vingt-cinq ans c'est absolument la même chose quand il n'est qu'estimé... L'important dans le mariage, c'est les convenances qu'on y cherche. Si mademoiselle Beauvisage veut aller à Paris, y faire figure, et à sa place je penserais ainsi, je ne prendrais certainement pas mon mari dans la ville d'Arcis... Si j'avais eu la fortune qu'elle aura, j'aurais très bien accordé ma main à un comte, à un homme qui m'aurait mise dans une haute position sociale, et je n'aurais pas demandé à voir son extrait de naissance.

— Il vous eût suffi de le voir à sa toilette, dit tout bas Vinet à Mme Mollot.

— Mais le Roi fait des comtes, madame ! vint dire Mme Marion qui depuis un moment surveillait le cercle des jeunes filles.

— Ah ! madame, répliqua Vinet, il y a des jeunes filles qui aiment les comtes faits...

— Hé bien ! monsieur Antonin, dit alors Cécile en riant du sarcasme d'Olivier Vinet, nos dix minutes sont passées, et nous ne savons pas si l'inconnu est comte.

— Le gouvernement doit être infaillible ! dit Olivier Vinet en regardant Antonin.

— Je vais tenir ma promesse », répliqua le sous-préfet en voyant apparaître à la porte du salon la tête de son domestique.

Et il quitta de nouveau sa place près de Cécile.

« Vous parlez de l'étranger, dit Mme Marion. Sait-on quelque chose sur lui ?

— Non, madame, répondit Achille Pigoult ; mais il

est, sans le savoir, comme un athlète dans un cirque, le centre des regards de deux mille habitants. Moi, je sais quelque chose, ajouta le petit notaire.

— Ah ! dites, monsieur Achille ? demanda vivement Ernestine.

— Son domestique s'appelle Paradis !...

— Paradis, s'écria Mlle Herbelot.

— Paradis, ripostèrent toutes les personnes qui formaient le cercle.

— Peut-on s'appeler Paradis ? demanda Mme Herbelot en venant prendre place à côté de sa belle-sœur.

— Cela tend, reprit le petit notaire, à prouver que son maître est un ange, car lorsque son domestique le suit... vous comprenez...

— C'est le chemin du Paradis ! Il est très joli celui-là », dit Mme Marion, qui tenait à mettre Achille Pigoult dans les intérêts de son neveu.

« Monsieur, disait dans la salle à manger le domestique d'Antonin à son maître, le tilbury est armoirié...

— Armoirié !...

— Et, monsieur, allez, les armes sont joliment drôles ! il y a dessus une couronne à neuf pointes, et des perles...

— C'est un comte !

— On y voit un monstre ailé, qui court à tout brésiller, absolument comme un postillon qui aurait perdu quelque chose ! Et voilà ce qui est écrit sur la banderole, dit-il en prenant un papier dans son gousset. Mlle Anicette, la femme de chambre de la princesse de Cadignan, qui venait d'apporter, en voiture, bien entendu (le chariot de Cinq-Cygne est devant le *Mulet*), une lettre à ce monsieur, m'a copié la chose...

— Donne ! »

Le sous-préfet lut :

Quo me trahit fortuna[1].

---

1. *Où me conduit la fortune* (destin ou argent). En 1839, Balzac venait de se voir offrir par Ferdinand de Grammont, son secrétaire, un armorial de ses personnages.

S'il n'était pas assez fort en blason français pour connaître la maison qui portait cette devise, Antonin pensa que les Cinq-Cygne ne pouvaient donner leur chariot, et la princesse de Cadignan envoyer un exprès que pour un personnage de la plus haute noblesse.

« Ah ! tu connais la femme de chambre de la princesse de Cadignan !... Tu es un homme heureux... », dit Antonin à son domestique.

Julien, garçon du pays, après avoir servi six mois à Gondreville, était entré chez monsieur le sous-préfet qui voulait avoir un domestique *bien stylé*.

« Mais, monsieur, Anicette est la filleule de mon père. Papa, qui voulait du bien à cette petite dont le père est mort, l'a envoyée à Paris, pour y être couturière, parce que ma mère ne pouvait pas la souffrir.

— Est-elle jolie ?

— Assez, monsieur le sous-préfet. À preuve qu'à Paris elle a eu des malheurs ; mais enfin, comme elle a des talents, qu'elle sait faire des robes, coiffer, elle est entrée chez la princesse par la protection de M. Marin, le premier valet de chambre de M. le duc de Maufrigneuse...

— Que t'a-t-elle dit de Cinq-Cygne ? Y a-t-il beaucoup de monde ?

— Beaucoup, monsieur. Il y a la princesse et M. d'Arthez... le duc de Maufrigneuse et la duchesse, le jeune marquis... Enfin, le château est plein... Monseigneur l'évêque de Troyes y est attendu ce soir...

— Mgr Troubert ?... Ah ! je voudrais bien savoir s'il y restera quelque temps...

— Anicette le croit, et elle croit que monseigneur vient pour le comte qui loge au *Mulet*. On attend encore du monde. Le cocher a dit qu'on parlait beaucoup des élections... M. le président Michu doit y aller passer quelques jours...

— Tâche de faire venir cette femme de chambre en ville, sous prétexte d'y chercher quelque chose... Est-ce que tu as des idées sur elle ?...

— Si elle avait quelque chose à elle, je ne dis pas !... Elle est bien finaude.

— Dis-lui de venir te voir, à la sous-préfecture.

— Oui, monsieur, j'y vas.

— Ne lui parle pas de moi ! elle ne viendrait point, propose-lui une place avantageuse...

— Ah ! monsieur... j'ai servi à Gondreville.

— Tu ne sais pas pourquoi ce message de Cinq-Cygne à cette heure, car il est neuf heures et demie...

— Il paraît que c'est quelque chose de bien pressé, car le comte qui revenait de Gondreville...

— L'étranger est allé à Gondreville ?...

— Il y a dîné ! monsieur le sous-préfet. Et, vous allez voir, c'est à faire rire ! Le petit domestique est, parlant par respect, soûl comme une grive ! Il a bu tant de vin de Champagne à l'office, qu'il ne se tient pas sur ses jambes, on l'aura poussé par plaisanterie à boire.

— Eh bien ! le comte ?

— Le comte, qu'était couché, quand il a lu la lettre, s'est levé ; maintenant il s'habille. On attelait le tilbury. Le comte va passer la soirée à Cinq-Cygne.

— C'est alors un bien grand personnage ?

— Oh ! oui, monsieur ; car Gothard, l'intendant de Cinq-Cygne, est venu ce matin voir son beau-frère Poupart, et lui a recommandé la plus grande discrétion en toute chose sur ce monsieur, et de le servir comme si c'était un roi... »

« Vinet aurait-il raison ? se dit le sous-préfet. Y aurait-il quelque conspiration ?... »

« C'est le duc Georges de Maufrigneuse qui a envoyé M. Gothard au *Mulet*. Si Poupart est venu ce matin, ici, à cette assemblée, c'est que ce comte a voulu qu'il y allât. Ce monsieur dirait à M. Poupart d'aller ce soir à Paris, il partirait... Gothard a dit à son beau-frère de tout confondre pour ce monsieur-là, et de se moquer des curieux.

— Si tu peux avoir Anicette, ne manque pas à m'en prévenir !... dit Antonin.

— Mais je peux bien l'aller voir à Cinq-Cygne, si monsieur veut m'envoyer chez lui au Val-Preux.

— C'est une idée. Tu profiteras du chariot pour t'y rendre... Mais qu'as-tu à dire du petit domestique ?

— C'est un crâne que ce petit garçon ! monsieur le sous-préfet. Figurez-vous, monsieur, que gris comme il est, il vient de partir sur le magnifique cheval anglais de son maître, un cheval de race qui fait sept lieues à l'heure, pour porter une lettre à Troyes, afin qu'elle soit à Paris demain... Et ça n'a que neuf ans et demi ! Qu'est-ce que ce sera donc à vingt ans ?... »

Le sous-préfet écouta machinalement ce dernier commérage admiratif. Et alors Julien bavarda pendant quelques minutes. Antonin Goulard écoutait Julien, tout en pensant à l'inconnu.

« Attends », dit le sous-préfet à son domestique.

« Quel gâchis !... se disait-il en revenant à pas lents. Un homme qui dîne avec le comte de Gondreville et qui passe la nuit à Cinq-Cygne !... En voilà des mystères !... »

« Eh bien ! lui cria le cercle de Mlle Beauvisage tout entier quand il reparut.

— Eh bien ! c'est un comte, et de vieille roche, je vous en réponds !

— Oh ! comme je voudrais le voir ! s'écria Cécile.

— Mademoiselle, dit Antonin en souriant et en regardant avec malice Mme Mollot, il est grand et bien fait, et il ne porte pas perruque !... Son petit domestique était gris comme les vingt-deux cantons[1], on l'avait abreuvé de vin de Champagne à l'office de Gondreville, et cet enfant de neuf ans a répondu avec la fierté d'un vieux laquais à Julien, qui lui parlait de la perruque de son maître : “Mon maître, une perruque ! je le quitterais... Il se teint les cheveux, c'est bien assez !”

— Votre lorgnette grossit beaucoup les objets, dit Achille Pigoult à Mme Mollot qui se mit à rire.

— Enfin, le tigre du beau comte, gris comme il est, court à Troyes à cheval porter une lettre, et il y va malgré la nuit, en cinq quarts d'heure.

— Je voudrais voir le tigre ! moi, dit Vinet.

— S'il a dîné à Gondreville, dit Cécile, nous saurons qui est ce comte ; car mon grand-papa y va demain matin.

— Ce qui va vous sembler étrange, dit Antonin Goulard, c'est qu'on vient de dépêcher de Cinq-Cygne à l'inconnu Mlle Anicette, la femme de chambre de la princesse de Cadignan, et qu'il y va passer la soirée...

— Ah ! çà, dit Olivier Vinet, ce n'est plus un homme,

1. De Suisse. *Ivre comme un Suisse.*

c'est un diable, un phénix ! Il serait l'ami des deux châteaux, il poculerait[1].

— Ah ! fi ! monsieur, dit Mme Mollot, vous avez des mots...

— Il poculerait est de la plus haute latinité, madame, reprit gravement le substitut ; il poculerait donc chez le roi Louis-Philippe le matin, et banqueterait le soir à Holy-Rood chez Charles X. Il n'y a qu'une raison qui puisse permettre à un chrétien d'aller dans les deux camps, chez les Montecchi et les Capuletti !... Ah ! je sais qui est cet inconnu. C'est...

— C'est ?... demanda-t-on de tous côtés.

— Le directeur des chemins de fer de Paris à Lyon, ou de Paris à Dijon, ou de Montereau à Troyes.

— C'est vrai ! dit Antonin. Vous y êtes ! il n'y a que la banque, l'industrie ou la spéculation qui puissent être bien accueillies partout.

— Oui, dans ce moment-ci, les grands noms, les grandes familles, la vieille et la jeune pairies arrivent au pas de charge dans les commandites ! dit Achille Pigoult.

— Les francs attirent les Francs, repartit Olivier Vinet sans rire.

— Vous n'êtes guère l'olivier de la paix, dit Mme Mollot en souriant.

— Mais n'est-ce pas démoralisant de voir les noms des Verneuil, des Maufrigneuse et des d'Hérouville accolés à ceux des du Tillet et des Nucingen dans des spéculations cotées à la Bourse[2] ?

— Notre inconnu doit être décidément un chemin de fer en bas âge, dit Olivier Vinet.

— Eh bien ! tout Arcis va demain être cen dessus dessous, dit Achille Pigoult. Je vais voir ce monsieur pour être le notaire de la chose ! Il y aura deux mille actes à faire.

— Notre roman devient une locomotive, dit tristement Ernestine à Cécile.

---

1. Boirait (de *pocula*, coupe). Argot de clercs. **2.** Pour les Hérouville, voir *La Cousine Bette*, roman où se lit la ruine de la famille de Verneuil. On ne voit pas que le jeune duc de Maufrigneuse ni sa mère, la princesse de Cadignan, « dérogent » de la sorte.

— Un comte doublé d'un chemin de fer, reprit Achille Pigoult, n'en est que plus conjugal. Mais est-il garçon ?

— Eh ! je saurai cela demain par grand-papa, dit Cécile avec un enthousiasme de parade.

— Oh ! la bonne plaisanterie ! s'écria Mme Marion, avec un rire forcé. Comment, Cécile, ma petite chatte, vous pensez à l'inconnu !...

— Mais le mari, c'est toujours l'inconnu, dit vivement Olivier Vinet en faisant à Mlle Beauvisage un signe qu'elle comprit à merveille.

— Pourquoi ne penserais-je pas à lui ? demanda Cécile, ce n'est pas compromettant. Puis c'est, disent ces messieurs, ou quelque grand spéculateur, ou quelque grand seigneur... Ma foi ! l'un et l'autre me vont. J'aime Paris ! Je veux avoir voiture, hôtel, loge aux Italiens, etc.

— C'est cela ! dit Olivier Vinet, quand on rêve, il ne faut se rien refuser. D'ailleurs, moi, si j'avais le bonheur d'être votre frère, je vous marierais au jeune marquis de Cinq-Cygne qui me paraît un petit gaillard à faire joliment danser les écus et à se moquer des répugnances de sa mère pour les acteurs du grand drame où le père de notre président a péri si malheureusement.

— Il vous serait plus facile de devenir Premier ministre !... dit Mme Marion, il n'y aura jamais d'alliance entre la petite-fille de Grévin et les Cinq-Cygne !...

— Roméo a bien failli épouser Juliette ! dit Achille Pigoult, et mademoiselle est plus belle que...

— Oh ! si vous nous citez l'opéra ! dit naïvement Herbelot le notaire qui venait de finir son whist.

— Mon confrère, dit Achille Pigoult, n'est pas fort sur l'histoire du Moyen Âge...

— Viens, Malvina ! dit le gros notaire sans rien répondre à son jeune confrère.

— Dites donc, monsieur Antonin, demanda Cécile au sous-préfet, vous avez parlé d'Anicette, la femme de chambre de la princesse de Cadignan ?... la connaissez-vous ?

— Non, mais Julien la connaît, c'est la filleule de son père, et ils sont très bien ensemble.

— Oh ! tâchez donc, par Julien, de nous l'avoir, maman ne regarderait pas aux gages...

— Mademoiselle ! entendre, c'est obéir, dit-on en Asie aux despotes, répliqua le sous-préfet. Pour vous servir, vous allez voir comment je procède ! »

Il sortit pour donner l'ordre à Julien de rejoindre le chariot qui retournait à Cinq-Cygne et de séduire à tout prix Anicette.

En ce moment, Simon Giguet, qui venait d'achever ses courbettes en paroles à tous les gens influents d'Arcis, et qui se regardait comme sûr de son élection, vint se joindre au cercle qui entourait Cécile et Mlle Mollot. La soirée était assez avancée. Dix heures sonnaient. Après avoir énormément consommé de gâteaux, de verres d'orgeat, de punch, de limonades et de sirops variés, ceux qui n'étaient venus chez Mme Marion, ce jour-là, que pour des raisons politiques, et qui n'avaient pas l'habitude de ces planches, pour eux aristocratiques, s'en allèrent d'autant plus promptement qu'ils ne se couchaient jamais si tard. La soirée allait donc prendre un caractère d'intimité. Simon Giguet espéra pouvoir échanger quelques paroles avec Cécile, et il la regarda en conquérant. Ce regard blessa Cécile.

« Mon cher, dit Antonin à Simon en voyant briller sur la figure de son ami l'auréole du succès, tu viens dans un moment où les gens d'Arcis ont tort...

— Très tort, dit Ernestine à qui Cécile poussa le coude. Nous sommes folles, Cécile et moi, de l'inconnu ; nous nous le disputons !

— D'abord, ce n'est plus un inconnu, dit Cécile, c'est un comte !

— Quelque farceur ! répliqua Simon Giguet d'un air de mépris.

— Diriez-vous cela, monsieur Simon, répondit Cécile piquée, en face à un homme à qui la princesse de Cadignan vient d'envoyer ses gens, qui a dîné à Gondreville aujourd'hui, qui va passer la soirée ce soir chez la marquise de Cinq-Cygne ? »

Ce fut dit si vivement et d'un ton si dur, que Simon en fut déconcerté.

« Ah ! mademoiselle, dit Olivier Vinet, si l'on se disait en face ce que nous disons tous les uns des autres en arrière, il n'y aurait plus de société possible. Les plaisirs de la société, surtout en province, consistent à se dire du mal les uns des autres...

— Monsieur Simon est jaloux de ton enthousiasme pour le comte inconnu, dit Ernestine.

— Il me semble, dit Cécile, que monsieur Simon n'a le droit d'être jaloux d'aucune de mes affections... »

Sur ce mot, accentué de manière à foudroyer Simon, Cécile se leva ; chacun lui laissa le passage libre, et elle alla rejoindre sa mère qui terminait ses comptes au whist.

« Ma petite ! s'écria Mme Marion en courant après l'héritière, il me semble que vous êtes bien dure pour mon pauvre Simon !

— Qu'a-t-elle fait, cette chère petite chatte ? demanda Mme Beauvisage.

— Maman, monsieur Simon a souffleté mon inconnu du mot de *farceur !* »

Simon suivit sa tante, et arriva sur le terrain de la table à jouer. Les quatre personnages dont les intérêts étaient si graves se trouvèrent alors réunis au milieu du salon, Cécile et sa mère d'un côté de la table, Mme Marion et son neveu de l'autre.

« En vérité, madame, dit Simon Giguet, avouez qu'il faut avoir bien envie de trouver des torts à quelqu'un pour se fâcher de ce que je viens de dire d'un monsieur dont parle tout Arcis, et qui loge au *Mulet*...

— Est-ce que vous trouvez qu'il vous fait concurrence ? dit en plaisantant Mme Beauvisage.

— Je lui en voudrais, certes, beaucoup, s'il était cause de la moindre mésintelligence entre Mlle Cécile et moi, dit le candidat en regardant la jeune fille d'un air suppliant.

— Vous avez eu, monsieur, un ton tranchant en lançant votre arrêt, qui prouve que vous serez très despote, et vous avez raison, si vous voulez être ministre, il faut beaucoup trancher... »

En ce moment, Mme Marion prit Mme Beauvisage par le bras et l'emmenait sur un canapé. Cécile, se voyant seule, rejoignit le cercle où elle était assise, afin de ne pas écouter la réponse que Simon pouvait faire, et le candidat resta très sot devant la table, où il s'occupa machinalement à jouer avec les fiches.

« Il a des fiches de consolation », dit Olivier Vinet qui suivait cette petite scène.

Ce mot, quoique dit à voix basse, fut entendu de Cécile, qui ne put s'empêcher d'en rire.

« Ma chère amie, disait tout bas Mme Marion à Mme Beauvisage, vous voyez que rien maintenant ne peut empêcher l'élection de mon neveu.

— J'en suis enchantée pour vous et pour la Chambre des députés, dit Séverine.

— Mon neveu, ma chère, ira très loin... Voici pourquoi : sa fortune à lui, celle que lui laissera son père et la mienne, feront environ trente mille francs de rentes. Quand on est député, que l'on a cette fortune, on peut prétendre à tout...

— Madame, il aura notre admiration, et nos vœux le suivront dans sa carrière ; mais...

— Je ne vous demande pas de réponse ! dit vivement Mme Marion en interrompant son amie. Je vous prie seulement de réfléchir à cette proposition. Nos enfants se conviennent-ils ? pouvons-nous les marier ? Nous habiterons Paris pendant tout le temps des sessions ; et qui sait si le député d'Arcis n'y sera pas fixé par une belle place dans la magistrature... Voyez le chemin qu'a fait M. Vinet, de Provins. On blâmait Mlle de Chargebœuf de l'avoir épousé, la voilà bientôt femme d'un garde des Sceaux, et M. Vinet sera pair de France quand il le voudra.

— Madame, je ne suis pas maîtresse de marier ma fille à mon goût. D'abord son père et moi nous lui laissons la pleine liberté de choisir. Elle voudrait épouser l'*inconnu* que, pourvu que ce soit un homme convenable, nous lui accorderions notre consentement. Puis Cécile dépend entièrement de son grand-père, qui lui donnera au contrat un hôtel à Paris, l'hôtel de Beauséant, qu'il a, depuis dix ans, acheté pour nous, et qui vaut aujourd'hui huit cent mille francs. C'est l'un des plus beaux du faubourg Saint-Germain. En outre, il a deux cent mille francs en réserve pour les frais d'établissement. Un grand-père qui se conduit ainsi et qui déterminera ma belle-mère à faire aussi quelques sacrifices pour sa petite-fille, en vue d'un mariage convenable, a droit de conseil...

— Certainement ! dit Mme Marion stupéfaite de cette confidence qui rendait le mariage de son fils[1] d'autant plus difficile avec Cécile.

— Cécile n'aurait rien à attendre de son grand-père Grévin, reprit Mme Beauvisage, qu'elle ne se marierait pas sans le consulter. Le gendre que mon père avait choisi vient de mourir ; j'ignore ses nouvelles intentions. Si vous avez quelques propositions à faire, allez voir mon père.

— Eh bien, j'irai », dit Mme Marion.

Mme Beauvisage fit un signe à Cécile, et toutes deux elles quittèrent le salon.

Le lendemain, Antonin et Frédéric Marest se trouvèrent, selon leur habitude, après déjeuner, avec M. Martener et Olivier, sous les tilleuls de l'avenue aux Soupirs, fumant leurs cigares et se promenant. Cette promenade est un des petits plaisirs des autorités en province, quand elles vivent bien ensemble.

Après quelques tours de promenade, Simon Giguet vint se joindre aux promeneurs et emmena son camarade de collège Antonin au-delà de l'avenue, du côté de la place, et d'un air mystérieux :

« Tu dois rester fidèle à un vieux camarade qui veut te faire donner la rosette d'officier et une préfecture, lui dit-il.

— Tu commences déjà ta carrière politique, dit Antonin en riant, tu veux me corrompre, enragé puritain ?

— Veux-tu me seconder ?

— Mon cher, tu sais bien que Bar-sur-Aube vient voter ici. Qui peut garantir une majorité dans ces circonstances-là ? Mon collègue de Bar-sur-Aube se plaindrait de moi si je ne faisais pas les mêmes efforts que lui dans le sens du gouvernement, et ta promesse est conditionnelle, tandis que ma destitution est certaine.

— Mais je n'ai pas de concurrents...

— Tu le crois, dit Antonin ; mais

Il s'en présentera, garde-toi d'en douter[2].

---

1. Non, son neveu. **2.** Voltaire, *Tancrède*, III, 4 (mais *gardez-vous*).

— Et ma tante, qui sait que je suis sur des charbons ardents, et qui ne vient pas !... s'écria Giguet. Oh ! voici trois heures qui peuvent compter pour trois années... »

Et son secret lui échappa ! Il avoua à son ami que Mme Marion était allée le proposer au vieux Grévin comme le prétendu de Cécile. Les deux amis s'étaient avancés jusqu'à la hauteur de la route de Brienne, en face de l'hôtel du *Mulet*. Pendant que l'avocat regardait la rue en pente par laquelle sa tante devait revenir du pont, le sous-préfet examinait les ravins que les pluies avaient tracés sur la place. Arcis n'est pavé ni en grès, ni en cailloux, car les plaines de la Champagne ne fournissent aucun matériau propre à bâtir, et encore moins de cailloux assez gros pour faire un pavage en cailloutis. Une ou deux rues et quelques endroits ont des chaussées ; mais toutes les autres sont imparfaitement macadamisées, et c'est assez dire en quel état elles se trouvent par les temps de pluie. Le sous-préfet se donnait une contenance, en paraissant exercer ses méditations sur cet objet important ; mais il ne perdait pas une des souffrances intimes qui se peignaient sur la figure altérée de son camarade.

En ce moment, l'inconnu revenait du château de Cinq-Cygne où vraisemblablement il avait passé la nuit. Goulard résolut d'éclaircir par lui-même le mystère dans lequel s'enveloppait l'inconnu qui, physiquement, était enveloppé dans cette petite redingote en gros drap, appelée paletot, et alors à la mode. Un manteau, jeté sur les pieds de l'inconnu comme une couverture, empêchait de voir le corps. Enfin, un énorme cache-nez en cachemire rouge montait jusque sur les yeux. Le chapeau, crânement mis sur le côté, n'avait cependant rien de ridicule. Jamais un mystère ne fut si mystérieusement emballé, entortillé.

« Gare ! cria le tigre qui précédait à cheval le tilbury. Papa Poupart ! ouvrez ! » cria-t-il d'une voix aigrelette.

Les trois domestiques du *Mulet* s'attroupèrent et le tilbury fila sans que personne pût voir un seul des traits de l'inconnu. Le sous-préfet suivit le tilbury et vint sur le seuil de la porte de l'auberge.

« Madame Poupart, dit Antonin, voulez-vous demander à votre monsieur... monsieur !...

— Je ne sais pas son nom, dit la sœur de Gothard.

— Vous avez tort ! les ordonnances de police sont formelles, et M. Groslier ne badine pas, comme tous les commissaires de police qui n'ont rien à faire...

— Les aubergistes n'ont jamais de torts en temps d'élection », dit le tigre qui descendait de cheval.

« Je vais aller répéter ce mot à Vinet », se dit le sous-préfet.

« Va demander à ton maître s'il peut recevoir le sous-préfet d'Arcis. »

Et Antonin Goulard rejoignit les trois promeneurs qui s'étaient arrêtés au bout de l'avenue en voyant le sous-préfet en conversation avec le tigre, illustre déjà dans Arcis par son nom et par ses reparties.

« Monsieur prie monsieur le sous-préfet de monter, il sera charmé de le recevoir, vint dire Paradis au sous-préfet quelques instants après.

— Mon petit, lui dit Olivier, combien ton maître donne-t-il par an à un garçon de ton poil et de ton esprit ?...

— Donner, monsieur ?... Pour qui nous prenez-vous ? Monsieur le comte se laisse carotter... et je suis content.

— Cet enfant est à bonne école, dit Frédéric Marest.

— La haute école ! monsieur le procureur du Roi, répliqua Paradis en laissant les cinq amis étonnés de son aplomb.

— Quel Figaro ! s'écria Vinet.

— Faut pas nous rabaisser, répliqua l'enfant. Mon maître m'appelle petit Robert Macaire. Depuis que nous savons nous faire des rentes, nous sommes Figaro, plus l'argent.

— Qui gruges-tu donc ?

— Il y a des courses où je gagne mille écus... sans vendre mon maître, monsieur...

— Enfant sublime ! dit Vinet. Il connaît le turf.

— Et tous les *gentlemen riders*, dit l'enfant en montrant la langue à Vinet.

— Le chemin de Paradis mène loin !... » dit Frédéric Marest.

Introduit par l'hôte du *Mulet*, Antonin Goulard trouva l'inconnu dans la pièce de laquelle il avait fait un salon, et il se vit sous le coup d'un lorgnon tenu de la façon la plus impertinente.

« Monsieur, dit Antonin Goulard avec une espèce de hauteur, je viens d'apprendre, par la femme de l'aubergiste, que vous refusez de vous conformer aux ordonnances de police, et comme je ne doute pas que vous ne soyez une personne distinguée, je viens moi-même...

— Vous vous nommez Goulard ?... demanda l'inconnu d'une voix de tête.

— Je suis le sous-préfet, monsieur..., répondit Antonin Goulard.

— Votre père n'appartenait-il pas aux Simeuse ?...

— Et moi, monsieur, j'appartiens au gouvernement, voilà la différence des temps...

— Vous avez un domestique nommé Julien qui veut enlever la femme de chambre de la princesse de Cadignan ?...

— Monsieur, je ne permets à personne de me parler ainsi, dit Goulard, vous méconnaissez mon caractère...

— Et vous voulez savoir le mien ! riposta l'inconnu. Je me fais donc connaître... On peut mettre sur le livre de l'aubergiste : Impertinent, Venant de Paris, Questionneur, Âge douteux, Voyageant pour son plaisir. Ce serait une innovation très goûtée en France, que d'imiter l'Angleterre dans sa méthode de laisser les gens aller et venir selon leur bon plaisir, sans les tracasser, leur demander à tout moment *des papiers*... Je suis sans passeport, que ferez-vous ?

— Monsieur, le procureur du Roi est là, sous les tilleuls..., dit le sous-préfet.

— M. Marest !... vous lui souhaiterez le bonjour de ma part...

— Mais qui êtes-vous ?...

— Ce que vous voudrez que je sois, mon cher monsieur Goulard, dit l'inconnu, car c'est vous qui déciderez *en quoi* je serai dans cet arrondissement. Donnez-moi un bon conseil sur ma tenue ? Tenez, lisez. »

Et l'inconnu tendit au sous-préfet une lettre ainsi conçue :

PRÉFECTURE DE L'AUBE

(Cabinet.)

« Monsieur le Sous-Préfet,

« Vous vous concerterez avec le porteur de la présente pour l'élection d'Arcis, et vous vous conformerez à tout ce qu'il pourra vous demander. Je vous engage à garder la plus entière discrétion, et à le traiter avec les égards dus à son rang. »

Cette lettre était écrite et signée par le préfet.

« Vous avez fait de la prose sans le savoir ! » dit l'inconnu en reprenant la lettre.

Antonin Goulard, déjà frappé par l'air gentilhomme et les manières de ce personnage, devint respectueux.

« Et comment, monsieur ? demanda le sous-préfet.

— En voulant débaucher Anicette... Elle est venue nous dire les tentatives de corruption de Julien, que vous pourriez nommer Julien l'Apostat, car il a été vaincu par le jeune Paradis, mon tigre, et il a fini par avouer que vous souhaitiez faire entrer Anicette au service de la plus riche maison d'Arcis. Or, comme la plus riche maison d'Arcis est celle des Beauvisage, je ne doute pas que ce ne soit Mlle Cécile qui veut jouir de ce trésor.

— Oui, monsieur...

— Eh bien ! Anicette entrera ce matin au service des Beauvisage ! »

Il siffla. Paradis se présenta si rapidement que l'inconnu lui dit : « Tu écoutais !

— Malgré moi, monsieur le comte ; les cloisons sont en papier... Si monsieur le comte le veut, j'irai dans une chambre en haut...

— Non, tu peux écouter, c'est ton droit... C'est à moi à parler bas quand je ne veux pas que tu connaisses mes affaires... Tu vas retourner à Cinq-Cygne, et tu remettras de ma part cette pièce de vingt francs à la petite Anicette... — Julien aura l'air de l'avoir séduite pour votre compte. Cette pièce d'or signifie qu'elle peut suivre Julien, dit l'inconnu en se tournant vers Goulard. Anicette ne sera pas inutile au succès de notre candidat...

— Anicette ?...

— Voici, monsieur le sous-préfet, trente-deux ans que les femmes de chambre me servent... J'ai eu ma première aventure à treize ans, absolument comme le Régent, le trisaïeul de notre Roi... Connaissez-vous la fortune de cette demoiselle Beauvisage ?

— On ne peut pas la connaître, monsieur ; car hier, chez Mme Marion, Mme Séverine a dit que M. Grévin, le grand-père de Cécile, donnerait à sa petite-fille l'hôtel de Beauséant et deux cent mille francs en cadeau de noces... »

Les yeux de l'inconnu n'exprimèrent aucune surprise, il eut l'air de trouver cette fortune très médiocre.

« Connaissez-vous bien Arcis ? demanda-t-il à Goulard.

— Je suis le sous-préfet et je suis né dans le pays.

— Eh bien ! comment peut-on y déjouer la curiosité ?

— Mais en y satisfaisant. Ainsi, monsieur le comte a son nom de baptême, qu'il le mette sur les registres avec son titre.

— Bien, le comte Maxime...

— Et si monsieur veut prendre la qualité d'administrateur du chemin de fer[1], Arcis sera content, et on peut l'amuser avec ce bâton flottant[2] pendant quinze jours...

— Non, je préfère la condition d'irrigateur, c'est moins commun... Je viens pour mettre les terres de Champagne en valeur... Ce sera, mon cher monsieur Goulard, une raison de m'inviter à dîner chez vous avec les Beauvisage, demain... je tiens à les voir, à les étudier.

— Je suis trop heureux de vous recevoir, dit le sous-préfet ; mais je vous demande de l'indulgence pour les misères de ma maison...

— Si je réussis dans l'élection d'Arcis au gré des vœux de ceux qui m'envoient, vous serez préfet, mon

---

1. L'époque voit la naissance des premières compagnies de chemins de fer qui donnera lieu à quelques scandales. Tel candidat comme Charles Laffitte avait acheté des voix en promettant un embranchement sur le chemin de Rouen. Gaudissart (*L'Illustre Gaudissart*) fera fortune dans les chemins de fer. **2.** La Fontaine, *Le Chameau et les bâtons flottants* (IV, 10).

cher ami, dit l'inconnu. Tenez, lisez, dit-il en tendant deux autres lettres à Antonin.

— C'est bien, monsieur le comte, dit Goulard en rendant les lettres.

— Récapitulez toutes les voix dont peut disposer le ministère, et surtout n'ayons pas l'air de nous entendre. Je suis un spéculateur et je me moque des élections !...

— Je vais vous envoyer le commissaire de police pour vous forcer à vous inscrire sur le livre de Poupart.

— C'est très bien... Adieu, monsieur. Quel pays que celui-ci ! dit le comte à haute voix. On ne peut pas y faire un pas sans que tout le monde, jusqu'au sous-préfet, soit sur votre dos.

— Vous aurez à faire au commissaire de police, monsieur », dit Antonin.

On parla vingt minutes après d'une altercation survenue entre le sous-préfet et l'inconnu, chez Mme Mollot.

« Eh bien ! de quel bois est le soliveau tombé dans notre marais ? dit Olivier Vinet à Goulard en le voyant revenir du *Mulet.*

— Un comte Maxime qui vient étudier le système géologique de la Champagne dans l'intention d'y trouver des sources minérales, répondit le sous-préfet d'un air dégagé.

— Dites des ressources, répondit Olivier.

— Il espère réunir des capitaux dans le pays ?... dit M. Martener.

— Je doute que nos royalistes donnent dans ces mines-là, répondit Olivier Vinet en souriant.

— Que présumez-vous, d'après l'air et les gestes de Mme Marion ? » dit le sous-préfet qui brisa la conversation en montrant Simon et sa tante en conférence.

Simon était allé au-devant de sa tante, et causait avec elle sur la place.

« Mais s'il était accepté, je crois qu'un mot suffirait pour le lui dire, répliqua le substitut.

— Eh bien ! dirent à la fois les deux fonctionnaires à Simon qui venait sous les tilleuls.

— Eh bien ! ma tante a bon espoir. Mme Beauvisage et le vieux Grévin, qui partait pour Gondreville, n'ont pas été surpris de notre demande, on a causé des fortunes respectives, on veut laisser Cécile entièrement libre de faire un choix. Enfin, Mme Beauvisage a dit que, quant à elle, elle ne voyait pas d'objections contre une alliance de laquelle elle se trouvait très honorée, qu'elle subordonnerait néanmoins sa réponse à ma nomination et peut-être à mon début à la Chambre, et le vieux Grévin a parlé de consulter le comte de Gondreville, sans l'avis de qui jamais il ne prenait de décision importante...

— Ainsi, dit nettement Goulard, tu n'épouseras pas Cécile, mon vieux !

— Et pourquoi ! s'écria Giguet ironiquement.

— Mon cher, Mme Beauvisage va passer avec sa fille et son mari quatre soirées par semaine dans le salon de ta tante ; ta tante est la femme la plus comme il faut d'Arcis, elle est, quoiqu'il y ait vingt ans de différence entre elle et Mme Beauvisage, l'objet de son envie, et tu crois que l'on ne doit pas envelopper un refus de quelques façons...

— Ne dire ni oui, ni non, reprit Vinet, c'est dire non, eu égard aux relations intimes de vos deux familles. Si Mme Beauvisage est la plus grande fortune d'Arcis, Mme Marion en est la femme la plus considérée ; car, à l'exception de la femme de notre président, qui ne voit personne, elle est la seule qui sache tenir un salon, elle est la reine d'Arcis. Mme Beauvisage paraît vouloir mettre de la politesse à son refus, voilà tout.

— Il me semble que le vieux Grévin s'est moqué de votre tante, mon cher, dit Frédéric Marest.

— Vous avez attaqué hier le comte de Gondreville, vous l'avez blessé, vous l'avez grièvement offensé, car Achille Pigoult l'a vaillamment défendu... et on veut le consulter sur votre mariage avec Cécile ?...

— Il est impossible d'être plus narquois que le vieux père Grévin, dit Vinet.

— Mme Beauvisage est ambitieuse, répondit Goulard, et sait très bien que sa fille aura deux millions ; elle veut être la belle-mère d'un ministre ou d'un ambassadeur, afin de trôner à Paris.

— Eh bien ! pourquoi pas ? dit Simon Giguet.

— Je te le souhaite », répondit le sous-préfet en regardant le substitut avec lequel il se mit à rire quand ils furent à quelques pas. « Il ne sera pas seulement député ! dit-il à Olivier, le ministère a des intentions. Vous trouverez chez vous une lettre de votre père qui vous enjoint de vous assurer des personnes de votre ressort, dont les votes appartiennent au ministère, il y va de votre avancement, et il vous recommande la plus entière discrétion.

— Et pour qui devront voter nos huissiers, nos avoués, nos juges de paix, nos notaires ? fit le substitut.

— Pour le candidat que je vous nommerai...

— Mais comment savez-vous que mon père m'écrit et ce qu'il m'écrit ?...

— Par l'inconnu...

— L'homme des mines !

— Mon cher Vinet, nous ne devons pas le connaître, traitons-le comme un étranger... Il a vu votre père à Provins, en y passant. Tout à l'heure, ce personnage m'a salué par un mot du préfet qui me dit de suivre, pour les élections d'Arcis, toutes les instructions que me donnera le comte Maxime. Je ne pouvais pas ne point avoir une bataille à livrer, je le savais bien ! Allons dîner ensemble et dressons nos batteries, il s'agit pour vous de devenir procureur du Roi à Mantes, pour moi d'être préfet, et nous ne devons pas avoir l'air de nous mêler des élections, car nous sommes entre l'enclume et le marteau. Simon est le candidat d'un parti qui veut renverser le ministère actuel et qui peut réussir ; mais pour des gens aussi intelligents que nous, il n'y a qu'un parti à prendre...

— Lequel ?

— Servir ceux qui font et défont les ministères... Et la lettre que l'on m'a montrée est d'un des personnages qui sont les compères de la pensée immuable. »

Avant d'aller plus loin, il est nécessaire d'expliquer quel était ce mineur, et ce qu'il venait extraire de la Champagne.

Environ deux mois avant le triomphe de Simon Giguet comme candidat, à onze heures, dans un hôtel du faubourg Saint-Honoré, au moment où l'on servit le thé chez la marquise d'Espard, le chevalier d'Espard, son beau-frère, dit en posant sa tasse et en regardant le cercle formé autour de la cheminée : « Maxime était bien triste, ce soir, ne trouvez-vous pas ?...

Arcis-sur-Aube au XIXe siècle.

— Mais, répondit Rastignac, sa tristesse est assez explicable, il a quarante-huit ans ; à cet âge, on ne se fait plus d'amis, et quand nous avons enterré de Marsay, Maxime a perdu le seul homme capable de le comprendre, de le servir et de se servir de lui...

— Il a sans doute quelques dettes pressantes, ne pourriez-vous pas le mettre à même de les payer ? » dit la marquise à Rastignac.

En ce moment Rastignac était pour la seconde fois ministre, il venait d'être fait comte presque malgré lui ; son beau-père, le baron de Nucingen, avait été nommé pair de France, son frère était évêque, le comte de La Roche-Hugon, son beau-frère, était ambassadeur, et il passait pour être indispensable dans les combinaisons ministérielles à venir.

« Vous oubliez toujours, chère marquise, répondit Rastignac, que notre gouvernement n'échange son argent que contre de l'or, il ne comprend rien aux hommes.

— Maxime est-il homme à se brûler la cervelle ? demanda du Tillet.

— Ah ! tu le voudrais bien, nous serions quittes », répondit au banquier le comte Maxime de Trailles que chacun croyait parti.

Et le comte se dressa comme une apparition du fond d'un fauteuil placé derrière celui du chevalier d'Espard. Tout le monde se mit à rire.

« Voulez-vous une tasse de thé ? lui dit la jeune comtesse de Rastignac que la marquise avait priée de faire les honneurs à sa place.

— Volontiers », répondit le comte en venant se mettre devant la cheminée.

Cet homme, le prince des mauvais sujets de Paris, s'était jusqu'à ce jour soutenu dans la position supérieure qu'occupaient les dandies, alors appelés *Gants jaunes*, et depuis des *Lions*. Il est assez inutile de raconter l'histoire de sa jeunesse pleine d'aventures galantes et marquée par des drames horribles où il avait toujours su garder les convenances. Pour cet homme, les femmes ne furent jamais que des moyens, il ne croyait pas plus à leurs douleurs qu'à leurs plaisirs ; il les prenait, comme feu de Marsay, pour des enfants méchants. Après avoir mangé sa propre fortune, il avait dévoré celle d'une fille célèbre, nommée la *Belle Hollandaise,* mère de la fameuse Esther Gobseck. Puis il avait causé les malheurs de Mme de Restaud, la sœur de Mme Delphine de Nucingen, mère de la jeune comtesse de Rastignac[1].

Le monde de Paris offre des bizarreries inimaginables. La baronne de Nucingen se trouvait en ce moment dans le salon de Mme d'Espard, devant l'auteur de tous les maux de sa sœur, devant un assassin qui n'avait tué que le bonheur d'une femme. Voilà pourquoi, sans doute, il était là. Mme de Nucingen avait dîné chez la marquise avec sa fille, mariée depuis un an au comte de Rastignac, qui avait commencé sa carrière politique en occupant une place de sous-secrétaire d'État dans le célèbre ministère de feu de Marsay, le seul grand homme d'État qu'ait produit la révolution de Juillet.

Le comte Maxime de Trailles savait seul combien de désastres il avait causés ; mais il s'était toujours mis à l'abri du blâme en obéissant aux lois du Code-Homme. Quoiqu'il eût dissipé dans sa vie plus de sommes que les

---

1. Voir *Le Père Goriot*. Maxime de Trailles apparaît très souvent dans *La Comédie humaine.*

quatre bagnes de France n'en ont volé durant le même temps, la Justice était respectueuse pour lui. Jamais il n'avait manqué à l'honneur, il payait scrupuleusement ses dettes de jeu. Joueur admirable, il faisait la partie des plus grands seigneurs et des ambassadeurs. Il dînait chez tous les membres du corps diplomatique. Il se battait, il avait tué deux ou trois hommes en sa vie, il les avait à peu près assassinés, car il était d'une adresse et d'un sang-froid sans pareils. Aucun jeune homme ne l'égalait dans sa mise, ni dans sa distinction de manières, dans l'élégance des mots, dans la désinvolture, ce qu'on appelait autrefois *avoir un grand air*. En sa qualité de page de l'Empereur, formé dès l'âge de douze ans aux exercices du manège, il passait pour un des plus habiles écuyers. Ayant toujours eu cinq chevaux dans son écurie, il faisait alors courir, il dominait toujours la mode. Enfin personne ne se tirait mieux que lui d'un souper de jeunes gens, il buvait mieux que le plus aguerri d'entre eux, et sortait frais, prêt à recommencer, comme si la débauche était son élément. Maxime, un de ces hommes méprisés qui savent comprimer le mépris qu'ils inspirent par l'insolence de leur attitude et la peur qu'ils causent, ne s'abusait jamais sur sa situation. De là venait sa force. Les gens forts sont toujours leurs propres critiques.

Sous la Restauration, il avait assez bien exploité son état de page de l'Empereur, il attribuait à ses prétendues opinions bonapartistes la répulsion qu'il avait rencontrée chez les différents ministères quand il demandait à servir les Bourbons ; car, malgré ses liaisons, sa naissance, et ses dangereuses capacités, il ne put rien obtenir ; et, alors, il entra dans la conspiration sourde sous laquelle succombèrent les Bourbons de la branche aînée. Maxime fit partie d'une association commencée dans un but de plaisir, d'amusement (voir *Les Treize*), et qui tourna naturellement à la politique cinq ans avant la révolution de Juillet. Quand la branche cadette eut marché, précédée du peuple parisien, sur la branche aînée, et se fut assise sur le trône, Maxime réexploita son attachement à Napoléon, de qui il se souciait comme de sa première amourette. Il rendit alors de grands services que l'on fut extrêmement embarrassé de reconnaître, car il voulait être trop souvent payé par des gens qui savent compter. Au premier refus, Maxime se mit en état d'hostilité, menaçant de révéler certains détails peu agréables, car les dynasties qui commencent ont, comme les enfants, des langes tachés.

Pendant son ministère, de Marsay répara les fautes de ceux qui avaient méconnu l'utilité de ce personnage, il lui donna de ces missions secrètes pour lesquelles il faut des consciences battues par le marteau de la nécessité, une adresse qui ne recule devant aucune mesure, de l'impudence, et surtout ce sang-froid, cet aplomb, ce coup d'œil qui constitue les *bravi* de la pensée et de la haute politique. De semblables instruments sont à la fois rares et nécessaires. Par calcul, de Marsay ancra Maxime de Trailles dans la société la plus élevée ; il le peignit comme un homme mûri par les passions, instruit par l'expérience, qui savait les choses et les hommes, à qui les voyages et une certaine faculté d'observation avaient donné la connaissance des intérêts européens, des cabinets étrangers et des alliances de toutes les familles continentales. De Marsay convainquit Maxime de la nécessité de se faire un honneur à lui ; il lui montra la discrétion moins comme une vertu que comme une spéculation ; il lui prouva que le pouvoir n'abandonnerait jamais un instrument solide et sûr, élégant et poli.

« En politique, on ne fait *chanter* qu'une fois ! » lui dit-il en le blâmant d'avoir fait une menace.

Maxime était homme à sonder la profondeur de ce mot.

De Marsay mort, le comte Maxime de Trailles était retombé dans sa vie antérieure. Il allait jouer tous les ans aux Eaux, il revenait passer l'hiver à Paris ; mais s'il recevait quelques sommes importantes, venues des profondeurs de certaines caisses extrêmement avares, cette demi-solde due à l'homme intrépide qu'on pouvait employer d'un moment à l'autre, et confident des mystères de la contre-diplomatie, était insuffisante pour les dissipations d'une vie aussi splendide que celle du roi des dandies, du tyran de quatre ou cinq clubs parisiens. Aussi le comte Maxime avait-il souvent des inquiétudes sur la question financière. Sans propriété, il n'avait jamais pu consolider sa position en se faisant nommer député ; puis, sans fonctions ostensibles, il lui était impossible de mettre le couteau sous la gorge à quelque ministère pour se faire nommer pair de France. Or, il se voyait gagné par le temps, car ses profusions avaient entamé sa personne aussi bien que ses diverses fortunes. Malgré ses beaux dehors, il se connaissait et ne pouvait se tromper sur lui-même, il pensait à faire une fin, à se marier.

Homme d'esprit, il ne s'abusait pas sur sa considération, il savait bien qu'elle était mensongère. Il ne devait donc y avoir de femmes pour lui ni dans la haute société de Paris, ni dans la bourgeoisie ; il lui fallait prodigieusement de méchanceté, de bonhomie apparente et de services rendus pour se faire supporter, car chacun désirait sa chute ; et une mauvaise veine pouvait le perdre. Une fois envoyé à la prison de Clichy ou à l'étranger par quelques lettres de change intraitables, il tombait dans le précipice où l'on peut voir tant de carcasses politiques qui ne se consolent pas entre elles. En ce moment même, il craignait les éboulements de quelques portions de cette voûte menaçante que les dettes élèvent au-dessus de plus d'une tête parisienne. Il avait laissé les soucis apparaître sur son front, il venait de refuser de jouer chez Mme d'Espard, il avait causé avec les femmes en donnant des preuves de distraction, et il avait fini par rester muet et absorbé dans le fauteuil d'où il venait de se lever comme le spectre de *Banquo*[1]. Le comte Maxime de Trailles se trouva l'objet de tous les regards, directs ou indirects, placé comme il l'était au milieu de la cheminée, illuminé par les feux croisés de deux candélabres. Le peu de mots dits sur lui l'obligeait en quelque sorte à se poser fièrement, et il se tenait, en homme d'esprit, sans arrogance, mais avec l'intention de se montrer au-dessus des soupçons.

Un peintre n'aurait jamais pu rencontrer un meilleur moment pour saisir le portrait de cet homme, certainement extraordinaire. Ne faut-il pas être doué de facultés rares pour jouer un pareil rôle, pour avoir toujours séduit les femmes pendant trente ans, pour se résoudre à n'employer ses dons que dans une sphère cachée, en incitant un peuple à la révolte, en surprenant les secrets d'une

1. Dans *Macbeth*.

politique astucieuse, en ne triomphant que dans les boudoirs ou dans les cabinets ? N'y a-t-il pas je ne sais quoi de grand à s'élever aux plus hauts calculs de la politique, et à retomber froidement dans le néant d'une vie frivole ? Quel homme de fer que celui qui résiste aux alternatives du jeu, aux rapides voyages de la politique, au pied de guerre de l'élégance et du monde, aux dissipations des galanteries nécessaires, qui fait de sa mémoire une bibliothèque de ruses et de mensonges, qui enveloppe tant de pensées diverses, tant de manèges sous une impénétrable élégance de manières ? Si le vent de la faveur avait soufflé dans ces voiles toujours tendues, si le hasard des circonstances avait servi Maxime, il eût été Mazarin, le maréchal de Richelieu, Potemkin ou peut-être plus justement Lauzun sans Pignerol.

Le comte, quoique d'une taille assez élevée, et d'une constitution sèche, avait pris un peu de ventre, mais il le contenait au majestueux, suivant l'expression de Brillat-Savarin[1]. Ses habits étaient d'ailleurs si bien faits, qu'il conservait, dans toute sa personne, un air de jeunesse, quelque chose de leste, de découplé, dû sans doute à ses exercices soutenus, à l'habitude de faire des armes, de monter à cheval et de chasser. Maxime possédait toutes les grâces et les noblesses physiques de l'aristocratie, encore rehaussées par sa tenue supérieure. Son visage, long et bourbonien, était encadré par des favoris, par un collier de barbe soigneusement frisés, élégamment coupés, et noirs comme du jais. Cette couleur, pareille à celle d'une chevelure abondante, s'obtenait par un cosmétique indien fort cher, en usage dans la Perse, et sur lequel Maxime gardait le secret. Il trompait ainsi les regards les plus exercés sur le blanc qui, depuis longtemps, avait envahi ses cheveux. Le propre de cette teinture, dont se servent les Persans pour leurs barbes, est de ne pas rendre les traits durs, elle peut se nuancer par le plus ou le moins d'indigo, et s'harmonie alors à la couleur de la peau. C'était sans doute cette opération que Mme Mollot avait

---

1. L'expression est dans la *Physiologie du goût*. C'est en appendice à cet ouvrage de Brillat-Savarin que Balzac avait publié en 1839 son *Traité des excitants modernes*.

vu faire ; mais on continue encore par certaines soirées la plaisanterie de se demander ce que Mme Mollot a vu.

Maxime avait un très beau front, les yeux bleus, un nez grec, une bouche agréable et le menton bien coupé ; mais le tour de ses yeux était cerné par de nombreuses lignes fines comme si elles eussent été tracées avec un rasoir, et au point de n'être plus vues à une certaine distance. Ses tempes portaient des traces semblables. Le visage était aussi passablement rayé. Les yeux, comme ceux des joueurs qui ont passé des nuits innombrables, étaient couverts comme d'un glacis ; mais, quoique affaibli, le regard n'en était que plus terrible, il épouvantait. On sentait là-dessous une chaleur couvée, une lave de passions mal éteinte. Cette bouche, autrefois si fraîche et si rouge, avait également des teintes froides ; elle n'était plus droite, elle fléchissait sur la droite. Cette sinuosité semblait indiquer le mensonge. Le vice avait tordu ces lèvres ; mais les dents étaient encore belles et blanches.

Ces flétrissures disparaissaient dans l'ensemble de la physionomie et de la personne. Les formes étaient toujours si séduisantes, qu'aucun jeune homme ne pouvait lutter au bois de Boulogne avec Maxime à cheval où il se montrait plus jeune, plus gracieux que le plus jeune et le plus gracieux d'entre eux. Ce privilège de jeunesse éternelle a été possédé par quelques hommes de ce temps.

Le comte était d'autant plus dangereux qu'il paraissait souple, indolent, et ne laissait pas voir l'épouvantable parti pris qu'il avait sur toute chose. Cette effroyable indifférence qui lui permettait de seconder une sédition populaire avec autant d'habileté qu'il pouvait en mettre à une intrigue de cour, dans le but de raffermir l'autorité d'un prince, avait une sorte de grâce. Jamais on ne se défie du calme, de l'uni, surtout en France, où nous sommes habitués à beaucoup de mouvement pour les moindres choses.

Vêtu selon la mode de 1839, le comte était en habit noir, en gilet de cachemire bleu foncé, brodé de petites fleurs d'un bleu clair, en pantalon noir, en bas de soie gris, en souliers vernis. Sa montre, contenue dans une des poches du gilet, se rattachait par une chaîne élégante à l'une des boutonnières.

« Rastignac, dit-il en acceptant la tasse de thé que la jolie Mme de Rastignac lui tendit, voulez-vous venir avec moi à l'ambassade d'Autriche[1] ?

— Mon cher, je suis trop nouvellement marié pour ne pas rentrer avec ma femme !

— C'est-à-dire que plus tard ?..., dit la jeune comtesse en se retournant et regardant son mari.

— Plus tard, c'est la fin du monde, répondit Maxime. Mais n'est-ce pas me faire gagner mon procès que de me donner madame pour juge ? »

Le comte, par un geste gracieux, amena la jolie comtesse auprès de lui ; elle écouta quelques mots, regarda sa mère, et dit à Rastignac : « Si vous voulez aller avec monsieur de Trailles à l'ambassade, ma mère me ramènera. »

Quelques instants après, la baronne de Nucingen et la comtesse de Rastignac sortirent ensemble. Maxime et Rastignac descendirent bientôt, et quand ils furent assis tous deux dans la voiture du baron : « Que me voulez-vous, Maxime ? dit le nouveau marié. Qu'y a-t-il de si pressé pour me prendre à la gorge ? Qu'avez-vous dit à ma femme ?

— Que j'avais à vous parler, répondit M. de Trailles. Vous êtes heureux, vous ! Vous avez fini par épouser l'unique héritière des millions de Nucingen, et vous l'avez bien gagné... vingt ans de travaux forcés !...

— Maxime !

— Mais moi, me voici mis en question par tout le monde, dit-il en continuant et tenant compte de l'interruption. Un misérable, un du Tillet, se demande si j'ai le courage de me tuer ! Il est temps de se ranger. Veut-on ou ne veut-on pas se défaire de moi ? vous pouvez le savoir, vous le saurez, dit Maxime en faisant un geste pour imposer silence à Rastignac. Voici mon plan, écoutez-le. Vous devez me servir, je vous ai déjà servi, je puis vous servir encore. La vie que je mène m'ennuie et je veux une retraite. Voyez à me seconder dans la conclu-

---

1. Le brillant salon de l'ambassadeur Apponyi était un terrain neutre où se rencontraient légitimistes et tenants de la monarchie de Juillet. Balzac le fréquentait.

sion d'un mariage qui me donne un demi-million ; une fois marié, nommez-moi ministre auprès de quelque méchante république d'Amérique. Je resterai dans ce poste aussi longtemps qu'il le faudra pour légitimer ma nomination à un poste du même genre en Allemagne. Si je vaux quelque chose, on m'en tirera ; si je ne vaux rien, on me remerciera. J'aurai peut-être un enfant, je serai sévère pour lui ; sa mère sera riche, j'en ferai un diplomate, il pourra être ambassadeur.

— Voici ma réponse, dit Rastignac. Il y a un combat, plus violent que le vulgaire ne le croit, entre une puissance au maillot et une puissance enfant. La puissance au maillot, c'est la Chambre des députés, qui, n'étant pas contenue par une Chambre héréditaire...

— Ah ! ah ! dit Maxime, vous êtes pair de France.

— Ne le serais-je pas maintenant sous tous les régimes ?... dit le nouveau pair. Mais ne m'interrompez pas, il s'agit de vous dans tout ce gâchis[1]. La Chambre des députés deviendra fatalement tout le gouvernement, comme nous le disait de Marsay, le seul homme par qui la France eût pu être sauvée, en tant que cabinet ; car les peuples ne meurent pas, ils sont esclaves ou libres, voilà tout. La puissance enfant est la royauté couronnée au mois d'août 1830. Le ministère actuel[2] est vaincu, il a dissous la Chambre et veut faire les élections pour que le ministère qui viendra ne les fasse pas ; mais il ne croit pas à une victoire. S'il était victorieux dans les élections, la dynastie serait en danger ; tandis que, si le ministère est vaincu, le parti dynastique pourra lutter avec avantage, pendant longtemps. Les fautes de la Chambre profiteront à une volonté qui, malheureusement, est tout dans la politique. Quand on est tout, comme fut Napoléon, il vient un moment où il faut se faire suppléer ; et comme on a écarté les gens supérieurs, le grand tout ne trouve pas de suppléant. Le suppléant, c'est ce qu'on nomme un cabi-

---

1. Balzac utilise aussi le mot dans *Une fille d'Ève* en en faisant honneur à « un soldat », le général Mouton, comte de Lobau, qui en avait usé pour dénoncer l'instabilité parlementaire. **2.** Le ministère Molé qui n'a plus que quelques jours à vivre à cette date (fin février-tout début mars), si l'on se fonde sur les indications chronologiques du romancier.

net, et il n'y a pas de cabinet en France, il n'y a qu'une volonté viagère. En France, il n'y a que les gouvernants qui fassent des fautes, l'opposition ne peut pas en faire, elle peut perdre autant de batailles qu'elle en livre, il lui suffit, comme les alliés en 1814, de vaincre une seule fois. Avec *trois glorieuses journées* enfin, elle détruit tout. Aussi est-ce se porter héritier du pouvoir que de ne pas gouverner et d'attendre. J'appartiens par mes opinions personnelles à l'aristocratie, et par mes opinions publiques à la royauté de Juillet. La maison d'Orléans m'a servi à relever la fortune de ma maison et je lui reste attaché à jamais.

— Le jamais de M. de Talleyrand bien entendu ! dit Maxime.

— Dans ce moment je ne peux donc rien pour vous, reprit Rastignac, nous n'aurons pas le pouvoir dans six mois. Oui, ces six mois vont être une agonie, je le savais, nous connaissions notre sort en nous formant, nous sommes un ministère bouche-trou. Mais si vous vous distinguez au milieu de la bataille électorale qui va se livrer ; si vous apportez une voix, un député fidèle à la cause dynastique, on accomplira votre désir. Je puis parler de votre bonne volonté, je puis mettre le nez dans les documents secrets, dans les rapports confidentiels, et vous trouver quelque rude tâche. Si vous réussissez, je puis insister sur vos talents, sur votre dévouement, et réclamer la récompense. Votre mariage, mon cher, ne se fera que dans une famille d'industriels ambitieux, et en province. À Paris, vous êtes trop connu. Il s'agit donc de trouver un millionnaire, un parvenu doué d'une fille et possédé de l'envie de parader au château des Tuileries !

— Faites-moi prêter, par votre beau-père, vingt-cinq mille francs pour attendre jusque-là ; il sera intéressé à ce qu'on ne me paie pas en eau bénite de cour après le succès, et il poussera au mariage.

— Vous êtes fin, Maxime, vous vous défiez de moi, mais j'aime les gens d'esprit, j'arrangerai votre affaire. »

Ils étaient arrivés. Le baron de Rastignac vit dans le salon le ministre de l'Intérieur[1], et alla causer avec lui

1. Le comte de Montalivet, pair de France.

dans un coin. Le comte Maxime de Trailles était, en apparence, occupé de la vieille comtesse de Listomère ; mais il suivait, en réalité, le cours de la conversation des deux pairs de France ; il épiait leurs gestes, il interprétait leurs regards et finit par saisir un favorable coup d'œil jeté sur lui par le ministre.

Maxime et Rastignac sortirent ensemble à une heure du matin, et avant de monter chacun dans leurs voitures, Rastignac dit à de Trailles, sur les marches de l'escalier : « Venez me voir à l'approche des élections. D'ici là, j'aurai vu dans quelle localité les chances de l'opposition sont les plus mauvaises et quelles ressources y trouveront deux esprits comme les nôtres.

— Les vingt-cinq mille francs sont pressés ! lui répondit de Trailles.

— Hé, bien ! cachez-vous. »

Cinquante jours après, un matin avant le jour, le comte de Trailles vint rue de Bourbon[1], mystérieusement, dans un cabriolet de place, à la porte du magnifique hôtel que le baron de Nucingen avait acheté pour son gendre ; il renvoya le cabriolet, regarda s'il n'était pas suivi ; puis il attendit dans un petit salon que Rastignac se levât. Quelques instants après, le valet de chambre introduisit Maxime dans le cabinet où se trouvait l'homme d'État.

« Mon cher, lui dit le ministre, je puis vous dire un secret qui sera divulgué dans deux jours par les journaux et que vous pouvez mettre à profit. Ce pauvre Charles Keller, qui dansait si bien la mazurka, a été tué en Afrique, et il était notre candidat dans l'arrondissement d'Arcis. Cette mort laisse un vide. Voici la copie de deux rapports ; l'un du sous-préfet, l'autre du commissaire de police, qui prévenait le ministère que l'élection de notre pauvre ami rencontrerait des difficultés. Il se trouve dans celui du commissaire de police des renseignements sur l'état de la ville qui suffiront à un homme tel que toi, car l'ambition du concurrent du pauvre feu Charles Keller vient de son désir d'épouser une héritière... À un entendeur tel que toi, ce mot suffit. Les Cinq-Cygne, la prin-

1. La partie de l'actuelle rue de Lille située entre la rue du Bac et la rue des Saints-Pères.

cesse de Cadignan et Georges de Maufrigneuse sont à deux pas d'Arcis, tu sauras avoir au besoin les votes légitimistes... Ainsi...

— N'use pas ta langue, dit Maxime. Le commissaire de police est encore là ?

— Oui.

— Fais-moi donner un mot pour lui...

— Mon cher, dit Rastignac en remettant à Maxime tout un dossier, vous trouverez là deux lettres écrites à Gondreville pour vous. Vous avez été page, il a été sénateur, vous vous entendrez. Mme François Keller est dévote, voici pour elle une lettre de la maréchale de Carigliano. La maréchale est devenue dynastique, elle vous recommande chaudement et vous rejoindra d'ailleurs. Je ne vous ajouterai qu'un mot : défiez-vous du sous-préfet, que je crois capable de se ménager dans ce Simon Giguet un appui auprès de l'ex-président du conseil[1]. S'il vous faut des lettres, des pouvoirs, des recommandations, écrivez-moi.

— Et les vingt-cinq mille francs ? demanda Maxime.

— Signez cette lettre de change à l'ordre de du Tillet, voici les fonds.

— Je réussirai, dit le comte, et vous pouvez promettre au château que le député d'Arcis leur appartiendra corps et âme. Si j'échoue, qu'on m'abandonne ! »

Maxime de Trailles était en tilbury, sur la route de Troyes, une heure après.

---

1. Thiers, à qui Molé avait succédé en septembre 1836 en tant que président du Conseil et ministre des Affaires étrangères, et qui allait retrouver ce poste du 1er mars au 29 octobre 1840.

COMMENTAIRES

DU MANUSCRIT AU FEUILLETON

La composition du *Député d'Arcis* a été étudiée par Colin Smethurst dans « Introduction à l'étude du *Député d'Arcis* » (*L'Année balzacienne,* 1967) et dans son édition du roman dans *La Comédie humaine*, Bibl. de la Pléiade, t. VIII, p. 1587-1601. Cette composition est complexe et l'étude du manuscrit ne peut l'éclairer tout à fait, car il se présente comme la « refonte de plusieurs versions », soit trois débuts de roman différents, sans compter *L'Ambitieux malgré lui*. Toutefois et le manuscrit et ce que Balzac dit de son travail dans sa *Correspondance*, dans les *Lettres à Mme Hanska*, dans certaines préfaces permettent à C. Smethurst de distinguer trois étapes dans cette composition :

1) Mai 1839-début 1840. C'est dans la préface du *Cabinet des Antiques* (février 1839) que Balzac annonce un roman sur les élections qui s'intitulera *Les Mitouflet*. Il présente le livre comme « fort avancé ». Mais il ne se met en fait à l'écrire, et sous le titre *Élection en province, histoire de 1838*, qu'en mai 1839, date portée sur la première page du manuscrit. Il compose alors son Avant-scène. Un page de l'Empereur, le portrait du notaire Grévin et la description de sa maison. En juin 1840, dans la

préface de *Pierrette*, il parle d'*Une élection en province* qui raconterait le mariage de Maxime de Trailles, consécutif à son élection comme député (ce qui n'implique pas du tout, nous semble-t-il, qu'il destine ce roman d'un célibataire converti au mariage à la section *Les Célibataires* où il place *Pierrette*). Il y a quelque dix-huit mois qu'il a mis de côté son manuscrit lorsqu'en novembre 1841, dans une lettre à L.M. Perrée, directeur-gérant du *Siècle,* il est question de son *Élection en Champagne* qu'il compte bien, dit-il, avoir terminée pour janvier 1842.

2) Juillet 1842-février 1843. Retour d'Arcis, Balzac écrit les quelques feuillets de *L'Ambitieux malgré lui* où l'on voit le préfet Goulard et son ami Simon Giguet, le candidat, attendant Mme Marion qui est allée demander au notaire Grévin la main de sa petite-fille pour son neveu ; et sans doute la description d'Arcis. Dans les *Lettres à Mme Hanska*, de septembre 1842 à mars 1843, il est beaucoup question du roman dont le titre définitif apparaît pour la première fois dans une lettre du 16 novembre. C'est aussi en novembre qu'il signe un traité avec L.F. Loquin, banquier à Lagny, pour l'édition du *Député de province, La Chaumière et le château (Les Paysans)* et *Un début dans la vie* (16 novembre) ; traité qui fut suivi d'un début d'impression. Le 19 mars, il annonce à sa correspondante qu'il renonce pour le moment à ce roman « trop long et trop difficile ».

Néanmoins dans sa préface à l'édition Dumont de la troisième partie d'*Illusions perdues* (1843), rapprochant les trois sortes de provinciaux qui veulent « monter » à Paris, le noble (*Le Cabinet des Antiques*), le poète (*Illusions perdues*) et le négociant enrichi, il présente son roman comme quasi terminé : « Quant au mouvement politique, à l'ambition du député, c'est une scène qui appartient aux *Scènes de la vie politique*, et presque terminée ; elle est intitulée *Le Député à Paris.* »

3) Entre 1843 et 1847, Balzac parle souvent, mais sans grand entrain, de terminer son *Député.* Il semble bien qu'il n'ait repris son manuscrit qu'au moment où la possibilité lui a été offerte de publier son roman en feuilleton dans *L'Union monarchique*, et sans doute eût-il été amené à le terminer si le journal n'en avait interrompu la paru-

tion. Ensuite le titre n'apparaît plus que dans des énumérations d'œuvres annoncées dans le Catalogue, et, en juillet 1848, l'auteur brûle les épreuves du feuilleton.

L'AUTEUR ET SES PERSONNAGES

On a vu (cf. notre Introduction) quel intérêt personnel pour la carrière de député avait amené Balzac à écrire un roman sur l'élection, et à une époque où l'actualité politique tient une place importante dans la *Revue parisienne* qu'il a fondée en 1840. Cela dit, aucun personnage ne représente l'auteur dans le roman ni ne peut se faire son porte-parole, sauf, *mutatis mutandis,* Maxime de Trailles, le célibataire qui veut faire une fin. Il sera en effet député, son beau-père Beauvisage se désistant en sa faveur (voir *La Cousine Bette* et *Les Comédiens sans le savoir*).

Bien que ce tardif rôle de député ne fasse pas de Maxime de Trailles un homme d'État, on reconnaît dans cette carrière d'un roué une idée chère à Balzac ennemi des « hommes spéciaux », idée dont d'illustres exemples ont par la suite prouvé, dans la réalité, le bien-fondé : celle que le code et la vie de dandy — maîtrise absolue de soi, distance à l'égard des êtres et des événements, connaissance et utilisation des hommes... et des femmes — préparent mieux à la grande politique que les livres et les écoles : témoin de Marsay (cf. nos *Mondains de la Comédie humaine*).

THÈMES REPARAISSANTS

Les principaux thèmes se retrouvent dans les œuvres contemporaines du *Député d'Arcis* : *Un grand homme de province à Paris* (*Illusions perdues*) et *Le Cabinet des Antiques*, pour la « montée » des provinciaux à Paris ; et, s'agissant des élections, *Albert Savarus*, *Z. Marcas* qui est la quatrième des *Scènes de la vie politique*, court récit publié en juillet 1840 dans la première livraison de la *Revue parisienne* créée par Balzac, et dans d'autres textes de cette revue.

Les Provinciaux à Paris

« *Les Mitouflet*, autre livre déjà fort avancé, présentera le tableau des ambitions électorales, qui amènent à Paris les riches industriels de la province, et montrera comment ils y retournent.

Ainsi, dans cette année, la peinture de ces trois grands mouvements d'ascension vers Paris, de la Noblesse, de la Richesse et des Talents, sera terminée. »

(Préface de la première édition du *Cabinet des Antiques*, 1839).

« Il y a trois causes d'une action perpétuelle, qui unissent la province à Paris : l'ambition du noble, l'ambition du négociant enrichi, l'ambition du poète. L'esprit, l'argent et le grand nom viennent chercher la sphère qui leur est propre. *Le Cabinet des Antiques* et *Illusions perdues* offrent l'histoire de l'ambition du jeune noble et du jeune poète. Il reste à faire l'histoire du bourgeois enrichi à qui sa province déplaît, qui ne veut pas rester au milieu de témoins de ses commencements et espère être un personnage à Paris.

Quant au mouvement politique, à l'ambition du député, c'est une scène qui appartient aux *Scènes de la vie politique*, et presque terminée ; elle est intitulée *Le Député à Paris*. »

(Préface de l'édition Dumont de *David Séchard*, troisième partie d'*Illusions perdues*, 1843).

Système électif, réforme électorale et réunion préélectorale

« En France, la jeunesse est condamnée par la légalité nouvelle, par les conditions mauvaises du principe électif, par les vices de la constitution ministérielle. En examinant la composition de la Chambre Élective, vous n'y trouverez point de député de trente ans : la jeunesse de Richelieu et celle de Mazarin, la jeunesse de Turenne et celle de Colbert, la jeunesse de Pitt et celle de Saint-Just, celle de Napoléon et celle du prince de Metternich n'y trouveraient point de place. Burke, Sheridan, Fox ne pourraient s'y asseoir. On aurait pu mettre la majorité politique à vingt et un ans et dégrever l'éligibilité de toute espèce de condition, les départements n'auraient élu que les députés actuels, des gens sans aucun talent politique, incapables de parler sans estropier la grammaire, et parmi lesquels, en dix ans, il s'est à peine rencontré un homme d'État. »

(*Z. Marcas*, éd. Pléiade, t. VIII, p. 847-848)

« La France a, depuis 1830, recommencé quatre fois le jeu de son système électif ; quatre fois elle a élu, sans aucune variation sensible, les mêmes quatre cents quantités politiques parmi lesquelles il ne s'est pas rencontré un seul homme d'État. Quatre fois elle n'a pas trouvé d'autres éléments de gouvernement que les hommes dont vous pouvez repasser les noms en y cherchant des capacités... Gouverner, c'est savoir choisir les capacités. L'élection ne choisit que les médiocrités. »

(*Lettres russes* in *Revue parisienne*, *O.C.*, éd. Club de l'honnête homme, t. XXVIII, p. 150-151)

« Deux mois avant les élections, une réunion eut lieu chez M. Boucher le père, composée de l'entrepreneur qui comptait sur les travaux du pont et des eaux d'Arcier, du beau-père de M. Boucher, de M. Granet, cet homme influent à qui Savarus avait rendu service et qui devait le proposer comme candidat, de l'avoué Girardet, de l'imprimeur de la *Revue de l'Est* et du président du tribunal de commerce. Enfin cette réunion compta vingt-sept de ces personnes appelées dans les provinces *les gros bonnets*. Chacune d'elles représentait en moyenne six voix ; mais en les recensant, elles furent portées à dix, car on commence toujours par s'exagérer à soi-même son influence. Parmi ces vingt-sept personnes, le préfet en avait une à lui, quelque faux-frère qui secrètement attendait une faveur du ministère pour les siens ou pour lui-même. »

(*Albert Savarus*, Pléiade, t. I, p. 995-996)

Quelques poncifs de discours électoral

La liste civile, le système pénitentiaire, le Progrès ; et les clichés du moment.

« Je répétai ce que j'avais entendu dire : “Il paraît que la Liste Civile est endettée. — Elle fait l'endettée ! s'écria l'ouvrier d'un air goguenard. Pour qui nous prend-on ? Rendez-vous compte de deux cent soixante millions reçus depuis dix ans, et vous verrez que la Liste Civile a mis quelque part une centaine de millions à couvert dont vous ne retrouverez pas l'emploi. Versailles est un prétexte. — Deux cent soixante millions ? répétai-je. — Mais oui, reprit l'ouvrier. On a lu son Cormenin”. »

(*Revue parisienne*, XXVIII, 148)

« On s'apitoie beaucoup aujourd'hui sur le sort du criminel ; sa vie, sa mise au grand jour, paraît précieuse à beaucoup de gens qui n'ont pas la moindre sympathie pour les malheureux tués dans les émeutes ou pour autre fait social. C'est une bizarrerie sans nom que ce contresens du peu de respect de la vie de ceux-ci et de la tendresse pour la vie de ceux-là. Beaucoup de gens sont si malheureux, qu'ils envient le sort que la philanthropie fait à ses chers criminels » (*ibid.*, p. 184).

« À tout propos, il se sert de ces Mots consacrés et dont la consommation est si grande que, depuis dix ans, il y en a de quoi défrayer cent historiens futurs si l'avenir veut les expliquer [...] il n'y a rien de beau comme le bitume ; le bitume peut servir à tout ; il en garnit les maisons, il en assainit les caves, il l'exalte comme pavage, il porterait des souliers de bitume ; ne pourrait-on pas faire des beef-steaks en bitume ? »

(*Monographie du rentier,* in *Les Français peints par eux-mêmes, ibid.*, p. 43).

L'ŒUVRE, L'AUTEUR ET LA CRITIQUE

À son retour d'Arcis où il avait vu « ces lieux mémorables où l'Empereur a combattu et la maison où Danton est né », le romancier avait rêvé une grande œuvre. Dans l'hiver 1842-1843, il parle d'un roman en quatre volumes et de cent personnages ; il songe à prolonger sa scène d'élection en scène de la vie parlementaire : « ce sera dans dix ans une de ces pierres profondément fouillées qui dans le monument éclipsent les autres sculptures, vues d'abord plus favorablement » (*Lettres à Mme Hanska*, II, 121). Mais il s'aperçoit vite que « ce n'est pas une bagatelle que de faire un livre intéressant avec des élections », il mesure la difficulté d'un sujet « très ingrat » et l'envie lui vient d'en finir vite et « très mal » avec ce roman, pour gagner de quoi aller rejoindre sa correspondante. Quatre ans plus tard, les lecteurs de *L'Union monarchique* trouveront leur feuilleton vulgaire.

Cette ébauche de roman, peu connue et que l'auteur n'a pas eu l'occasion de revoir, était peu propre à susciter commentaires, jugements ou controverses, et même le grand lecteur de *La Comédie humaine* qu'était Alain ne cite pas une fois *Le Député d'Arcis.*

BIBLIOGRAPHIE

LONGAUD (Félix), *Dictionnaire de Balzac*, Larousse, 1969.

PIERROT (Roger), *Honoré de Balzac*, Fayard, 1994.

SIPRIOT (Pierre), *Balzac sans masque. Splendeurs et misères des passions*, R. Laffont, 1992,
et naturellement l'édition de *La Comédie humaine*, Bibl. de la Pléiade, 10 vol., 1976-1981, plus 2 vol. d'Œuvres diverses, et les articles de *L'Année balzacienne* (depuis 1960).

Pour *Une ténébreuse affaire*

BÉRARD (Suzanne), édition du roman dans le tome VIII de la Bibliothèque de la Pléiade.

LAUBRIET (Pierre), « Autour d'*Une ténébreuse affaire* », *L'Année balzacienne*, 1968, p. 267-282, et « La Légende et le mythe napoléonien chez Balzac », *ibid.*, p. 285-302.

MAURICE (Jacques), « La Transposition topographique dans *Une ténébreuse affaire* », *L'Année balzacienne*, 1965.

MEININGER (Anne-Marie) et CAMPI (André), « Du *Centenaire* à *Une ténébreuse affaire* », *L'Année balzacienne*, 1969.

Pour *Le Député d'Arcis*

PUGH (A.R.) et SMETHURST (C.), « *L'Ambitieux malgré lui* et *Le Député d'Arcis* », *L'Année balzacienne*, 1969.

SMETHURST (Colin), « Introduction à l'étude du *Député d'Arcis* », *L'Année balzacienne*, 1967.

SMETHURST (Colin), édition du roman dans le tome VIII de la Bibliothèque de la Pléiade.

THIL (Christiane), « *Le Député d'Arcis*. Histoire de l'achèvement et de la publication du roman par Charles Rabou », *L'Année balzacienne*, 1983.

NOTICE BIOGRAPHIQUE

1799 — *20 mai*. Naissance à Tours d'Honoré de Balzac. Il est mis en nourrice pendant cinq ans, puis suit les cours de la pension Le Guay.

1804-1813 — Balzac est pensionnaire au collège de Vendôme qui est dirigé par des oratoriens sécularisés.

1813-1816 — Il est successivement pensionnaire à Paris, externe au lycée de Tours ; puis, ses parents s'étant fixés à Paris, il est inscrit à la pension Lepître, à l'institution Ganzer et suit les cours du lycée Charlemagne. Il s'inscrit ensuite à la faculté de droit, suit les cours de la Sorbonne et du Muséum. Après un stage chez un avoué, puis chez un notaire, il refuse d'être notaire et s'installe en août 1819 dans la mansarde de la rue Lesdiguières où il commence à écrire une tragédie : *Cromwell.*

1822-1825 — Il publie des romans en collaboration.

1822 — Début de sa liaison avec Mme de Berny.

1825 — Il se lie avec Mme d'Abrantès.

1826 — Balzac devient imprimeur et rencontre les écrivains du Cénacle romantique. La liquidation de l'imprimerie le rend à la littérature et il publie en 1829 son premier roman signé *Le Dernier Chouan ou la Bretagne en 1800*, puis la *Physiologie du mariage*. Il commence à fréquenter les salons.

1830 — Balzac collabore à plusieurs journaux, *La Mode, La Silhouette, Le Voleur* auxquels il donne de courtes physiologies, des nouvelles, le *Traité de la vie élégante*. En avril paraissent les *Scènes de la vie privée.*

1831 — C'est l'année des contes philosophiques et en particulier de *La Peau de chagrin*. Mais Balzac pense aussi à *La Bataille*. En août il vend à l'éditeur Mame des *Scènes de la vie militaire*. Il est, par deux fois, à Saint-

Cyr et à Angoulême, l'hôte de Mme Carraud chez qui il rencontre des militaires. En décembre, *L'Artiste* publie les deux premières histoires d'*Une conversation entre onze heures et minuit*. Cependant Balzac commence à avoir des ambitions politiques, et il entre en relations avec la marquise de Castries.

1832 — Balzac donne à des revues cinq études de femmes, *Le Message, Madame Firmiani, La Grenadière, La Femme abandonnée, Les Marana*, et à *L'Artiste La Transaction*. Son ralliement au carlisme et son amour pour Mme de Castries se soldent par une déception politique et amoureuse.

1833 — Paraissent successivement l'*Histoire intellectuelle de Louis Lambert*, le début de *Ne touchez pas à la hache (La Duchesse de Langeais), Le Médecin de campagne, Eugénie Grandet*. En septembre, première rencontre avec Mme Hanska. En décembre commencent à paraître les *Études de mœurs au* XIXe *siècle*, d'abord des *Scènes de la vie de province* qui seront suivies les deux années suivantes de *Scènes de la vie parisienne* et de *Scènes de la vie privée*.

1834 — *Séraphîta* paraît dans la *Revue de Paris*. En septembre Balzac commence *Le Père Goriot*, et, en octobre, trace pour Mme Hanska le plan général de ses œuvres.

1835 — Le tome IV des *Scènes de la vie parisienne* contient *La comtesse a deux maris*. En mai-juin, Balzac va rejoindre Mme Hanska à Vienne. *Le Lys dans la vallée* paraît dans la *Revue de Paris*. En décembre sort *Le Livre mystique*.

1836 — De janvier à juin Balzac dirige la *Chronique de Paris* à laquelle il donne *La Messe de l'athée* et *L'Interdiction*. Mme de Berny meurt en juillet pendant que Balzac est en Italie. À l'automne, il donne à *La Presse* de Girardin *La Vieille Fille*.

1837 — Balzac voyage en Italie. Publication de *La Femme supérieure (Les Employés)* et de *Gambara*.

1838 — Voyage en Sardaigne et en Italie. Balzac s'installe à Sèvres, aux Jardies ; il travaille à *La Maison Nucingen* et à *La Torpille*, aux *Mémoires de deux jeunes mariées*.

1839 — *Une fille d'Ève* et *Le Curé de village* paraissent respectivement dans *Le Siècle* et dans *La Presse* en janvier, et *Béatrix* en avril-mai dans *La Presse*. Il publie *Un grand homme de province à Paris.*

1840 — Le titre de *Comédie humaine* se lit pour la première fois dans une lettre à un éditeur. En mars la pièce *Vautrin* est interdite. Dans la *Revue parisienne* qu'il a fondée, Balzac publie le fameux compte rendu enthousiaste de *La Chartreuse de Parme*. Il s'installe à Passy, rue Basse.

1841 — Signature du traité avec Furne, Hetzel, Paulin et Dubochet. M. Hanski meurt. Paraissent *Une ténébreuse affaire, Ursule Mirouët, La Fausse Maîtresse.*

1842 — *La Comédie humaine* commence à paraître. Balzac fait jouer *Les Ressources de Quinola.*

1843 — En juillet, Balzac s'embarque pour Saint-Pétersbourg. Il publie *Honorine, Dinah Piedefer (La Muse du département), Illusions perdues.*

1844 — Il travaille à *Modeste Mignon*, à *Un homme d'affaires,* aux *Paysans,* à *Splendeurs et Misères des courtisanes.*

1845 — Année de voyages. Maintenant Balzac ne publiera guère que *Les Parents pauvres* et *La Dernière Incarnation de Vautrin*. Il installe la maison de la rue Fortunée et part en septembre 1847 pour Wierzschownia où il retourne en 1848. Il n'en revient qu'au printemps 1850, marié à Mme Hanska, mais très malade.

1850 — *18 août*. Balzac meurt rue Fortunée.

TABLE DES ILLUSTRATIONS

Table

UNE TÉNÉBREUSE AFFAIRE

Composition réalisée par NORD COMPO

IMPRIMÉ EN FRANCE PAR BRODARD ET TAUPIN
La Flèche (Sarthe).
LIBRAIRIE GÉNÉRALE FRANÇAISE - 43, quai de Grenelle - 75015 Paris
ISBN : 2 - 253 - 09641 - 5

30/9641/9